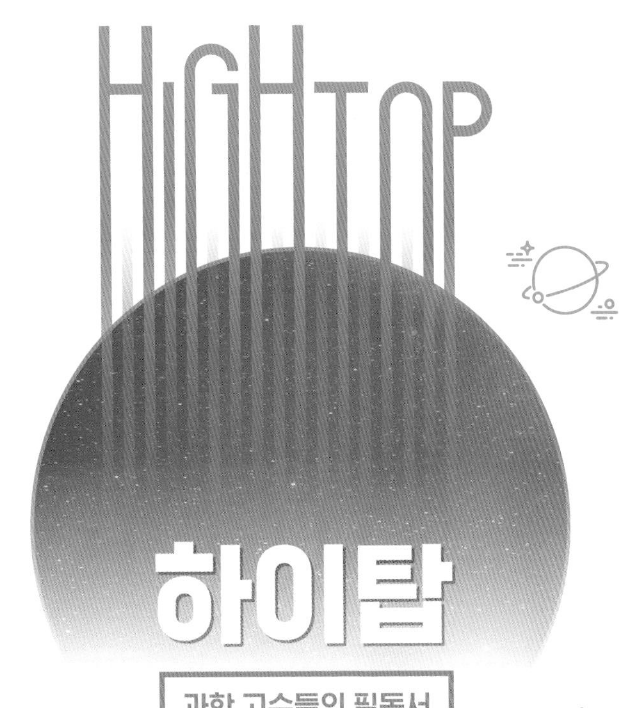

자연계를 선택할 학생이라면, 단연 하이탑!!

하이탑은 '과학'을 잘하고 싶고, '과학'으로 대학을 가려는 학생들이 30년 동안 변함없이 선택해 왔던 믿음직한 과학 전문 브랜드입니다.

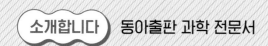

소개합니다 동아출판 과학 전문서

HIGH TOP

과학으로 대학 가려면 꼭 봐야 하는 30년 역사의
과학 전문 대표 브랜드

중 1~3 / 통합과학 / 물리학 Ⅰ, Ⅱ / 화학 Ⅰ, Ⅱ / 생명과학 Ⅰ, Ⅱ / 지구과학 Ⅰ, Ⅱ

과학을 어려워하는 이들을 위한 과학 내신 기본서!

중 1~3 / 통합과학

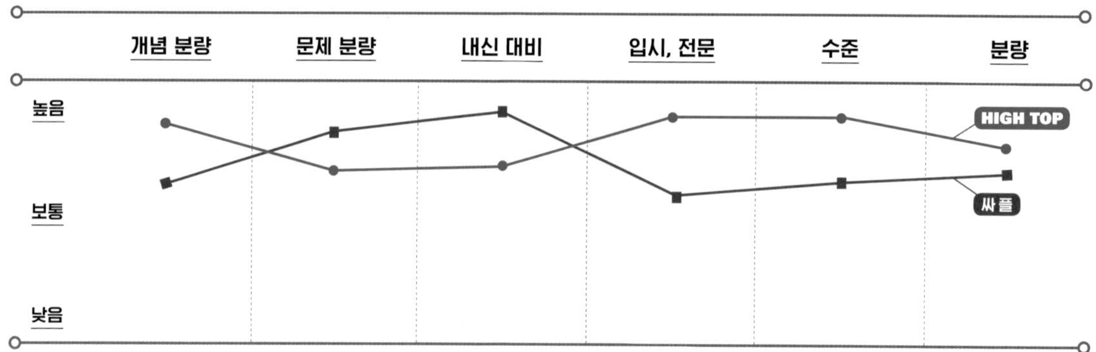

1권

중학교 과학 3

HIGH TOP

Structure

HIGH TOP의 구성과 특징

지금부터 HIGH TOP이 이끄는 대로 한 단계 한 단계 따라와 보세요.
자신도 모르는 사이에 과학 우등생이 되어 있을 것입니다.

1 단계

본문 개념 학습

- **학습 내용 설명** 학습 내용을 차근차근 설명하여 과학 원리를 체계적으로 이해할 수 있다.
- **자료 더하기** 개념 이해에 도움이 되는 추가 자료를 통해 더욱 정확하게 이해할 수 있다.
- **탐구 더하기** 4종 교과서에서 다루고 있는 다양한 탐구를 빠짐없이 학습할 수 있다.
- **학습 내용 CHECK** 학습한 내용 중 핵심만 바로바로 확인할 수 있다.

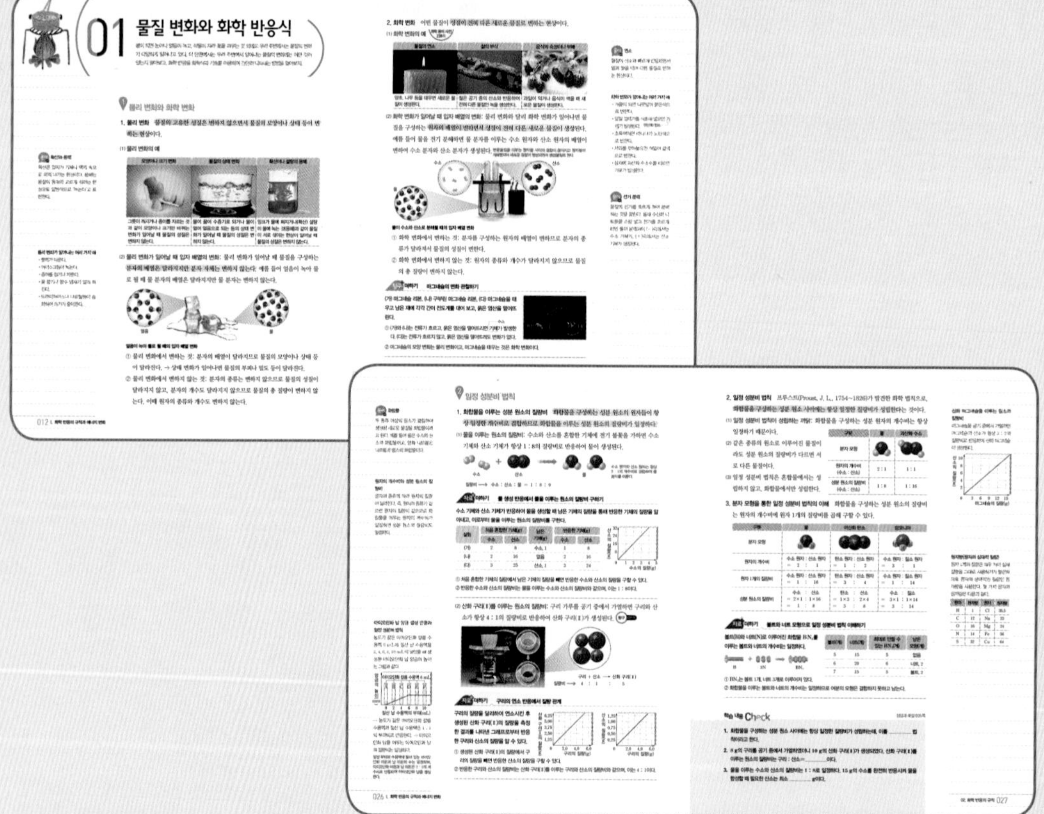

2 단계

탐구 실제로 활동을 하는 것처럼 자세한 과정과 정확한 분석으로 탐구 능력과 사고력을 기를 수 있다.

집중 분석 꼭 알아야 할 중요한 주제를 체계적으로 분석하여 내용을 더욱 완벽하게 이해할 수 있다.

심화 다른 교재에서는 접할 수 없는 높은 수준의 내용을 학습하여 과학 고수에 도전할 수 있다.

중단원 핵심 정리 본격적으로 문제를 풀기 전에 학습 내용을 핵심만 콕콕 집어 정리할 수 있다.

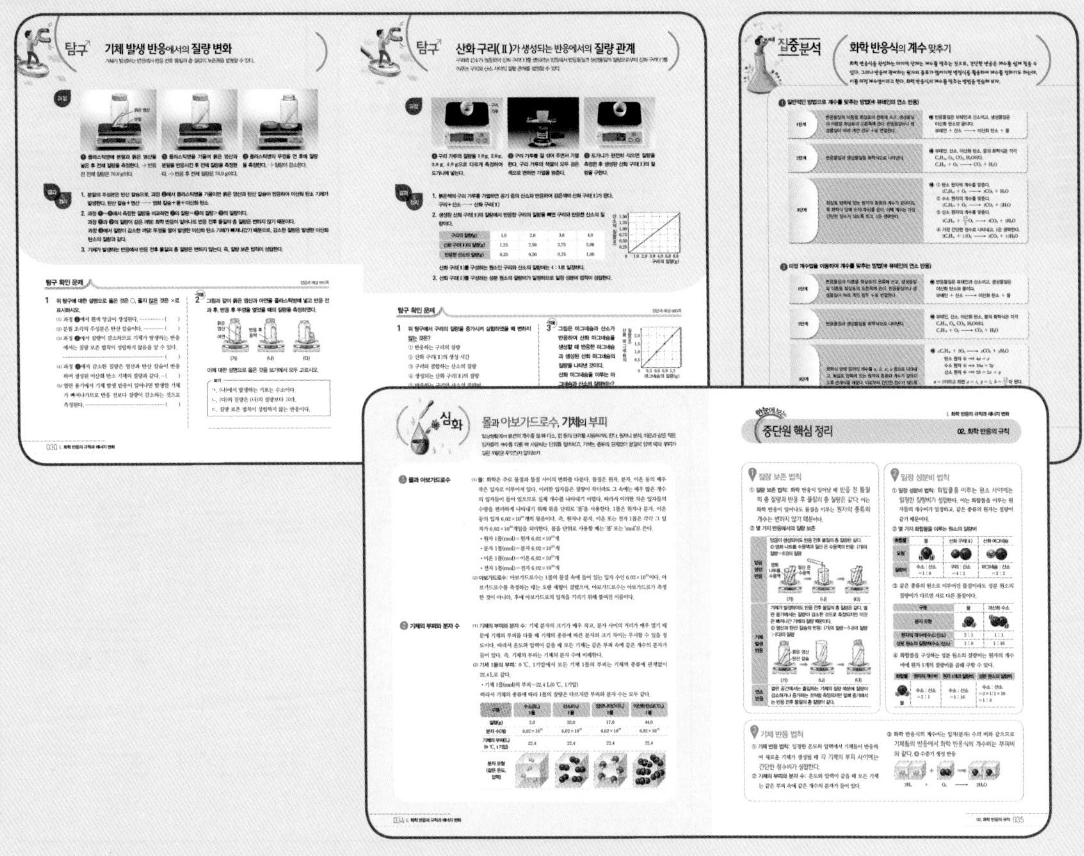

3단계

개념 확인 문제 학교 시험에 자주 출제되는 문제로 구성하였으므로, 문제를 풀어 본 후 틀린 문제는 본문 개념 학습의 내용을 찾아 왜 틀렸는지 확실하게 알아 둔다.

실력 강화 문제 개념 확인 문제보다 수준 높은 문제로 구성하였으므로, 과학 고수라면 한 문제 한 문제 풀어 내야 한다.

서술형 문제 출제 의도에 따른 답변 전략을 Keyword로 정리한 후 논리적으로 서술할 수 있다.

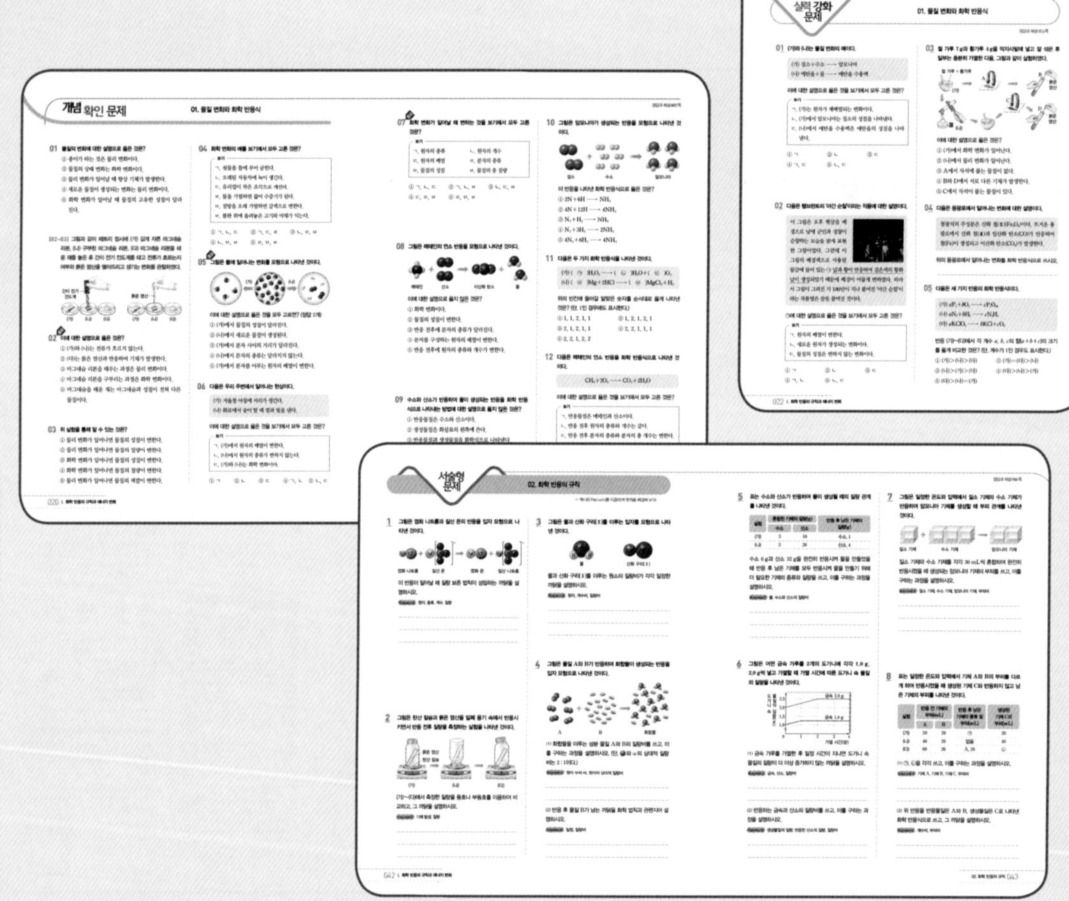

HIGH TOP만의 특별한 부록!
과학 용어 사전과 **찾아보기**가 수록되어 있습니다.

4 단계

최상위권 도전 문제 대단원 내의 학습 내용과 심화 내용을 응용하거나 융합한 문제로 구성하였다. 최상위권에 도전하기 위해 꼭 알아 두어야 할 수준 높은 문제를 풀어 보면서 진정한 과학 고수로 성장할 수 있다.

5 단계

창의・사고력 향상 문제 과학적 호기심을 충족시킬 수 있는 창의적인 문제, 과학적 사고력을 향상시킬 수 있는 문제로 구성하였다. 혼자서 문제를 해결하기 어려울 때에는 Tip과 Keyword를 참고할 수 있다.

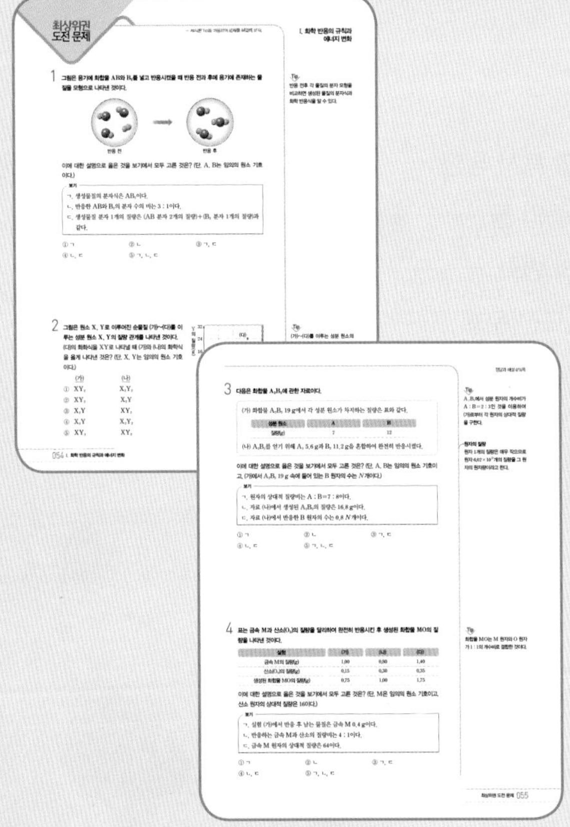

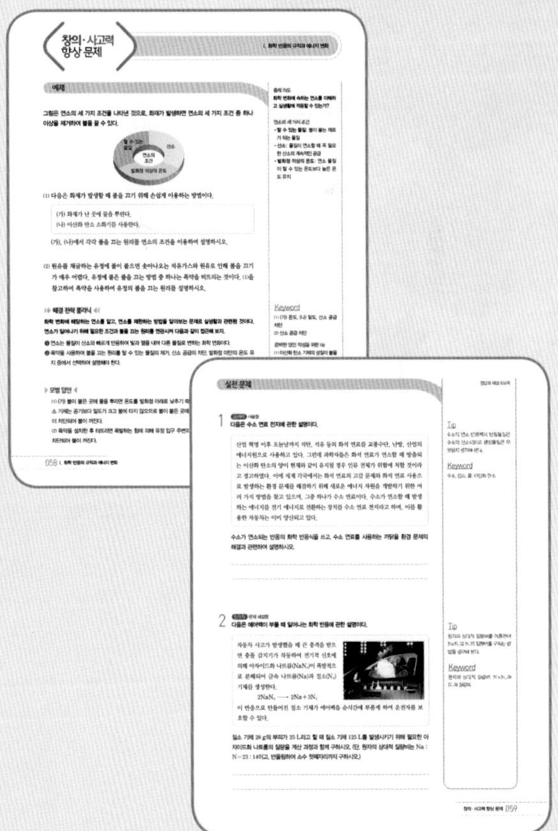

Contents

HIGH TOP의 차례

I 화학 반응의 규칙과 에너지 변화

II 기권과 날씨

III 운동과 에너지

IV 자극과 반응

부록

V. 생식과 유전 / VI. 에너지 전환과 보존 / VII. 별과 우주 / VIII. 과학기술과 인류 문명은 **2권**에 있습니다.

HIGH TOP과 내 교과서 비교하기

활용 방법

❶ 내가 배우는 교과서의 출판사 이름을 찾는다.

❷ 출판사 이름에서 아래쪽으로 내려가면서 공부할 내용과 해당하는 쪽수를 찾는다.

❸ 찾은 쪽수에 해당하는 **HIGH TOP**은 몇 쪽인지 확인한다.

대단원	중단원	HIGH TOP	동아출판	미래엔
Ⅰ. 화학 반응의 규칙과 에너지 변화	01. 물질 변화와 화학 반응식	012~023	013~020	014~025
	02. 화학 반응의 규칙	024~043	023~033	026~037
	03. 화학 반응에서의 에너지 출입	044~063	034~038	038~045
Ⅱ. 기권과 날씨	01. 기권과 복사 평형	066~079	049~056	056~063
	02. 대기 중의 물	080~095	059~068	064~073
	03. 날씨의 변화	096~125	071~082	074~085
Ⅲ. 운동과 에너지	01. 운동	128~143	093~104	098~115
	02. 일과 에너지	144~173	107~116	116~127
Ⅳ. 자극과 반응	01. 감각 기관	176~195	127~138	138~147
	02. 신경계	196~211	141~149	148~157
	03. 항상성	212~235	150~158	158~162

HIGH TOP 학습 계획 활용 방법

① 나의 성적과 학습 방법에 따라 **HIGH TOP** 학습 계획을 세운다.

② 학습 계획에 따라 실천하고, 그 결과를 기록한다.

③ 계획을 달성하지 못한 경우에는 그 원인을 기록한다. 이때 계획을 수정하거나 보완할 것인지, 언제 보충하여 학습할 것인지 등을 특이 사항에 기록한다.

비상교육	천재교육	HIGH TOP 중단원	HIGH TOP 학습 계획		
			학습 날짜	실천 결과	특이 사항
012~020	013~023	01. 물질 변화와 화학 반응식	월 일		
026~035	027~040	02. 화학 반응의 규칙	월 일		
040~045	043~047	03. 화학 반응에서의 에너지 출입	월 일		
054~061	057~066	01. 기권과 복사 평형	월 일		
066~075	071~082	02. 대기 중의 물	월 일		
080~091	085~099	03. 날씨의 변화	월 일		
100~109	109~119	01. 운동	월 일		
114~121	123~134	02. 일과 에너지	월 일		
130~137	143~153	01. 감각 기관	월 일		
142~148	157~165	02. 신경계	월 일		
150~153	166~171	03. 항상성	월 일		

I 화학 반응의 규칙과 에너지 변화

01 물질 변화와 화학 반응식

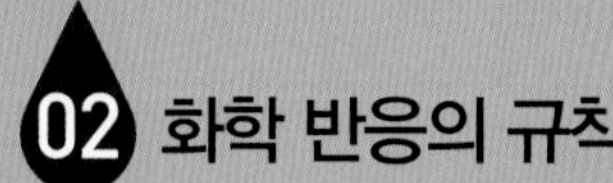

02 화학 반응의 규칙

03 화학 반응에서의 에너지 출입

바위가 깨지거나 식물이 자라는 것처럼 우리 주변에서는 물질 변화가 다양하게 일어나고 있다.
이 단원에서는 우리 주변에서 일어나는 물질 변화를 구분해 보고, 화학 반응이 일어날 때 어떤 규칙성이 있는지, 에너지 출입은 어떠한지에 대해 알아보자.

01 물질 변화와 화학 반응식

봄이 되면 눈이나 얼음이 녹고, 식물이 자라 꽃을 피우는 것 외에도 우리 주변에서는 물질의 변화가 다양하게 일어나고 있다. 이 단원에서는 우리 주변에서 일어나는 물질의 변화에는 어떤 것이 있는지 알아보고, 화학 반응을 화학식과 기호를 이용하여 간단히 나타내는 방법을 알아보자.

1 물리 변화와 화학 변화

1. 물리 변화 물질의 고유한 성질은 변하지 않으면서 물질의 모양이나 상태 등이 변하는 현상이다.

(1) 물리 변화의 예

모양이나 크기 변화	물질의 상태 변화	확산이나 설탕의 용해

그릇이 깨지거나 종이를 자르는 것과 같이 모양이나 크기만 바뀌는 변화가 일어날 때 물질의 성질은 변하지 않는다.	물이 끓어 수증기로 되거나 물이 얼어 얼음으로 되는 등의 상태 변화가 일어날 때 물질의 성질은 변하지 않는다.	잉크가 물에 퍼지거나(확산) 설탕이 물에 녹는 것(용해)과 같이 물질이 서로 섞이는 현상이 일어날 때 물질의 성질은 변하지 않는다.

용어 확산과 용해
확산은 입자가 기체나 액체 속으로 퍼져 나가는 현상이다. 용해는 용질이 용매와 고르게 섞이는 현상으로 일반적으로 '녹는다'고 표현한다.

(2) 물리 변화가 일어날 때 입자 배열의 변화: 물리 변화가 일어날 때 물질을 구성하는 분자의 배열은 달라지지만 분자 자체는 변하지 않는다. 예를 들어 얼음이 녹아 물로 될 때 물 분자의 배열은 달라지지만 물 분자는 변하지 않는다.

물리 변화가 일어나는 여러 가지 예
- 빨래가 마른다.
- 아이스크림이 녹는다.
- 종이를 접거나 자른다.
- 꽃 향기나 향수 냄새가 멀리 퍼진다.
- 드라이아이스나 나프탈렌이 승화하여 크기가 줄어든다.

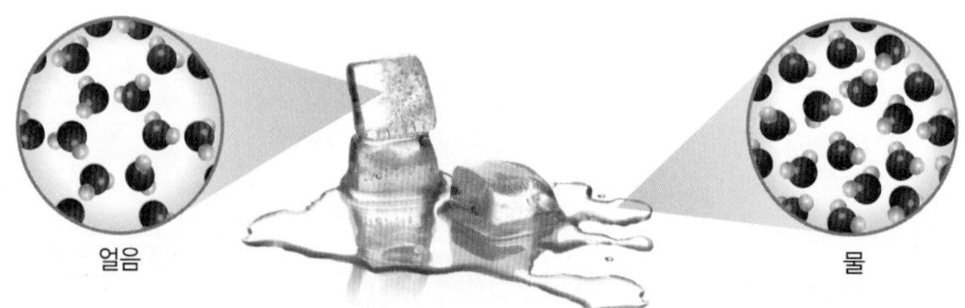

얼음이 녹아 물로 될 때의 입자 배열 변화

① 물리 변화에서 변하는 것: 분자의 배열이 달라지므로 물질의 모양이나 상태 등이 달라진다. → 상태 변화가 일어나면 물질의 부피나 밀도 등이 달라진다.

② 물리 변화에서 변하지 않는 것: 분자의 종류는 변하지 않으므로 물질의 성질이 달라지지 않고, 분자의 개수도 달라지지 않으므로 물질의 총 질량이 변하지 않는다. 이때 원자의 종류와 개수도 변하지 않는다.

2. 화학 변화 어떤 물질이 성질이 전혀 다른 새로운 물질로 변하는 현상이다.

(1) 화학 변화의 예 과학 용어 사전 238쪽

물질의 연소	철의 부식	음식의 숙성이나 부패

양초, 나무 등을 태우면 새로운 물질이 생성된다.	철은 공기 중의 산소와 반응하여 전혀 다른 물질인 녹을 생성한다.	과일이 익거나 음식이 썩을 때 새로운 물질이 생성된다.

(2) 화학 변화가 일어날 때 입자 배열의 변화: 물리 변화와 달리 화학 변화가 일어나면 물질을 구성하는 원자의 배열이 변하면서 성질이 전혀 다른 새로운 물질이 생성된다. 예를 들어 물을 전기 분해하면 물 분자를 이루는 수소 원자와 산소 원자의 배열이 변하여 수소 분자와 산소 분자가 생성된다. 반응물질을 이루는 원자들 사이의 결합이 끊어지고 원자들이 재배열되어 새로운 결합이 형성되면서 생성물질로 된다.

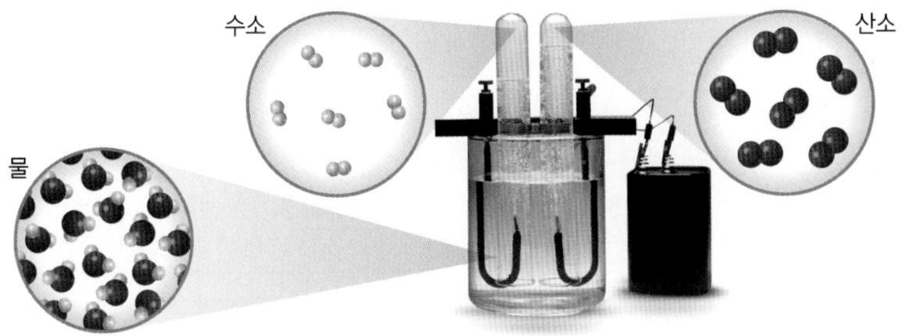

물이 수소와 산소로 분해될 때의 입자 배열 변화

① 화학 변화에서 변하는 것: 분자를 구성하는 원자의 배열이 변하므로 분자의 종류가 달라져서 물질의 성질이 변한다.

② 화학 변화에서 변하지 않는 것: 원자의 종류와 개수가 달라지지 않으므로 물질의 총 질량이 변하지 않는다.

탐구+ 더하기 마그네슘의 변화 관찰하기

(가) 마그네슘 리본, (나) 구부린 마그네슘 리본, (다) 마그네슘을 태우고 남은 재에 각각 간이 전도계를 대어 보고, 묽은 염산을 떨어뜨린다.

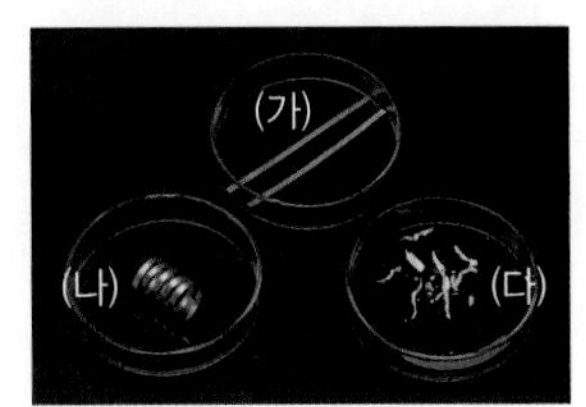

① (가)와 (나)는 전류가 흐르고, 묽은 염산을 떨어뜨리면 기체(수소)가 발생한다. (다)는 전류가 흐르지 않고, 묽은 염산을 떨어뜨려도 변화가 없다.

② 마그네슘의 모양 변화는 물리 변화이고, 마그네슘을 태우는 것은 화학 변화이다.

학습 내용 Check

정답과 해설 002 쪽

1. 물질의 성질은 변하지 않으면서 모양이나 상태만 변하는 현상을 ________ 변화라고 한다.

2. 물질이 본래의 성질과는 전혀 다른 새로운 물질로 변하는 현상을 ________ 변화라고 한다.

3. 화학 변화가 일어나면 ________의 배열이 달라져 새로운 물질이 생성된다.

용어 연소
물질이 산소와 빠르게 반응하면서 열과 빛을 내며 다른 물질로 변하는 현상이다.

화학 변화가 일어나는 여러 가지 예
- 가을이 되면 나뭇잎이 붉은색으로 변한다.
- 달걀 껍데기를 식초에 넣으면 기체(이산화 탄소)가 발생한다.
- 초록색이던 바나나가 노란색으로 변한다.
- 사과를 깎아놓으면 색깔이 갈색으로 변한다.
- 상처에 과산화 수소수를 바르면 기포가 발생한다.

용어 전기 분해
물질에 전기를 흐르게 하여 분해하는 것을 말한다. 물에 수산화 나트륨을 소량 넣고 전기를 흐르게 하면 물이 분해되어 (−)극에서는 수소 기체가, (+)극에서는 산소 기체가 생성된다.

화학 반응식

1. 화학 반응 화학 변화가 일어나 새로운 물질이 생성되는 반응을 화학 반응이라고 한다. 화학 반응이 일어날 때 원자의 종류와 개수는 변하지 않으며, 원자의 배열만 달라진다. 화학 반응에 참여한 물질을 반응물질(반응물)이라 하고, 화학 반응으로 생성된 물질을 생성물질(생성물)이라고 한다.

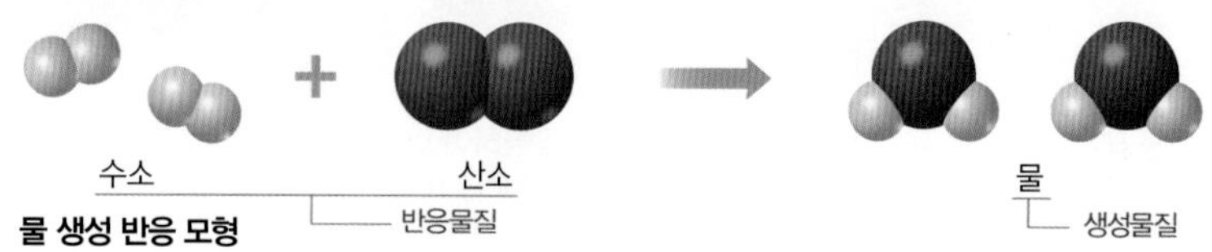

물 생성 반응 모형

2. 화학 반응식 화학 반응을 글이나 모형으로 표현하는 것보다 화학식을 이용하면 화학 반응을 간단하게 나타낼 수 있다. 이와 같이 반응물질과 생성물질의 화학식과 기호(+, →)를 이용하여 화학 반응을 나타낸 식을 화학 반응식이라고 한다.

3. 화학 반응식을 나타내는 방법(예 물 생성 반응) 집중분석 016쪽

1단계	반응물질의 이름을 화살표의 왼쪽에 쓰고, 생성물질의 이름을 화살표의 오른쪽에 쓴다. 반응물질이나 생성물질이 여러 개인 경우 +로 연결한다. 예 물 생성 반응에서 반응물질은 수소와 산소이고, 생성물질은 물이다. 수소 + 산소 ⟶ 물
2단계	반응물질과 생성물질을 화학식으로 나타낸다. 예 수소, 산소, 물의 화학식은 H_2, O_2, H_2O이다. $H_2 + O_2 \longrightarrow H_2O$
3단계	화살표 양쪽에 있는 원자의 종류와 개수가 같아지도록 화학식 앞에 숫자(계수)를 쓴다. 이때 계수는 가장 간단한 정수가 되도록 하고, 1은 생략한다. 예 먼저 화살표 양쪽에 있는 산소 원자가 2개로 같아지도록 H_2O 앞에 2를 쓴다. $H_2 + O_2 \longrightarrow 2H_2O$ 양쪽에 있는 수소 원자가 4개로 같아지도록 H_2 앞에 2를 쓴다. $2H_2 + O_2 \longrightarrow 2H_2O$

4. 여러 가지 화학 반응식의 예

(1) 메테인이 연소하면 이산화 탄소와 물이 생성된다.

→ $CH_4+2O_2 \longrightarrow CO_2+2H_2O$

(2) 질소와 수소가 반응하면 암모니아가 생성된다.

→ $N_2+3H_2 \longrightarrow 2NH_3$

(3) 구리와 산소가 반응하면 산화 구리(Ⅱ)가 생성된다.

→ $2Cu+O_2 \longrightarrow 2CuO$

(4) 마그네슘과 염산이 반응하면 염화 마그네슘과 수소가 생성된다.

→ $Mg+2HCl \longrightarrow MgCl_2+H_2$

화학식

- 분자로 존재하는 물질: 분자를 이루는 원자의 종류를 원소 기호로 쓰고, 원소 기호의 오른쪽 아래에 원자의 개수를 쓴다. (단, 1은 생략한다.)
  예 수소: H_2, 산소: O_2, 물: H_2O, 이산화 탄소: CO_2
- 분자로 존재하지 않는 물질: 물질을 이루는 원자의 종류를 원소 기호로 쓰고, 원소 기호의 오른쪽 아래에 원자의 개수비를 쓴다. (단, 1은 생략한다.)
  예 구리: Cu, 염화 나트륨: NaCl

계수

화학 반응식에서 화학식 앞에 쓰는 숫자를 계수라고 한다.

여러 가지 화학 반응식의 예

- 마그네슘이 연소하면 산화 마그네슘이 생성된다.
  $2Mg+O_2 \longrightarrow 2MgO$
- 과산화 수소가 분해되면 물과 산소가 생성된다.
  $2H_2O_2 \longrightarrow 2H_2O+O_2$
- 탄산수소 나트륨이 탄산 나트륨, 물, 이산화 탄소로 분해된다.
  $2NaHCO_3 \longrightarrow Na_2CO_3+H_2O+CO_2$
- 탄산 나트륨과 염화 칼슘이 반응하면 탄산 칼슘과 염화 나트륨이 생성된다.
  $Na_2CO_3+CaCl_2 \longrightarrow CaCO_3+2NaCl$

5. 화학 반응식이 나타내는 의미 화학 반응식에는 반응에 참여하는 물질의 종류, 입자(분자) 수의 비 등 화학 반응에 관한 여러 가지 정보가 들어 있다.

(1) 화학식을 통해 반응물질과 생성물질의 종류를 알 수 있고, 반응물질과 생성물질을 구성하는 입자의 종류, 입자를 이루는 원자의 종류와 개수비를 알 수 있다.

(2) 화학 반응식에서 반응물질과 생성물질의 계수비는 반응하거나 생성되는 물질의 입자(분자) 수의 비와 같다.

> 화학 반응식의 계수비=입자(분자) 수의 비

예를 들어 암모니아 생성 반응을 나타낸 화학 반응식으로부터 다음과 같은 정보를 알 수 있다.

화학 반응식	$N_2+3H_2 \longrightarrow 2NH_3$
반응 모형	
물질의 종류	반응물질은 질소와 수소이고, 생성물질은 암모니아이다.
분자를 이루는 원자의 종류와 개수	질소 분자는 질소 원자 2개로, 수소 분자는 수소 원자 2개로, 암모니아 분자는 질소 원자 1개와 수소 원자 3개로 이루어져 있다.
계수비	질소 : 수소 : 암모니아
분자 수의 비	= 1 : 3 : 2

물 생성 반응의 화학 반응식과 계수비

물 생성 반응의 화학 반응식은 다음과 같다.

$$2H_2+O_2 \longrightarrow 2H_2O$$

이때 화학 반응식의 계수비는 수소 : 산소 : 물=2 : 1 : 2이고, 이는 분자 수의 비와 같다.

학습 내용 Check

정답과 해설 002 쪽

1. 화학 반응식에서 화살표 왼쪽에는 ________의 화학식을, 오른쪽에는 ________의 화학식을 쓴다.

2. 화학 반응식에서 각 물질의 계수를 정할 때는 화살표 양쪽의 ________의 종류와 ________가 서로 같도록 맞춘다.

3. 화학 반응식에서 계수비는 ________ 수의 비와 같다.

4. 다음 빈칸에 알맞은 계수를 차례로 쓰시오. (단, 계수가 1인 경우도 표시한다.)

( )Cu+( )$O_2 \longrightarrow$ ( )CuO

알고 보면 재미있는 과학 | 암모니아 합성의 의미

대부분의 식물은 공기 중의 질소를 직접 흡수하지 못하고 뿌리를 통해 흡수하기 때문에 농업 생산량을 높이기 위해 질소 비료를 사용한다. 독일의 화학자 하버(Haber, F., 1868~1934)는 질소 비료를 만드는 데 필요한 암모니아를 대량 합성하였다. 하버는 물을 전기 분해하여 얻은 수소와 공기 중의 질소를 촉매와 함께 반응시켜 암모니아를 합성하였다. 하버가 개발한 방법을 통해 생산된 암모니아를 원료로 한 질소 비료는 식량 부족 문제를 개선하는 데 기여하였다. 하버는 그 공로를 인정받아 1918년 노벨 화학상을 수상하였다. 하지만 이러한 암모니아 합성법은 무기 개발에도 활용되었다. 독일은 제1차 세계대전이 길어져 탄약 원료인 나이트로글리세린이 부족하자 하버의 암모니아 합성법을 활용해 대량의 질산을 생산함으로써 그 문제를 해결한 것이다. 이후 하버는 염소를 이용해 독가스도 개발하여 '독가스의 아버지'로 불리는 오명을 얻게 되었다.

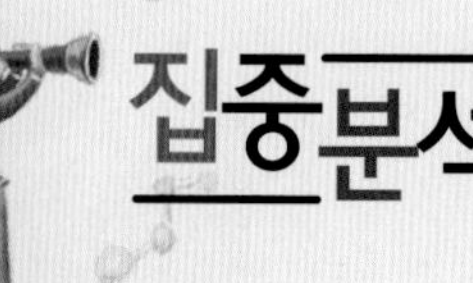

집중분석 화학 반응식의 계수 맞추기

화학 반응식을 완성하는 마지막 단계는 계수를 맞추는 것으로, 간단한 반응은 계수를 쉽게 찾을 수 있다. 그러나 반응에 관여하는 원자의 종류가 많아지면 방정식을 활용하여 계수를 정하기도 하는데, 이를 미정 계수법이라고 한다. 화학 반응식의 계수를 맞추는 방법을 연습해 보자.

① 일반적인 방법으로 계수를 맞추는 방법(예 뷰테인의 연소 반응)

단계	방법	예
1단계	반응물질의 이름을 화살표의 왼쪽에 쓰고, 생성물질의 이름을 화살표의 오른쪽에 쓴다. 반응물질이나 생성물질이 여러 개인 경우 +로 연결한다.	예 반응물질은 뷰테인과 산소이고, 생성물질은 이산화 탄소와 물이다. 뷰테인 + 산소 ⟶ 이산화 탄소 + 물
2단계	반응물질과 생성물질을 화학식으로 나타낸다.	예 뷰테인, 산소, 이산화 탄소, 물의 화학식은 각각 C_4H_{10}, O_2, CO_2, H_2O이다. $C_4H_{10} + O_2 \longrightarrow CO_2 + H_2O$
3단계	화살표 양쪽에 있는 원자의 종류와 개수가 같아지도록 화학식 앞에 숫자(계수)를 쓴다. 이때 계수는 가장 간단한 정수가 되도록 하고, 1은 생략한다.	예 ① 탄소 원자의 개수를 맞춘다. $1C_4H_{10} + O_2 \longrightarrow 4CO_2 + H_2O$ ② 수소 원자의 개수를 맞춘다. $1C_4H_{10} + O_2 \longrightarrow 4CO_2 + 5H_2O$ ③ 산소 원자의 개수를 맞춘다. $1C_4H_{10} + \frac{13}{2}O_2 \longrightarrow 4CO_2 + 5H_2O$ ④ 가장 간단한 정수로 나타내고, 1은 생략한다. $2C_4H_{10} + 13O_2 \longrightarrow 8CO_2 + 10H_2O$

② 미정 계수법을 이용하여 계수를 맞추는 방법(예 뷰테인의 연소 반응)

단계	방법	예
1단계	반응물질의 이름을 화살표의 왼쪽에 쓰고, 생성물질의 이름을 화살표의 오른쪽에 쓴다. 반응물질이나 생성물질이 여러 개인 경우 +로 연결한다.	예 반응물질은 뷰테인과 산소이고, 생성물질은 이산화 탄소와 물이다. 뷰테인 + 산소 ⟶ 이산화 탄소 + 물
2단계	반응물질과 생성물질을 화학식으로 나타낸다.	예 뷰테인, 산소, 이산화 탄소, 물의 화학식은 각각 C_4H_{10}, O_2, CO_2, H_2O이다. $C_4H_{10} + O_2 \longrightarrow CO_2 + H_2O$
3단계	화학식 앞에 임의의 계수를 a, b, x, y 등으로 나타내고, 화살표 양쪽에 있는 원자의 종류와 개수가 같아지도록 관계식을 세운다. 이로부터 간단한 정수가 되도록 계수를 구하고, 1은 생략한다.	예 $aC_4H_{10} + bO_2 \longrightarrow xCO_2 + yH_2O$ 탄소 원자 수 ➡ $4a = x$ 수소 원자 수 ➡ $10a = 2y$ 산소 원자 수 ➡ $2b = 2x + y$ $a = 1$이라고 하면 $x = 4$, $y = 5$, $b = \frac{13}{2}$이 된다. $1C_4H_{10} + \frac{13}{2}O_2 \longrightarrow 4CO_2 + 5H_2O$ 계수가 정수가 되도록 하고, 1은 생략한다. $2C_4H_{10} + 13O_2 \longrightarrow 8CO_2 + 10H_2O$

다음 예제를 통해 ❶의 방법을 이용하여 단계적으로 화학 반응식을 완성하는 연습을 해 보자.

01 **마그네슘(Mg)을 태우면 공기 중의 산소(O_2)와 반응하여 산화 마그네슘(MgO)이 생성된다.**

1단계	마그네슘+(㉠) ⟶ 산화 마그네슘
2단계	Mg+(㉡) ⟶ (㉢)
3단계	① Mg 원자의 개수를 맞춘다. $1Mg+O_2 \longrightarrow 1MgO$ ② O 원자의 개수를 맞춘다. 1Mg+(㉣)$O_2 \longrightarrow$ 1MgO ③ 가장 간단한 정수로 나타낸다. (㉤)Mg+(㉥)$O_2 \longrightarrow$ (㉦)MgO ④ 숫자 1은 생략하고, 화학 반응식을 완성한다. (㉧)

답 ㉠ 산소 ㉡ O_2 ㉢ MgO ㉣ $\frac{1}{2}$ ㉤ 2 ㉥ 1 ㉦ 2
㉧ $2Mg+O_2 \longrightarrow 2MgO$

02 **질소(N_2) 기체와 수소(H_2) 기체가 반응하여 암모니아(NH_3) 기체가 생성된다.**

1단계	질소+수소 ⟶ 암모니아
2단계	(㉠)+(㉡) ⟶ (㉢)
3단계	① N 원자의 개수를 맞춘다. (㉣)$N_2+H_2 \longrightarrow$ (㉤)NH_3 ② H 원자의 개수를 맞춘다. (㉥)N_2+(㉦)$H_2 \longrightarrow$ (㉧)NH_3 ③ 숫자 1은 생략하고, 화학 반응식을 완성한다. (㉨)

답 ㉠ N_2 ㉡ H_2 ㉢ NH_3 ㉣ 1 ㉤ 2 ㉥ 1 ㉦ 3 ㉧ 2
㉨ $N_2+3H_2 \longrightarrow 2NH_3$

03 **마그네슘(Mg)과 염산(HCl)이 반응하면 수소(H_2) 기체가 발생하고 염화 마그네슘($MgCl_2$)이 생성된다.**

1단계	마그네슘+염산 ⟶ 수소+염화 마그네슘
2단계	$Mg+HCl \longrightarrow H_2+MgCl_2$
3단계	① Mg 원자의 개수를 맞춘다. (㉠)Mg+HCl ⟶ H_2+(㉡)$MgCl_2$ ② Cl 원자의 개수를 맞춘다. (㉢)Mg+(㉣)HCl ⟶ H_2+(㉤)$MgCl_2$ ③ H 원자의 개수를 맞춘다. (㉥)Mg+(㉦)HCl ⟶ (㉧)H_2+(㉨)$MgCl_2$ ④ 숫자 1은 생략하고, 화학 반응식을 완성한다. (㉩)

답 ㉠ 1 ㉡ 1 ㉢ 1 ㉣ 2 ㉤ 1 ㉥ 1 ㉦ 2 ㉧ 1 ㉨ 1
㉩ $Mg+2HCl \longrightarrow H_2+MgCl_2$

다음 예제를 통해 ❷의 방법을 이용하여 단계적으로 화학 반응식을 완성하는 연습을 해 보자.

04 **과산화 수소(H_2O_2)가 분해되어 물(H_2O)과 산소(O_2)가 생성된다.**

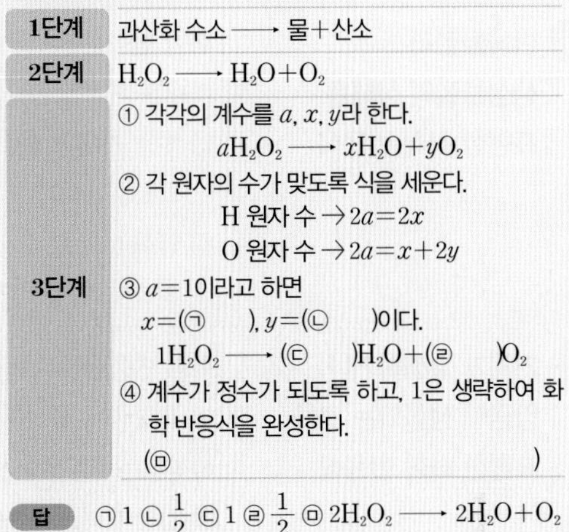

1단계	과산화 수소 ⟶ 물+산소
2단계	$H_2O_2 \longrightarrow H_2O+O_2$
3단계	① 각각의 계수를 a, x, y라 한다. $aH_2O_2 \longrightarrow xH_2O+yO_2$ ② 각 원자의 수가 맞도록 식을 세운다. H 원자 수 → $2a=2x$ O 원자 수 → $2a=x+2y$ ③ $a=1$이라고 하면 x=(㉠), y=(㉡)이다. $1H_2O_2 \longrightarrow$ (㉢)H_2O+(㉣)O_2 ④ 계수가 정수가 되도록 하고, 1은 생략하여 화학 반응식을 완성한다. (㉤)

답 ㉠ 1 ㉡ $\frac{1}{2}$ ㉢ 1 ㉣ $\frac{1}{2}$ ㉤ $2H_2O_2 \longrightarrow 2H_2O+O_2$

05 **탄산 나트륨(Na_2CO_3)과 염화 칼슘($CaCl_2$)이 반응하여 탄산 칼슘($CaCO_3$)과 염화 나트륨(NaCl)이 생성된다.**

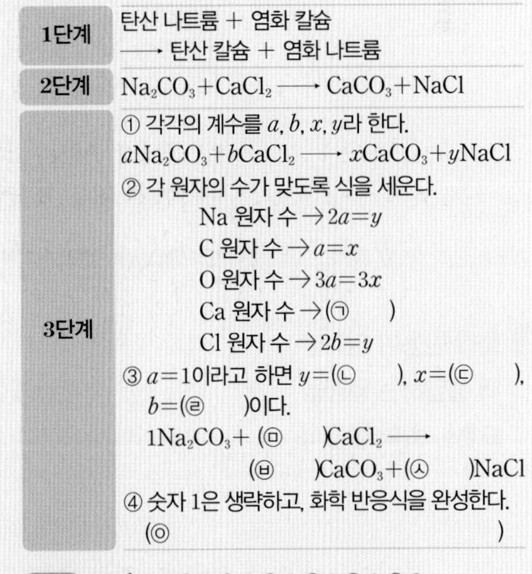

1단계	탄산 나트륨 + 염화 칼슘 ⟶ 탄산 칼슘 + 염화 나트륨
2단계	$Na_2CO_3+CaCl_2 \longrightarrow CaCO_3+NaCl$
3단계	① 각각의 계수를 a, b, x, y라 한다. $aNa_2CO_3+bCaCl_2 \longrightarrow xCaCO_3+yNaCl$ ② 각 원자의 수가 맞도록 식을 세운다. Na 원자 수 → $2a=y$ C 원자 수 → $a=x$ O 원자 수 → $3a=3x$ Ca 원자 수 → (㉠) Cl 원자 수 → $2b=y$ ③ $a=1$이라고 하면 y=(㉡), x=(㉢), b=(㉣)이다. $1Na_2CO_3$+ (㉤)$CaCl_2$ ⟶ (㉥)$CaCO_3$+(㉦)NaCl ④ 숫자 1은 생략하고, 화학 반응식을 완성한다. (㉧)

답 ㉠ $b=x$ ㉡ 2 ㉢ 1 ㉣ 1 ㉤ 1 ㉥ 1 ㉦ 2
㉧ $Na_2CO_3+CaCl_2 \longrightarrow CaCO_3+2NaCl$

화학 반응식에 담을 수 있는 다양한 정보

화학 반응식에는 반응물질과 생성물질의 종류 외에도 다양한 정보를 함께 나타낼 수 있다. 어떤 정보들을 어떻게 함께 표현할 수 있는지 알아보자.

① 반응물질과 생성물질의 상태를 표현한 화학 반응식

화학 반응식에서 물질의 상태를 나타내려면 화학식 뒤에 괄호를 쓰고, 괄호 안에 상태를 나타내는 기호를 쓴다. 이때 고체는 (s), 액체는 (l), 기체는 (g), 수용액은 (aq)로 나타낸다.

예 수소 기체와 산소 기체가 반응하여 수증기를 생성하는 반응의 화학 반응식:
$2H_2(g)+O_2(g) \longrightarrow 2H_2O(g)$

예 염화 나트륨 수용액과 질산 은 수용액이 반응하여 염화 은의 흰색 고체를 생성하는 반응의 화학 반응식: $NaCl(aq)+AgNO_3(aq) \longrightarrow AgCl(s)+NaNO_3(aq)$

② 기체가 발생하거나 앙금이 생성되는 것을 표현한 화학 반응식

화학 반응식에서 반응물질 또는 생성물질의 상태를 나타내지 않더라도 기체가 발생하는 것이나 앙금이 생성되는 것을 표현할 수 있다. 이때 기체가 발생하는 경우에는 ↑를, 앙금이 생성되는 경우에는 ↓를 화학식 뒤에 표시한다.

예 염산과 마그네슘이 반응하여 수소 기체가 발생하는 반응의 화학 반응식:
$Mg+2HCl \longrightarrow MgCl_2+H_2\uparrow$

예 염화 나트륨 수용액과 질산 은 수용액이 반응하여 염화 은의 흰색 고체를 생성하는 반응의 화학 반응식: $NaCl+AgNO_3 \longrightarrow AgCl\downarrow+NaNO_3$

③ 화학 반응이 일어나기 위한 조건을 표현한 화학 반응식

어떤 화학 반응은 가열해야만 일어나거나 특정 온도와 압력일 때에 잘 일어나기도 하고, 촉매가 있어야 일어나기도 한다. 이와 같이 화학 반응이 일어나기 위해 필요한 조건을 화학 반응식에 표현할 수 있다. 가열해야 일어나는 반응은 화학 반응식의 화살표 아래에 △를 표시하고, 특정 온도와 압력 조건이 필요한 경우에도 화살표 아래에 이를 표시한다. 화학 반응에 사용한 촉매는 화살표 위에 표시한다.

예 탄산수소 나트륨을 가열하면 탄산 나트륨과 물, 이산화 탄소로 분해되는 반응의 화학 반응식: $2NaHCO_3(s) \xrightarrow[\triangle]{} Na_2CO_3(s)+H_2O(l)+CO_2(g)$

예 질소 기체와 수소 기체를 400~600 ℃, 300기압에서 산화 철(Ⅲ)(Fe_2O_3)을 촉매로 하여 반응시켰을 때 암모니아 기체가 생성되는 반응의 화학 반응식:

$$N_2(g)+3H_2(g) \xrightarrow[400\sim600\,^\circ\text{C},\ 300\text{기압}]{Fe_2O_3} 2NH_3(g)$$

④ 화학 반응이 일어날 때 출입하는 열량을 표현한 화학 반응식

화학 반응이 일어날 때 출입하는 열량을 화학 반응식에 함께 나타낼 수도 있다. 열을 방출하는 반응의 경우 화학 반응식의 끝에 방출한 열량을 +로 표시하고, 열을 흡수하는 반응의 경우 화학 반응식의 끝에 흡수한 열량을 −로 표시한다.

예 수소 기체와 산소 기체가 반응할 때 방출하는 열량을 표현한 화학 반응식:
$2H_2(g)+O_2(g) \longrightarrow 2H_2O(g)+483.6\,kJ$

예 수증기가 수소 기체와 산소 기체로 분해될 때 흡수하는 열량을 표현한 화학 반응식:
$2H_2O(g) \longrightarrow 2H_2(g)+O_2(g)-483.6\,kJ$

중단원 핵심 정리

01. 물질 변화와 화학 반응식

1 물리 변화와 화학 변화

구분	물리 변화	화학 변화
정의	물질의 고유한 성질은 변하지 않으면서 모양이나 상태 등이 변하는 현상이다.	어떤 물질이 성질이 전혀 다른 새로운 물질로 변하는 현상이다.
모형	물 —가열→ 수증기	물 —전류→ 수소＋산소
변하는 것	분자의 배열, 분자 사이의 거리, 물질의 모양이나 상태 등	분자의 종류, 원자의 배열, 물질의 성질 등
변하지 않는 것	분자의 종류와 개수, 원자의 배열, 원자의 종류와 개수, 물질의 성질, 물질의 총 질량 등	원자의 종류와 개수, 물질의 총 질량 등
예	• 물이 끓는다. • 컵이 깨진다. • 종이를 자른다. • 얼음이 녹는다. • 향기가 퍼진다. • 설탕이 물에 녹는다.	• 양초가 연소한다. • 열매가 익는다. • 단풍잎의 색깔이 붉게 변한다. • 철이 녹슨다. • 김치가 시어진다. • 메테인이 연소한다.

2 화학 반응식

① **화학 반응**: 화학 변화가 일어나 새로운 물질이 생성되는 반응

② **화학 반응식: 화학식과 기호(→, +)를 이용하여 화학 반응을 나타낸 식**

③ 화학 반응식을 나타내는 방법

- 1단계: 반응물질의 이름을 화살표의 왼쪽에, 생성물질의 이름을 화살표의 오른쪽에 쓴다. 이때 반응물질이나 생성물질이 여러 개인 경우 ＋로 연결한다.
- 2단계: 반응물질과 생성물질을 화학식으로 나타낸다.
- 3단계: 화살표 양쪽에 있는 원자의 종류와 개수가 같아지도록 화학식 앞의 숫자(계수)를 맞춘다. 단, 계수는 가장 간단한 정수가 되도록 하고, 1인 경우는 생략한다.

④ 화학 반응식의 예

- 물 생성 반응: $2H_2+O_2 \longrightarrow 2H_2O$
- 메테인의 연소 반응: $CH_4+2O_2 \longrightarrow CO_2+2H_2O$
- 구리와 산소의 반응: $2Cu+O_2 \longrightarrow 2CuO$
- 암모니아 생성 반응: $N_2+3H_2 \longrightarrow 2NH_3$
- 마그네슘과 염산의 반응: $Mg+2HCl \longrightarrow MgCl_2+H_2$

⑤ 화학 반응식을 통해 알 수 있는 것

- 반응물질과 생성물질의 **종류**
- 반응물질과 생성물질을 이루는 **원자의 종류와 개수비**
- 반응물질과 생성물질의 **계수비＝입자(분자) 수의 비**

개념 확인 문제

01 물질의 변화에 대한 설명으로 옳은 것은?

① 종이가 타는 것은 물리 변화이다.
② 물질의 상태 변화는 화학 변화이다.
③ 물리 변화가 일어날 때 항상 기체가 발생한다.
④ 새로운 물질이 생성되는 변화는 물리 변화이다.
⑤ 화학 변화가 일어날 때 물질의 고유한 성질이 달라진다.

[02~03] 그림과 같이 페트리 접시에 (가) 길게 자른 마그네슘 리본, (나) 구부린 마그네슘 리본, (다) 마그네슘 리본을 태운 재를 놓은 후 간이 전기 전도계를 대고 전류가 흐르는지 여부와 묽은 염산을 떨어뜨리고 생기는 변화를 관찰하였다.

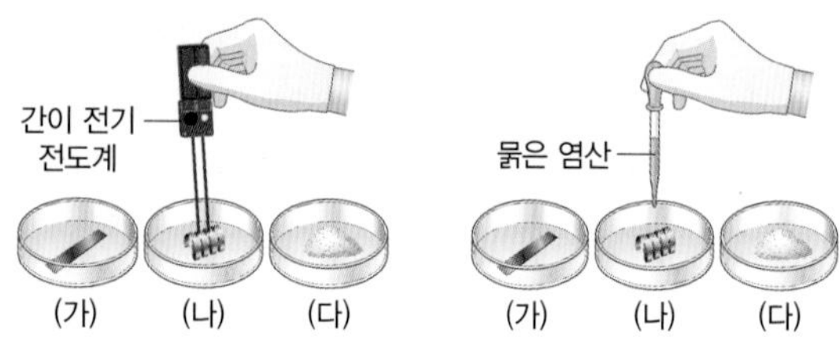

중요
02 이에 대한 설명으로 옳은 것은?

① (가)와 (나)는 전류가 흐르지 않는다.
② (다)는 묽은 염산과 반응하여 기체가 발생한다.
③ 마그네슘 리본을 태우는 과정은 물리 변화이다.
④ 마그네슘 리본을 구부리는 과정은 화학 변화이다.
⑤ 마그네슘을 태운 재는 마그네슘과 성질이 전혀 다른 물질이다.

03 위 실험을 통해 알 수 있는 것은?

① 물리 변화가 일어나면 물질의 성질이 변한다.
② 물리 변화가 일어나면 물질의 질량이 변한다.
③ 화학 변화가 일어나면 물질의 성질이 변한다.
④ 화학 변화가 일어나면 물질의 질량이 변한다.
⑤ 물리 변화가 일어나면 물질의 색깔이 변한다.

04 화학 변화의 예를 보기에서 모두 고른 것은?

보기
ㄱ. 쇳물을 틀에 부어 굳힌다.
ㄴ. 오래된 자동차에 녹이 생긴다.
ㄷ. 유리컵이 작은 조각으로 깨진다.
ㄹ. 물을 가열하면 끓어 수증기가 된다.
ㅁ. 설탕을 오래 가열하면 갈색으로 변한다.
ㅂ. 불판 위에 올려놓은 고기와 야채가 익는다.

① ㄱ, ㄴ, ㄷ ② ㄱ, ㄷ, ㄹ ③ ㄴ, ㄹ, ㅁ
④ ㄴ, ㅁ, ㅂ ⑤ ㄹ, ㅁ, ㅂ

중요
05 그림은 물에 일어나는 변화를 모형으로 나타낸 것이다.

이에 대한 설명으로 옳은 것을 모두 고르면? (정답 2개)

① (가)에서 물질의 성질이 달라진다.
② (나)에서 새로운 물질이 생성된다.
③ (가)에서 분자 사이의 거리가 달라진다.
④ (나)에서 분자의 종류는 달라지지 않는다.
⑤ (가)에서 분자를 이루는 원자의 배열이 변한다.

06 다음은 우리 주변에서 일어나는 현상이다.

(가) 겨울철 아침에 서리가 생긴다.
(나) 화로에서 숯이 탈 때 열과 빛을 낸다.

이에 대한 설명으로 옳은 것을 보기에서 모두 고른 것은?

보기
ㄱ. (가)에서 원자의 배열이 변한다.
ㄴ. (나)에서 원자의 종류가 변하지 않는다.
ㄷ. (가)와 (나)는 화학 변화이다.

① ㄱ ② ㄴ ③ ㄷ ④ ㄱ, ㄴ ⑤ ㄴ, ㄷ

07 중요 화학 변화가 일어날 때 변하는 것을 보기에서 모두 고른 것은?

보기
ㄱ. 원자의 종류　　ㄴ. 원자의 개수
ㄷ. 원자의 배열　　ㄹ. 분자의 종류
ㅁ. 물질의 성질　　ㅂ. 물질의 총 질량

① ㄱ, ㄴ, ㄷ　② ㄱ, ㄴ, ㅂ　③ ㄴ, ㄷ, ㅂ
④ ㄷ, ㄹ, ㅁ　⑤ ㄹ, ㅁ, ㅂ

08 그림은 메테인의 연소 반응을 모형으로 나타낸 것이다.

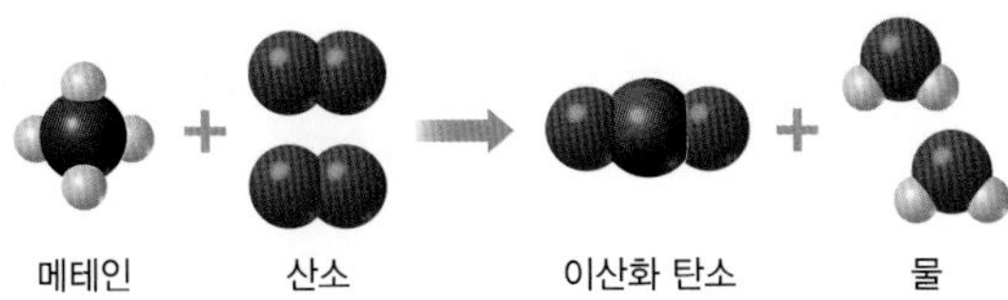

이에 대한 설명으로 옳지 않은 것은?
① 화학 변화이다.
② 물질의 성질이 변한다.
③ 반응 전후에 분자의 종류가 달라진다.
④ 분자를 구성하는 원자의 배열이 변한다.
⑤ 반응 전후에 원자의 종류와 개수가 변한다.

09 수소와 산소가 반응하여 물이 생성되는 반응을 화학 반응식으로 나타내는 방법에 대한 설명으로 옳지 않은 것은?
① 반응물질은 수소와 산소이다.
② 생성물질은 화살표의 왼쪽에 쓴다.
③ 반응물질과 생성물질을 화학식으로 나타낸다.
④ 반응 전후 원자의 종류와 개수가 같아지도록 계수를 맞춘다.
⑤ 이 반응을 화학 반응식으로 나타내면 $2H_2+O_2 \longrightarrow 2H_2O$이다.

10 그림은 암모니아가 생성되는 반응을 모형으로 나타낸 것이다.

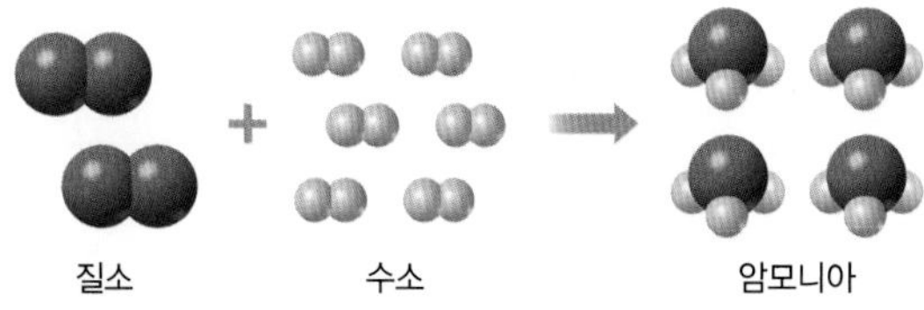

이 반응을 나타낸 화학 반응식으로 옳은 것은?
① $2N+6H \longrightarrow NH_3$
② $4N+12H \longrightarrow 4NH_3$
③ $N_2+H_2 \longrightarrow NH_3$
④ $N_2+3H_2 \longrightarrow 2NH_3$
⑤ $4N_2+6H_2 \longrightarrow 4NH_3$

11 다음은 두 가지 화학 반응식을 나타낸 것이다.

(가) (㉠)$H_2O_2 \longrightarrow$ (㉡)H_2O+(㉢)O_2
(나) (㉣)$Mg+2HCl \longrightarrow$ (㉤)$MgCl_2+H_2$

위의 빈칸에 들어갈 알맞은 숫자를 순서대로 옳게 나타낸 것은? (단, 1인 경우에도 표시한다.)
① 1, 1, 2, 1, 1　② 1, 2, 1, 2, 1
③ 2, 1, 2, 1, 1　④ 2, 2, 1, 1, 1
⑤ 2, 2, 1, 2, 2

12 다음은 메테인의 연소 반응을 화학 반응식으로 나타낸 것이다.

$$CH_4+2O_2 \longrightarrow CO_2+2H_2O$$

이에 대한 설명으로 옳은 것을 보기에서 모두 고른 것은?

보기
ㄱ. 반응물질은 메테인과 산소이다.
ㄴ. 반응 전후 원자의 종류와 개수는 같다.
ㄷ. 반응 전후 분자의 종류와 분자의 총 개수는 변한다.
ㄹ. 반응 후 이산화 탄소와 물은 1 : 2의 분자 수비로 생성된다.

① ㄱ, ㄴ, ㄷ　② ㄱ, ㄴ, ㄹ　③ ㄱ, ㄷ, ㄹ
④ ㄴ, ㄷ, ㄹ　⑤ ㄱ, ㄴ, ㄷ, ㄹ

실력 강화 문제

01. 물질 변화와 화학 반응식

정답과 해설 003쪽

01 (가)와 (나)는 물질 변화의 예이다.

(가) 질소+수소 ⟶ 암모니아
(나) 에탄올+물 ⟶ 에탄올 수용액

이에 대한 설명으로 옳은 것을 보기에서 모두 고른 것은?

보기
ㄱ. (가)는 원자가 재배열되는 변화이다.
ㄴ. (가)에서 암모니아는 질소의 성질을 나타낸다.
ㄷ. (나)에서 에탄올 수용액은 에탄올의 성질을 나타낸다.

① ㄱ ② ㄴ ③ ㄷ
④ ㄱ, ㄷ ⑤ ㄴ, ㄷ

02 다음은 램브란트의 '야간 순찰'이라는 작품에 대한 설명이다.

이 그림은 오후 햇살을 배경으로 낮에 군인과 경찰이 순찰하는 모습을 밝게 표현한 그림이었다. 그런데 이 그림의 배경색으로 사용된

물감에 들어 있는 ㉠ 납과 황이 반응하여 검은색의 황화납이 생성되었기 때문에 배경이 어둡게 변하였다. 따라서 그림이 그려진 지 100년이 지나 붙여진 '야간 순찰'이라는 작품명은 잘못 붙여진 것이다.

㉠에 대한 설명으로 옳은 것을 보기에서 모두 고른 것은?

보기
ㄱ. 원자의 배열이 변한다.
ㄴ. 새로운 원자가 생성되는 변화이다.
ㄷ. 물질의 성질은 변하지 않는 변화이다.

① ㄱ ② ㄴ ③ ㄷ
④ ㄱ, ㄴ ⑤ ㄴ, ㄷ

03 철 가루 7 g과 황가루 4 g을 막자사발에 넣고 잘 섞은 후 일부는 충분히 가열한 다음, 그림과 같이 실험하였다.

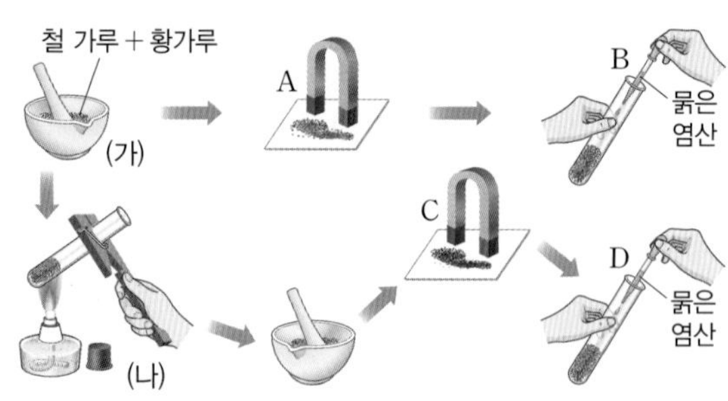

이에 대한 설명으로 옳은 것은?

① (가)에서 화학 변화가 일어난다.
② (나)에서 물리 변화가 일어난다.
③ A에서 자석에 붙는 물질이 없다.
④ B와 D에서 서로 다른 기체가 발생한다.
⑤ C에서 자석이 붙는 물질이 있다.

04 다음은 용광로에서 일어나는 변화에 대한 설명이다.

철광석의 주성분은 산화 철(Ⅲ)(Fe_2O_3)이다. 뜨거운 용광로에서 산화 철(Ⅲ)과 일산화 탄소(CO)가 반응하여 철(Fe)이 생성되고 이산화 탄소(CO_2)가 발생한다.

위의 용광로에서 일어나는 변화를 화학 반응식으로 쓰시오.

05 다음은 세 가지 반응의 화학 반응식이다.

(가) $a\mathrm{P_4}+b\mathrm{O_2} \longrightarrow c\mathrm{P_4O_{10}}$
(나) $a\mathrm{N_2}+b\mathrm{H_2} \longrightarrow c\mathrm{N_2H_4}$
(다) $a\mathrm{KClO_3} \longrightarrow b\mathrm{KCl}+c\mathrm{O_2}$

반응 (가)~(다)에서 각 계수 a, b, c의 합($a+b+c$)의 크기를 옳게 비교한 것은? (단, 계수가 1인 경우도 표시한다.)

① (가)>(나)>(다) ② (가)=(다)>(나)
③ (나)>(가)>(다) ④ (다)>(나)>(가)
⑤ (다)>(나)=(가)

☞ 제시된 Keyword를 이용하여 문제를 해결해 보자.

1 물리 변화와 화학 변화의 차이를 다음 용어를 모두 이용하여 설명하시오.

원자, 분자, 성질

Keyword 원자, 분자, 배열, 물질의 성질

2 그림과 같이 밀가루, 베이킹파우더, 우유, 달걀 등을 섞어 반죽을 만든 후 프라이팬에 구우면 기포가 여러 개 생긴다. 이와 같이 기포가 생기는 까닭을 물질의 변화와 관련지어 설명하시오.

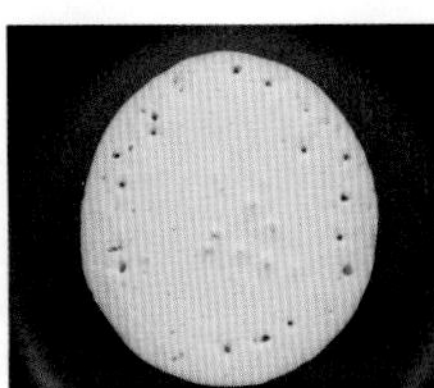

Keyword 베이킹파우더, 기체, 화학 변화

3 그림은 물에 일어나는 변화를 모형으로 나타낸 것이다.

(가)와 (나)에 해당하는 변화의 종류를 각각 쓰고, 그 까닭을 각각 설명하시오.

Keyword 분자, 원자, 배열, 물리 변화, 화학 변화

4 그림은 원자 A와 원자 B로 이루어진 물질 사이의 반응을 모형으로 나타낸 것이다.

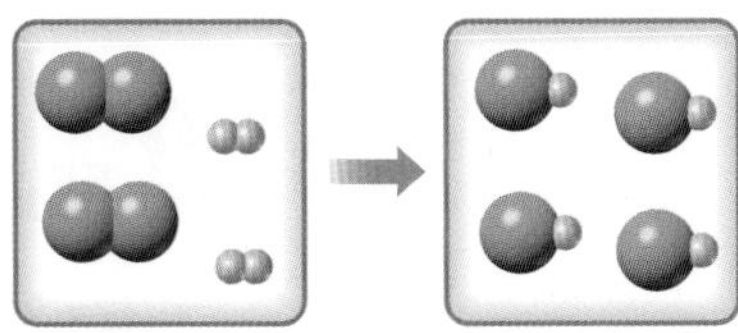

A와 B를 임의의 원소 기호라고 할 때 위 반응을 화학 반응식으로 나타내는 과정을 설명하시오. (단, ●의 원소 기호는 A, ●의 원소 기호는 B이고, 화학식은 알파벳 순서로 쓴다.)

Keyword 화학 반응식, 원자의 종류, 원자의 개수

5 다음은 세 가지 화학 반응을 화학 반응식으로 나타낸 것이다.

(가) 수소와 질소를 반응시켜서 암모니아를 얻는다.

$$3H_2 + N_2 \longrightarrow 2NH_3$$

(나) 일산화 탄소가 연소되면 이산화 탄소가 생성된다.

$$CO + O_2 \longrightarrow CO_2$$

(다) 과산화 수소가 분해되면 물과 산소가 생성된다.

$$2H_2O_2 \longrightarrow 2H_2O + O_2$$

(가)~(다)의 화학 반응식 중 옳지 않은 것을 골라 옳게 고치고, 그 까닭을 설명하시오.

Keyword 원자의 종류, 원자의 개수

02 화학 반응의 규칙

화학 반응이 일어날 때 질량에 변화가 있을까? 물질을 이루는 원소의 질량비는 때때로 변할까? 이와 같은 질문은 오래전 과학자들도 하였던 질문이다. 이 질문의 답을 찾으면서 화학 반응이 일어날 때 어떤 규칙을 찾을 수 있는지 알아보자.

1 질량 보존 법칙

1. 물리 변화가 일어날 때의 질량 변화 얼음이 녹아 물로 되는 물리 변화가 일어날 때 물질의 총 질량은 변하지 않는다. 상태 변화 외에도 다양한 물리 변화가 일어날 때 물질의 질량은 변하지 않는다. 이는 물리 변화가 일어나도 물질을 이루는 분자의 종류와 개수(또는 원자의 종류와 개수)가 변하지 않기 때문이다.

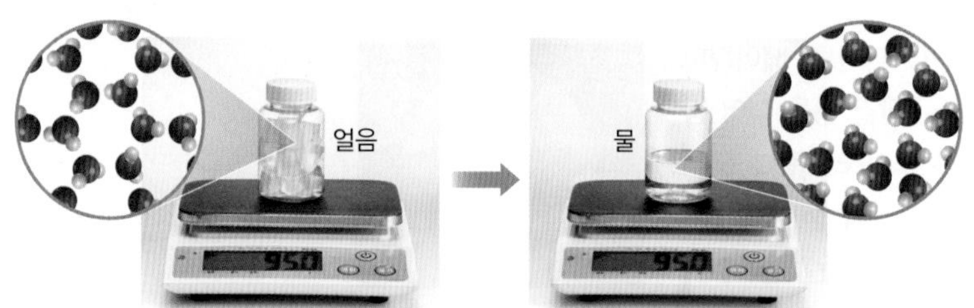

얼음이 녹아 물로 될 때의 질량 보존

2. 화학 변화가 일어날 때의 질량 변화 어떤 물질이 반응하여 새로운 물질을 생성하는 화학 변화가 일어나도 반응물질의 총 질량과 생성물질의 총 질량은 변하지 않는다. 이는 화학 변화가 일어나도 물질을 이루는 원자의 종류와 개수가 변하지 않기 때문이다. 과학 용어 사전 238쪽

(1) 앙금 생성 반응: 앙금이 생성되는 반응이 일어날 때 반응 전 물질의 총 질량과 반응 후 물질의 총 질량은 같다. 예를 들어 염화 나트륨 수용액과 질산 은 수용액이 반응하여 흰색의 염화 은 앙금이 생성되는 반응에서 반응 전후 질량은 변하지 않는다.

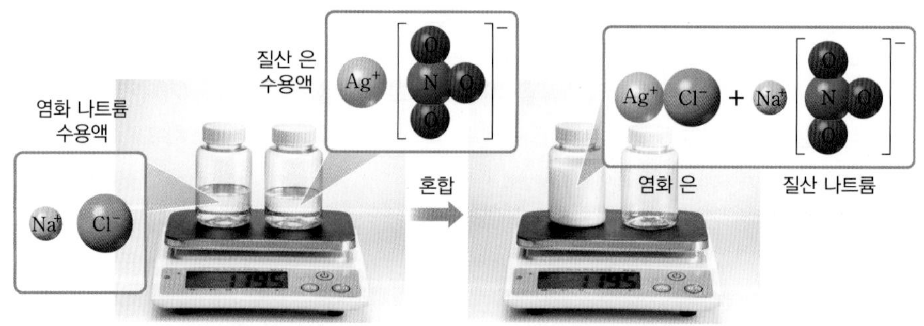

염화 은 앙금 생성 반응에서의 질량 보존 원자를 이루는 전자의 질량은 매우 작아서 무시할 수 있을 정도이다. 따라서 같은 원소의 경우 원자의 질량과 이온의 질량은 같다.

여러 가지 앙금 생성 반응
- 염화 나트륨 + 질산 은 ⟶ 염화 은(흰색) + 질산 나트륨
- 염화 칼슘 + 황산 나트륨 ⟶ 황산 칼슘(흰색) + 염화 나트륨
- 질산 납 + 아이오딘화 칼륨 ⟶ 아이오딘화 납(노란색) + 질산 칼륨

과학 용어 사전 238쪽

이온으로 이루어진 물질
염화 나트륨, 질산 은, 염화 은, 질산 나트륨 등은 양이온과 음이온이 결합하여 이루어진 물질이다. 이들은 고체 상태에서는 양이온과 음이온이 끊임없이 연속적으로 결합하여 결정 구조를 이루고 있으며, 물에 녹는 물질들은 물에 이온 상태로 녹는다.

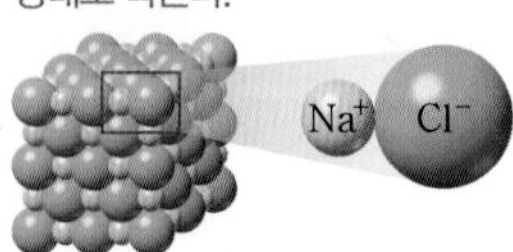

(2) **기체 발생 반응:** 기체가 발생하는 반응에서도 반응 전후 물질의 총 질량은 보존된다. 열린 용기에서 반응이 일어나면 발생한 기체가 빠져나가므로 질량이 감소하는 것으로 측정되지만 밀폐 용기에서 반응이 일어나면 반응 전후 질량은 같다. 탐구 030쪽

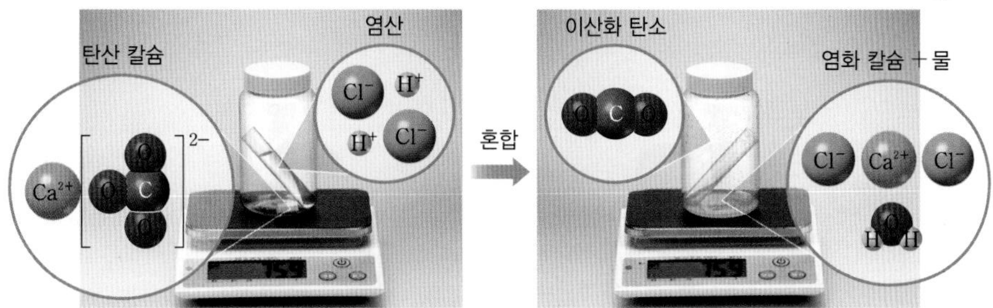

이산화 탄소 기체가 발생하는 반응에서의 질량 보존 탄산 칼슘과 염산이 반응하면 이산화 탄소 기체가 발생하지만 밀폐된 용기에서 반응시키면 반응 전후 질량 변화가 없음을 확인할 수 있다.

(3) **연소 반응:** 열린 용기에서 반응이 일어나면 질량이 변하는 것처럼 보이기도 하지만 밀폐 용기에서 반응이 일어나면 반응 전후 질량은 같다.

자료 더하기 연소 반응에서의 질량 보존

나무를 연소시키면 수증기와 이산화 탄소 기체가 발생하고, 철을 연소시키면 철이 산소와 결합한다.

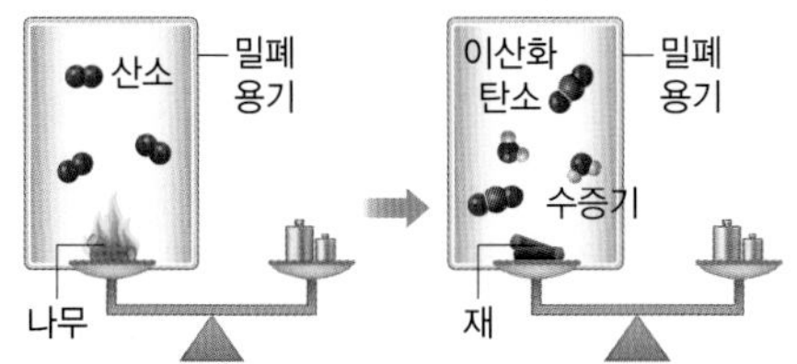

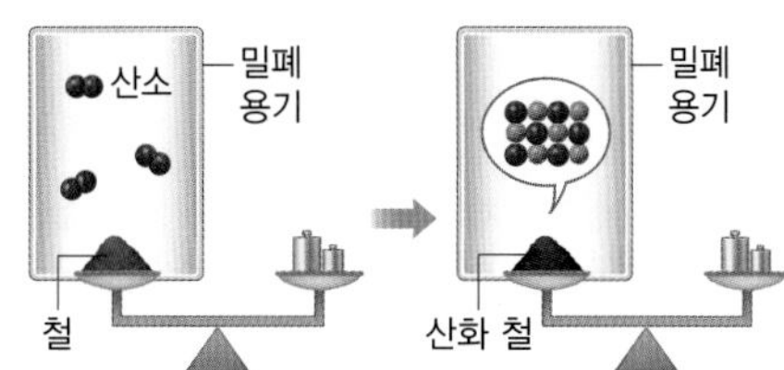

① 밀폐 용기에서 나무를 연소시키면 반응 전후에 물질의 총 질량이 같다. → 발생한 이산화 탄소와 수증기가 빠져나가지 못하기 때문이다.

② 밀폐 용기에서 철을 연소시키면 반응 전후에 물질의 총 질량이 같다. → 반응 전 산소의 질량까지 측정되기 때문이다.

열린 공간에서의 연소

• 나무, 종이, 숯 등을 열린 공간에서 연소시키면 이산화 탄소 등의 기체가 발생하므로 질량이 감소하는 것으로 측정된다.

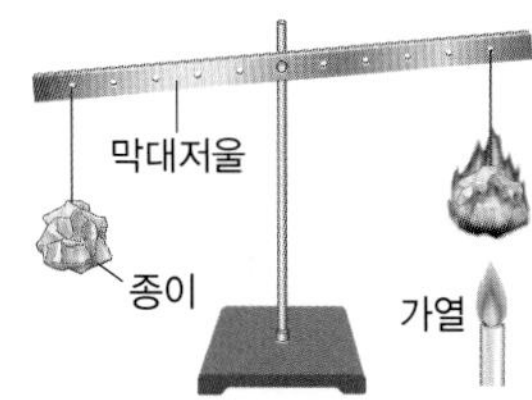

• 철, 구리, 마그네슘 등의 금속을 열린 공간에서 연소시키면 산소와 결합하므로 질량이 증가하는 것으로 측정된다.

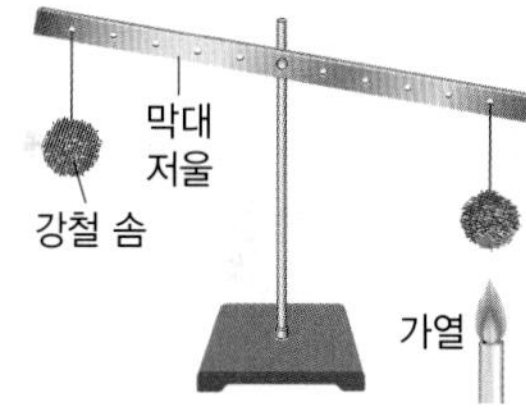

3. 질량 보존 법칙

라부아지에(Lavoisier, A. L., 1743~1794)가 발견한 화학 법칙으로, 화학 반응이 일어날 때 반응 전후에 물질의 총 질량은 보존된다는 것이다.

반응물질의 총 질량 = 생성물질의 총 질량

(1) **질량 보존 법칙이 성립하는 까닭:** 화학 반응이 일어날 때 물질을 이루는 원자의 종류와 개수가 변하지 않기 때문이다.

(2) 질량 보존 법칙은 화학 변화뿐만 아니라 물리 변화에서도 성립한다.

질량 보존 법칙과 돌턴의 원자설

라부아지에가 발표한 질량 보존 법칙을 설명하는 과정에서 돌턴(Dalton, J., 1766~1844)은 '물질은 일정한 질량을 가진 원자로 구성되어 있으며, 화학 변화가 일어나도 원자는 새로 생성되거나 없어지지 않는다.'는 원자설을 주장하였다.

학습 내용 Check

정답과 해설 005 쪽

1. 화학 반응에서 반응 전후 물질의 총 질량이 항상 같은데, 이를 ________ 법칙이라고 한다.

2. 질량 보존 법칙이 성립하는 것은 물질을 구성하는 ________의 종류와 개수가 변하지 않기 때문이다.

3. 수소 기체 2 g과 산소 기체 ________ g이 모두 반응하면 수증기 18 g이 생성된다.

2 일정 성분비 법칙

화합물

두 종류 이상의 원소가 결합하여 생성된 새로운 물질을 화합물이라고 한다. 예를 들어 물은 수소와 산소의 화합물이고, 염화 나트륨은 나트륨과 염소의 화합물이다.

원자의 개수비와 성분 원소의 질량비

원자의 종류에 따라 원자의 질량이 달라진다. 즉, 원자의 종류가 같으면 원자의 질량이 같으므로 화합물을 이루는 원자의 개수비가 일정하면 성분 원소의 질량비도 일정하다.

아이오딘화 납 앙금 생성 반응과 일정 성분비 법칙

농도가 같은 아이오딘화 칼륨 수용액 6 mL에 질산 납 수용액을 2, 4, 6, 8, 10 mL씩 넣었을 때 생성된 아이오딘화 납 앙금의 높이는 그림과 같다.

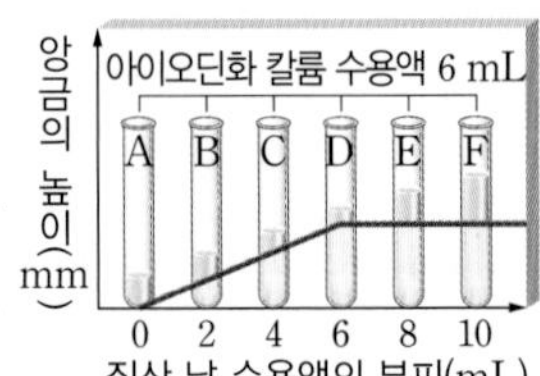

→ 농도가 같은 아이오딘화 칼륨 수용액과 질산 납 수용액은 1 : 1의 부피비로 반응한다. → 아이오딘화 납을 이루는 아이오딘과 납의 질량비는 일정하다.

일정 부피의 수용액에 들어 있는 아이오딘화 이온과 납 이온의 수는 일정하며, 아이오딘화 이온과 납 이온은 2 : 1의 개수비로 반응하여 아이오딘화 납을 생성한다.

1. 화합물을 이루는 성분 원소의 질량비 화합물을 구성하는 성분 원소의 원자들이 항상 일정한 개수비로 결합하므로 화합물을 이루는 성분 원소의 질량비가 일정하다.

(1) 물을 이루는 원소의 질량비: 수소와 산소를 혼합한 기체에 전기 불꽃을 가하면 수소 기체와 산소 기체가 항상 1 : 8의 질량비로 반응하여 물이 생성된다.

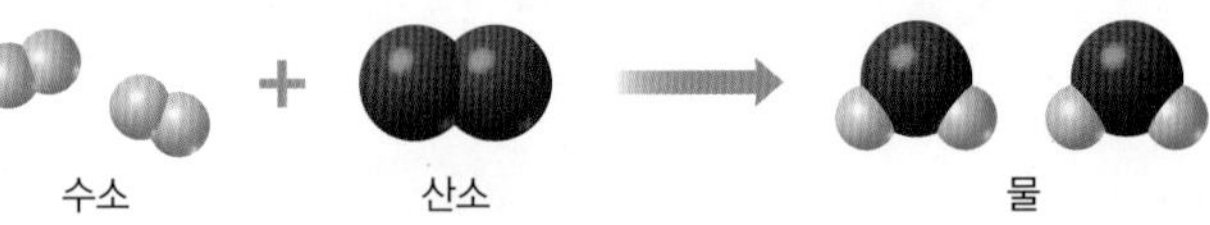

수소 원자와 산소 원자는 항상 2 : 1의 개수비로 결합하여 물 분자를 이룬다.

질량비 ⟶ 수소 : 산소 : 물 = 1 : 8 : 9

자료 더하기 물 생성 반응에서 물을 이루는 원소의 질량비 구하기

수소 기체와 산소 기체가 반응하여 물을 생성할 때 남은 기체의 질량을 통해 반응한 기체의 질량을 알아내고, 이로부터 물을 이루는 원소의 질량비를 구한다.

실험	처음 혼합한 기체(g)		남은 기체(g)	반응한 기체(g)	
	수소	산소		수소	산소
(가)	2	8	수소, 1	1	8
(나)	2	16	없음	2	16
(다)	3	25	산소, 1	3	24

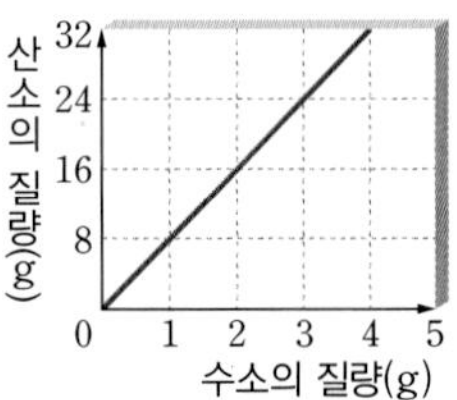

① 처음 혼합한 기체의 질량에서 남은 기체의 질량을 빼면 반응한 수소와 산소의 질량을 구할 수 있다.
② 반응한 수소와 산소의 질량비는 물을 이루는 수소와 산소의 질량비와 같으며, 이는 1 : 8이다.

(2) 산화 구리(Ⅱ)를 이루는 원소의 질량비: 구리 가루를 공기 중에서 가열하면 구리와 산소가 항상 4 : 1의 질량비로 반응하여 산화 구리(Ⅱ)가 생성된다. 탐구 031쪽

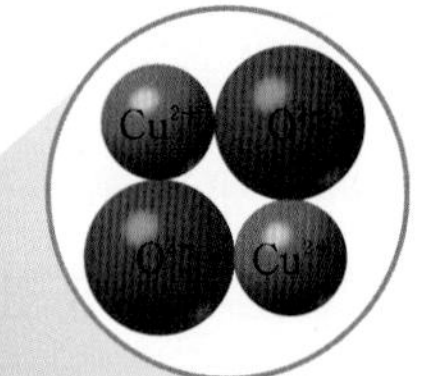

구리 + 산소 ⟶ 산화 구리(Ⅱ)
질량비 ⟶ 4 : 1 : 5

자료 더하기 구리의 연소 반응에서 질량 관계

구리의 질량을 달리하여 연소시킨 후 생성된 산화 구리(Ⅱ)의 질량을 측정한 결과를 나타낸 그래프로부터 반응한 구리와 산소의 질량을 알 수 있다.

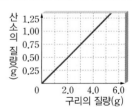

산화 구리(Ⅱ)의 질량(g): 0, 1.25, 2.50, 3.75, 5.00, 6.25 / 구리의 질량(g): 0, 2.0, 4.0, 6.0

산소의 질량(g): 0, 0.25, 0.50, 0.75, 1.00, 1.25 / 구리의 질량(g): 0, 2.0, 4.0, 6.0

① 생성된 산화 구리(Ⅱ)의 질량에서 구리의 질량을 빼면 반응한 산소의 질량을 구할 수 있다.
② 반응한 구리와 산소의 질량비는 산화 구리(Ⅱ)를 이루는 구리와 산소의 질량비와 같으며, 이는 4 : 1이다.

2. 일정 성분비 법칙 프루스트(Proust, J. L., 1754~1826)가 발견한 화학 법칙으로, 화합물을 구성하는 성분 원소 사이에는 항상 일정한 질량비가 성립한다는 것이다.

(1) 일정 성분비 법칙이 성립하는 까닭: 화합물을 구성하는 성분 원자의 개수비는 항상 일정하기 때문이다.

(2) 같은 종류의 원소로 이루어진 물질이라도 성분 원소의 질량비가 다르면 서로 다른 물질이다.

(3) 일정 성분비 법칙은 혼합물에서는 성립하지 않고, 화합물에서만 성립한다.

구분	물	과산화 수소
분자 모형		
원자의 개수비 (수소 : 산소)	2 : 1	1 : 1
성분 원소의 질량비 (수소 : 산소)	1 : 8	1 : 16

3. 분자 모형을 통한 일정 성분비 법칙의 이해 화합물을 구성하는 성분 원소의 질량비는 원자의 개수비에 원자 1개의 질량비를 곱해 구할 수 있다.

구분	물	이산화 탄소	암모니아
분자 모형	H H	C	N H H H
원자의 개수비	수소 원자 : 산소 원자 = 2 : 1	탄소 원자 : 산소 원자 = 1 : 2	수소 원자 : 질소 원자 = 3 : 1
원자 1개의 질량비	수소 원자 : 산소 원자 = 1 : 16	탄소 원자 : 산소 원자 = 3 : 4	수소 원자 : 질소 원자 = 1 : 14
성분 원소의 질량비	수소 : 산소 = 2×1 : 1×16 = 1 : 8	탄소 : 산소 = 1×3 : 2×4 = 3 : 8	수소 : 질소 = 3×1 : 1×14 = 3 : 14

자료 더하기 **볼트와 너트 모형으로 일정 성분비 법칙 이해하기**

볼트(B)와 너트(N)로 이루어진 화합물 BN_3를 이루는 볼트와 너트의 개수비는 일정하다.

B + 3N → BN_3

볼트(개)	너트(개)	최대로 만들 수 있는 BN_3(개)	남은 모형(개)
5	15	5	없음
6	20	6	너트, 2
7	15	5	볼트, 2

① BN_3는 볼트 1개, 너트 3개로 이루어져 있다.

② 화합물을 이루는 볼트와 너트의 개수비는 일정하므로 여분의 모형은 결합하지 못하고 남는다.

학습 내용 Check

정답과 해설 005쪽

1. 화합물을 구성하는 성분 원소 사이에는 항상 일정한 질량비가 성립하는데, 이를 ________ 법칙이라고 한다.

2. 8 g의 구리를 공기 중에서 가열하였더니 10 g의 산화 구리(Ⅱ)가 생성되었다. 산화 구리(Ⅱ)를 이루는 원소의 질량비는 구리 : 산소=________이다.

3. 물을 이루는 수소와 산소의 질량비는 1 : 8로 일정하다. 15 g의 수소를 완전히 반응시켜 물을 합성할 때 필요한 산소는 최소 ________ g이다.

산화 마그네슘을 이루는 원소의 질량비

마그네슘을 공기 중에서 가열하면 마그네슘과 산소가 항상 3 : 2의 질량비로 반응하여 산화 마그네슘이 생성된다.

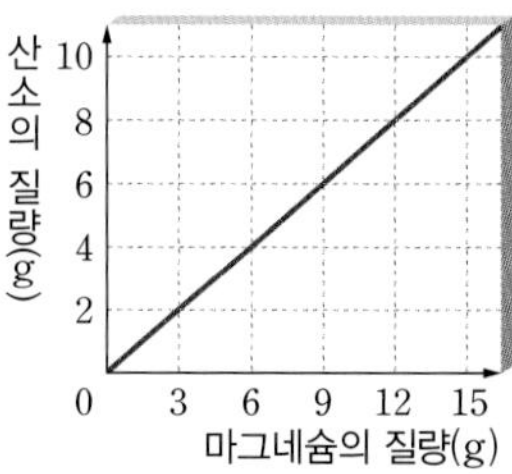

원자량(원자의 상대적 질량)

원자 1개의 질량은 매우 작아 실제 질량을 그대로 사용하기가 불편하므로 원자의 상대적인 질량인 원자량을 사용한다. 몇 가지 원자의 원자량은 다음과 같다.

원자	원자량	원자	원자량
H	1	Cl	35.5
C	12	Na	23
O	16	Mg	24
N	14	Fe	56
S	32	Cu	64

3 기체 반응 법칙

1. 기체 사이의 반응에서의 부피 관계

온도, 압력과 기체의 부피
기체의 부피는 온도와 압력에 따라 크게 변하기 때문에 기체의 부피를 나타낼 때는 온도와 압력 조건을 밝혀야 한다.

(1) **수증기 생성 반응에서의 부피비**: 일정한 온도와 압력에서 수소 기체와 산소 기체가 반응하여 수증기를 생성할 때 각 기체의 부피비는 수소 : 산소 : 수증기=2 : 1 : 2이다. 탐구 032쪽

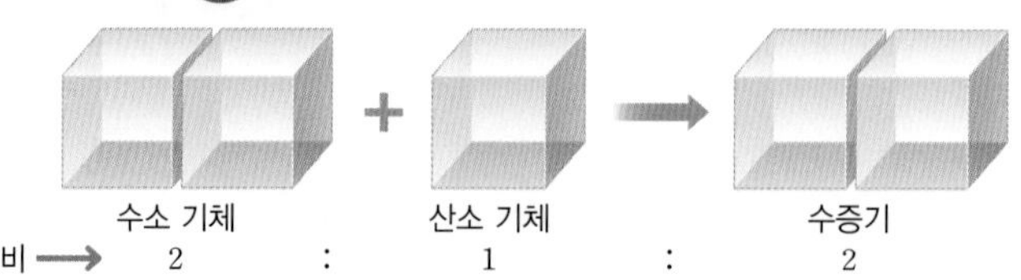

자료 더하기 수증기 생성 반응에서 기체의 부피비

수소 기체와 산소 기체가 반응하여 수증기를 생성할 때 남은 기체의 부피를 통해 반응한 기체의 부피를 구한다. (단, 온도와 압력은 일정하다.)

실험	처음 혼합한 기체의 부피(mL)		남은 기체의 부피(mL)	반응한 기체의 부피(mL)		생성된 수증기의 부피(mL)
	수소	산소		수소	산소	
(가)	10	5	없음	10	5	10
(나)	10	10	산소, 5	10	5	10
(다)	15	5	수소, 5	10	5	10

① 과량으로 넣은 기체는 반응하지 않고 남으므로 처음 혼합한 기체의 부피에서 남은 기체의 부피를 빼면 반응한 수소 기체와 산소 기체의 부피이다.
② 수소 기체와 산소 기체는 2 : 1의 부피비로 반응하여 수증기를 생성한다. 생성된 수증기까지 포함하면 각 기체의 부피비는 수소 : 산소 : 수증기=2 : 1 : 2이다.

(2) **암모니아 기체 생성 반응에서의 부피비**: 일정한 온도와 압력에서 질소 기체와 수소 기체가 반응하여 암모니아 기체를 생성할 때 각 기체의 부피비는 질소 : 수소 : 암모니아=1 : 3 : 2이다.

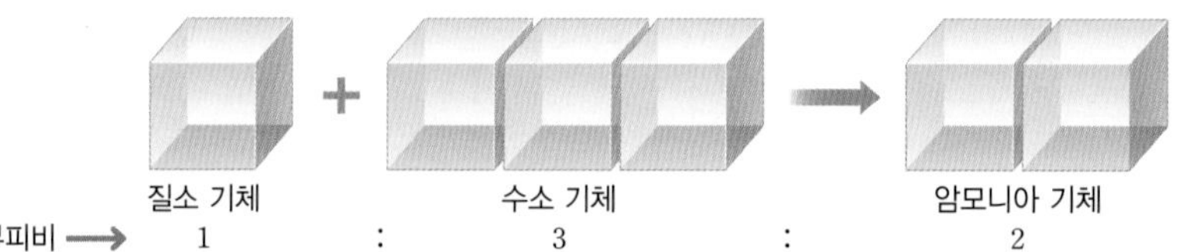

(3) **염화 수소 기체 생성 반응에서의 부피비**: 일정한 온도와 압력에서 수소 기체와 염소 기체가 반응하여 염화 수소 기체를 생성할 때 각 기체의 부피비는 수소 : 염소 : 염화 수소=1 : 1 : 2이다.

2. 기체 반응 법칙 게이뤼삭(Gay-Lussac, J. L.,1778~1850)이 발견한 화학 법칙으로, 일정한 온도와 압력에서 기체들이 반응하여 새로운 기체를 생성할 때 각 기체의 부피 사이에는 간단한 정수비가 성립한다는 것이다.

3. 기체의 부피와 분자 수 온도와 압력이 같을 때 모든 기체는 같은 부피 속에 같은 개수의 분자가 들어 있다.

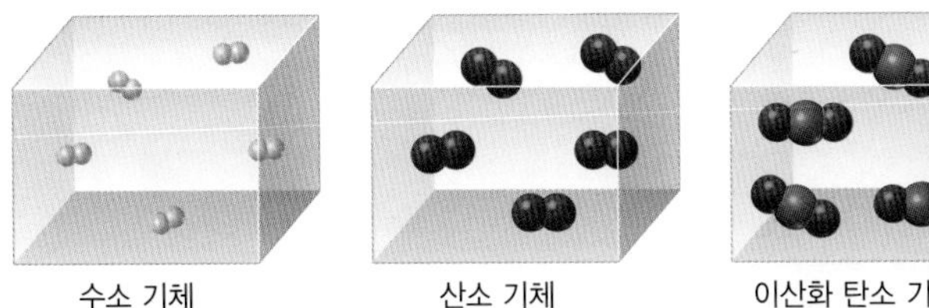

수소 기체 산소 기체 이산화 탄소 기체

기체 분자의 크기와 기체의 부피
기체는 종류에 따라 분자의 크기나 모양이 모두 다르지만 공통적으로 분자의 크기가 매우 작고, 분자 사이의 거리가 매우 멀기 때문에 분자 자체의 크기는 고려하지 않아도 된다. 따라서 분자의 종류에 관계없이 온도와 압력이 일정할 때 모든 기체는 같은 부피 속에 같은 개수의 분자가 들어 있다.

4. 기체 사이의 반응에서 화학 반응식과 부피비의 관계 온도와 압력이 일정할 때 기체는 같은 부피 속에 같은 개수의 분자가 들어 있으므로 각 기체의 부피비는 분자 수의 비와 같다. 화학 반응식에서 계수비는 분자 수의 비와 같으므로 반응물질과 생성물질이 모두 기체인 경우 화학 반응식의 계수비는 부피비와 같다.

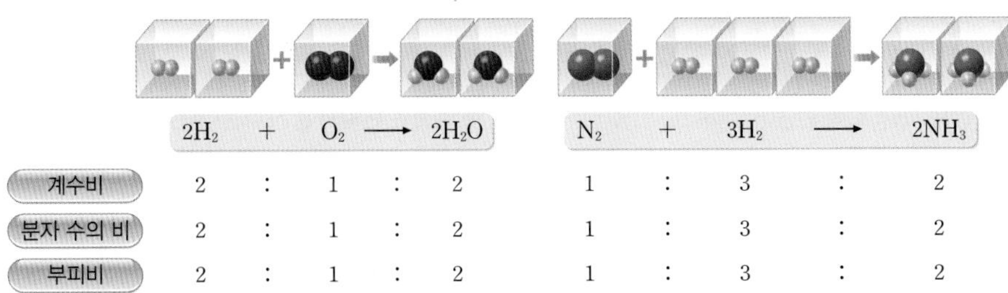

	$2H_2$	+	O_2	$\longrightarrow$	$2H_2O$	N_2	+	$3H_2$	$\longrightarrow$	$2NH_3$
계수비	2	:	1	:	2	1	:	3	:	2
분자 수의 비	2	:	1	:	2	1	:	3	:	2
부피비	2	:	1	:	2	1	:	3	:	2

염화 수소 생성 반응의 화학 반응식과 부피비

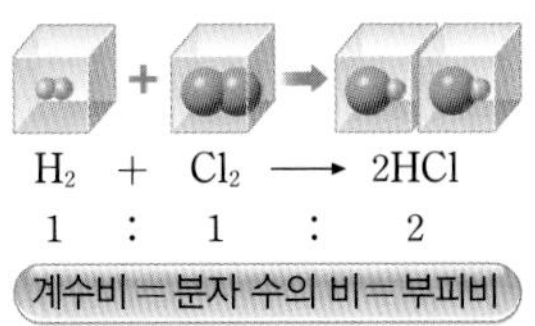

$H_2 + Cl_2 \longrightarrow 2HCl$
1 : 1 : 2
계수비 = 분자 수의 비 = 부피비

학습 내용 Check

정답과 해설 005 쪽

1. 일정한 온도와 압력에서 기체들이 반응하여 새로운 기체를 생성할 때 각 기체의 부피 사이에는 간단한 정수비가 성립하는데, 이를 ________ 법칙이라고 한다.
2. 온도와 압력이 같을 때 모든 기체는 같은 부피 속에 같은 개수의 ________를 포함한다.
3. 기체가 반응하여 새로운 기체를 생성하는 반응의 화학 반응식에서 계수비는 분자 수의 비, ________와 같다.

알고 보면 재미있는 과학 자동차 에어백의 원리

에어백은 자동차가 충돌할 때 사람의 몸을 보호하는 장치이다. 자동차가 충돌했을 때 에어백을 순간적으로 부풀리는 데 사용하는 물질은 아자이드화 나트륨(NaN_3)이다. 자동차가 강하게 충돌하면 센서가 충돌을 인지하여 전류를 흐르게 하는데, 전류는 불꽃을 일으켜 아자이드화 나트륨이 나트륨과 질소로 분해되도록 한다. ($2NaN_3 \longrightarrow 2Na + 3N_2$) 이때 발생하는 질소 기체 때문에 에어백이 부풀면서 사람을 보호할 수 있다.
에어백이 안전 장치로서의 기능을 제대로 발휘하기 위해서는 발생하는 기체의 부피가 너무 작거나 너무 커서는 안 된다. 이때 원하는 부피만큼의 기체를 얻기 위해 화학 반응식과 화학 법칙 등을 이용하여 필요한 아자이드화 나트륨의 양을 계산한다.

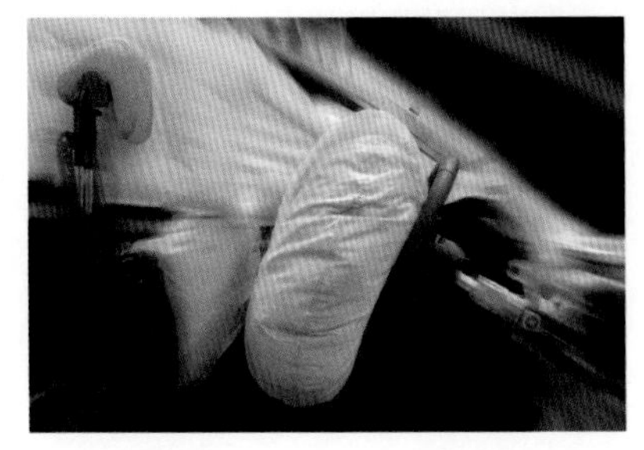

탐구 기체 발생 반응에서의 질량 변화

기체가 발생하는 반응에서 반응 전후 물질의 총 질량이 보존됨을 설명할 수 있다.

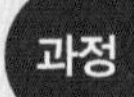

과정

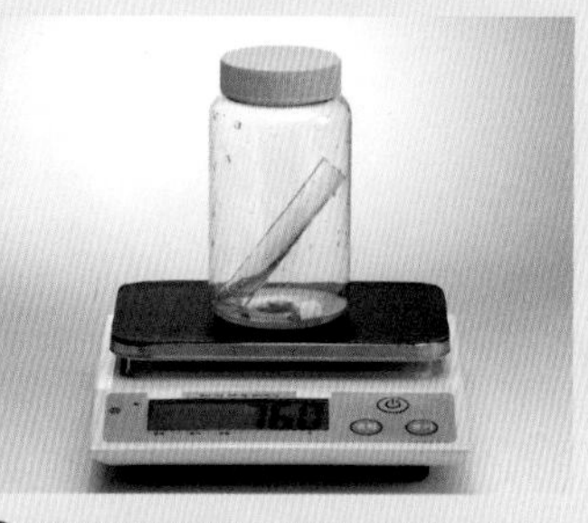

❶ 플라스틱병에 분필과 묽은 염산을 넣은 후 전체 질량을 측정한다. → 반응 전 전체 질량은 76.0 g이다.

❷ 플라스틱병을 기울여 묽은 염산과 분필을 반응시킨 후 전체 질량을 측정한다. → 반응 후 전체 질량은 76.0 g이다.

❸ 플라스틱병의 뚜껑을 연 후에 질량을 측정한다. → 질량이 감소한다.

결과 및 정리

1. 분필의 주성분은 탄산 칼슘으로, 과정 ❷에서 플라스틱병을 기울이면 묽은 염산과 탄산 칼슘이 반응하여 이산화 탄소 기체가 발생한다. 탄산 칼슘+염산 ⟶ 염화 칼슘+물+이산화 탄소
2. 과정 ❶~❸에서 측정한 질량을 비교하면 ❶의 질량=❷의 질량>❸의 질량이다.
   과정 ❶과 ❷의 질량이 같은 까닭: 화학 반응이 일어나도 반응 전후 물질의 총 질량은 변하지 않기 때문이다.
   과정 ❸에서 질량이 감소한 까닭: 뚜껑을 열어 발생한 이산화 탄소 기체가 빠져나갔기 때문으로, 감소한 질량은 발생한 이산화 탄소의 질량과 같다.
3. 기체가 발생하는 반응에서 반응 전후 물질의 총 질량은 변하지 않는다. 즉, 질량 보존 법칙이 성립한다.

탐구 확인 문제

정답과 해설 005쪽

1 위 탐구에 대한 설명으로 옳은 것은 ○, 옳지 않은 것은 ×로 표시하시오.

(1) 과정 ❷에서 흰색 앙금이 생성된다. ················ ( )

(2) 분필 조각의 주성분은 탄산 칼슘이다. ············ ( )

(3) 과정 ❸에서 질량이 감소하므로 기체가 발생하는 반응에서는 질량 보존 법칙이 성립하지 않음을 알 수 있다. ················ ( )

(4) 과정 ❸에서 감소한 질량은 염산과 탄산 칼슘이 반응하여 생성된 이산화 탄소 기체의 질량과 같다. ·· ( )

(5) 열린 용기에서 기체 발생 반응이 일어나면 발생한 기체가 빠져나가므로 반응 전보다 질량이 감소하는 것으로 측정된다. ················ ( )

2 적용 그림과 같이 묽은 염산과 아연을 플라스틱병에 넣고 반응 전과 후, 반응 후 뚜껑을 열었을 때의 질량을 측정하였다.

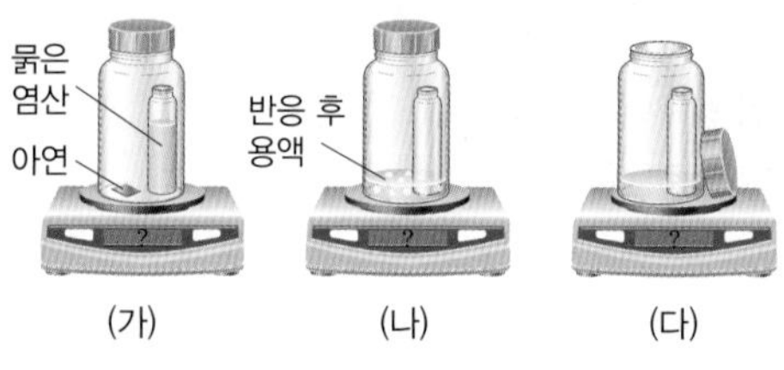

이에 대한 설명으로 옳은 것을 보기에서 모두 고르시오.

보기

ㄱ. (나)에서 발생하는 기포는 수소이다.
ㄴ. (다)의 질량은 (나)의 질량보다 크다.
ㄷ. 질량 보존 법칙이 성립하지 않는 반응이다.

탐구 산화 구리(Ⅱ)가 생성되는 반응에서의 질량 관계

구리와 산소가 반응하여 산화 구리(Ⅱ)를 생성하는 반응에서 반응물질과 생성물질의 질량으로부터 산화 구리(Ⅱ)를 이루는 구리와 산소 사이의 질량 관계를 설명할 수 있다.

과정

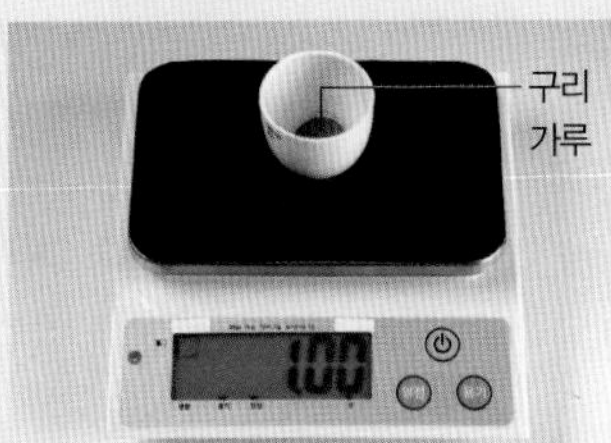

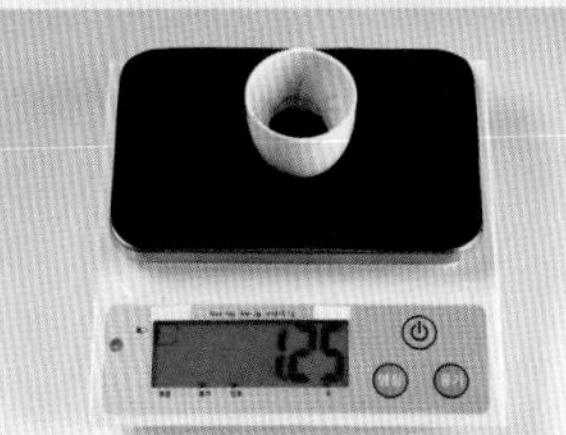

❶ 구리 가루의 질량을 1.0 g, 2.0 g, 3.0 g, 4.0 g으로 다르게 측정하여 도가니에 넣는다.

❷ 구리 가루를 잘 섞어 주면서 가열한다. 구리 가루의 색깔이 모두 검은색으로 변하면 가열을 멈춘다.

❸ 도가니가 완전히 식으면 질량을 측정한 후 생성된 산화 구리(Ⅱ)의 질량을 구한다.

결과 및 정리

1. 붉은색의 구리 가루를 가열하면 공기 중의 산소와 반응하여 검은색의 산화 구리(Ⅱ)가 된다.
   구리 + 산소 ⟶ 산화 구리(Ⅱ)
2. 생성된 산화 구리(Ⅱ)의 질량에서 반응한 구리의 질량을 빼면 구리와 반응한 산소의 질량이다.

구리의 질량(g)	1.0	2.0	3.0	4.0
산화 구리(Ⅱ)의 질량(g)	1.25	2.50	3.75	5.00
반응한 산소의 질량(g)	0.25	0.50	0.75	1.00

산소의 질량(g): 1.50, 1.25, 1.00, 0.75, 0.50, 0.25
구리의 질량(g): 0, 1.0, 2.0, 3.0, 4.0, 5.0, 6.0

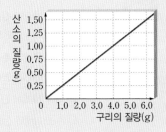

   산화 구리(Ⅱ)를 구성하는 원소인 구리와 산소의 질량비는 4 : 1로 일정하다.
3. 산화 구리(Ⅱ)를 구성하는 성분 원소의 질량비가 일정하므로 일정 성분비 법칙이 성립한다.

탐구 확인 문제

정답과 해설 005쪽

1 위 탐구에서 구리의 질량을 증가시켜 실험하였을 때 변하지 <u>않는</u> 것은?

① 반응하는 구리의 질량
② 산화 구리(Ⅱ)의 생성 시간
③ 구리와 결합하는 산소의 질량
④ 생성되는 산화 구리(Ⅱ)의 질량
⑤ 반응하는 구리와 산소의 질량비

2 구리 가루 16 g을 공기 중에서 완전히 연소시킬 때 생성되는 산화 구리(Ⅱ)의 질량을 쓰시오.

3 (적용) 그림은 마그네슘과 산소가 반응하여 산화 마그네슘을 생성할 때 반응한 마그네슘과 생성된 산화 마그네슘의 질량을 나타낸 것이다.

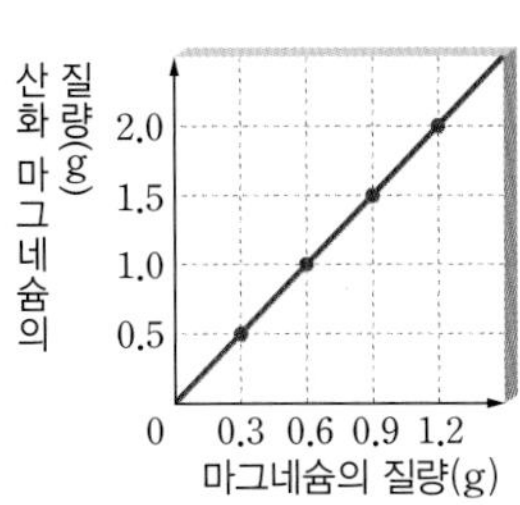

산화 마그네슘을 이루는 마그네슘과 산소의 질량비는?

① 2 : 3　② 2 : 5
③ 3 : 2　④ 5 : 2
⑤ 5 : 3

탐구 수소 기체와 산소 기체의 반응에서 부피 관계

수소 기체와 산소 기체가 반응하여 물을 생성하는 반응에서의 부피 관계를 설명할 수 있다.

과정

❶ 물 합성 장치의 기체 주입구를 열고 주사기를 이용하여 산소 기체 6 mL를 넣은 후 같은 방법으로 수소 기체 6 mL를 넣는다.

❷ 기체 주입구를 닫고 점화기를 눌러 산소 기체와 수소 기체를 반응시킨 후 남은 기체의 부피를 측정한다. → 남은 기체의 부피는 3 mL이다.

❸ ❷의 실험 장치에 수소 기체 6 mL를 넣고 기체 주입구를 닫은 다음 점화기를 눌러 반응시킨 후 남은 기체의 부피를 측정한다. → 남은 기체가 없다.

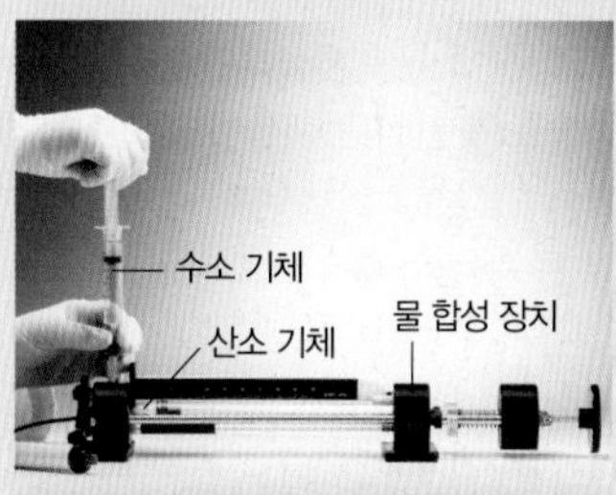

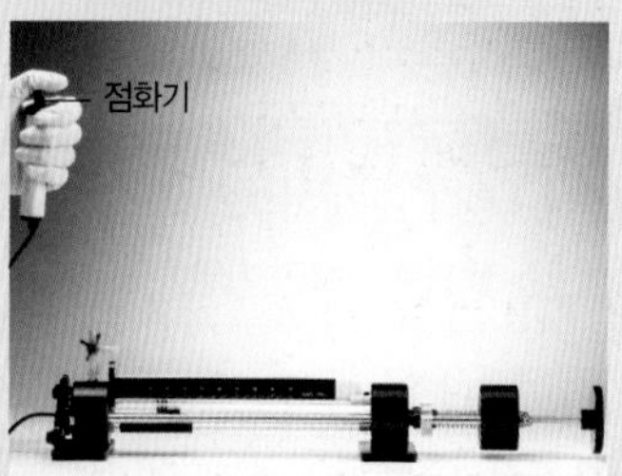

Tip 수소 기체와 산소 기체를 얻는 방법

수소 기체와 산소 기체는 기체 발생 장치를 이용하여 얻을 수 있다. 수소 기체는 마그네슘(또는 아연, 철)에 묽은 염산을 가하면 발생하고, 산소 기체는 이산화 망가니즈에 과산화 수소수를 가하면 발생한다.

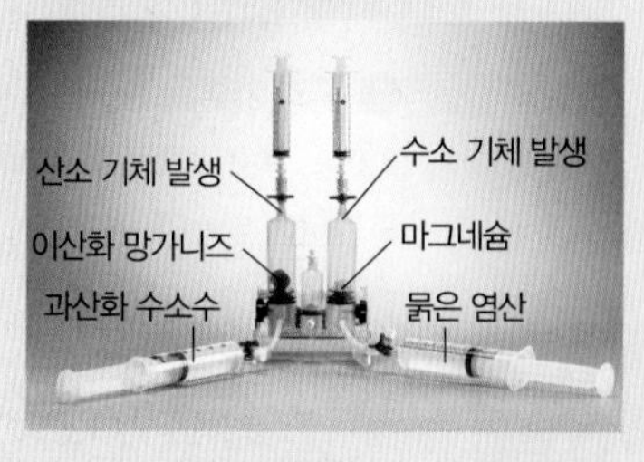

결과 및 정리

1. 수소 기체와 산소 기체가 반응할 때 과량으로 존재하는 기체는 반응하지 않고 남는다. 또한, 수소 기체와 산소 기체가 반응하여 물이 생성되므로 과정 ❷에서 반응 후 남은 기체의 부피는 수소 기체나 산소 기체의 부피이다.
2. 과정 ❸에서 수소 기체를 더 넣은 후 물이 생성되는 반응이 일어났으므로 과정 ❷에서 남은 기체는 산소 3 mL이다. 과정 ❷에서 반응한 수소 기체는 6 mL, 산소 기체는 3 mL이다.
3. 과정 ❸에서 반응한 것은 수소 기체 6 mL, 산소 기체 3 mL이다.
4. 수소 기체와 산소 기체는 2 : 1의 부피비로 반응하여 물을 생성한다.

탐구 확인 문제

정답과 해설 005쪽

1 위 탐구의 과정 ❷, ❸에서 처음 기체의 부피, 남은 기체의 종류와 부피, 반응한 기체의 부피를 표로 정리하였다.

과정	처음 기체의 부피(mL)		남은 기체의 종류와 부피(mL)	반응한 기체의 부피(mL)	
	수소	산소		수소	산소
❷	6	6	㉠	㉡	㉢
❸	6	㉣	없음	㉤	㉥

(1) ㉠~㉥에 알맞은 숫자나 말을 각각 쓰시오.

(2) 일정한 온도와 압력에서 수증기가 생성되었을 때 과정 ❷, ❸에서 생성된 수증기의 부피를 각각 쓰시오.

2 적용 그림은 질소 기체와 수소 기체가 반응하여 암모니아 기체가 생성될 때 각 기체의 부피 관계를 나타낸 것이다. (단, 온도와 압력은 일정하다.)

질소 기체와 수소 기체 60 mL씩을 혼합하여 완전히 반응시켰을 때 생성되는 암모니아 기체의 부피를 쓰시오.

화학 법칙과 원자설, 분자설

돌턴은 질량 보존 법칙과 일정 성분비 법칙을 설명하기 위해 원자설을 제안하였지만 이는 기체 사이의 반응에서 나타나는 부피 관계를 설명할 수 없었다. 돌턴의 원자설을 살펴보고, 기체 반응에서의 부피비를 설명하기 위해 제시된 아보가드로의 분자설에 대해 알아보자.

1 돌턴의 원자설

라부아지에의 질량 보존 법칙과 프루스트의 일정 성분비 법칙은 실험적으로 증명되었고, 이를 근거로 돌턴은 다음의 원자설을 발표하였다.

1 모든 물질은 원자로 이루어져 있으며, 원자는 더 이상 쪼갤 수 없다.

2 원자의 종류가 같으면 그 크기와 질량이 서로 같고, 원자의 종류가 다르면 그 크기와 질량이 서로 다르다.

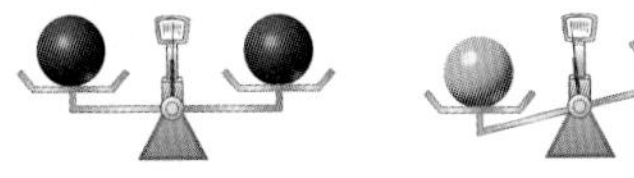

3 원자는 새로 생성되거나 없어지지 않으며, 다른 종류의 원자로 변하지 않는다.

4 화합물은 두 종류 이상의 원자가 간단한 정수비로 결합하여 만들어진다.

2 분자설과 기체 반응 법칙

(1) **돌턴의 원자설과 기체 반응 법칙:** 기체가 원자로 이루어져 있다고 가정하고 기체 반응 법칙을 설명하려고 하면 그림과 같이 산소 원자가 반으로 쪼개져야 하므로 돌턴의 원자설에 어긋난다. 즉, 돌턴의 원자설로는 기체 반응 법칙을 설명할 수 없다.

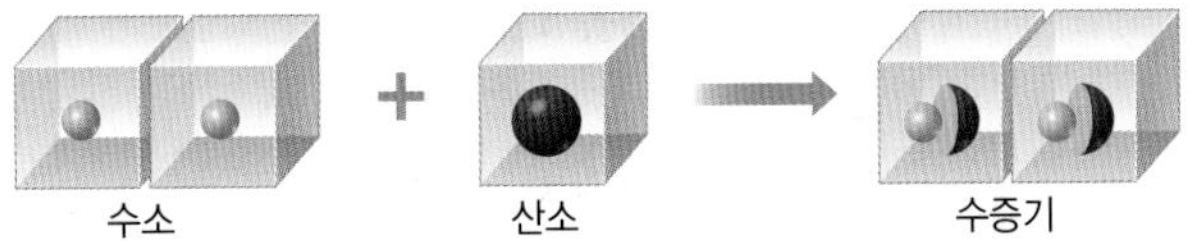

(2) **아보가드로의 분자설과 기체 반응 법칙:** 아보가드로(Avogadro, A., 1776~1856)는 기체 반응 법칙을 설명하기 위해 다음과 같이 분자의 개념을 제안하였다.

- 물질은 원자들이 결합하여 이루어진 분자로 이루어져 있고, 분자는 물질의 성질을 지닌 가장 작은 입자이다.
- 분자가 반응하여 원자 상태로 되면 그 물질의 성질을 잃게 된다.
- 기체의 종류와 관계없이 같은 온도와 압력에서 같은 부피의 기체 속에 들어 있는 분자 수는 같다.

수증기 생성 반응을 분자 모형으로 나타내면 그림과 같이 원자가 쪼개지지 않으면서 기체 반응 법칙을 잘 설명할 수 있다. 따라서 아보가드로의 분자설이 받아들여져 아보가드로 법칙으로 인정받게 되었다.

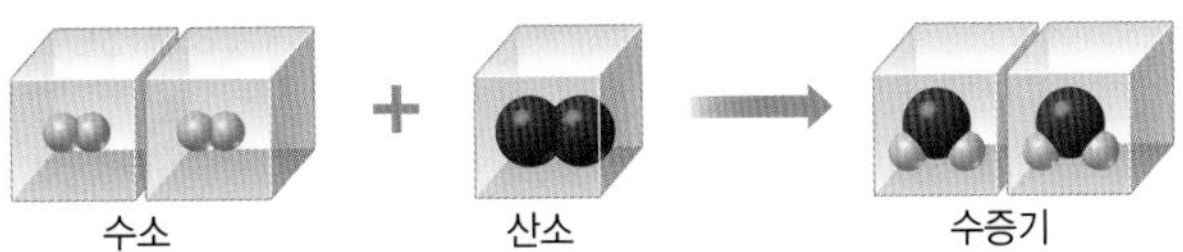

몰과 아보가드로수, 기체의 부피

일상생활에서 물건의 개수를 셀 때 다스, 접 등의 단위를 사용하기도 한다. 원자나 분자, 이온과 같은 작은 입자들의 개수를 다룰 때 사용하는 단위를 알아보고, 기체는 종류에 관계없이 물질의 양에 따라 부피가 같은 까닭은 무엇인지 알아보자.

1 몰과 아보가드로수

(1) **몰**: 화학은 주로 물질과 물질 사이의 변화를 다룬다. 물질은 원자, 분자, 이온 등의 매우 작은 입자로 이루어져 있다. 이러한 입자들은 질량이 작더라도 그 속에는 매우 많은 개수의 입자들이 들어 있으므로 실제 개수를 나타내기 어렵다. 따라서 이러한 작은 입자들의 수량을 편리하게 나타내기 위해 묶음 단위로 '몰'을 사용한다. 1몰은 원자나 분자, 이온 등의 입자 6.02×10^{23}개의 묶음이다. 즉, 원자나 분자, 이온 또는 전자 1몰은 각각 그 입자가 6.02×10^{23}개임을 의미한다. 몰을 단위로 사용할 때는 '몰' 또는 'mol'로 쓴다.

- 원자 1몰(mol)=원자 6.02×10^{23}개
- 분자 1몰(mol)=분자 6.02×10^{23}개
- 이온 1몰(mol)=이온 6.02×10^{23}개
- 전자 1몰(mol)=전자 6.02×10^{23}개

(2) **아보가드로수**: 아보가드로수는 1몰의 물질 속에 들어 있는 입자 수인 6.02×10^{23}이다. 아보가드로수를 측정하는 데는 오랜 세월이 걸렸으며, 아보가드로수는 아보가드로가 측정한 것이 아니라, 후에 아보가드로의 업적을 기리기 위해 붙여진 이름이다.

2 기체의 부피와 분자 수

(1) **기체의 부피와 분자 수**: 기체 분자의 크기가 매우 작고, 분자 사이의 거리가 매우 멀기 때문에 기체의 부피를 다룰 때 기체의 종류에 따른 분자의 크기 차이는 무시할 수 있을 정도이다. 따라서 온도와 압력이 같을 때 모든 기체는 같은 부피 속에 같은 개수의 분자가 들어 있다. 즉, 기체의 부피는 기체의 분자 수에 비례한다.

(2) **기체 1몰의 부피**: 0 ℃, 1기압에서 모든 기체 1몰의 부피는 기체의 종류에 관계없이 22.4 L로 같다.

- 기체 1몰(mol)의 부피=22.4 L(0 ℃, 1기압)

따라서 기체의 종류에 따라 1몰의 질량은 다르지만 부피와 분자 수는 모두 같다.

구분	수소(H_2) 1몰	산소(O_2) 1몰	암모니아(NH_3) 1몰	이산화 탄소(CO_2) 1몰
질량(g)	2.0	32.0	17.0	44.0
분자 수(개)	6.02×10^{23}	6.02×10^{23}	6.02×10^{23}	6.02×10^{23}
기체의 부피(L) (0 ℃, 1기압)	22.4	22.4	22.4	22.4
분자 모형 (같은 온도, 압력)				

중단원 핵심 정리

1 질량 보존 법칙

① **질량 보존 법칙:** 화학 반응이 일어날 때 **반응 전 물질의 총 질량과 반응 후 물질의 총 질량은 같다.** 이는 화학 반응이 일어나도 물질을 이루는 **원자의 종류와 개수는 변하지 않기 때문**이다.

② 몇 가지 반응에서의 질량 보존

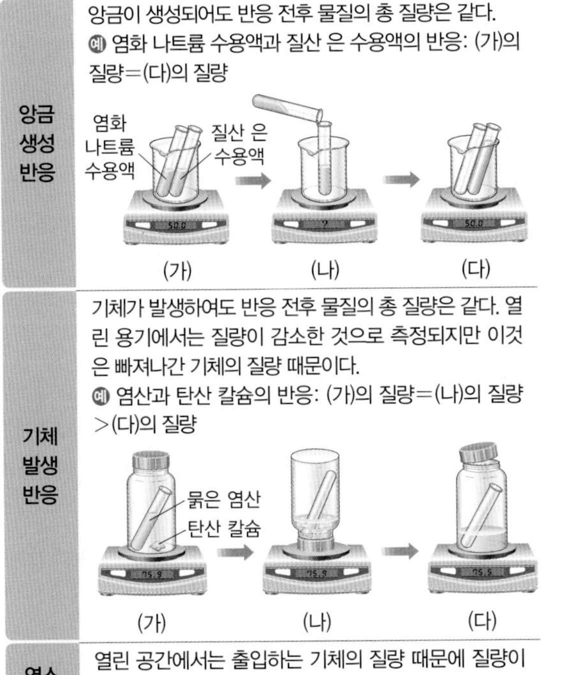

앙금 생성 반응	앙금이 생성되어도 반응 전후 물질의 총 질량은 같다. 예 염화 나트륨 수용액과 질산 은 수용액의 반응: (가)의 질량=(다)의 질량 (염화 나트륨 수용액, 질산 은 수용액 / (가) → (나) → (다))
기체 발생 반응	기체가 발생하여도 반응 전후 물질의 총 질량은 같다. 열린 용기에서는 질량이 감소한 것으로 측정되지만 이것은 빠져나간 기체의 질량 때문이다. 예 염산과 탄산 칼슘의 반응: (가)의 질량=(나)의 질량>(다)의 질량 (묽은 염산, 탄산 칼슘 / (가) → (나) → (다))
연소 반응	열린 공간에서는 출입하는 기체의 질량 때문에 질량이 감소하거나 증가하는 것처럼 측정되지만 밀폐 용기에서는 반응 전후 물질의 총 질량이 같다.

2 일정 성분비 법칙

① **일정 성분비 법칙:** **화합물을 이루는 원소 사이에는 일정한 질량비가 성립**한다. 이는 화합물을 이루는 원자들의 개수비가 일정하고, 같은 종류의 원자는 질량이 같기 때문이다.

② 몇 가지 화합물을 이루는 원소의 질량비

화합물	물	산화 구리(Ⅱ)	산화 마그네슘
모형	H O H	Cu^{2+} O^{2-}	Mg^{2+} O^{2-}
질량비	수소 : 산소 =1 : 8	구리 : 산소 =4 : 1	마그네슘 : 산소 =3 : 2

③ 같은 종류의 원소로 이루어진 물질이라도 성분 원소의 질량비가 다르면 서로 다른 물질이다.

구분	물	과산화 수소
분자 모형	H O H	H O O H
원자의 개수비(수소:산소)	2 : 1	1 : 1
성분 원소의 질량비(수소:산소)	1 : 8	1 : 16

④ 화합물을 구성하는 성분 원소의 질량비는 원자의 개수비에 원자 1개의 질량비를 곱해 구할 수 있다.

화합물	원자의 개수비	원자 1개의 질량비	성분 원소의 질량비
물	수소 : 산소 =2 : 1	수소 : 산소 =1 : 16	수소 : 산소 =2×1:1×16 =1 : 8

3 기체 반응 법칙

① **기체 반응 법칙:** 일정한 온도와 압력에서 기체들이 반응하여 새로운 기체가 생성될 때 **각 기체의 부피 사이에는 간단한 정수비가 성립한다.**

② **기체의 부피와 분자 수:** 온도와 압력이 같을 때 모든 기체는 같은 부피 속에 같은 개수의 분자가 들어 있다.

③ 화학 반응식의 계수비는 입자(분자) 수의 비와 같으므로 **기체들의 반응에서 화학 반응식의 계수비는 부피비와 같다.** 예 수증기 생성 반응

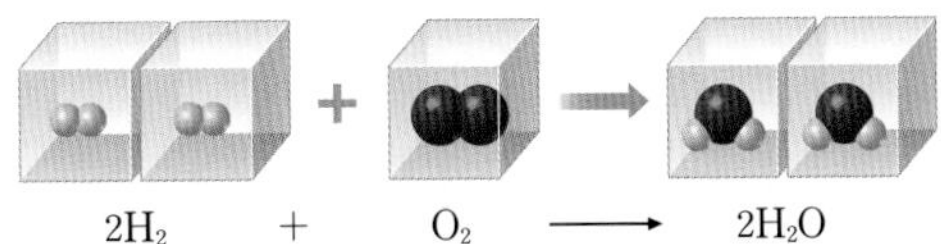

$2H_2 + O_2 \longrightarrow 2H_2O$

개념 확인 문제

01 얼음이 녹아 물로 되는 변화가 일어날 때 변하지 않는 것을 보기에서 모두 고르시오.

보기
ㄱ. 물질의 질량 ㄴ. 분자의 종류 ㄷ. 물질의 성질
ㄹ. 분자의 개수 ㅁ. 물질의 부피 ㅂ. 분자의 배열

[02~03] 그림과 같이 염화 나트륨 수용액과 질산 은 수용액을 반응시키면서 반응 전후의 질량을 측정하였다.

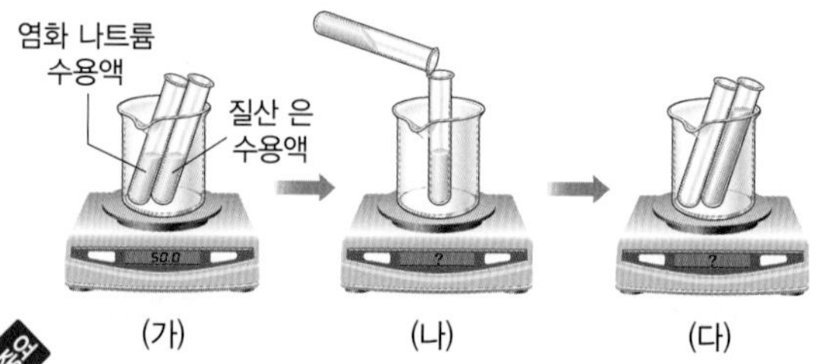

02 (중요) 이에 대한 설명으로 옳은 것을 보기에서 모두 고른 것은?

보기
ㄱ. 기체가 발생하는 반응이다.
ㄴ. 생성된 흰색 앙금은 염화 은이다.
ㄷ. (가)의 질량보다 (다)의 질량이 더 크다.

① ㄱ ② ㄴ ③ ㄷ ④ ㄱ, ㄴ ⑤ ㄴ, ㄷ

03 그림은 위 반응을 입자 모형으로 나타낸 것이다.

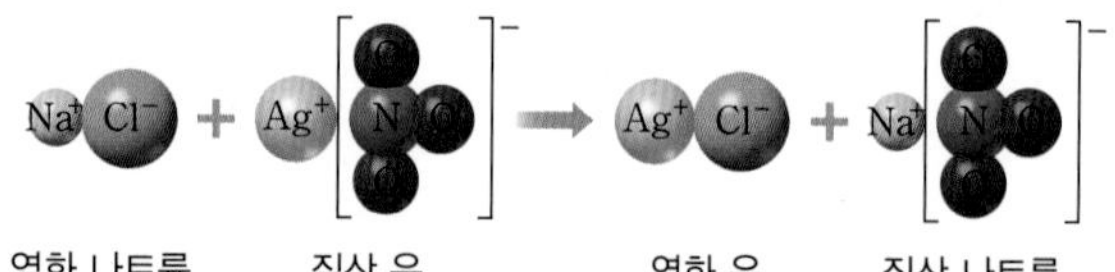

이에 대한 설명으로 옳지 않은 것은?
① 질량 보존 법칙을 설명할 수 있다.
② 반응 전후에 물질의 종류는 변한다.
③ 반응 전후에 원자의 종류는 변한다.
④ 반응 전후에 원자의 개수는 변하지 않는다.
⑤ 반응물질의 총 질량과 생성물질의 총 질량은 같다.

04 (중요) 그림과 같이 탄산 칼슘과 묽은 염산을 밀폐된 플라스틱병 속에서 반응시키면서 반응 전후의 질량을 측정하였다.

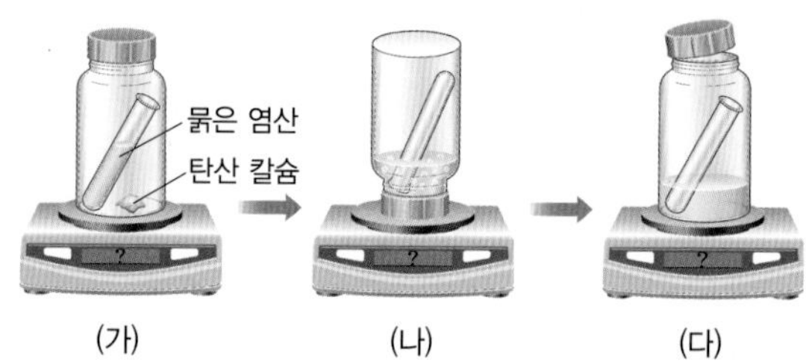

이에 대한 설명으로 옳은 것을 보기에서 모두 고른 것은?

보기
ㄱ. (나)에서 발생하는 기포는 이산화 탄소 기체이다.
ㄴ. (가)~(다) 중 (다)의 질량만 다르다.
ㄷ. 질량 보존 법칙이 성립하지 않는 반응이다.

① ㄱ ② ㄴ ③ ㄷ ④ ㄱ, ㄴ ⑤ ㄴ, ㄷ

05 그림과 같이 묽은 염산이 들어 있는 삼각 플라스크에 아연 조각을 넣은 고무풍선을 씌운 후 묽은 염산과 아연을 반응시키면서 반응 전후의 질량을 측정하였다.

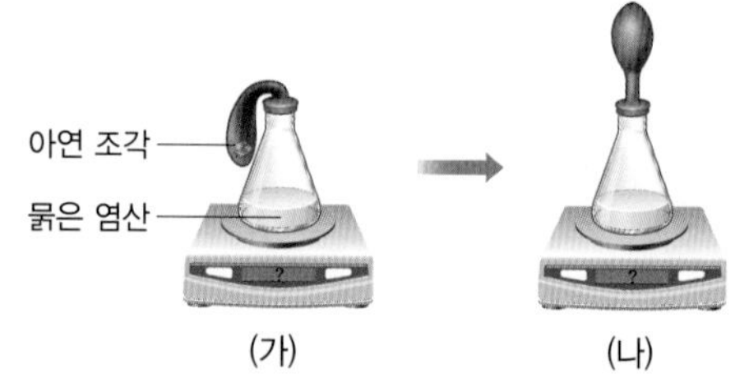

이에 대한 설명으로 옳은 것을 보기에서 모두 고른 것은?

보기
ㄱ. 고무풍선이 부풀어 오르는 것은 기체가 발생하기 때문이다.
ㄴ. 반응 전후 물질의 총 질량은 변하지 않는다.
ㄷ. (나)에서 고무풍선을 벗긴 후 질량을 측정하면 (가)보다 작다.

① ㄱ ② ㄷ ③ ㄱ, ㄴ ④ ㄴ, ㄷ ⑤ ㄱ, ㄴ, ㄷ

06 중요 **그림은 밀폐 용기 안에서 종이를 연소시킬 때 반응 전후의 변화를 모형으로 나타낸 것이다.**

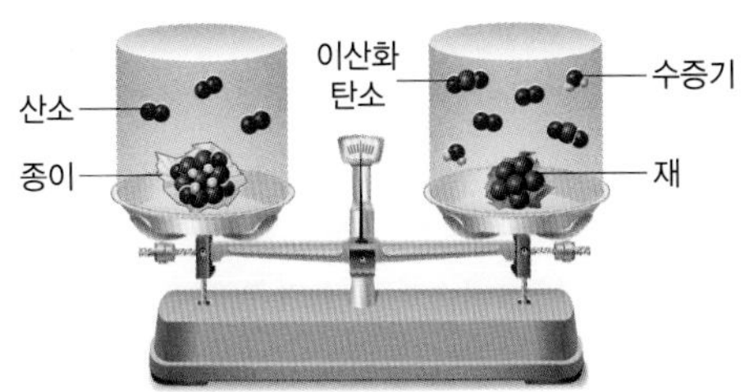

이에 대한 설명으로 옳은 것을 보기에서 모두 고른 것은?

보기
ㄱ. 연소 전후 산소 분자의 총 개수는 변하지 않는다.
ㄴ. 오른쪽 용기에 들어 있는 산소 분자는 반응하지 않고 남은 물질이다.
ㄷ. 열린 용기에서 종이를 연소시킬 때 반응 전후 변화를 위와 같이 나타내면 저울이 왼쪽으로 기울어진다.

① ㄱ ② ㄴ ③ ㄷ ④ ㄱ, ㄷ ⑤ ㄴ, ㄷ

07 중요 **그림과 같이 강철 솜의 질량을 측정한 다음, 토치로 충분히 가열한 후 다시 질량을 측정하였다.**

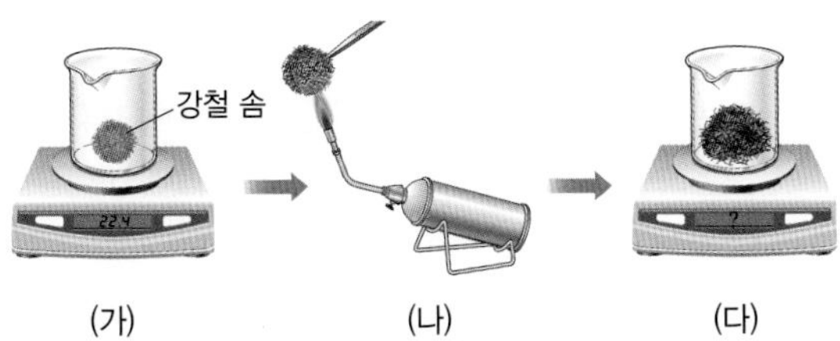

이에 대한 설명으로 옳은 것을 보기에서 모두 고른 것은?

보기
ㄱ. (나)에서 철은 산화 철로 된다.
ㄴ. 질량이 보존되므로 측정된 질량은 (가)=(다)이다.
ㄷ. 강철 솜 대신 숯을 가열하면 측정된 질량은 (가)>(다)이다.

① ㄱ ② ㄴ ③ ㄷ ④ ㄱ, ㄷ ⑤ ㄴ, ㄷ

08 질량 보존 법칙에 대한 설명으로 옳지 않은 것은?

① 물리 변화가 일어날 때 성립한다.
② 화학 변화가 일어날 때 성립한다.
③ 앙금이 생성되는 반응이 일어날 때 성립한다.
④ 반응 전후 원자의 종류와 개수가 변하지 않기 때문에 성립한다.
⑤ 금속이 산소와 결합하면 반응 후 질량이 금속의 질량보다 크기 때문에 질량 보존 법칙이 성립하지 않는다.

09 그림은 화학 변화가 일어나기 전후의 질량을 모형으로 나타낸 것이다.

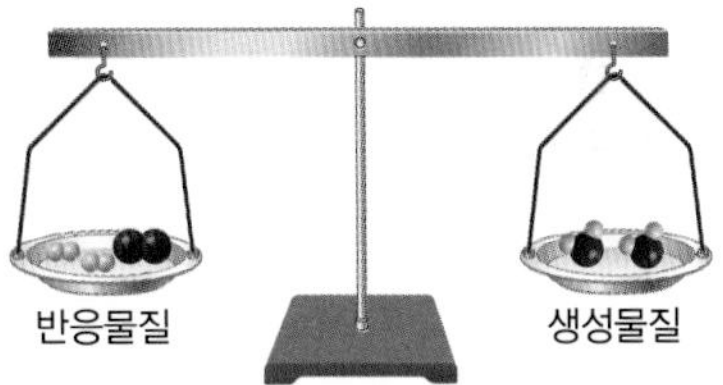

이에 대한 설명으로 옳지 않은 것은?

① 생성물질은 화합물이다.
② 생성물질을 이루는 원자의 개수비가 일정하다.
③ 생성물질을 이루는 원소의 질량비는 일정하다.
④ 화학 변화가 일어나 새로운 원자가 생성되었다.
⑤ 화학 변화가 일어나기 전후 물질의 총 질량은 변하지 않는다.

10 일정 성분비 법칙이 성립하는 반응이 일어나는 것을 보기에서 모두 고른 것은?

보기
ㄱ. 구리를 가열할 때
ㄴ. 소금을 물에 녹일 때
ㄷ. 철 가루와 황가루를 섞을 때
ㄹ. 수소와 산소가 반응하여 물이 생성될 때

① ㄱ, ㄹ ② ㄴ, ㄷ ③ ㄷ, ㄹ
④ ㄱ, ㄴ, ㄷ ⑤ ㄴ, ㄷ, ㄹ

[11~12] 표는 수소와 산소를 반응시켜 물을 생성할 때 반응하는 두 기체의 질량을 나타낸 것이다.

실험	혼합한 기체의 질량(g)		반응 후 남은 기체의 질량(g)
	수소	산소	
(가)	0.2	0.8	수소, 0.1
(나)	0.4	㉠	산소, 0.1
(다)	0.6	5.0	㉡

11 중요 이에 대한 설명으로 옳은 것을 보기에서 모두 고른 것은?

보기
ㄱ. ㉠은 3.2이다.
ㄴ. ㉡은 산소, 0.2이다.
ㄷ. 반응하는 수소와 산소의 질량비는 1 : 8이다.
ㄹ. 실험 (다)에서 생성되는 물의 질량은 5.6 g이다.

① ㄱ, ㄹ ② ㄴ, ㄷ ③ ㄷ, ㄹ
④ ㄱ, ㄴ, ㄷ ⑤ ㄴ, ㄷ, ㄹ

12 이 실험 결과를 이용하여 물 162 g을 이루는 수소와 산소의 질량을 구하여 각각 쓰고, 이때 적용한 화학 법칙의 이름을 함께 쓰시오.

[13~14] 그림은 공기 중에서 구리를 가열할 때 반응하는 구리의 질량과 생성되는 산화 구리(Ⅱ)의 질량을 나타낸 것이다.

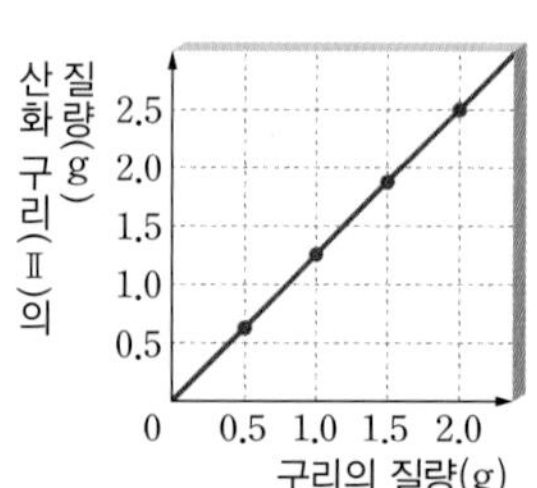

13 산화 구리(Ⅱ)를 이루는 구리와 산소의 질량비를 쓰시오.

14 중요 이 반응에서 구리의 질량이 증가해도 변하지 않는 것은?

① 구리와 반응하는 산소의 질량
② 반응하는 (구리+산소)의 질량
③ 반응하는 구리와 산소의 질량비
④ 생성되는 산화 구리(Ⅱ)의 질량
⑤ 산화 구리(Ⅱ)를 이루는 산소의 질량

15 중요 표는 마그네슘의 연소 반응에서 반응한 마그네슘과 생성된 물질의 질량을 나타낸 것이다.

마그네슘의 질량(g)	0.3	0.9	1.5	2.1
생성된 물질의 질량(g)	0.5	1.5	2.5	3.5

이에 대한 설명으로 옳지 않은 것은?

① 반응한 마그네슘과 산소의 질량비는 3 : 5이다.
② 마그네슘과 결합한 산소의 양만큼 질량이 증가한다.
③ 마그네슘이 연소될 때 생성된 물질은 산화 마그네슘이다.
④ 마그네슘 6.0 g을 완전히 연소시킬 때 필요한 산소의 질량은 최소 4.0 g이다.
⑤ 반응하는 마그네슘의 질량이 증가할수록 반응하는 산소의 질량도 비례하여 증가한다.

16 그림은 물과 과산화 수소의 분자 모형을 나타낸 것이다. 물과 과산화 수소에 대한 설명으로 옳지 않은 것은?

물

과산화 수소

① 분자식이 다르다.
② 성질이 전혀 다르다.
③ 성분 원소의 종류가 다르다.
④ 성분 원자의 개수비가 다르다.
⑤ 성분 원소의 질량비가 다르다.

17 볼트(B) 20개와 너트(N) 30개를 사용하여 그림과 같은 화합물 모형을 최대한 만들었다. (단, 볼트 1개의 질량은 5 g, 너트 1개의 질량은 1 g이다.)

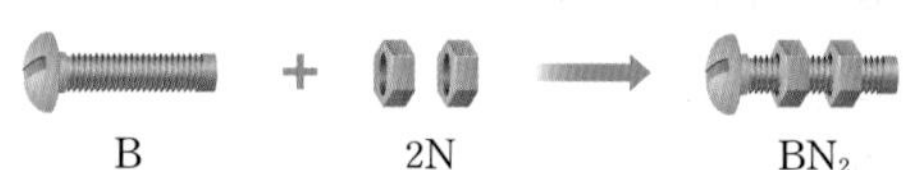

이에 대한 설명으로 옳지 않은 것은?

① 화합물을 만들고 볼트(B) 5개가 남는다.
② 화합물은 일정 성분비 법칙이 성립한다.
③ 최대한 만들 수 있는 화합물은 15개이다.
④ 화합물을 이루는 볼트와 너트의 개수비는 1 : 2이다.
⑤ 화합물을 이루는 볼트와 너트의 질량비는 5 : 1이다.

18 그림은 일정한 온도와 압력에서 질소와 수소가 반응하여 암모니아가 생성될 때 각 기체의 부피 관계를 나타낸 것이다.

질소 기체 수소 기체 암모니아 기체

암모니아 기체 30 L를 만들기 위해 필요한 질소 기체와 수소 기체의 부피(L)를 옳게 짝 지은 것은?

	질소	수소		질소	수소		질소	수소
①	10	20	②	10	30	③	15	30
④	15	45	⑤	20	60			

19 그림과 같이 0 ℃, 1 기압에서 1 L의 용기 속에 질소, 수소, 암모니아 기체가 들어 있다.

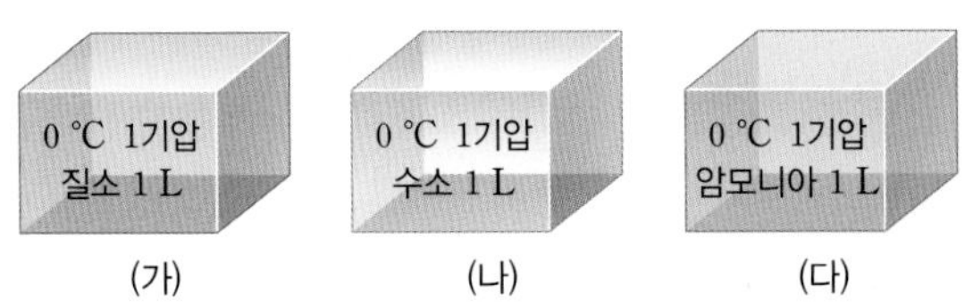

(가)~(다)의 분자 수를 옳게 비교한 것은? (단, 분자의 크기는 수소<질소<암모니아이다.)

① (가)>(나)>(다)
② (가)>(다)>(나)
③ (다)>(가)>(나)
④ (다)>(나)>(가)
⑤ (가)=(나)=(다)

20 다음은 수소 기체와 산소 기체가 반응하여 수증기를 생성하는 반응의 화학 반응식이다.

$$2H_2+O_2 \longrightarrow 2H_2O$$

이에 대한 설명으로 옳지 않은 것은?

① 반응 전후 분자 수는 변하지 않는다.
② 물 분자 1개는 3개의 원자로 이루어져 있다.
③ 반응 전후 원자의 종류와 개수가 같으므로 질량 보존 법칙이 성립한다.
④ 온도와 압력이 같을 때 반응한 기체와 생성된 기체의 부피비는 수소 : 산소 : 수증기=2 : 1 : 2이다.
⑤ 수소 분자 30개와 산소 분자 30개를 반응시키면 수증기 분자 30개가 생성되고, 산소 분자 15개가 남는다.

21 표는 일정한 온도와 압력에서 기체 A와 기체 B가 반응하여 기체 C를 생성할 때 기체의 부피 관계를 나타낸 것이다.

실험	반응 전 기체의 부피(mL)		반응 후 남은 기체의 종류와 부피(mL)	생성된 기체 C의 부피(mL)
	A	B		
(가)	30	10	A, 10	20
(나)	20	20	㉠	20
(다)	40	40	B, 20	㉡

이에 대한 설명으로 옳은 것을 보기에서 모두 고른 것은?

보기
ㄱ. ㉠은 B, 10(mL)이고, ㉡은 40(mL)이다.
ㄴ. 기체 A와 기체 B는 2 : 1의 부피비로 반응한다.
ㄷ. 반응하는 기체 A와 기체 B의 분자 수의 비는 2 : 1이다.
ㄹ. 반응 후 남는 기체가 생기는 까닭은 기체 반응 법칙과 관련이 있다.

① ㄱ, ㄴ
② ㄱ, ㄷ
③ ㄱ, ㄴ, ㄷ
④ ㄴ, ㄷ, ㄹ
⑤ ㄱ, ㄴ, ㄷ, ㄹ

22 그림은 일정한 온도와 압력에서 질소 기체와 수소 기체가 반응하여 암모니아 기체가 생성되는 반응을 모형으로 나타낸 것이다.

질소 기체 수소 기체 암모니아 기체

이에 대한 설명으로 옳지 않은 것은?

① 반응 전후에 질량은 변하지 않는다.
② 화학 반응식은 $N_2+3H_2 \longrightarrow 2NH_3$이다.
③ 질소 분자 20개와 반응하는 수소 분자는 60개이다.
④ 질소 기체 3 mL가 충분한 양의 수소 기체와 모두 반응하면 암모니아 기체 6 mL가 생성된다.
⑤ 질소 기체 20 mL와 수소 기체 30 mL를 혼합하여 반응시키면 암모니아 기체가 최대 40 mL 생성된다.

01 그림은 탄산 칼슘과 염화 수소의 반응을 입자 모형으로 나타낸 것이다.

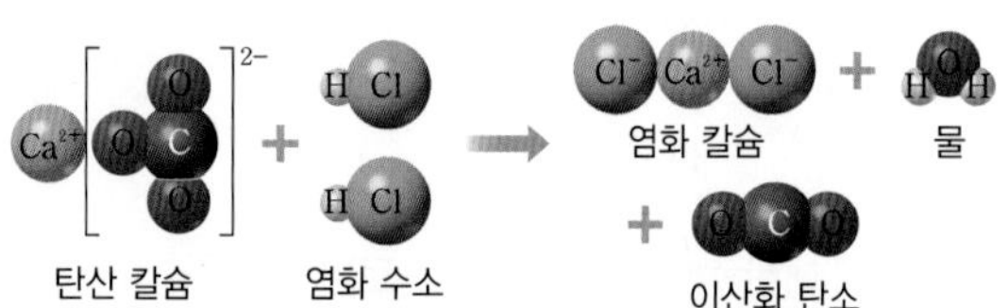

이에 대한 설명으로 옳은 것을 보기에서 모두 고른 것은?

> 보기
> ㄱ. 앙금이 생성되는 반응이다.
> ㄴ. 반응 전후 원자의 종류와 개수는 변하지 않는다.
> ㄷ. 열린 용기에서 이 반응이 일어나면 질량이 증가하는 것으로 측정된다.

① ㄱ ② ㄴ ③ ㄷ ④ ㄱ, ㄴ ⑤ ㄴ, ㄷ

02 그림 (가)와 같이 아이오딘화 칼륨 수용액이 6 mL씩 들어 있는 시험관 6개에 같은 농도의 질산 납 수용액을 각각 0, 2, 4, 6, 8, 10 mL로 넣었을 때 생성된 앙금의 높이가 그림 (나)와 같았다.

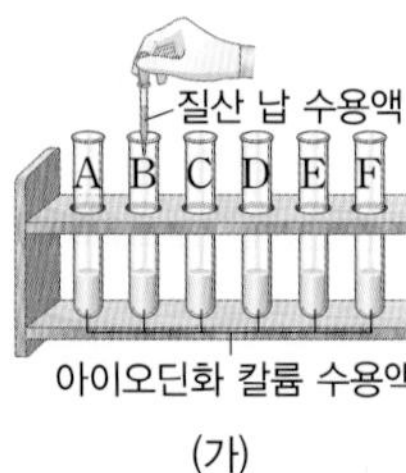

(가)

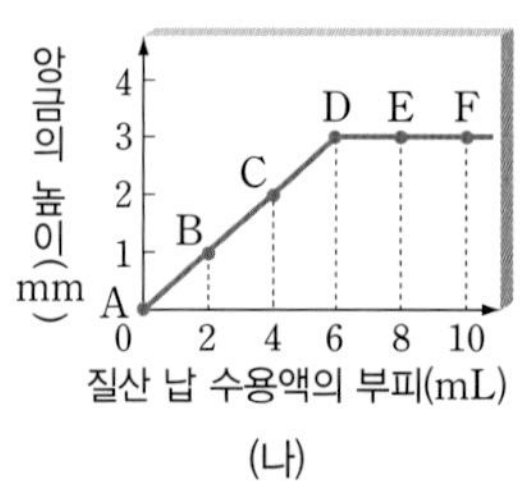

(나)

이에 대한 설명으로 옳은 것을 보기에서 모두 고른 것은?

> 보기
> ㄱ. 시험관 A, B, C에는 반응하지 않은 아이오딘화 이온이 남아 있다.
> ㄴ. 두 수용액은 1 : 1의 부피비로 반응하므로 기체 반응 법칙이 성립한다.
> ㄷ. 시험관 E, F에 같은 농도의 질산 납 수용액을 더 넣어주면 앙금이 더 생성된다.

① ㄱ ② ㄴ ③ ㄷ ④ ㄱ, ㄴ ⑤ ㄴ, ㄷ

03 그림은 산소가 충분히 들어 있는 밀폐된 용기 안에서 일정량의 철을 연소시킬 때 반응 전후의 변화를 모형으로 나타낸 것이다.

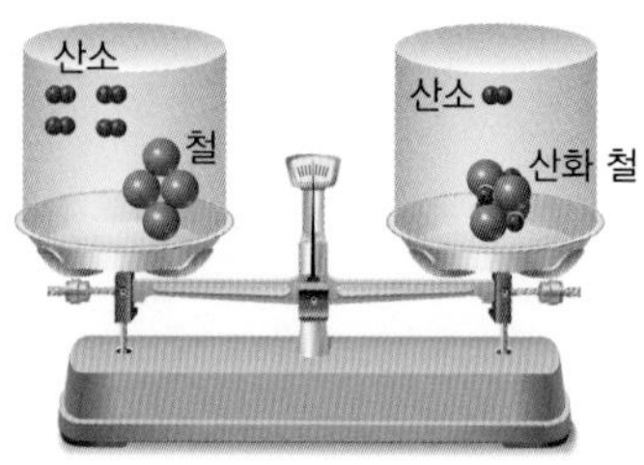

이에 대한 설명으로 옳은 것을 보기에서 모두 고른 것은?

> 보기
> ㄱ. 질량 보존 법칙을 설명할 수 있다.
> ㄴ. 일정 성분비 법칙을 설명할 수 있다.
> ㄷ. 반응할 수 있는 철의 양이 부족하기 때문에 연소 후에 산소가 남는다.
> ㄹ. 열린 공간에서 철을 연소시킬 때 반응 전후 변화를 위와 같이 나타내면 저울이 왼쪽으로 기울어진다.

① ㄱ, ㄴ ② ㄱ, ㄷ ③ ㄴ, ㄹ
④ ㄱ, ㄴ, ㄷ ⑤ ㄴ, ㄷ, ㄹ

04 일정량의 구리 가루를 공기 중에서 가열하면서 생성된 산화 구리(Ⅱ)의 질량을 측정하였다. 구리 가루가 모두 검은색으로 변할 때까지 충분히 가열한 후 가열 시간에 따라 생성된 산화 구리(Ⅱ)의 질량을 나타낸 그래프로 옳은 것은?

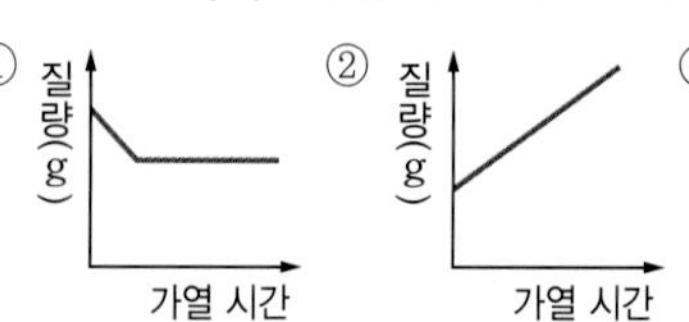

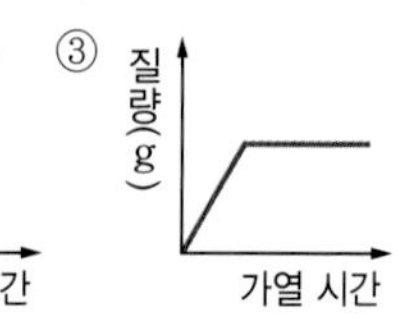

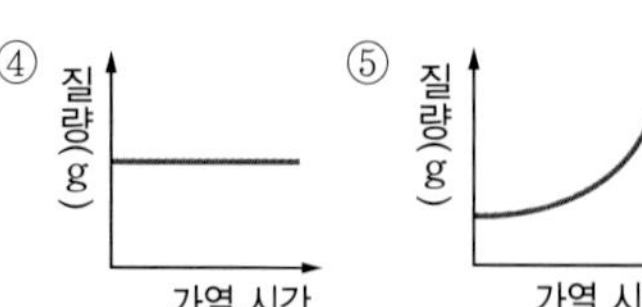

05 그림은 어떤 금속 M 가루 6 g을 도가니에 넣고 충분히 가열하였을 때 가열 시간에 따른 도가니 속 물질의 질량을 나타낸 것이다. (단, M은 임의의 원소 기호이다.)

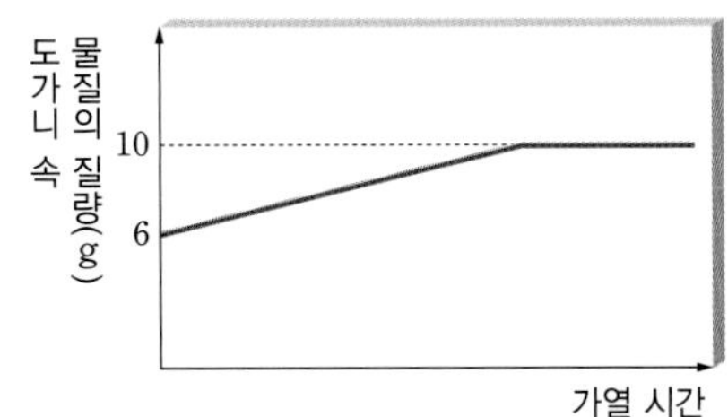

이에 대한 설명으로 옳은 것을 보기에서 모두 고른 것은?

보기
ㄱ. 반응한 금속과 생성된 물질의 질량비는 3 : 2이다.
ㄴ. 금속 가루 15 g을 완전히 연소시키려면 최소 10 g의 산소가 필요하다.
ㄷ. 생성된 물질의 화학식이 MO라고 할 때 금속 원자 1개와 산소 원자 1개의 질량비는 3 : 2이다.

① ㄱ ② ㄴ ③ ㄷ ④ ㄱ, ㄴ ⑤ ㄴ, ㄷ

06 그림은 어떤 원소 X가 산소와 결합하여 화합물 A, B를 이룰 때 원소 X와 화합물의 질량 관계를 나타낸 것이다. (단, X는 임의의 원소 기호이다.)

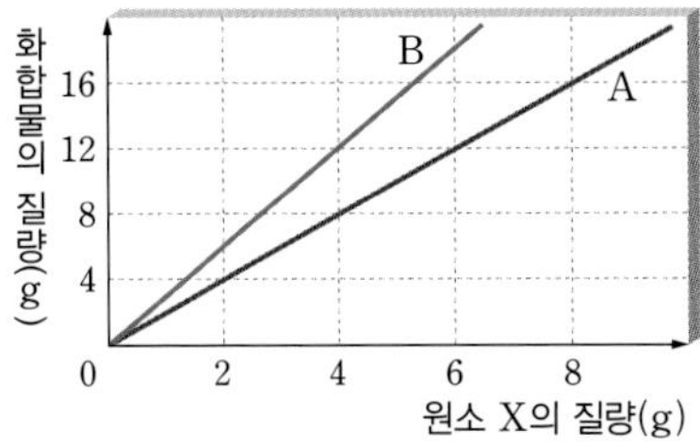

화합물 A의 화학식이 X_2O일 때 화합물 B의 화학식으로 옳은 것은?

① XO ② XO_2 ③ XO_3 ④ X_3O ⑤ X_2O_3

07 표는 일정한 온도와 압력에서 A_2 기체와 B_2 기체를 혼합하여 반응시켜 새로운 기체 X가 생성될 때 반응 전후 기체의 부피를 나타낸 것이다. (단, A와 B는 임의의 원소 기호이고, 반응 전후 온도와 압력은 일정하다.)

실험	반응 전 기체의 부피(mL)		반응 후 남은 기체의 종류와 부피(mL)	반응 후 기체 전체의 부피(mL)
	A_2	B_2		
(가)	10	30	B_2, 25	35
(나)	30	10	㉠	30

이에 대한 설명으로 옳은 것을 보기에서 모두 고른 것은?

보기
ㄱ. 기체 A_2와 기체 B_2는 2 : 1의 부피비로 반응한다.
ㄴ. ㉠은 A_2, 10(mL)이다.
ㄷ. 기체 X의 화학식은 A_2B이다.

① ㄱ ② ㄷ ③ ㄱ, ㄴ ④ ㄴ, ㄷ ⑤ ㄱ, ㄴ, ㄷ

08 그림은 일정한 온도와 압력에서 기체 A_2 60 mL와 기체 B_2 60 mL가 반응하여 기체 C_2가 생성되는 반응에서 시간에 따른 각 기체의 부피를 나타낸 것이다. (단, A와 B는 임의의 원소 기호이고, 반응 전후 온도와 압력은 일정하다.)

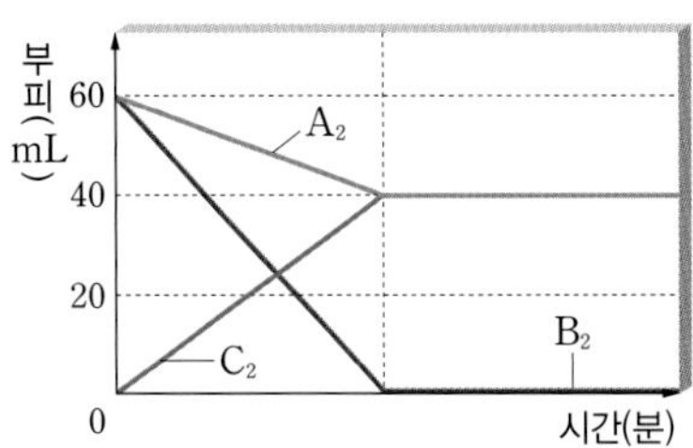

이에 대한 설명으로 옳은 것을 보기에서 모두 고른 것은?

보기
ㄱ. 반응하는 기체와 생성되는 기체의 부피비는 $A_2 : B_2 : C_2 = 1 : 2 : 2$이다.
ㄴ. 이 반응을 화학 반응식으로 나타내면 $A_2 + 3B_2 \longrightarrow 2C_2$이다.
ㄷ. 기체 A_2 30 mL와 기체 B_2 30 mL를 완전히 반응시키면 기체 C_2 30 mL가 생성된다.

① ㄱ ② ㄴ ③ ㄷ ④ ㄱ, ㄴ ⑤ ㄴ, ㄷ

02. 화학 반응의 규칙

☞ 제시된 Keyword를 이용하여 문제를 해결해 보자.

1 **그림은 염화 나트륨과 질산 은의 반응을 입자 모형으로 나타낸 것이다.**

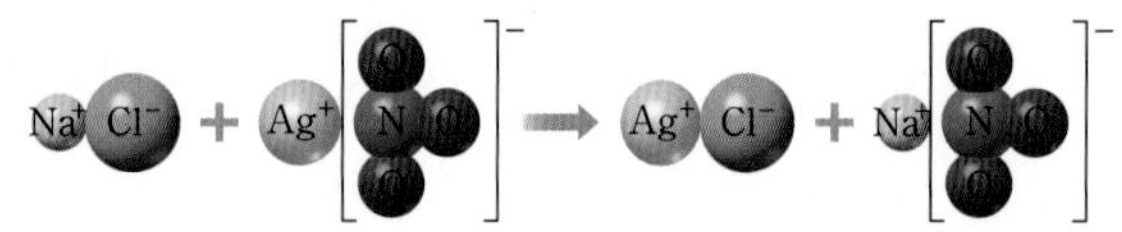

이 반응이 일어날 때 질량 보존 법칙이 성립하는 까닭을 설명하시오.

Keyword 원자, 종류, 개수, 질량

2 **그림은 탄산 칼슘과 묽은 염산을 밀폐 용기 속에서 반응시키면서 반응 전후 질량을 측정하는 실험을 나타낸 것이다.**

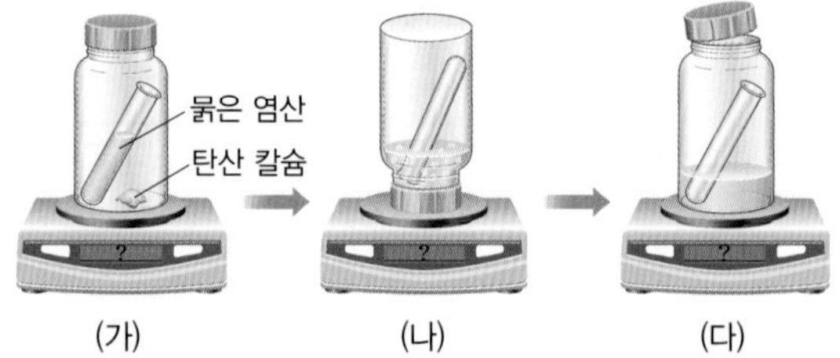

(가)~(다)에서 측정한 질량을 등호나 부등호를 이용하여 비교하고, 그 까닭을 설명하시오.

Keyword 기체 발생, 질량

3 **그림은 물과 산화 구리(Ⅱ)를 이루는 입자를 모형으로 나타낸 것이다.**

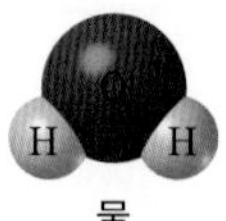

물과 산화 구리(Ⅱ)를 이루는 원소의 질량비가 각각 일정한 까닭을 설명하시오.

Keyword 원자, 개수비, 질량비

4 **그림은 물질 A와 B가 반응하여 화합물이 생성되는 반응을 입자 모형으로 나타낸 것이다.**

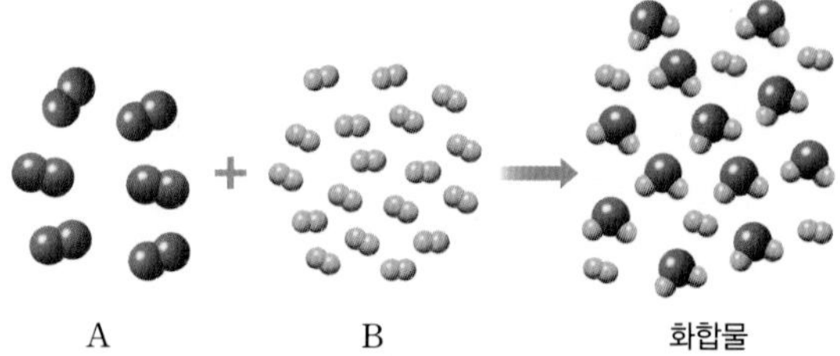

(1) 화합물을 이루는 성분 물질 A와 B의 질량비를 쓰고, 이를 구하는 과정을 설명하시오. (단, ●와 ●의 상대적 질량비는 2 : 1이다.)

Keyword 원자 수의 비, 원자의 상대적 질량비

(2) 반응 후 물질 B가 남는 까닭을 화학 법칙과 관련지어 설명하시오.

Keyword 일정, 질량비

5 표는 수소와 산소가 반응하여 물이 생성될 때의 질량 관계를 나타낸 것이다.

실험	혼합한 기체의 질량(g)		반응 후 남은 기체의 질량(g)
	수소	산소	
(가)	3	16	수소, 1
(나)	3	28	산소, 4

수소 6 g과 산소 32 g을 완전히 반응시켜 물을 만들었을 때 반응 후 남은 기체를 모두 반응시켜 물을 만들기 위해 더 필요한 기체의 종류와 질량을 쓰고, 이를 구하는 과정을 설명하시오.

Keyword 물, 수소와 산소의 질량비

6 그림은 어떤 금속 가루를 2개의 도가니에 각각 1.0 g, 2.0 g씩 넣고 가열할 때 가열 시간에 따른 도가니 속 물질의 질량을 나타낸 것이다.

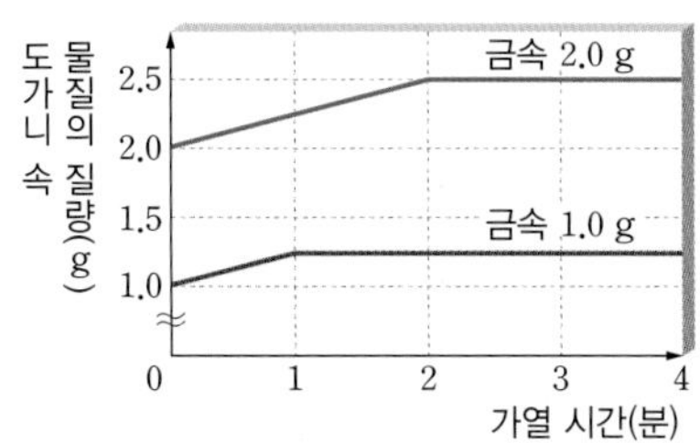

(1) 금속 가루를 가열한 후 일정 시간이 지나면 도가니 속 물질의 질량이 더 이상 증가하지 않는 까닭을 설명하시오.

Keyword 금속, 산소, 질량비

(2) 반응하는 금속과 산소의 질량비를 쓰고, 이를 구하는 과정을 설명하시오.

Keyword 생성물질의 질량, 반응한 산소의 질량, 질량비

7 그림은 일정한 온도와 압력에서 질소 기체와 수소 기체가 반응하여 암모니아 기체를 생성할 때 부피 관계를 나타낸 것이다.

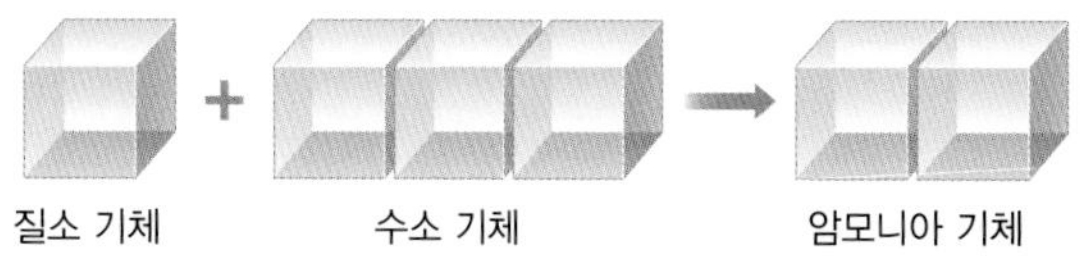

질소 기체와 수소 기체를 각각 30 mL씩 혼합하여 완전히 반응시켰을 때 생성되는 암모니아 기체의 부피를 쓰고, 이를 구하는 과정을 설명하시오.

Keyword 질소 기체, 수소 기체, 암모니아 기체, 부피비

8 표는 일정한 온도와 압력에서 기체 A와 B의 부피를 다르게 하여 반응시켰을 때 생성된 기체 C와 반응하지 않고 남은 기체의 부피를 나타낸 것이다.

실험	반응 전 기체의 부피(mL)		반응 후 남은 기체의 종류 및 부피(mL)	생성된 기체 C의 부피(mL)
	A	B		
(가)	20	20	㉠	20
(나)	40	20	없음	40
(다)	60	20	A, 20	㉡

(1) ㉠, ㉡을 각각 쓰고, 이를 구하는 과정을 설명하시오.

Keyword 기체 A, 기체 B, 기체 C, 부피비

(2) 위 반응을 반응물질은 A와 B, 생성물질은 C로 나타낸 화학 반응식으로 쓰고, 그 까닭을 설명하시오.

Keyword 계수비, 부피비

03 화학 반응에서의 에너지 출입

물이 얼거나 끓는 등의 상태 변화가 일어날 때는 에너지를 방출하거나 흡수한다. 물질의 상태 변화가 일어날 때 에너지가 출입하는 것처럼 화학 변화가 일어날 때도 에너지가 출입할까? 이 단원에서는 화학 반응이 일어날 때 에너지 출입과 이를 이용하는 예를 알아보자.

1 발열 반응과 흡열 반응

과학 용어 사전 239쪽

1. 발열 반응 화학 반응이 일어날 때 에너지를 방출하는 반응을 발열 반응이라고 한다. 이는 반응물질의 에너지 합보다 생성물질의 에너지 합이 작기 때문에 그 차만큼 에너지를 방출하는 것이다.

(1) **주위의 온도 변화**: 화학 반응이 일어날 때 주위로 열에너지를 방출하므로 주위의 온도는 높아진다. 탐구 047쪽

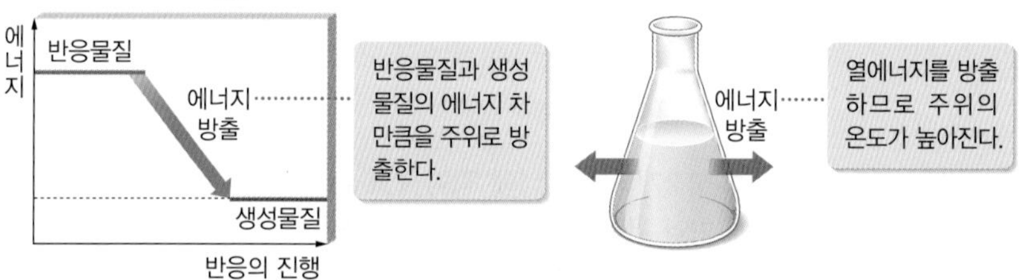

발열 반응에서의 에너지 방출과 주위의 온도 변화

(2) 발열 반응의 예

연료의 연소	산화 칼슘과 물의 반응	철과 산소의 반응

석유, 천연가스 등의 연료가 연소할 때 에너지를 방출한다.	산화 칼슘과 물이 반응할 때 에너지를 방출한다.	철이 산소와 반응하여 녹이 슬 때 에너지를 방출한다.
산과 염기의 반응	**금속과 산의 반응**	**산의 용해**
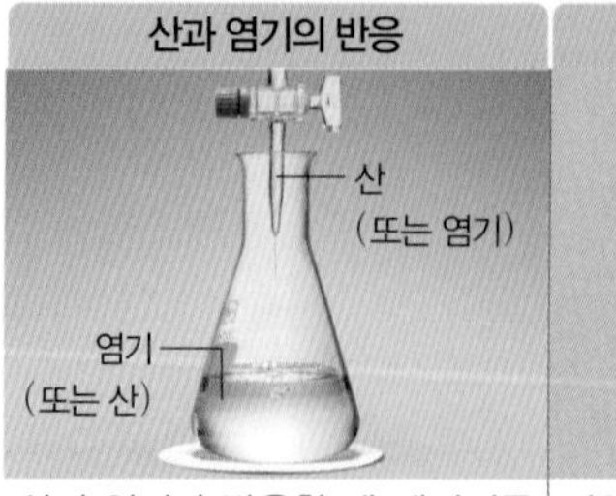		
산과 염기가 반응할 때 에너지를 방출한다.	아연이나 철이 산과 반응할 때 에너지를 방출한다.	염산을 비롯한 산을 물에 넣어 묽힐 때 에너지를 방출한다.

화학 반응이 일어날 때 에너지가 출입하는 까닭
화학 반응에서 반응물질과 생성물질은 고유의 에너지를 가지고 있는데, 반응물질과 생성물질이 가진 에너지에 차이가 있기 때문에 이 에너지 차만큼을 방출하거나 흡수하는 것이다.

상태 변화 시 열에너지의 출입
- 열에너지를 방출하는 상태 변화: 응고, 액화, 기체에서 고체로의 승화
- 열에너지를 흡수하는 상태 변화: 융해, 기화, 고체에서 기체로의 승화

응고, 액화, 기체에서 고체로의 승화가 일어나면 주위의 온도가 높아지고, 융해, 기화, 고체에서 기체로의 승화가 일어나면 주위의 온도가 낮아진다.

용어 산과 염기
물에 녹아 수소 이온(H^+)을 내놓는 물질을 산이라 하고, 물에 녹아 수산화 이온(OH^-)을 내놓는 물질을 염기라고 한다.

산과 염기의 반응
산과 염기가 반응하여 물을 생성하는 반응을 중화 반응이라고 한다. 중화 반응이 일어날 때 열에너지를 방출하며, 이때 방출하는 열에너지를 중화열이라고 한다.

2. 흡열 반응 화학 반응이 일어날 때 에너지를 흡수하는 반응을 흡열 반응이라고 한다. 이는 반응물질의 에너지 합보다 생성물질의 에너지 합이 크기 때문에 그 차만큼 에너지를 흡수하는 것이다. 과학 용어 사전 239쪽

(1) 주위의 온도 변화: 화학 반응이 일어날 때 주위로부터 열에너지를 흡수하므로 주위의 온도는 낮아진다. 탐구 047쪽

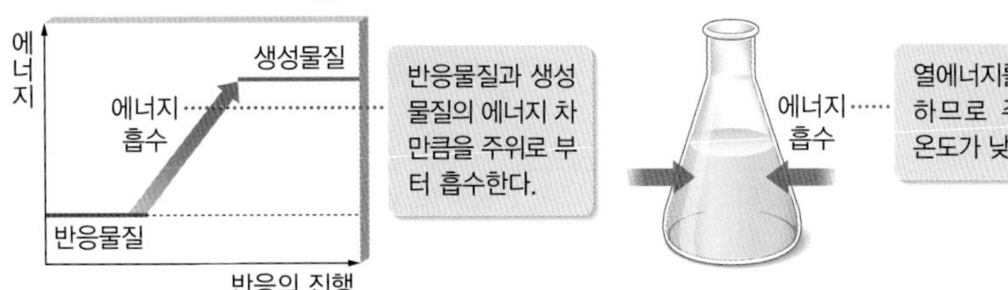

흡열 반응에서의 에너지 흡수와 주위의 온도 변화

탐구 더하기 흡열 반응과 온도 변화(예 수산화 바륨과 염화 암모늄의 반응)

물에 적신 나무판 위에 삼각 플라스크를 올려 놓고, 삼각 플라스크에 수산화 바륨과 염화 암모늄을 넣고 섞은 후 삼각 플라스크를 들어 본다.

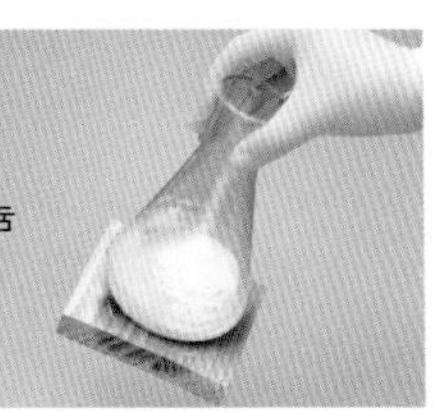

① 수산화 바륨과 염화 암모늄을 섞으면 화학 반응이 일어난다.

② 플라스크를 들면 나무판이 함께 들리는 것은 나무판 위의 물이 얼었기 때문이다. 이는 수산화 바륨과 염화 암모늄이 반응하면서 열에너지를 흡수하여 주위의 온도가 낮아져 나무판과 삼각 플라스크 사이의 물이 얼었기 때문이다. → 화학 반응이 일어날 때 열에너지를 흡수하면 주위의 온도가 낮아진다.

(2) 흡열 반응의 예

탄산수소 나트륨의 분해	질산 암모늄(또는 염화 암모늄)과 물의 반응	식물의 광합성
		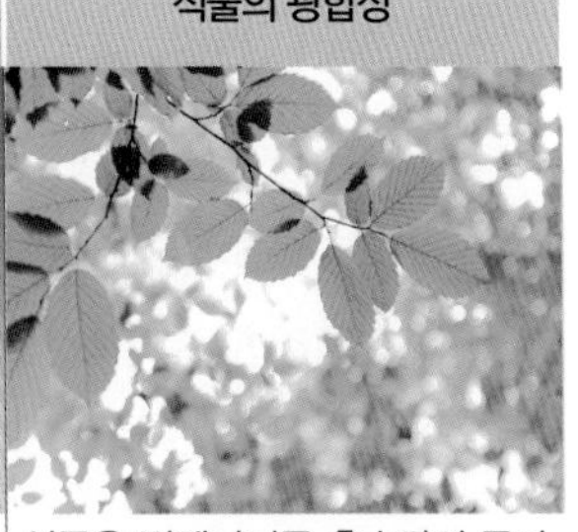
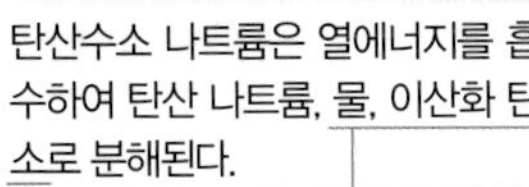 탄산수소 나트륨은 열에너지를 흡수하여 탄산 나트륨, 물, 이산화 탄소로 분해된다.	질산 암모늄이나 염화 암모늄이 물에 녹을 때 열에너지를 흡수한다.	식물은 빛에너지를 흡수하여 물과 이산화 탄소로부터 포도당과 산소를 생성한다.

• 물의 확인: 시험관 입구에 생긴 액체에 푸른색 염화 코발트 종이를 대면 붉은색으로 변한다.
• 이산화 탄소의 확인: 석회수와 반응하여 탄산 칼슘의 흰색 앙금을 생성하므로 석회수가 뿌옇게 흐려진다.

학습 내용 Check

정답과 해설 011 쪽

1. 화학 반응이 일어날 때 에너지를 방출하는 반응을 ________이라 하고, 이때 주위의 온도가 ________진다.

2. 화학 반응이 일어날 때 에너지를 흡수하는 반응을 ________이라 하고, 이때 주위의 온도가 ________진다.

흡열 반응 시 흡수하는 에너지
열에너지를 흡수하여 일어나는 반응 외에도 광합성과 같이 빛에너지를 흡수하여 일어나는 반응, 물의 전기 분해와 같이 전기 에너지를 흡수하여 일어나는 반응도 흡열 반응에 해당된다.

탄산수소 나트륨과 베이킹파우더
빵을 만들 때는 밀가루 반죽에 베이킹파우더를 넣어 준다. 베이킹파우더의 주성분은 탄산수소 나트륨으로, 탄산수소 나트륨이 분해될 때 발생하는 이산화 탄소에 의해 반죽이 부풀어 오른다.
탄산수소 나트륨 ⟶
탄산 나트륨+물+이산화 탄소

석회수
석회수는 이산화 탄소에 의해 뿌옇게 흐려지므로 이산화 탄소 기체를 검출할 때 이용한다.

2 발열 반응과 흡열 반응의 이용

1. 발열 반응의 이용 발열 반응이 일어날 때 열에너지를 방출하는 것을 이용한다.

조리용 발열제	흔드는 손난로	제설제
	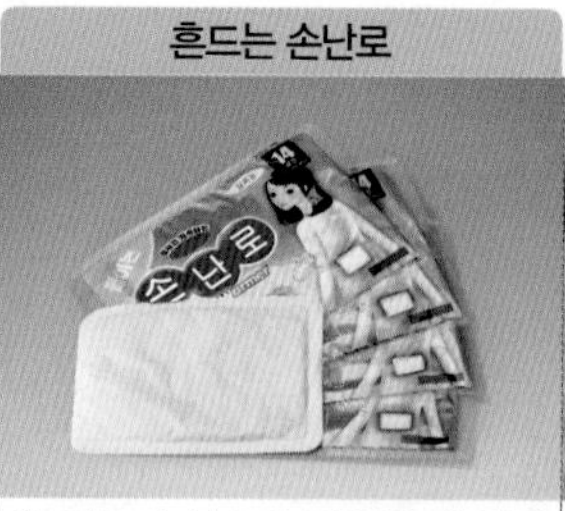	
발열 도시락에 들어 있는 발열제의 주성분은 산화 칼슘으로, 산화 칼슘과 물이 반응할 때 열에너지를 방출하는 것을 이용한다.	철 가루가 산소와 반응할 때 열에너지를 방출하여 온도가 높아지는 것을 이용한다.	염화 칼슘이 물에 녹을 때 열에너지를 방출하는 것을 이용하여 도로의 눈을 녹인다.

연료의 연소 시 방출하는 열에너지 이용
연료가 연소할 때 방출하는 열에너지를 이용하여 음식을 조리하거나 난방을 한다.

2. 흡열 반응의 이용 흡열 반응이 일어날 때 열에너지를 흡수하는 것을 이용한다.

냉찜질 주머니	얼음과 소금을 이용한 냉각
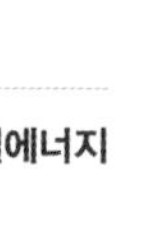	
질산 암모늄(또는 염화 암모늄)이 물에 녹을 때 열에너지를 흡수하는 것을 이용한 것으로, 물과 질산 암모늄이 분리되어 들어 있다. 냉찜질 주머니를 세게 누르면 물이 든 비닐 주머니가 터지면서 질산 암모늄이 물에 녹아 온도가 낮아진다.	얼음에 소금을 넣고 섞으면 얼음이 녹아 물로 되면서 열에너지를 흡수하고, 소금이 물에 녹으면서 열에너지를 흡수하기 때문에 온도가 낮아진다. 이를 이용하여 야외에서 음료를 차갑게 하거나 요리 과정 중 온도를 낮추는 데 이용하기도 한다.

상태 변화 시 출입하는 열에너지를 이용하는 예
- 스팀 난방: 수증기가 물로 액화하는 과정에서 열에너지(액화열)를 방출하는 것을 이용한 것이다.
- 냉장고, 에어컨: 액체 냉매가 기화하는 과정에서 열에너지(기화열)를 흡수하는 것을 이용한 것이다.

학습 내용 Check

정답과 해설 011쪽

1. 흔드는 손난로는 철과 산소가 반응할 때 열에너지를 ________하는 것을 이용한 것이다.
2. 조리용 발열제는 산화 칼슘과 물이 반응할 때 열에너지를 ________하는 것을 이용한 것이다.
3. 냉찜질 주머니는 질산 암모늄이나 염화 암모늄이 물에 녹을 때 열에너지를 ________하는 것을 이용한 것이다.

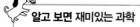

알고 보면 재미있는 과학 금속 단추가 들어 있는 손난로의 원리

흔드는 손난로 외에도 액체와 금속 단추가 들어 있는 손난로를 사용해 본 경험이 있을 것이다. 금속 단추를 '똑딱' 소리가 나도록 한두 번 누르면 손난로 안에 들어 있는 물질이 순식간에 액체에서 고체 상태로 되면서 따뜻해진다. 그리고 이 손난로는 열이 식은 후 뜨거운 물에 넣으면 다시 액체 상태로 되므로 재사용할 수 있다. 이 손난로에 들어 있는 액체 물질은 아세트산 나트륨 과포화 용액으로, 아세트산 나트륨의 용해도보다 더 많은 아세트산 나트륨이 녹아 있어 불안정하기 때문에 금속 단추를 누르는 것과 같은 작은 충격에도 액체 상태에서 고체 상태로 되면서 열에너지를 방출하게 된다.

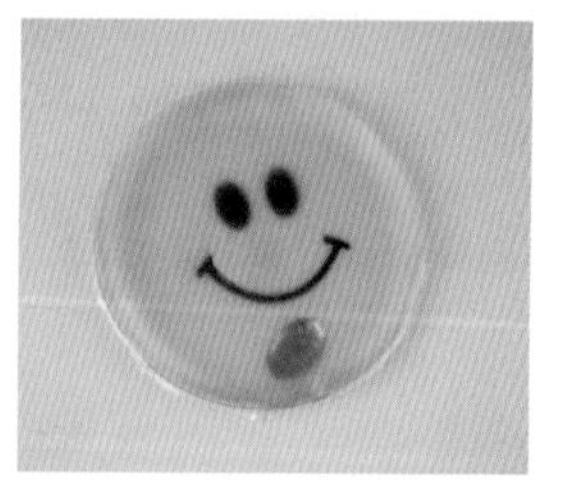

탐구 화학 반응이 일어날 때 출입하는 에너지

화학 반응이 일어날 때 에너지가 출입함을 설명할 수 있다.

과정

[탐구 1 흔드는 손난로 만들기]

❶ 부직포 주머니에 철 가루, 숯가루, 질석, 소금을 한 숟가락씩 넣는다.

❷ 물을 한 숟가락 더 넣은 후 열 봉합기로 주머니의 입구를 밀봉한다.

❸ 주머니를 흔들어 준 후 일어나는 변화를 관찰한다. → 온도가 높아진다.

[탐구 2 냉각 주머니 만들기]

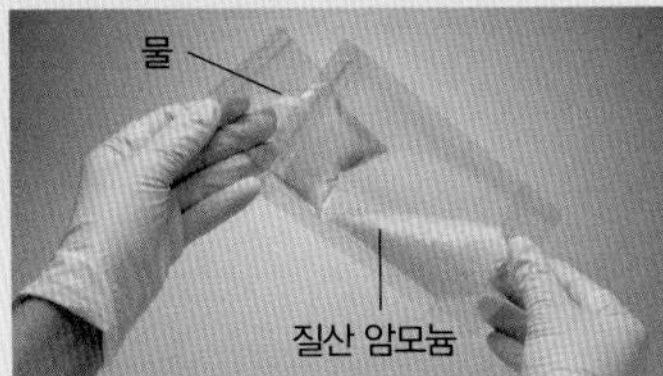

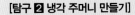

❶ 한약용 투명 봉지에 질산 암모늄을 $\frac{1}{5}$ 정도 넣은 후 물을 반쯤 넣은 지퍼백을 넣는다.

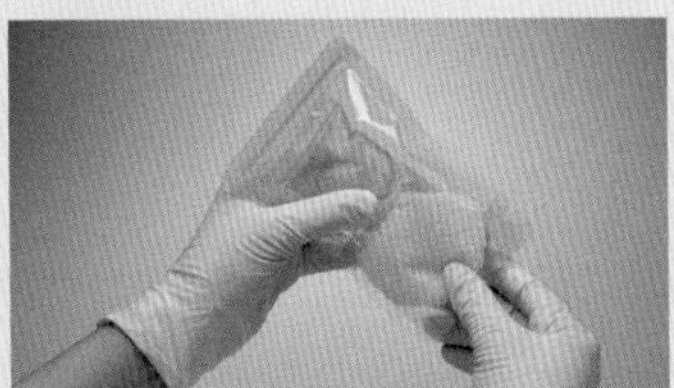

❷ 열 봉합기로 봉지를 밀봉한 후 지퍼백을 눌러 물이 나와 질산 암모늄과 섞이게 한다.

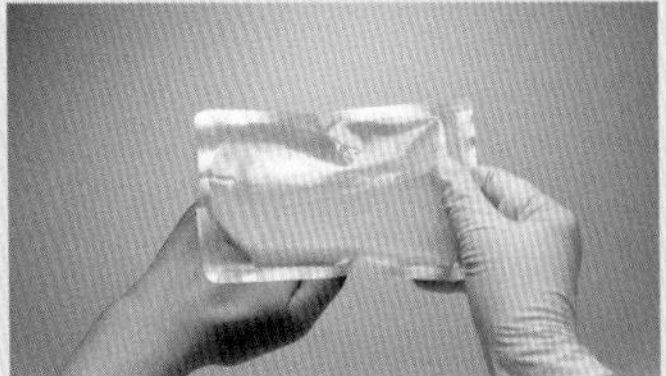

❸ 봉지를 손이나 팔에 대어 보면서 일어나는 변화를 관찰한다. → 질산 암모늄이 물에 녹으면서 온도가 낮아진다.

결과 및 정리

1. 탐구 1의 과정 ❸에서 부직포 주머니를 흔들면 따뜻해진다. 이는 철 가루가 산소와 반응하여 산화 철로 되면서 열에너지를 방출하기 때문이다. 즉, 철과 산소의 반응은 발열 반응이다.
2. 탐구 2의 과정 ❸에서 한약 봉지를 손이나 팔에 대면 차갑다. 이는 질산 암모늄이 물에 녹으면서 열에너지를 흡수하기 때문이다. 즉, 질산 암모늄이 물에 녹는 것은 흡열 반응이다.

탐구 확인 문제

정답과 해설 011쪽

1 위 탐구 1에 대한 설명으로 옳은 것은 ○, 옳지 않은 것은 ×로 표시하시오.

(1) 과정 ❸에서 온도가 높아지는 것은 과정 ❶에서 주머니에 넣은 소금, 숯가루가 반응하기 때문이다. ·· (　　)

(2) 질석은 발생하는 열을 유지하는 보온재의 역할을 한다. ························ (　　)

(3) 과정 ❸에서 온도가 높아지는 것으로부터 열에너지를 흡수하는 반응이 일어났음을 알 수 있다. ········ (　　)

(4) 이 실험에서 일어나는 반응에서 생성물질의 에너지 합은 반응물질의 에너지 합보다 작다. ··············· (　　)

2 위 탐구 2에 대한 설명으로 옳은 것은 ○, 옳지 않은 것은 ×로 표시하시오.

(1) 과정 ❷에서 질산 암모늄은 물에 거의 녹지 않는 물질이라는 것을 알 수 있다. ···························· (　　)

(2) 과정 ❸에서 온도가 낮아지는 것으로부터 열에너지를 방출하는 반응이 일어났음을 알 수 있다. ········ (　　)

(3) 열에너지의 출입 방향이 산화 칼슘과 물이 반응할 때와 같다. ························ (　　)

(4) 이 실험에서 일어나는 반응에서 생성물질의 에너지 합은 반응물질의 에너지 합보다 크다. ··············· (　　)

화학 반응에서 출입하는 열에너지의 양 측정

화학 반응이 일어날 때 열에너지가 출입하는 것은 주위의 온도가 높아지거나 낮아지는 것을 통해 알 수 있다. 그런데 이때 출입하는 열에너지의 양은 어떻게 측정할까? 비열을 이용하여 열에너지의 양을 측정하는 방법을 알아보자.

1 비열과 열량

(1) **비열**: 어떤 물체나 물질 1 g의 온도를 1 ℃ 높이는 데 필요한 열량(열에너지의 양)으로 단위는 J/g · ℃이다. 비열은 물질의 양에 관계없이 물질의 종류에 따라 달라지는 값이다.

(2) **열용량**: 어떤 물체나 물질의 온도를 1 ℃ 높이는 데 필요한 열량으로 단위는 J/℃이다. 열용량은 물질의 종류와 양에 따라 변하는 값이다.

열용량(J/℃) = 비열(J/g · ℃) × 질량(g)

(3) **열량**: 어떤 물체나 물질이 방출하거나 흡수하는 열에너지의 양이다. 열량은 그 물질의 비열에 질량과 온도 변화를 곱하여 구한다.

열량(J) = 비열(J/g · ℃) × 질량(g) × 온도 변화(℃) = 열용량(J/℃) × 온도 변화(℃)

2 화학 반응에서 출입하는 열량 측정

(1) **화학 반응에서 출입하는 열량 측정**: 화학 반응에서 출입하는 열량을 측정하는 장치인 열량계를 이용하며, 열량계 안에서 화학 반응이 일어날 때 출입하는 열에너지가 물이나 용액의 온도를 변화시키므로 이를 이용하여 열량을 구한다.

(2) **간이 열량계로 열량 측정**

① 화학 반응에서 출입하는 열에너지는 모두 간이 열량계 속 용액의 온도 변화에 이용된다고 가정하고 계산한다.

화학 반응에서 방출하거나 흡수한 열량
= 용액이 잃거나 얻은 열량
= 용액의 비열 × 질량 × 온도 변화

② 구조가 간단하여 쉽게 사용할 수 있으나 발생한 열에너지의 일부가 실험 기구의 온도를 변화시키거나 열량계 밖으로 빠져나가는 등의 열 손실이 있다.

간이 열량계

(3) **통열량계로 열량 측정**

① 화학 반응에서 출입하는 열에너지는 모두 통열량계 속 물과 통열량계의 온도 변화에 이용된다고 가정하고 계산한다.

화학 반응에서 방출하거나 흡수한 열량
= 물이 얻거나 잃은 열량 + 통열량계가 얻거나 잃은 열량
= (물의 비열 × 물의 질량 × 물의 온도 변화)
 + (통열량계의 열용량 × 물의 온도 변화)

② 단열이 잘 되도록 만들어져 열 손실이 거의 없으므로 화학 반응에서 출입하는 열량을 간이 열량계보다 비교적 정확하게 측정할 수 있다.

통열량계

중단원 핵심 정리

1 발열 반응과 흡열 반응

반응 물질과 생성 물질의 에너지가 다르기 때문에 화학 반응이 일어날 때 에너지를 방출하거나 흡수한다.

구분	발열 반응	흡열 반응
정의	화학 반응이 일어날 때 에너지를 방출하는 반응이다.	화학 반응이 일어날 때 에너지를 흡수하는 반응이다.
에너지 변화		
주위의 온도 변화	발열 반응이 일어날 때 열에너지를 방출하므로 주위의 온도는 높아진다.	흡열 반응이 일어날 때 열에너지를 흡수하므로 주위의 온도는 낮아진다.
예	• 연료의 연소 • 철과 산소의 반응 • 금속과 산의 반응 • 산화 칼슘과 물의 반응 • 산과 염기의 반응 • 산의 용해	• 수산화 바륨과 염화 암모늄의 반응 • 탄산수소 나트륨의 분해 • 광합성 • 질산 암모늄(또는 염화 암모늄)과 물의 반응

2-1 발열 반응을 이용하는 예

반응이 일어날 때 열에너지를 방출하여 주위의 온도가 높아지는 것을 이용한다.

① 조리용 발열제: 산화 칼슘과 물이 반응할 때 방출하는 열에너지를 이용하여 음식을 조리하거나 데운다.

② 흔드는 손난로: 철 가루와 산소가 반응할 때 방출하는 열에너지를 이용한 것이다.

③ 제설제: 염화 칼슘이 물에 녹을 때 열에너지를 방출하는 것을 이용하여 도로의 눈을 녹게 한다.

2-2 흡열 반응을 이용하는 예

반응이 일어날 때 열에너지를 흡수하여 주위의 온도가 낮아지는 것을 이용한다.

① 냉찜질 주머니: 질산 암모늄이나 염화 암모늄이 물에 녹을 때 열에너지를 흡수하는 것을 이용하여 주변의 온도를 낮춘다.

② 얼음과 소금을 이용한 냉각: 얼음과 소금을 섞으면 얼음이 녹아 물로 될 때, 소금이 물에 녹을 때 열에너지를 흡수하므로 온도가 낮아지는 것을 이용한다.

개념 확인 문제

03. 화학 반응에서의 에너지 출입

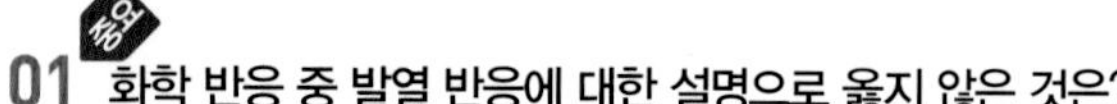

01 중요 **화학 반응 중 발열 반응에 대한 설명으로 옳지 않은 것은?**

① 반응이 일어날 때 에너지를 방출한다.
② 반응이 일어날 때 물질의 총 질량은 보존된다.
③ 생성물질의 성질은 반응물질과 서로 다르다.
④ 발열 반응이 일어나면 주위의 온도가 높아진다.
⑤ 생성물질의 에너지 합은 반응물질의 에너지 합보다 크다.

02 중요 **그림은 어떤 화학 반응이 일어날 때의 에너지 변화를 나타낸 것이다.**

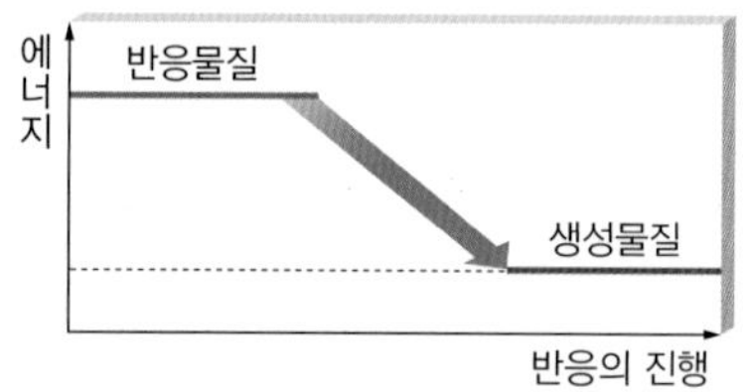

이에 대한 설명으로 옳은 것을 보기에서 모두 고른 것은?

보기
ㄱ. 에너지를 흡수하는 화학 반응이다.
ㄴ. 반응이 일어나면 주위의 온도가 높아진다.
ㄷ. 나무가 연소하는 반응과 에너지 출입 방향이 같다.

① ㄱ ② ㄴ ③ ㄷ ④ ㄱ, ㄴ ⑤ ㄴ, ㄷ

03 **다음 (가)와 (나)의 공통점으로 옳은 것을 보기에서 모두 고른 것은?**

(가) 메테인의 연소 반응 (나) 염산과 아연의 반응

보기
ㄱ. 물이 생성되는 반응이다.
ㄴ. 같은 종류의 기체가 생성되는 반응이다.
ㄷ. 반응이 일어나면 주위의 온도가 높아진다.

① ㄱ ② ㄴ ③ ㄷ ④ ㄱ, ㄴ ⑤ ㄴ, ㄷ

[04~05] 그림과 같이 묽은 염산에 수산화 나트륨 수용액을 가하였다. (단, 혼합 전 두 수용액의 온도는 같다.)

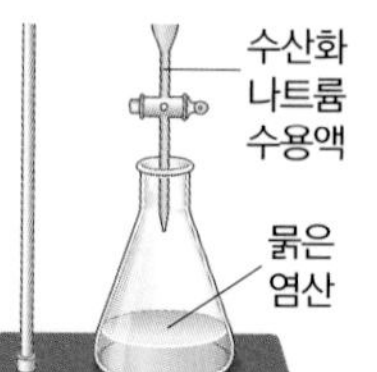

04 **이에 대한 설명으로 옳은 것을 보기에서 모두 고른 것은?**

보기
ㄱ. 반응이 일어날 때 에너지를 흡수한다.
ㄴ. 수산화 나트륨 수용액을 가할수록 혼합 용액의 온도는 낮아진다.
ㄷ. 반응물질의 에너지 합은 생성물질의 에너지 합보다 크다.

① ㄱ ② ㄴ ③ ㄷ ④ ㄱ, ㄴ ⑤ ㄴ, ㄷ

05 **위 반응과 에너지 출입의 방향이 같은 예로 옳지 않은 것은?**

① 물의 응고 ② 도시가스의 연소
③ 철 가루와 산소의 반응 ④ 염산과 마그네슘의 반응
⑤ 질산 암모늄과 물의 반응

06 중요 **그림 (가)와 (나)는 서로 다른 화학 반응이 일어날 때의 에너지 출입을 나타낸 것이다.**

(가)

(나)

이에 대한 설명으로 옳은 것을 보기에서 모두 고른 것은?

보기
ㄱ. 발열 반응을 나타낸 것은 (가)이다.
ㄴ. 주위의 온도가 낮아지는 것은 (나)이다.
ㄷ. 생성물질의 에너지 합이 반응물질의 에너지 합보다 큰 것은 (나)이다.

① ㄱ ② ㄷ ③ ㄱ, ㄴ ④ ㄴ, ㄷ ⑤ ㄱ, ㄴ, ㄷ

07 중요 다음은 화학 반응에서의 에너지 출입을 알아보는 실험이다.

(가) 나무판 가운데에 물을 떨어뜨린 후 삼각 플라스크를 올려놓고, 삼각 플라스크에 수산화 바륨과 염화 암모늄을 넣고 잘 섞는다.
(나) 잠시 후 삼각 플라스크를 들면 나무판이 함께 들어 올려진다.

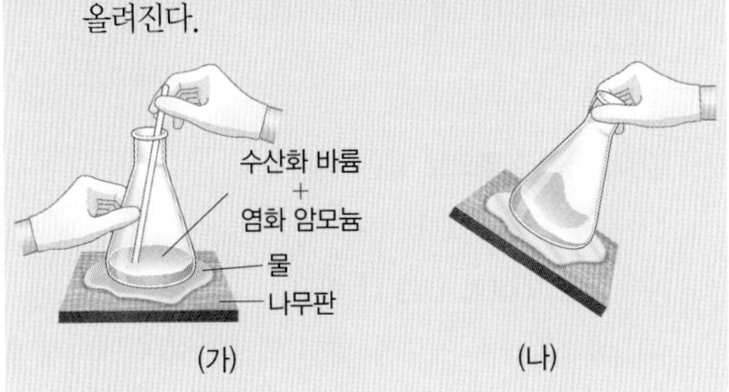

삼각 플라스크 안에서 일어나는 반응의 종류, 반응물질과 생성물질의 에너지 합 비교를 옳게 짝 지은 것은?

	반응의 종류	에너지 합 비교
①	발열 반응	반응물질 < 생성물질
②	흡열 반응	반응물질 < 생성물질
③	발열 반응	반응물질 > 생성물질
④	흡열 반응	반응물질 > 생성물질
⑤	발열 반응	반응물질 = 생성물질

08 그림은 어떤 화학 반응이 일어날 때의 에너지 변화를 나타낸 것이다.

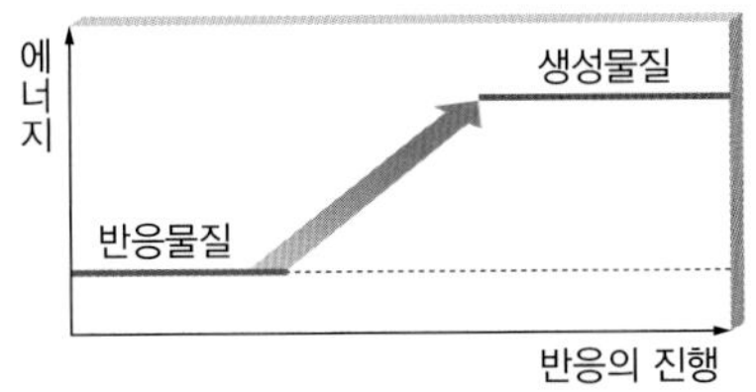

위 반응과 에너지 출입 방향이 같은 반응을 보기에서 모두 고른 것은?

보기
ㄱ. 철이 녹슨다.
ㄴ. 질산 암모늄이 물에 녹는다.
ㄷ. 식물의 엽록체에서 광합성이 일어난다.

① ㄱ ② ㄴ ③ ㄷ ④ ㄱ, ㄴ ⑤ ㄴ, ㄷ

09 중요 다음은 일상생활에서 관찰할 수 있는 현상이다.

- ㉠ 도시가스가 연소하면서 국이 끓는다.
- ㉡ 물이 증발하면서 시원해진다.

이에 대한 설명으로 옳은 것을 보기에서 모두 고른 것은?

보기
ㄱ. ㉠은 흡열 반응이다.
ㄴ. ㉡에서 주위로 에너지를 방출한다.
ㄷ. ㉠에서 반응물질의 에너지 합은 생성물질의 에너지 합보다 크다.

① ㄱ ② ㄴ ③ ㄷ ④ ㄱ, ㄴ ⑤ ㄴ, ㄷ

10 다음은 탄산수소 나트륨을 가열하는 실험 장치와 이 반응의 화학 반응식을 나타낸 것이다.

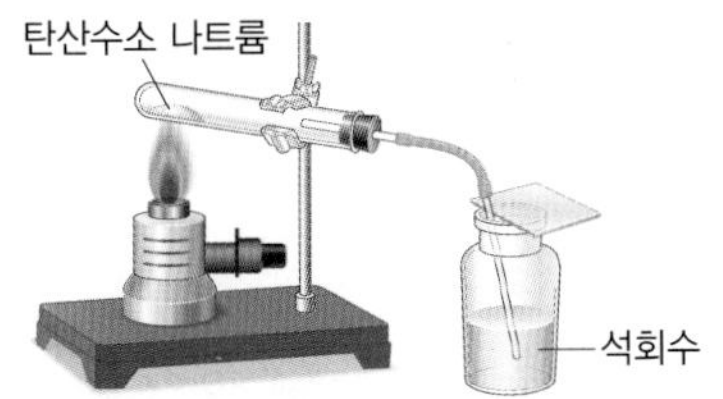

$2NaHCO_3 \longrightarrow Na_2CO_3 + H_2O + ($ ㉠ $)$ … (가)

이에 대한 설명으로 옳은 것을 보기에서 모두 고른 것은?

보기
ㄱ. ㉠은 CO_2이다.
ㄴ. 석회수가 뿌옇게 흐려진다.
ㄷ. 화학 반응 (가)는 발열 반응이다.

① ㄱ ② ㄴ ③ ㄷ ④ ㄱ, ㄴ ⑤ ㄴ, ㄷ

11 발열 반응을 이용한 예를 보기에서 모두 고르시오.

보기
ㄱ. 겨울철 제설제로 염화 칼슘을 이용한다.
ㄴ. 산화 칼슘을 이용하여 조리용 발열제를 만든다.
ㄷ. 냉찜질 주머니에는 질산 암모늄과 물이 들어 있다.
ㄹ. 엔진 내부에서 연료가 연소하여 자동차가 움직인다.

정답과 해설 013쪽

01 그림은 메테인이 연소할 때 반응물질과 생성물질의 에너지 변화를 나타낸 것이다.

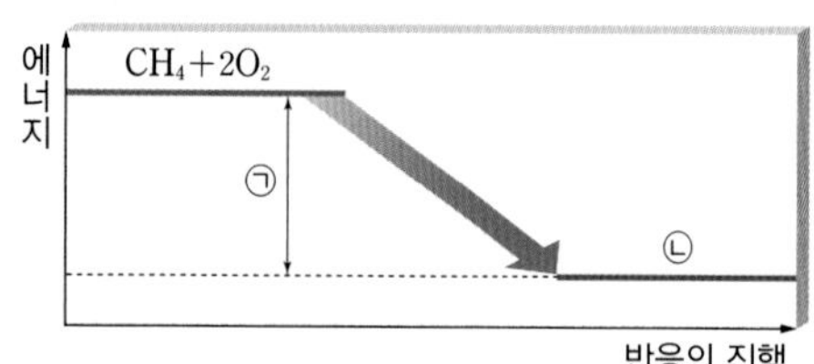

이에 대한 설명으로 옳은 것을 보기에서 모두 고른 것은?

보기
ㄱ. ㉠은 방출하는 에너지의 크기를 나타낸다.
ㄴ. 생성물질인 ㉡은 CO_2+2H_2O이다.
ㄷ. 이 반응이 일어나면 주위의 온도가 낮아진다.

① ㄱ ② ㄴ ③ ㄷ
④ ㄱ, ㄴ ⑤ ㄴ, ㄷ

02 다음은 질산 암모늄의 용해에 관한 실험이다.

질산 암모늄이 들어 있는 비닐 주머니에 물이 들어 있는 비닐봉지를 넣고, 비닐 주머니의 입구를 밀봉한 후 비닐봉지를 눌러서 터뜨리면 질산 암모늄이 물에 녹는다.

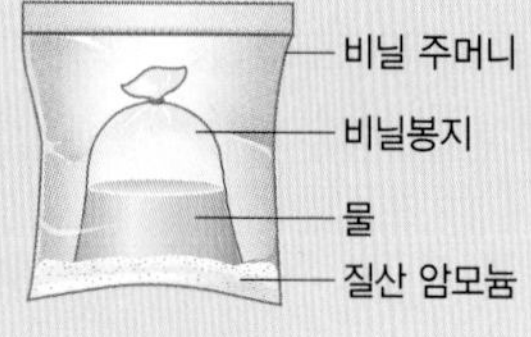

이에 대한 설명으로 옳은 것을 모두 고르면? (정답 2개)

① 비닐 주머니는 차가워진다.
② 비닐 주머니 전체의 질량은 점점 증가한다.
③ 질산 암모늄이 물에 녹는 것은 발열 반응에 해당한다.
④ 질산 암모늄이 물에 녹을 때 발생하는 기체는 수소이다.
⑤ 반응물질의 에너지 합은 생성물질의 에너지 합보다 작다.

03 다음은 두 가지 화학 반응의 화학 반응식이다.

(가) $HCl+NaOH \longrightarrow NaCl+($ ㉠ $)$
(나) $Ba(OH)_2 \cdot 8H_2O+2NH_4Cl \longrightarrow BaCl_2+2NH_3+10($ ㉡ $)$

이에 대한 설명으로 옳은 것은?

① 흡열 반응은 (가)이다.
② ㉠은 $2H_2O$, ㉡은 H_2이다.
③ 생성물질의 에너지 합이 반응물질의 에너지 합보다 큰 것은 (가)이다.
④ 반응이 일어날 때 주위의 온도가 낮아지는 것은 (나)이다.
⑤ (가), (나)의 반응이 일어날 때 반응 전후 물질의 성질은 변하지 않는다.

04 다음은 조리용 발열 팩에 관한 설명이다.

조리용 발열 팩에는 산화 칼슘이 주로 들어 있으며, 발열 팩에 물을 부을 때 발생하는 열을 이용하여 음식을 조리할 수 있다.

이에 대한 설명으로 옳은 것을 보기에서 모두 고른 것은?

보기
ㄱ. 산화 칼슘과 물의 반응은 발열 반응이다.
ㄴ. 발열 팩에 물을 부으면 일어나는 반응은 $CaO+H_2O \longrightarrow Ca(OH)_2$이다.
ㄷ. 반응물질과 생성물질의 에너지 합을 상대적으로 비교하면 반응물질 < 생성물질이다.

① ㄱ ② ㄴ ③ ㄷ
④ ㄱ, ㄴ ⑤ ㄴ, ㄷ

☞ 제시된 Keyword를 이용하여 문제를 해결해 보자.

1 다음은 일상생활에서 관찰할 수 있는 현상이다.

(가) 도시가스가 연소하는 것을 이용하여 음식을 조리한다.
(나) 철을 공기 중에 두면 서서히 녹이 슨다.

(가)

(나)

에너지 출입의 관점에서 (가)와 (나)에서 일어나는 반응의 공통점을 설명하시오.

Keyword 에너지, 방출, 반응

2 다음은 묽은 염산과 아연의 반응에 관한 실험이다.

묽은 염산이 들어 있는 비커에 아연을 넣은 후 반응 전후 온도를 측정한 결과는 다음과 같았다.

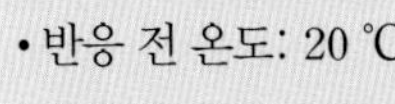
• 반응 전 온도: 20 ℃
• 반응 후 온도: 25 ℃

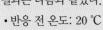

묽은 염산과 아연의 반응은 발열 반응인지 흡열 반응인지를 쓰고, 그 까닭을 설명하시오.

Keyword 온도, 열에너지

3 그림은 두 가지 반응 (가)와 (나)에서 반응물질과 생성물질의 에너지를 상대적으로 나타낸 것이다.

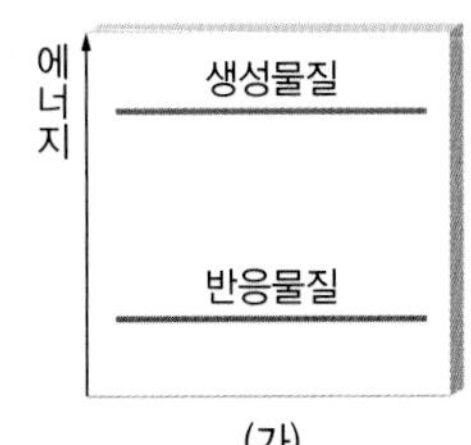

(가)

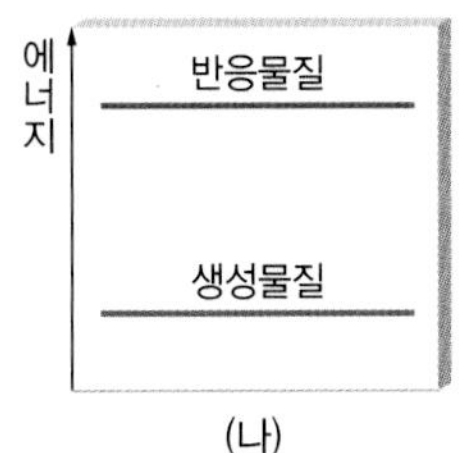

(나)

(가)와 (나) 중 에너지 출입 방향이 다음 반응과 같은 것을 쓰고, 그 까닭을 설명하시오.

$$2NaHCO_3 \longrightarrow Na_2CO_3 + H_2O + CO_2$$

Keyword 반응물질, 생성물질, 에너지

4 다음은 일상생활에서 화학 반응을 이용하는 예이다.

(가) 흔들면 따뜻해지는 손난로는 철 가루와 산소의 반응을 이용한 것이다.
(나) 냉찜질용 주머니는 질산 암모늄이 물에 녹을 때 일어나는 반응을 이용한 것이다.

(가)와 (나)에서 일어나는 에너지 출입과 주위의 온도 변화를 각각 설명하시오.

Keyword 열에너지, 방출, 흡수, 주위, 온도

최상위권 도전 문제

☞ 제시된 Tip을 이용하여 문제를 해결해 보자.

1 **그림은 용기에 화합물 AB와 B_2를 넣고 반응시켰을 때 반응 전과 후에 용기에 존재하는 물질을 모형으로 나타낸 것이다.**

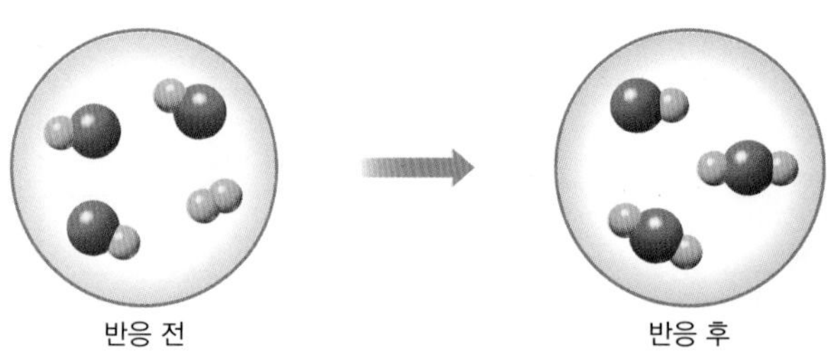

이에 대한 설명으로 옳은 것을 보기에서 모두 고른 것은? (단, A, B는 임의의 원소 기호이다.)

보기

ㄱ. 생성물질의 분자식은 AB_2이다.
ㄴ. 반응한 AB와 B_2의 분자 수의 비는 3 : 1이다.
ㄷ. 생성물질 분자 1개의 질량은 (AB 분자 2개의 질량)+(B_2 분자 1개의 질량)과 같다.

① ㄱ ② ㄴ ③ ㄱ, ㄷ
④ ㄴ, ㄷ ⑤ ㄱ, ㄴ, ㄷ

Tip
반응 전후 각 물질의 분자 모형을 비교하면 생성된 물질의 분자식과 화학 반응식을 알 수 있다.

2 **그림은 원소 X, Y로 이루어진 순물질 (가)~(다)를 이루는 성분 원소 X, Y의 질량 관계를 나타낸 것이다.** (다)의 화학식을 XY로 나타낼 때 (가)와 (나)의 화학식을 옳게 나타낸 것은? (단, X, Y는 임의의 원소 기호이다.)

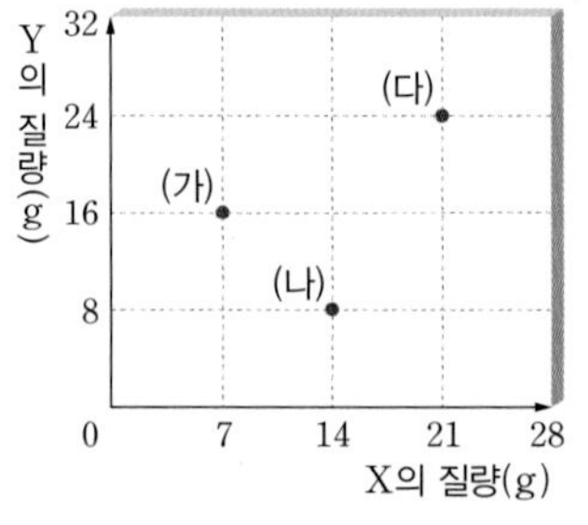

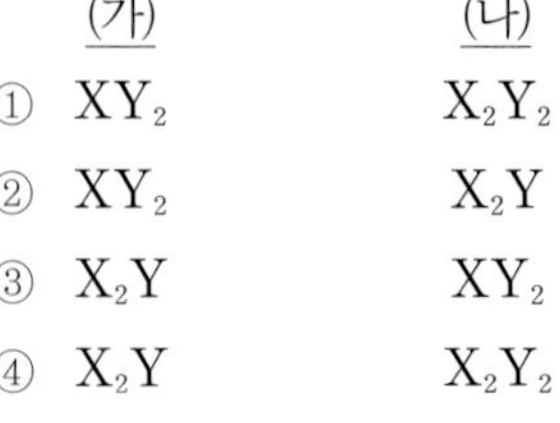

	(가)	(나)
①	XY_2	X_2Y_2
②	XY_2	X_2Y
③	X_2Y	XY_2
④	X_2Y	X_2Y_2
⑤	XY_3	XY_2

Tip
(가)~(다)를 이루는 성분 원소의 질량비와 원자의 개수비를 비교하여 화학식을 나타낼 수 있다.

3 다음은 화합물 A_2B_3에 관한 자료이다.

(가) 화합물 A_2B_3 19 g에서 각 성분 원소가 차지하는 질량은 표와 같다.

성분 원소	A	B
질량(g)	7	12

(나) A_2B_3를 얻기 위해 A_2 5.6 g과 B_2 11.2 g을 혼합하여 완전히 반응시켰다.

이에 대한 설명으로 옳은 것을 보기에서 모두 고른 것은? (단, A, B는 임의의 원소 기호이고, (가)에서 A_2B_3 19 g 속에 들어 있는 B 원자의 수는 N개이다.)

보기

ㄱ. 원자의 상대적 질량비는 A : B=7 : 8이다.
ㄴ. 자료 (나)에서 생성된 A_2B_3의 질량은 16.8 g이다.
ㄷ. 자료 (나)에서 반응한 B 원자의 수는 0.8 N개이다.

① ㄱ ② ㄴ ③ ㄱ, ㄷ
④ ㄴ, ㄷ ⑤ ㄱ, ㄴ, ㄷ

Tip
A_2B_3에서 성분 원자의 개수비가 A : B=2 : 3인 것을 이용하여 (가)로부터 각 원자의 상대적 질량을 구한다.

원자의 질량
원자 1개의 질량은 매우 작으므로 원자 6.02×10^{23}개의 질량을 그 원자의 원자량이라고 한다.

4 표는 금속 M과 산소(O_2)의 질량을 달리하여 완전히 반응시킨 후 생성된 화합물 MO의 질량을 나타낸 것이다.

실험	(가)	(나)	(다)
금속 M의 질량(g)	1.00	0.80	1.40
산소(O_2)의 질량(g)	0.15	0.30	0.35
생성된 화합물 MO의 질량(g)	0.75	1.00	1.75

이에 대한 설명으로 옳은 것을 보기에서 모두 고른 것은? (단, M은 임의의 원소 기호이고, 산소 원자의 상대적 질량은 16이다.)

보기

ㄱ. 실험 (가)에서 반응 후 남는 물질은 금속 M 0.4 g이다.
ㄴ. 반응하는 금속 M과 산소의 질량비는 4 : 1이다.
ㄷ. 금속 M 원자의 상대적 질량은 64이다.

① ㄱ ② ㄴ ③ ㄱ, ㄷ
④ ㄴ, ㄷ ⑤ ㄱ, ㄴ, ㄷ

Tip
화합물 MO는 M 원자와 O 원자가 1 : 1의 개수비로 결합한 것이다.

5 다음은 수소 기체의 연소 반응을 화학 반응식으로 나타낸 것이다.

$$aH_2(g)+O_2(g) \longrightarrow bH_2O(g)$$ (단, a, b는 계수)

0 ℃, 1기압에서 공기 112 L로 수소를 연소시켰다. 이에 대한 설명으로 옳은 것을 보기에서 모두 고른 것은? (단, 공기 중 산소의 부피비는 20 %이다.)

보기

ㄱ. $a+b=4$이다.
ㄴ. 0 ℃, 1기압에서 공기 112 L 중 산소 기체의 부피는 22.4 L이다.
ㄷ. 0 ℃, 1기압에서 최대로 연소시킬 수 있는 수소 기체의 부피는 44.8 L이다.

① ㄱ ② ㄴ ③ ㄱ, ㄷ
④ ㄴ, ㄷ ⑤ ㄱ, ㄴ, ㄷ

Tip
반응 전후에 원자의 종류와 개수가 같으므로 이를 이용하여 화학 반응식의 계수를 구할 수 있고, 반응물질과 생성물질이 모두 기체인 경우 화학 반응식에서 계수비는 기체의 부피비와 같다.

6 다음은 기체의 반응에 관한 자료이다.

일정한 온도와 압력에서 기체 A_2와 B_2의 부피를 다르게 하여 반응시켰을 때 생성된 기체 C와 반응하지 않고 남는 기체의 전체 부피는 표와 같다.

실험	반응 전 기체의 부피(mL)		반응 후 기체 전체의 부피(mL)
	A_2	B_2	
(가)	20	20	20
(나)	30	20	20
(다)	30	10	20

이에 대한 설명으로 옳은 것을 보기에서 모두 고른 것은? (단, A, B는 임의의 원소 기호이다.)

보기

ㄱ. 기체 C의 분자식은 A_2B_2이다.
ㄴ. 실험 (다)에서 A_2 기체 10 mL가 남는다.
ㄷ. A_2와 B_2 기체 30 mL씩을 혼합하여 완전히 반응시키면 반응 후 기체의 전체 부피는 30 mL가 된다.

① ㄱ ② ㄴ ③ ㄱ, ㄷ
④ ㄴ, ㄷ ⑤ ㄱ, ㄴ, ㄷ

Tip
이원자 분자인 A_2와 B_2가 반응하여 C가 생성되는 반응의 화학 반응식 $aA_2+bB_2 \longrightarrow cC$에서 $a+b$는 c보다 크거나 같아야 한다. 이를 만족하는 계수의 조합을 만들어 실험 (가)~(다)를 만족하는 계수를 찾은 후 기체 C의 분자식을 구한다.

7 다음은 어떤 물질이 물에 녹을 때의 온도 변화에 관한 실험이다.

그림과 같은 간이 열량계에 20 ℃의 물 100 g을 넣고 화합물 A와 B를 각각 1 g씩 용해시킬 때 물의 온도를 측정하여 표와 같은 결과를 얻었다.

구분	처음 온도(℃)	나중 온도(℃)
화합물 A	20	25
화합물 B	20	17

이에 대한 설명으로 옳은 것을 보기에서 모두 고른 것은?

보기

ㄱ. 화합물 A의 용해는 흡열 반응이고, 화합물 B의 용해는 발열 반응이다.
ㄴ. 화합물 B의 용해가 일어날 때 반응물질과 생성물질의 에너지 합을 비교하면 반응물질 < 생성물질이다.
ㄷ. 화합물 A와 B가 1 g씩 물 100 g에 용해될 때 출입하는 열에너지의 크기를 비교하면 A > B이다.

① ㄱ ② ㄴ ③ ㄱ, ㄷ
④ ㄴ, ㄷ ⑤ ㄱ, ㄴ, ㄷ

Tip
어떤 반응이 일어날 때 열에너지를 방출하면 주위의 온도가 높아지고, 열에너지를 흡수하면 주위의 온도가 낮아진다. 또한 출입하는 열에너지의 크기가 클수록 온도 변화가 크다.

간이 열량계
주로 용해 과정이나 중화 반응 과정에서 출입하는 열량을 측정하는 장치로, 화학 반응이 일어날 때 출입하는 열에너지가 물이나 용액의 온도를 변화시키는 것을 이용한다.

8 다음은 에너지와 화학 반응에 관한 설명이다.

어떤 물질의 안정성은 물질이 지닌 에너지로 판단할 수 있는데, 물질의 에너지가 낮을수록 안정하다. 흑연과 다이아몬드가 각각 산소 기체와 반응하여 이산화 탄소 기체를 생성하는 반응의 에너지 변화를 나타낸 그림에서 흑연과 다이아몬드 중 에너지 면에서 더 안정한 물질은 무엇인지 알 수 있다.

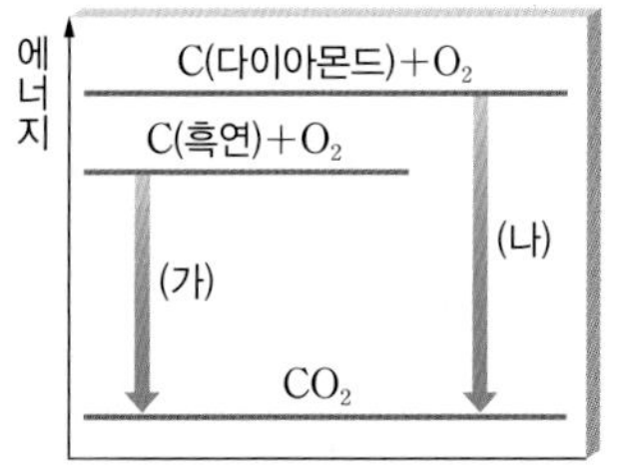

이에 대한 설명으로 옳은 것을 보기에서 모두 고른 것은?

보기

ㄱ. (가)와 (나)의 반응이 일어날 때 모두 주위의 온도가 낮아진다.
ㄴ. 흑연이 다이아몬드보다 에너지 면에서 더 안정하다.
ㄷ. 흑연이 다이아몬드로 되는 반응은 발열 반응이다.

① ㄱ ② ㄴ ③ ㄱ, ㄷ
④ ㄴ, ㄷ ⑤ ㄱ, ㄴ, ㄷ

Tip
어떤 화학 반응이 일어날 때 반응물질과 생성물질의 에너지 차에 해당하는 만큼의 에너지를 방출하거나 흡수한다.

창의·사고력 향상 문제

예제

그림은 연소의 세 가지 조건을 나타낸 것으로, 화재가 발생하면 연소의 세 가지 조건 중 하나 이상을 제거하여 불을 끌 수 있다.

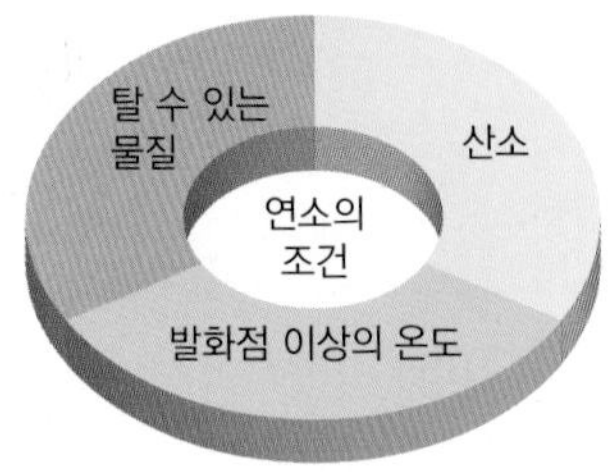

(1) 다음은 화재가 발생할 때 불을 끄기 위해 손쉽게 이용하는 방법이다.

> (가) 화재가 난 곳에 물을 뿌린다.
> (나) 이산화 탄소 소화기를 사용한다.

(가), (나)에서 각각 불을 끄는 원리를 연소의 조건을 이용하여 설명하시오.

(2) 원유를 채굴하는 유정에 불이 붙으면 솟아나오는 석유가스와 원유로 인해 불을 끄기가 매우 어렵다. 유정에 붙은 불을 끄는 방법 중 하나는 폭약을 터뜨리는 것이다. (1)을 참고하여 폭약을 사용하여 유정의 불을 끄는 원리를 설명하시오.

해결 전략 클리닉

화학 변화에 해당하는 연소를 알고, 연소를 제한하는 방법을 알아보는 문제로 실생활과 관련된 것이다. 연소가 일어나기 위해 필요한 조건과 불을 끄는 원리를 연관시켜 다음과 같이 접근해 보자.

❶ 연소는 물질이 산소와 빠르게 반응하여 빛과 열을 내며 다른 물질로 변하는 화학 변화이다.

❷ 폭약을 사용하여 불을 끄는 원리를 탈 수 있는 물질의 제거, 산소 공급의 차단, 발화점 미만의 온도 유지 중에서 선택하여 설명해야 한다.

모범 답안

(1) (가) 불이 붙은 곳에 물을 뿌리면 온도를 발화점 아래로 낮추기 때문에 불이 꺼진다. (나) 이산화 탄소 기체는 공기보다 밀도가 크고 불에 타지 않으므로 불이 붙은 곳에 이산화 탄소를 뿌리면 산소 공급이 차단되어 불이 꺼진다.

(2) 폭약을 설치한 후 터뜨리면 폭발하는 힘에 의해 유정 입구 주변의 공기가 밀려나가서 산소 공급이 차단되어 불이 꺼진다.

출제 의도
화학 변화에 속하는 연소를 이해하고 실생활에 적용할 수 있는가?

연소의 세 가지 조건
- **탈 수 있는 물질**: 불이 붙는 재료가 되는 물질
- **산소**: 물질이 연소할 때 꼭 필요한 산소의 계속적인 공급
- **발화점 이상의 온도**: 연소 물질이 탈 수 있는 온도보다 높은 온도 유지

Keyword
(1) (가) 온도, (나) 밀도, 산소 공급 차단
(2) 산소 공급 차단

완벽한 답안 작성을 위한 tip
(1) 이산화 탄소 기체의 성질이 불을 끄는 것과 관계가 있다는 설명이 없으면 감점될 수 있으므로 이산화 탄소 기체는 공기보다 밀도가 크고 불에 타지 않는다는 것을 설명하도록 한다.
(2) 폭약의 효과가 불을 끄는 것과 관계가 있다는 설명이 없으면 감점될 수 있으므로 폭약이 터지면 주변 공기가 밀려나서 산소 공급이 차단된다는 것을 설명하도록 한다.

실전 문제

정답과 해설 016쪽

1 논리적 서술형
다음은 수소 연료 전지에 관한 설명이다.

> 산업 혁명 이후 오늘날까지 석탄, 석유 등의 화석 연료를 교통수단, 난방, 산업의 에너지원으로 사용하고 있다. 그런데 과학자들은 화석 연료가 연소할 때 방출되는 이산화 탄소의 양이 현재와 같이 유지될 경우 인류 전체가 위험에 처할 것이라고 경고하였다. 이에 세계 각국에서는 화석 연료의 고갈 문제와 화석 연료 사용으로 발생하는 환경 문제를 해결하기 위해 새로운 에너지 자원을 개발하기 위한 여러 가지 방법을 찾고 있으며, 그중 하나가 수소 연료이다. 수소가 연소할 때 발생하는 에너지를 전기 에너지로 전환하는 장치를 수소 연료 전지라고 하며, 이를 활용한 자동차는 이미 양산되고 있다.

수소가 연소되는 반응의 화학 반응식을 쓰고, 수소 연료를 사용하는 까닭을 환경 문제의 해결과 관련하여 설명하시오.

Tip
수소의 연소 반응에서 반응물질은 수소와 산소이므로 생성물질은 무엇일지 생각해 본다.

Keyword
수소, 산소, 물, 이산화 탄소

2 단계적 문제 해결형
다음은 에어백이 부풀 때 일어나는 화학 반응에 관한 설명이다.

> 자동차 사고가 발생했을 때 큰 충격을 받으면 충돌 감지기가 작동하여 전기적 신호에 의해 아자이드화 나트륨(NaN_3)이 폭발적으로 분해되어 금속 나트륨(Na)과 질소(N_2) 기체를 생성한다.
>
> $$2NaN_3 \longrightarrow 2Na + 3N_2$$
>
> 이 반응으로 만들어진 질소 기체가 에어백을 순식간에 부풀게 하여 운전자를 보호할 수 있다.

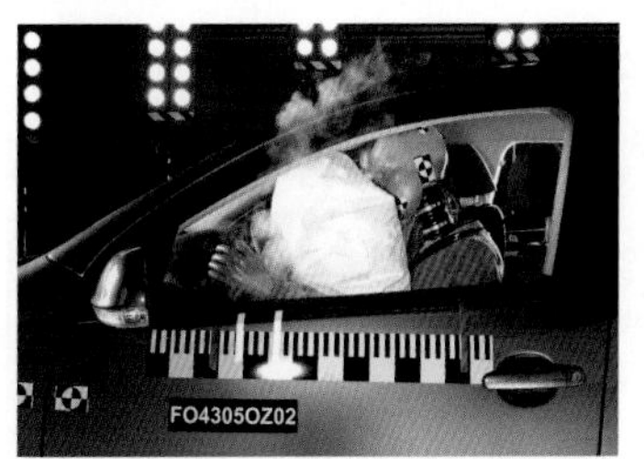

질소 기체 28 g의 부피가 25 L라고 할 때 질소 기체 125 L를 발생시키기 위해 필요한 아자이드화 나트륨의 질량을 계산 과정과 함께 구하시오. (단, 원자의 상대적 질량비는 Na : N=23 : 14이고, 반올림하여 소수 첫째자리까지 구하시오.)

Tip
원자의 상대적 질량비를 이용하여 NaN_3과 N_2의 질량비를 구하는 방법을 생각해 본다.

Keyword
원자의 상대적 질량비, NaN_3과 N_2의 질량비

3

단계적 문제 해결형

우주를 탐사하고 지구로 돌아오던 우주선이 가지고 있던 물을 모두 잃었다. 지구에 도착할 때까지 필요한 물의 질량과 관련된 자료는 다음과 같다.

- 우주선 승무원 → 5명
- 1인당 필요한 물의 양 → 180 g/일
- 지구까지 도착하는 데 걸리는 날짜 → 7일
- 원자의 상대적 질량비 → 수소 : 산소=1 : 16

이 우주선이 지구에 도착할 때까지 필요한 물은 우주선이 가지고 있는 충분한 질량의 액체 수소와 산소로부터 얻을 수 있다. 몇 g의 산소를 사용해야 필요한 질량만큼의 물을 얻을 수 있는지 화학 반응식을 이용하여 설명하시오.

Tip

물을 생성할 때 반응하는 수소와 산소의 질량비는 물 분자를 구성하는 원자의 개수비와 상대적 질량비를 이용하여 구할 수 있다.

Keyword

원자의 개수비, 상대적 질량비, 산소와 물의 질량비

4

단계적 문제 해결형

다음은 일산화 질소(NO)와 산소(O_2)의 반응에 관한 설명이다.

일산화 질소(NO)와 산소(O_2)가 반응하여 이산화 질소(NO_2)가 생성된다.

$$2NO(g)+O_2(g) \longrightarrow 2NO_2(g)$$

그림 (가)는 실린더에 일산화 질소 기체와 산소 기체를 각각 100 mL를 넣은 것을, 그림 (나)는 실린더 속 일산화 질소 기체와 산소 기체 중 어느 한 기체가 모두 소모될 때까지 반응하여 이산화 질소 기체가 생성된 것을 나타낸 것이다.

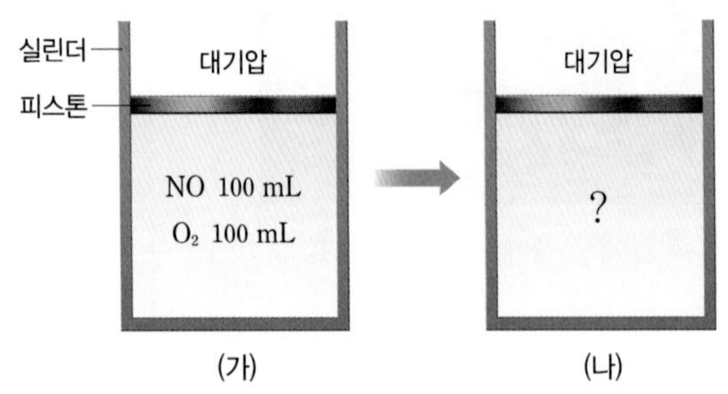

(나)에 들어 있는 기체의 종류와 각 기체의 부피를 계산 과정과 함께 구하시오. (단, 피스톤의 질량과 마찰은 무시하고, 반응 전후 온도는 일정하다.)

Tip

일산화 질소 기체와 산소 기체가 반응하여 이산화 질소 기체가 생성될 때 각 기체의 부피비는 화학 반응식의 계수비로부터 구한다.

Keyword

기체 반응의 부피비, 화학 반응식의 계수비

5 논리적 서술형

다음은 버스나 택시의 연료로 사용되는 CNG와 LPG에 관한 자료이다.

CNG(압축 천연 가스)의 주성분은 메테인(CH_4)이다. 메테인의 끓는점은 -161 ℃이므로 25 ℃, 1기압에서 기체 상태로 존재하므로 메테인을 대기압에서 -161 ℃보다 낮은 온도로 냉각하여 액화시키면 부피가 약 $\frac{1}{600}$로 줄어든다.
LPG(액화 석유 가스)의 주성분은 프로페인(C_3H_8)과 뷰테인(C_4H_{10})이다. LPG는 상온에서 4기압 정도의 압력을 가하면 쉽게 액화되어 부피가 크게 감소하므로 소형 압력 용기에 넣어 연료로 사용하고 있다.
메테인, 프로페인, 뷰테인을 완전 연소시킬 때 방출하는 열량을 함께 나타낸 화학 반응식은 다음과 같다.

$$CH_4 + 2O_2 \longrightarrow CO_2 + 2H_2O + 213\ \text{kcal}$$
$$C_3H_8 + 5O_2 \longrightarrow 3CO_2 + 4H_2O + 531\ \text{kcal}$$
$$2C_4H_{10} + 13O_2 \longrightarrow 8CO_2 + 10H_2O + 1376\ \text{kcal}$$

지구 온난화의 측면에서 CNG와 LPG 중에서 어떤 것이 더 환경 친화적인 연료인지를 연소 시 발생하는 에너지와 이산화 탄소 배출량을 고려하여 판단하고, 그 까닭을 설명하시오.

Tip
연료의 연소 시 발생하는 이산화 탄소는 지구 온난화를 일으키는 기체 중 하나이다.

Keyword
이산화 탄소 발생, 에너지

6 단계적 문제 해결형

다음은 물과 관련된 반응에 관한 설명이다.

수소의 연소 반응이 일어나 물을 생성할 때와 수증기를 생성할 때 각각 방출하는 열량을 화학 반응식과 함께 나타내면 다음과 같다.

$2H_2(g) + O_2(g)$
$\longrightarrow 2H_2O(g) + 483.6\ \text{kJ}$

$2H_2(g) + O_2(g)$
$\longrightarrow 2H_2O(l) + 571.6\ \text{kJ}$

오른쪽 그림은 물과 관련된 반응에서 물질의 에너지 크기를 나타낸 것이다.

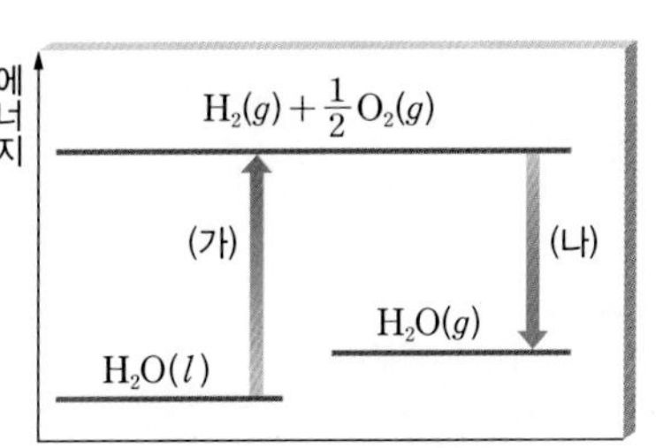

(가)와 (나)의 반응 중 흡열 반응인 것을 쓰고, 그 까닭을 (가)와 (나)의 값을 포함하여 설명하시오.

Tip
흡열 반응은 반응이 일어날 때 에너지를 흡수하는 반응으로, 반응물질의 에너지 합이 생성물질의 에너지 합보다 작다.

Keyword
에너지 방출, 에너지 흡수

Sc!ence Talk

과학으로 지키는 문화재

보존 과학과 문화재

백제 금동대향로

어떤 유물이나 미술품이라도 공기 중의 산소, 수분 등과 반응하기 때문에 시간에 따라 변화가 일어난다. 그런데 우리가 박물관에서 오래 전 문화재를 온전한 형태로 볼 수 있는 까닭은 무엇일까? 우연히 시간의 흐름을 거슬러 온전한 형태로 전해졌을까? 이에 대한 답을 우리는 보존 과학에서 찾을 수 있다. 보존 과학은 문화재의 보존과 복원을 위한 과학이라고 할 수 있다.

문화재는 각각 놓여 있는 주변 환경과 오랜 세월 속에서 자연적 피해(물리, 화학적 피해), 환경적 피해(대기 오염에 의한 피해), 인적 피해(인간에 의한 피해)를 받게 된다. 손상된 문화재에 새로운 생명력을 불어 넣기 위해서는 전통 기술과 현대 과학기술을 잘 조화시켜 본래의 모습으로 되돌려 놓아야 하는데, 이를 연구, 조사, 보존하는 것이 보존 과학이다. 또한, 보존 과학은 문화재의 기술사적 연구, 환경 관리 등과 같은 예방 보존도 포함하고 있다.

국보 91호 말 탄 사람 토기(좌: 주인상, 우: 하인상) 1924년 경주 금령총에서 출토된 토기로, 발굴 당시 임시로 접합하였다가 그 상태가 불안정하여 1977년 다시 해체 후 보존 처리하였다.

과학적 보존 처리의 기본적인 목적은 소장품이 지니고 있는 고유 가치를 유지, 보존하고 그 수명을 연장시키는 것으로, 유물의 보존 상태, 종류나 재질에 따라 다르기는 하지만 다음과 같은 과정을 따르며, 이 과정에서 다양한 과학 원리와 과학기술, 기기 등을 이용하고 있다.

재질, 상태 조사 및 분석, 손상 요인 파악 → 보존 처리 범위 및 방법 결정 → 유해한 오염물 또는 부식 산화물 제거 → 재질 안정화 처리, 강화 처리, 보강 조치 → 파손부 접합, 결실부 복원 → 조사, 분석 및 보존 처리 실행 내용 기록과 정리

문화재가 가지고 있는 특성을 과학적인 방법으로 밝혀냄으로써 유물의 제작 기술, 산지 분석, 연대 측정 및 고환경 연구 등으로 고고학 및 역사학적으로 중요한 정보를 제공하는 것 또한 보존 과학의 한 분야이다. 문화재의 상태 조사, 재질 분석 등으로 부식 원인을 규명하고 예방함으로써 문화재의 생명을 연장시키는 데 기여하기도 한다.

다양한 재질의 문화재는 그 주변 환경과 시간의 경과에 따라 여러 가지 노화 현상이 발생하게 된다. 문화재에 일어난 노화 현상을 막을 수 있는 적절한 환경을 유지하여 문화재의 손상을 예방하고, 문화재의 생명을 연장시키기 위한 연구도 보존 과학의 중요한 역할 중 하나이다.

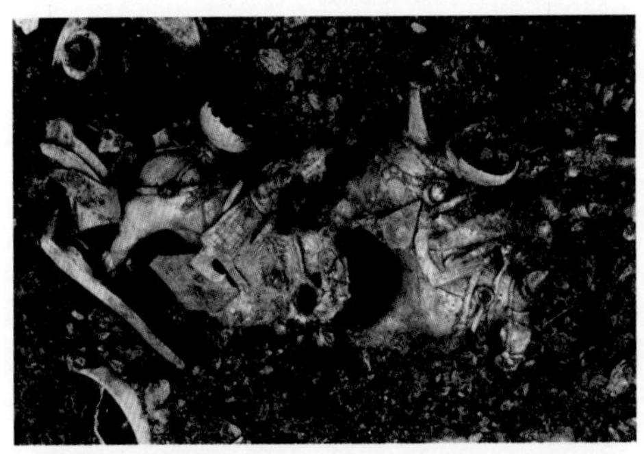

말 탄 사람 토기 출토 당시 모습 1924년 경주시 노동동에 위치한 금령총에서 출토되었다. 발굴 당시 응급 수습을 위해 임시로 접합하였다.

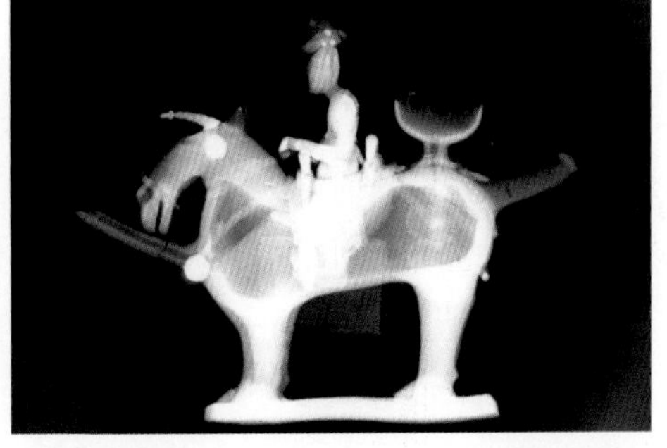

말 탄 사람 토기(주인상) X선 투과 사진 X선 촬영 결과 토기 내부가 비어 있어 액체를 담을 수 있음을 알 수 있다.

해체 후 분리된 토기 처음 출토됐던 상태로 완전히 해체하고 에폭시계 수지와 충전제를 혼합해 토기 조각을 다시 접합했으며, 결손된 채로 남아 있던 부분들은 기존 사진 자료 등을 참고해 복원했다.

Ⅲ 기권과 날씨

01 기권과 복사 평형

02 대기 중의 물

03 날씨의 변화

지구계의 구성 요소 중 하나인 기권에서는 구름이 생기고, 비나 눈이 내리며, 바람이 불기도 한다. 이 단원에서는 이러한 기상 현상이 나타나는 지구 기권의 구조와 특징을 알아보고, 우리 생활에 영향을 주는 날씨가 변하는 원인을 알아보자.

01 기권과 복사 평형

기권은 생명체가 살아가는 데 필요한 여러 가지 기체를 제공하고, 태양에서 오는 해로운 물질을 막아 주며, 지구의 온도를 일정하게 유지하는 역할을 한다. 이 단원에서는 기권의 구조와 기권이 어떻게 지구의 온도를 일정하게 유지하는지 알아보도록 하자.

1 기권

1. 기권 지구를 둘러싸고 있는 대기가 분포하는 영역을 기권(대기권)이라고 한다.

(1) **대기의 분포:** 지구에서 대기는 지표에서부터 높이 약 1000 km까지 분포한다. 지구의 대기는 지구 중력의 영향으로 대부분 지표 가까운 곳에 분포하며, 높이 올라갈수록 희박해진다. 지표에서 높이 약 5.5 km 사이에 전체 대기의 약 50 %가 분포한다.

(2) **대기의 조성:** 지구의 대기는 여러 가지 기체가 섞여 있다. 그중 질소가 약 78 %, 산소가 약 21 %를 차지하고 있으며, 그 밖에 아르곤, 이산화 탄소 등이 약 1 %를 차지하고 있다. 수증기는 대기 중에 적은 양이 들어 있는데, 시간과 장소에 따라 그 양이 달라진다.

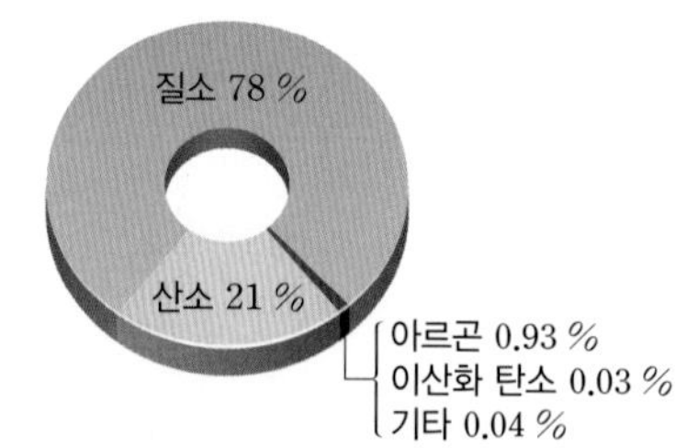

지구 대기의 조성(부피비)

용어 조성
여러 개의 요소나 성분으로 이루어진 것을 조성이라고 한다.

(3) **기권의 기온 분포:** 지표 부근에서는 위로 올라갈수록 기온이 낮아진다. 그러나 더 높이 올라가면서 기온을 측정해 보면 지표 부근과는 다르게 기온이 높아지거나 낮아지는 구간이 나타난다.

탐구 더하기 기권의 높이에 따른 기온 분포 알아보기

표는 기권의 높이에 따른 기온을 나타낸 것이고, 그림은 표의 값을 이용하여 높이에 따른 기온 분포를 그래프로 나타낸 것이다.

높이(km)	기온(℃)	높이(km)	기온(℃)
0	15.0	40	−22.8
5	−17.5	50	−2.5
11	−56.4	60	−26.1
15	−56.5	70	−53.6
20	−56.5	80	−74.5
25	−51.6	100	−78.1
30	−46.6	110	−33.2

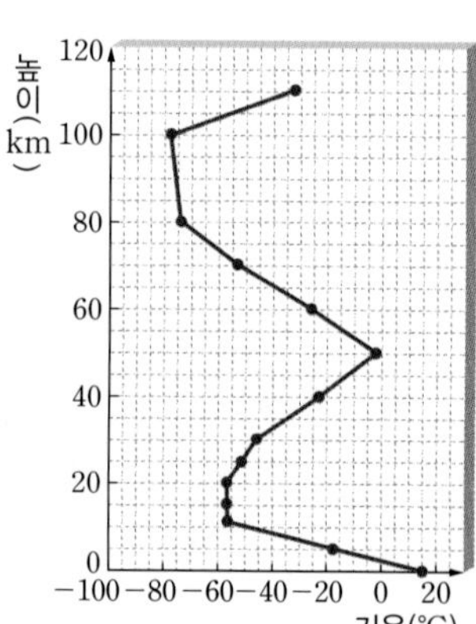

① 지표에서부터 위로 올라가면서 기온이 하강 → 상승 → 하강 → 상승하는 구간이 나타난다.
② 기권은 높이에 따른 기온 변화를 기준으로 4개 층으로 구분할 수 있다.

2. 기권의 층상 구조

기권은 높이에 따른 기온 변화를 기준으로 대류권, 성층권, 중간권, 열권의 4개 층으로 구분한다. 대류권과 성층권의 경계면은 대류권 계면, 성층권과 중간권의 경계면은 성층권 계면, 중간권과 열권의 경계면은 중간권 계면이라고 한다.

(1) 대류권: 지표면~높이 약 11 km까지의 구간

① 기온 변화: 위로 올라갈수록 지표면에서 방출되는 에너지가 적게 도달하기 때문에 기온이 낮아진다.

② 대류와 기상 현상: 대류권에는 공기 대부분이 모여 있으며, 대류가 활발하게 일어나고 수증기가 있어서 비나 눈 등의 기상 현상이 나타난다.

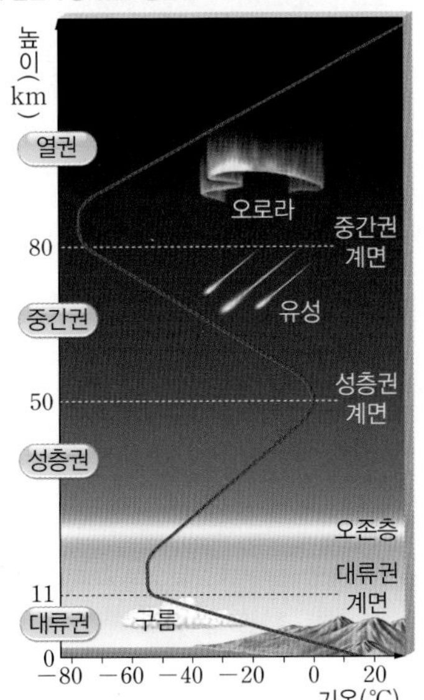

기권의 층상 구조

(2) 성층권: 높이 약 11 km~50 km까지의 구간

① 오존층: 높이 약 20 km~30 km 부근에 오존이 집중적으로 모여 있는 오존층이 존재한다. 오존층은 태양에서 오는 자외선을 흡수하여 지상의 생명체를 보호한다.

② 기온 변화: 오존이 태양에서 오는 자외선을 흡수하기 때문에 위로 올라갈수록 기온이 높아진다. 과학 용어 사전 240쪽

③ 안정한 층: 기온이 높은 공기가 위쪽에 있으므로 대류가 일어나지 않아 매우 안정하다. 따라서 성층권의 하부는 장거리 비행기의 항로로 이용되기도 한다.

(3) 중간권: 높이 약 50 km~80 km까지의 구간

① 기온 변화: 위로 올라갈수록 성층권에서 방출되는 에너지가 적게 도달하기 때문에 기온이 낮아지며, 중간권 계면 부근에서 기온이 가장 낮게 나타난다.

② 대류: 대류가 일어나지만, 수증기가 거의 없어서 기상 현상은 나타나지 않는다.

③ 유성: 중간권 상부에서는 유성이 관측되기도 한다. 과학 용어 사전 240쪽

(4) 열권: 높이 약 80 km~1000 km까지의 구간

① 기온 변화: 위로 올라갈수록 태양 에너지를 많이 받기 때문에 기온이 높아진다.

② 큰 일교차: 공기가 매우 희박하고, 낮과 밤의 기온 차이가 매우 크다.

③ 오로라: 고위도 지역의 열권에서는 오로라가 나타나기도 한다. 과학 용어 사전 240쪽

④ 인공위성 궤도: 열권은 인공위성의 궤도로 이용되기도 한다.

학습 내용 Check

정답과 해설 018 쪽

1. 기권은 높이에 따른 ________ 변화를 기준으로 4개 층으로 구분한다.
2. 기권의 층상 구조 중 높이 올라갈수록 기온이 낮아지는 층은 ________과 ________이다.
3. 기권의 층상 구조 중 대류가 활발하게 일어나고 기상 현상이 나타나는 층은 ________이다.

용어 계면

서로 다른 두 가지 물질 또는 같은 물질에서도 각각 성질이 다른 부분들 사이의 경계를 계면이라고 한다.

대류권 계면의 높이

대류권 계면의 높이는 약 10 km~13 km로, 계절이나 위도에 따라 변한다. 저위도 지역은 공기가 따뜻하므로 대류권 계면의 높이가 높고, 고위도 지역은 공기가 차가우므로 대류권 계면의 높이가 낮다.

지구에 오존층이 없다고 가정했을 때 예상되는 기권의 구조

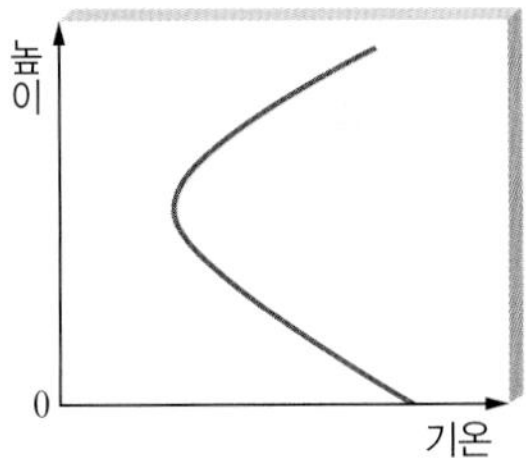

만약 자외선을 흡수하는 오존층이 없다면 지표에서 어느 정도 높이까지는 기온이 계속 하강하다가, 그 이후부터는 다시 기온이 상승할 것이다.

유성

혜성에서 떨어져 나온 부스러기 등이 대기권으로 들어오면서 대기와의 마찰로 불타면서 빛을 내는 현상이다.

오로라

태양에서 날아온 입자들이 지구 대기로 진입하면서 공기 분자와 반응하여 빛을 내는 현상이다.

2 지구의 복사 평형

복사

에너지가 물질의 도움 없이 직접 이동하는 현상을 복사라고 한다.

태양 복사 에너지의 이용

지구에 도달한 태양 복사 에너지는 물의 순환을 일으켜 기상 현상이 나타나게 하고, 식물의 광합성에 이용되기도 한다. 이처럼 태양 복사 에너지는 물질 순환이나 생명 활동의 근원이 된다.

1. 복사 에너지 모든 물체는 자신의 온도에 해당하는 에너지를 복사의 형태로 방출하는데, 이러한 에너지를 복사 에너지라고 한다. 복사 에너지는 온도가 높은 물체일수록 더 많이 방출된다.

(1) **태양 복사 에너지:** 태양이 방출하는 복사 에너지로, 주로 가시광선으로 방출된다. 태양 복사 에너지의 일부가 지구에 들어온다.

(2) **지구 복사 에너지:** 지구가 방출하는 복사 에너지로, 대부분 적외선으로 방출된다.

2. 지구의 복사 평형

(1) **복사 평형:** 어떤 물체가 흡수하는 복사 에너지양과 방출하는 복사 에너지양이 같아 온도가 일정하게 유지되는 상태를 복사 평형이라고 한다. 탐구 071쪽

(2) **지구의 복사 평형:** 지구는 태양 복사 에너지를 계속 받고 있지만 평균 온도가 거의 일정하게 유지되는데, 그 까닭은 지구가 복사 평형 상태이기 때문이다. 지구로 들어오는 태양 복사 에너지양을 100 %라고 할 때, 약 30 %는 대기와 지표에서 반사되어 우주 공간으로 되돌아가고, 나머지 약 70 %는 대기에 20 %, 지표에 50 %가 흡수된다. 지구는 흡수한 태양 복사 에너지양 70 %만큼을 다시 우주로 방출함으로써 전체적으로 복사 평형을 이룬다.

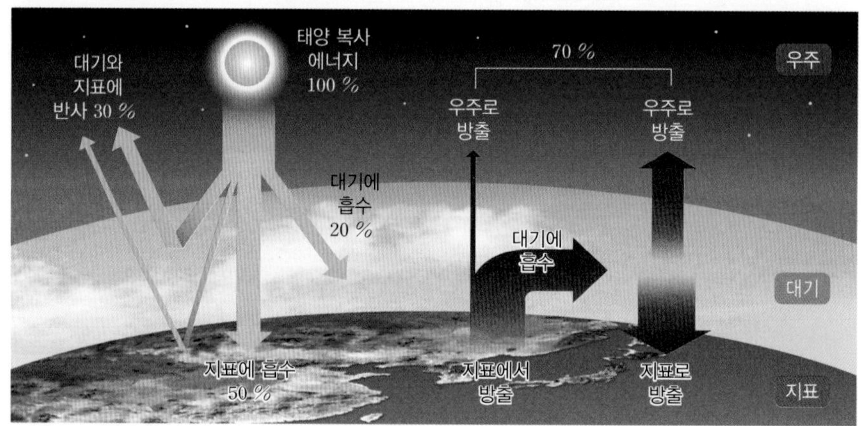

지구가 흡수하는 태양 복사 에너지양 (70 %)	=	지구가 방출하는 지구 복사 에너지양 (70 %)

학습 내용 Check 정답과 해설 018쪽

1. 태양에서 복사의 형태로 방출되는 에너지를 ________라고 한다.
2. 어떤 물체가 흡수하는 복사 에너지양과 방출하는 복사 에너지양이 같은 상태를 ________이라고 한다.
3. 지구는 ________ 복사 에너지를 계속 받지만, ________ 복사 에너지를 방출하기 때문에 평균 기온이 거의 일정하게 유지된다.

온실 효과와 지구 온난화

1. 온실 효과

(1) 대기가 없을 때와 있을 때의 복사 평형

① 대기가 없을 때: 달과 같이 천체에 대기가 없을 때는 흡수한 태양 복사 에너지를 그대로 복사 에너지로 방출하면서 복사 평형을 이룬다. 대기가 없을 때는 표면 온도의 일교차가 크다.

② 대기가 있을 때: 지표에서 방출된 에너지는 대부분 대기에 흡수되었다가 다시 우주와 지표로 방출된다. 대기에서 방출된 에너지 중 일부는 지표에 다시 흡수되므로 대기가 없을 때보다 평균 기온이 높은 상태에서 복사 평형을 이룬다.

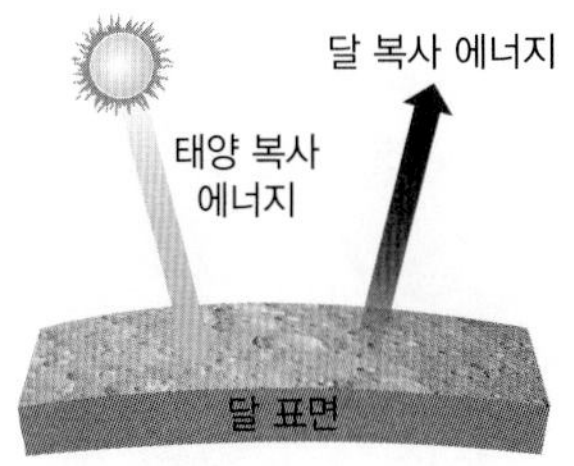

대기가 없을 때의 복사 평형

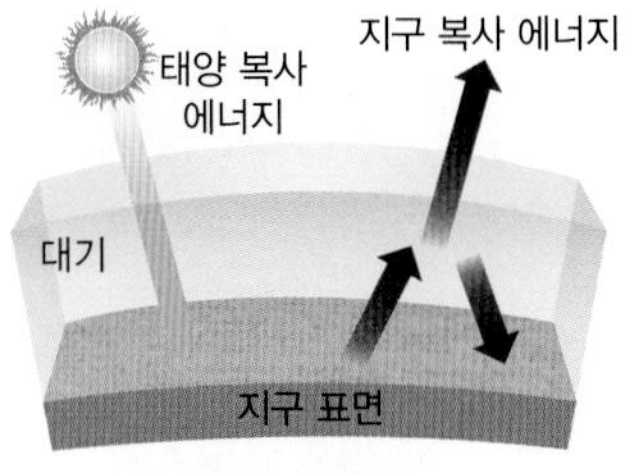

대기가 있을 때의 복사 평형

(2) 온실 효과: 지구의 대기는 태양 복사 에너지는 잘 통과시키지만, 지구 복사 에너지는 대부분 흡수하였다가 다시 방출한다. 이러한 대기에 의해 지구의 평균 기온이 대기가 없을 때보다 높게 유지되는 현상을 온실 효과라고 한다.

(3) 온실 기체: 대기 중에서 온실 효과를 일으키는 기체로, 수증기, 이산화 탄소, 메테인 등이 있다.

만약 지구에 대기가 없다면
지구는 온실 효과에 의해 평균 기온 약 15 ℃를 유지하고 있다. 만약 지구에 대기가 없어서 온실 효과가 일어나지 않는다면 지구의 평균 기온은 약 −18 ℃로 낮아지고 기온의 일교차가 매우 커져서 생명체가 살기 어려워질 것이다.

2. 지구 온난화

대기 중의 온실 기체의 양이 많아져 온실 효과가 강화되면서 지구의 평균 기온이 높아지는 현상을 지구 온난화라고 한다.

(1) 지구 온난화의 주요 발생 원인: 산업혁명 이후 화석 연료의 사용 증가로 이산화 탄소와 같은 대기 중 온실 기체의 양이 증가하였기 때문이다.

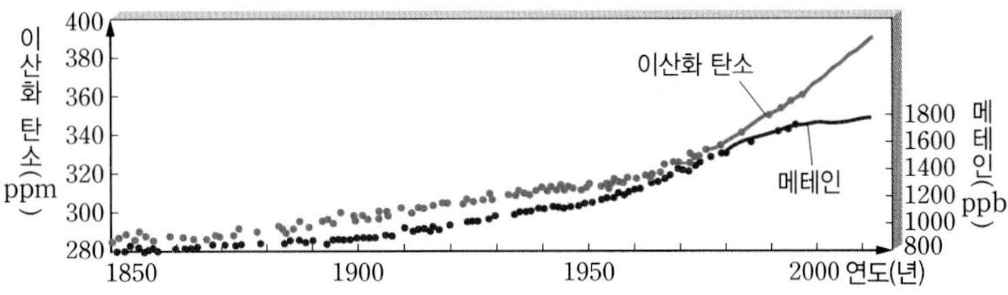

온실 기체의 농도 변화

지구의 평균 기온 변화

용어 ppm과 ppb
- ppm(parts per million)은 백만 분의 1을 나타내는 농도 단위로, 10000 ppm은 1 %에 해당한다.
- ppb(parts per billion)는 10억 분의 1을 나타내는 농도 단위이다.

(2) 지구 온난화의 영향

① **해수면 상승**: 지구의 평균 기온이 높아지면 해수의 온도가 상승하여 해수의 열팽창이 일어나고, 극지방과 고산 지대의 빙하가 녹아 바다로 흘러들면서 해수면이 상승한다.

열팽창

온도가 높아짐에 따라 물체가 팽창하는 것을 열팽창이라고 한다. 물은 4 ℃ 이상일 때 온도가 높아짐에 따라 팽창한다.

② **육지 면적 감소**: 지구의 평균 기온이 높아져서 해수면이 상승하면 해안 저지대가 침수되어 육지의 면적이 감소한다.

③ **기상 이변 발생**: 지구의 평균 기온이 높아져서 해수의 온도가 상승하면 전 세계적으로 강수량과 증발량이 변하고 폭염, 홍수 등의 기상 이변이 발생한다.

해수의 열팽창이 해수면 상승에 미치는 정도

지구상의 물의 대부분(약 97.5 %)은 해수가 차지한다. 따라서 해빙에 의한 해수면 상승보다 해수의 열팽창에 의한 해수면 상승 정도가 더 크다.

④ **생태계 변화**: 식생과 어종의 변화 등 육지와 바다의 생태계 변화가 나타난다.

극지방에서 나타나는 해빙

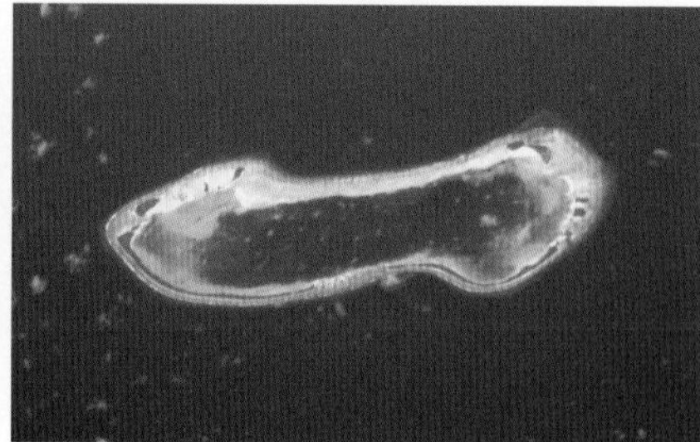
해수면 상승으로 가라앉을 위기에 처한 섬

지구 온난화 방지 대책

- 화석 연료의 사용량을 줄인다.
- 삼림을 보존하고 확대한다.
- 화석 연료를 대체할 친환경 에너지를 개발한다.
- 이산화 탄소 제거 및 저장 기술을 개발한다.
- 국제 협약을 통해 국제 사회가 함께 노력한다.

자료 더하기 지구 온난화의 가속화

- 지구의 평균 기온이 상승하여 증발량이 증가하면 대기 중의 수증기량이 증가하여 지구 온난화가 더 심해진다.
- 지구의 평균 기온이 상승하여 해수의 온도가 높아지면 해수의 이산화 탄소 용해도가 감소한다. 그 결과 대기 중의 이산화 탄소 농도가 증가하여 지구 온난화가 더 심해진다.
- 지구의 평균 기온이 상승하면 극지방의 빙하 면적이 감소한다. 그 결과 태양 복사 에너지의 지표 반사율이 감소하고 지구에 흡수되는 태양 복사 에너지양이 증가하여 지구 온난화가 더 심해진다.

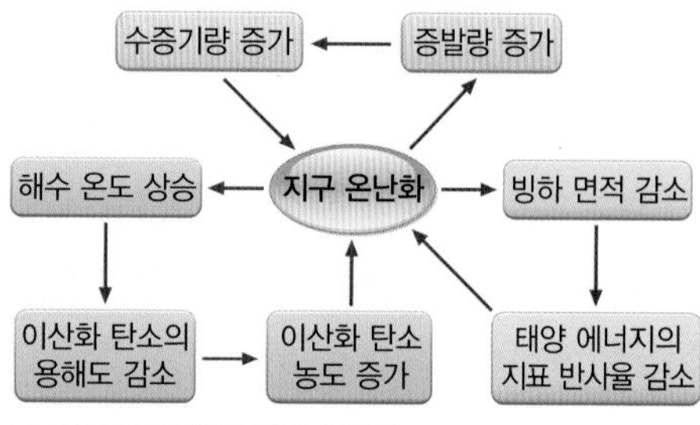

지구 온난화의 발생 원인과 영향

기체의 용해도

어떤 온도에서 액체에 녹을 수 있는 기체의 양을 의미하며, 액체의 온도가 높을수록 기체의 용해도는 감소한다. 탄산음료의 온도가 높아지면 기포가 많이 생겨 올라가는 현상과 같은 원리이다.

학습 내용 Check

정답과 해설 018쪽

1. 대기가 없을 때에 비하여 대기가 있을 때 지구의 평균 기온이 높게 유지되는 현상을 ________라고 한다.

2. 온실 효과를 일으키는 기체로는 ________, 메테인, 수증기 등이 있다.

3. 대기 중 온실 기체의 양이 증가하여 온실 효과가 강화됨으로써 지구의 평균 기온이 높아지는 현상을 ________라고 한다.

탐구 복사 평형 실험하기

물체가 복사 평형에 도달하는 과정을 설명할 수 있다.

과정

❶ 검은색 알루미늄 컵의 뚜껑에 디지털 온도계를 꽂는다.
❷ 적외선 가열 장치에서 30 cm 정도 떨어진 곳에 검은색 알루미늄 컵을 놓고 컵 속의 온도를 측정한다.
❸ 적외선 가열 장치를 켜고, 2분 간격으로 컵 속의 온도를 측정한다.

유의점 알루미늄 컵의 온도가 실내 온도와 같아졌을 때 적외선 가열 장치를 켜고 실험을 시작한다.

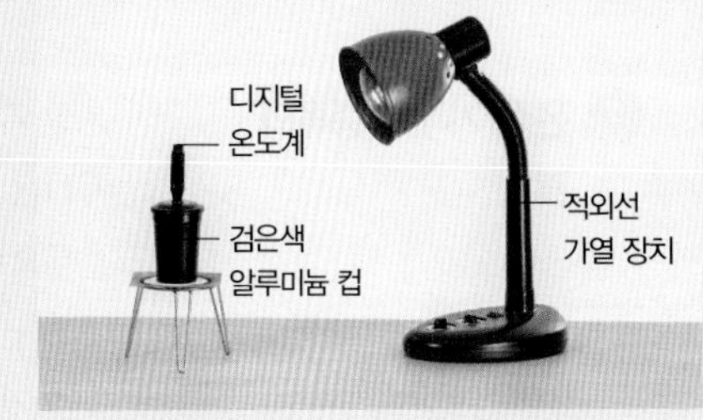

결과 및 정리

1. 2분 간격으로 측정한 검은색 알루미늄 컵 속의 온도는 다음과 같다.

시간(분)	0	2	4	6	8	10	12	14	16	18	20
온도(℃)	24	25.5	27	28.5	30	31.5	33	34	34	34	34

2. 측정한 온도 값을 그래프로 나타내면 오른쪽 그림과 같다. → 시간이 지남에 따라 온도가 상승하는 구간과 온도가 일정한 구간이 나타난다.
3. A 구간에서는 온도가 점점 상승한다. → 검은색 알루미늄 컵이 흡수하는 복사 에너지양이 방출하는 복사 에너지양보다 많기 때문이다.
4. B 구간에서는 온도가 일정하게 유지된다. → 검은색 알루미늄 컵이 흡수하는 복사 에너지양과 방출하는 복사 에너지양이 같아 복사 평형을 이루기 때문이다.

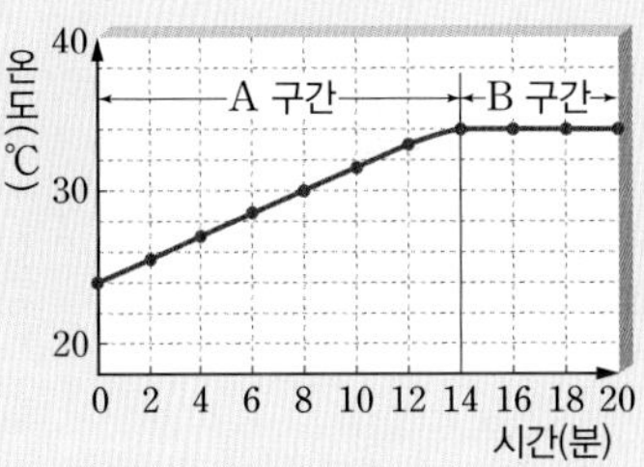

탐구 확인 문제

정답과 해설 018쪽

1 위 탐구에 대한 설명으로 옳은 것은 ○, 옳지 않은 것은 ×로 표시하시오.

(1) 검은색 알루미늄 컵 속의 온도는 시간이 지날수록 계속 높아진다. ………………………………………………… ( )

(2) 검은색 알루미늄 컵 속의 공기는 34 ℃에서 복사 평형을 이룬다. ………………………………………………… ( )

2 A 구간과 B 구간에서 알루미늄 컵이 흡수하는 복사 에너지양(P)과 방출하는 복사 에너지양(Q)을 옳게 비교한 것은?

	A 구간	B 구간
①	P>Q	P<Q
②	P>Q	P=Q
③	P=Q	P=Q
④	P<Q	P<Q
⑤	P<Q	P>Q

3 적용 그림은 거리에 따른 복사 평형을 알아보기 위한 실험을 나타낸 것이다.

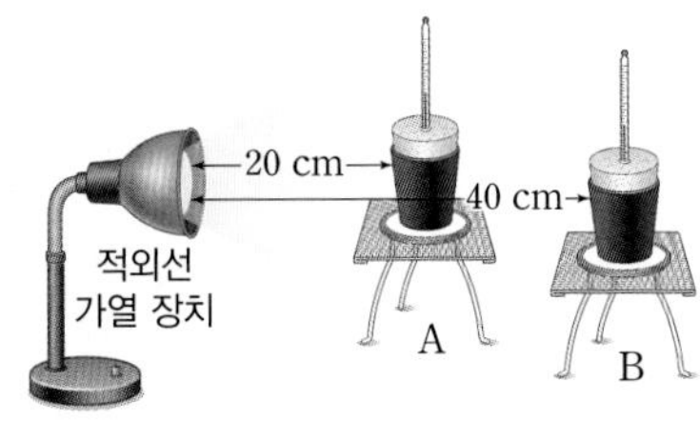

이에 대한 설명으로 옳은 것을 보기에서 모두 고르시오.

보기
ㄱ. 적외선 가열 장치를 켜면 처음에는 A와 B 두 컵 속의 온도가 모두 높아진다.
ㄴ. 멀리 있는 컵 B는 복사 평형에 도달하지 않는다.
ㄷ. 컵 A는 컵 B보다 복사 평형일 때의 온도가 더 높을 것이다.

온실 기체의 종류와 지구 온난화 기여도

온실 기체는 온실 효과를 일으켜 지구의 평균 기온을 적절하게 유지한다. 그러나 최근 들어 대기 중의 온실 기체의 양이 증가하여 지구의 평균 기온이 상승하는 지구 온난화가 일어나고 있다. 온실 기체의 종류와 특징, 온실 기체가 지구 온난화에 미치는 정도를 알아보자.

1 온실 기체의 종류와 특징

온실 기체 배출량을 줄이기 위한 국제 협약인 '교토의정서'에서는 이산화 탄소(CO_2), 메테인(CH_4), 산화 이질소(N_2O), 수소플루오린화 탄소(HFCs), 과플루오린화 탄소(PFCs), 헥사플루오린화 황(SF_6)을 6대 온실 기체로 지정하여 국제적으로 관리하고 있다.

① 이산화 탄소(CO_2): 주로 석탄, 석유, 천연가스 등의 화석 연료가 연소할 때 발생하며, 온실 기체 중 배출량이 가장 많다.

② 메테인(CH_4): 유기물이 부패하거나 발효할 때 발생하며, 천연가스나 석탄 가스의 주성분을 이룬다.

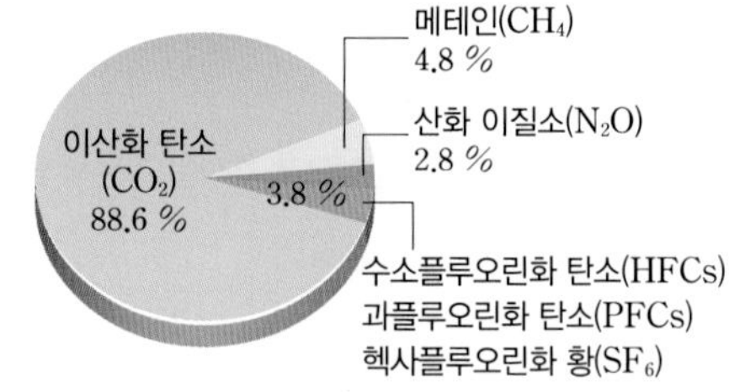

온실 기체 배출량

③ 산화 이질소(N_2O): 공장 매연, 자동차 배기가스, 질소 비료 사용 등에 의해 배출된다.

④ 수소플루오린화 탄소(HFCs): 오존층 파괴 물질인 CFC(염화플루오린화 탄소)의 대체 물질로 개발된 것으로, 냉장고나 에어컨의 냉매제 등으로 사용된다.

⑤ 과플루오린화 탄소(PFCs): 주로 반도체를 제조하는 과정에서 세정제로 사용된다.

⑥ 헥사플루오린화 황(SF_6): 주로 전기제품과 변압기 등의 절연체로 사용된다.

2 온실 기체의 지구 온난화 기여도

자연적으로 온실 효과를 일으키는 데 가장 큰 역할을 하는 것은 수증기이지만, 지구 온난화를 일으키는 주된 원인은 인간에 의해 인위적으로 배출되는 이산화 탄소이다.

온실 기체	지구 온난화 지수	배출량(%)	지구 온난화 기여도(%)
이산화 탄소(CO_2)	1	88.6	55
메테인(CH_4)	21	4.8	15
산화 이질소(N_2O)	310	2.8	6
수소플루오린화 탄소(HFCs) 과플루오린화 탄소(PFCs) 헥사플루오린화 황(SF_6)	1300~23900	3.8	24

① 지구 온난화 지수: 이산화 탄소 1 kg과 비교했을 때 어떤 온실 기체 1 kg이 지구 온난화에 미치는 정도를 수치로 나타낸 것이다. 예를 들어 이산화 탄소 1 kg의 영향력을 1이라고 하였을 때, 메테인 1 kg의 영향력은 21에 해당한다.

② 지구 온난화 지수를 근거로 할 때 이산화 탄소는 지구 온난화에 미치는 영향이 적은 것처럼 보이지만, 이산화 탄소는 다른 온실 기체에 비해 배출량이 훨씬 많기 때문에 지구 온난화에 기여하는 정도가 가장 높다.

중단원 핵심 정리

01. 기권과 복사 평형

1 기권의 층상 구조

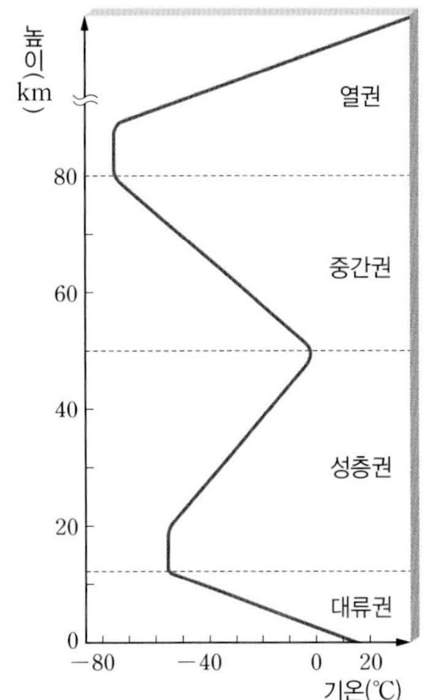

구분	구간	특징
열권	높이 약 80 km ~ 1000 km	• 위로 올라갈수록 기온이 높아진다. • 공기가 희박하고, 낮과 밤의 온도 차이가 매우 크다. • 극지방에서는 오로라가 나타난다.
중간권	높이 약 50 km ~ 80 km	• 위로 올라갈수록 기온이 낮아진다. • 대류가 일어나지만, 수증기가 거의 없어서 기상 현상은 나타나지 않는다. • 유성이 나타난다.
성층권	높이 약 11 km ~ 50 km	• 위로 올라갈수록 기온이 높아진다. • 대류가 일어나지 않는 안정한 층이다. • 태양의 자외선을 흡수하는 오존층이 있다.
대류권	지표 ~ 높이 약 11 km	• 위로 올라갈수록 기온이 낮아진다. • 공기 대부분이 모여 있다. • 대류가 일어나고, 수증기가 있어서 기상 현상이 나타난다.

2 지구의 복사 평형

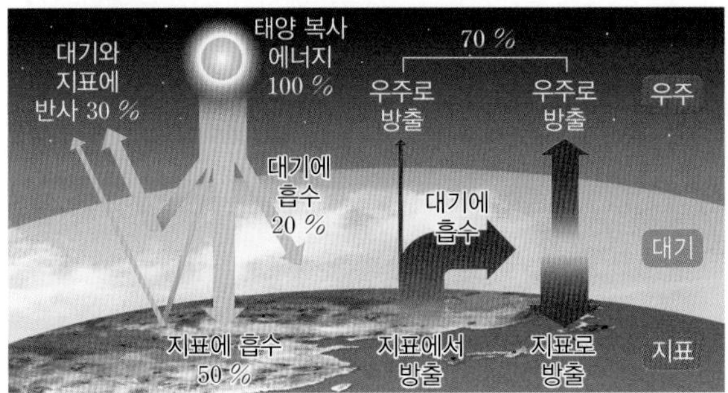

지구가 흡수하는 태양 복사 에너지양: 70 %	=	지구가 방출하는 지구 복사 에너지양: 70 %
• 대기에 흡수: 20 % • 지표에 흡수: 50 %		

3 온실 효과와 지구 온난화

① **온실 효과:** 대기 중의 온실 기체가 지구 복사 에너지의 일부를 흡수하였다가 지표로 다시 방출함으로써 지구의 평균 기온이 높게 유지되는 현상

- **대기가 없을 때보다 높은 온도에서 복사 평형**을 이룬다.
- 온실 기체: 온실 효과를 일으키는 기체
  예 이산화 탄소, 메테인, 수증기 등

② 지구 온난화: **대기 중의 온실 기체(주로 이산화 탄소)가 증가**하여 온실 효과가 강화됨으로써 지구의 평균 기온이 높아지는 현상

개념 확인 문제

01 기권에 대한 설명으로 옳은 것을 보기에서 모두 고른 것은?

보기
ㄱ. 지구를 둘러싸고 있는 대기가 분포하는 영역이다.
ㄴ. 기권에는 여러 가지 기체가 포함되어 있다.
ㄷ. 기권은 지표에서부터 높이 약 100 km까지이다.

① ㄱ ② ㄷ ③ ㄱ, ㄴ
④ ㄴ, ㄷ ⑤ ㄱ, ㄴ, ㄷ

02 오른쪽 그림은 지구의 대기를 구성하는 기체의 부피비를 나타낸 것이다. 이에 대한 설명으로 옳은 것을 보기에서 모두 고른 것은?

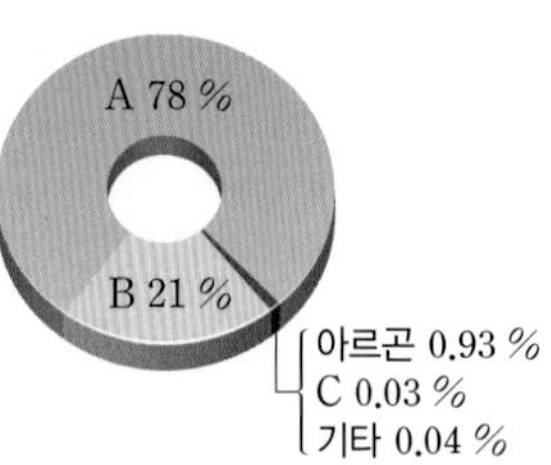

보기
ㄱ. 기체 A는 산소이다.
ㄴ. 생물의 호흡에 이용되는 것은 기체 B이다.
ㄷ. 식물의 광합성에 이용되는 것은 기체 C이다.

① ㄱ ② ㄷ ③ ㄱ, ㄴ
④ ㄴ, ㄷ ⑤ ㄱ, ㄴ, ㄷ

[03~06] 그림은 기권의 층상 구조를 나타낸 것이다.

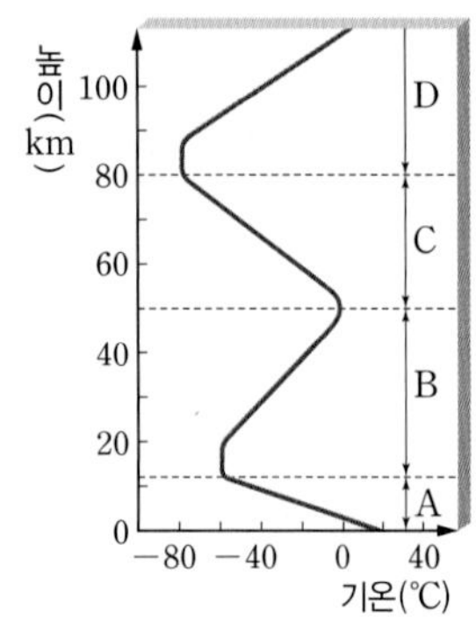

03 A~D층 중 대류가 일어나는 층을 모두 고른 것은?

① A, B ② A, C ③ B, C
④ B, D ⑤ C, D

04 A~D 각 층의 이름을 옳게 짝 지은 것은?

	A	B	C	D
①	열권	중간권	성층권	대류권
②	대류권	성층권	중간권	열권
③	대류권	중간권	열권	성층권
④	성층권	중간권	대류권	열권
⑤	성층권	대류권	열권	중간권

05 A층에서 위로 올라갈수록 기온이 낮아지는 까닭으로 옳은 것은?

① A층에서 태양의 자외선을 흡수하기 때문이다.
② 위로 올라갈수록 대기의 밀도가 증가하기 때문이다.
③ 위로 올라갈수록 대기의 압력이 줄어들기 때문이다.
④ 위로 올라갈수록 태양에서 오는 에너지가 감소하기 때문이다.
⑤ 위로 올라갈수록 지표면에서 방출되는 에너지가 적게 도달하기 때문이다.

중요
06 A~D층에 대한 설명으로 옳지 않은 것은?

① A층에서는 기상 현상이 나타난다.
② B층은 대기가 안정하다.
③ B층과 C층의 경계면을 성층권 계면이라고 한다.
④ D층은 낮과 밤의 기온 차이가 매우 크다.
⑤ D층에는 공기의 대부분이 모여 있다.

07 다음에서 설명하는 층의 이름은?

- 권계면 부근에서 기권 중 최저 기온이 나타난다.
- 수증기가 거의 없어 기상 현상이 나타나지 않는다.
- 상부에서는 유성이 관측되기도 한다.

① 대류권 ② 성층권 ③ 중간권
④ 열권 ⑤ 오존층

08 다음은 기권을 구성하는 각 층의 특징을 설명한 것이다.

(가) 오로라가 나타난다.
(나) 구름이 발생하고 비가 내린다.
(다) 태양의 자외선을 흡수하는 오존층이 존재한다.
(라) 대류가 일어나지만 기상 현상은 나타나지 않는다.

각 층을 지표면에서 가까운 것부터 순서대로 옳게 나열한 것은?

① (가) − (나) − (다) − (라)
② (가) − (다) − (라) − (나)
③ (나) − (다) − (라) − (가)
④ (다) − (라) − (나) − (가)
⑤ (라) − (다) − (나) − (가)

09 복사 에너지에 대한 설명으로 옳은 것을 보기에서 모두 고른 것은?

보기
ㄱ. 모든 물체는 복사 에너지를 방출한다.
ㄴ. 온도가 높은 물체일수록 더 많이 방출된다.
ㄷ. 지구는 대부분 가시광선 형태로 복사 에너지를 방출한다.

① ㄱ ② ㄷ ③ ㄱ, ㄴ
④ ㄴ, ㄷ ⑤ ㄱ, ㄴ, ㄷ

[10~12] 그림과 같이 장치한 후 적외선 가열 장치를 켜고 검은색 알루미늄 컵 속의 온도를 2분 간격으로 측정하였다.

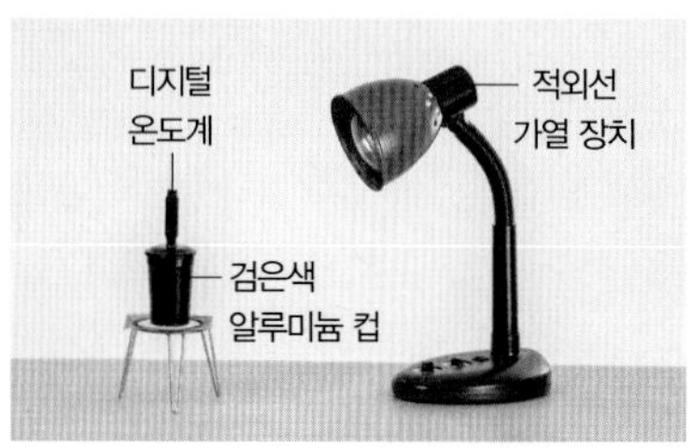

10 이에 대한 설명으로 옳은 것을 보기에서 모두 고른 것은?

보기
ㄱ. 물체의 복사 평형을 알아보기 위한 것이다.
ㄴ. 컵을 지구, 적외선 가열 장치를 태양에 비유하면 지구의 복사 평형을 설명할 수 있다.
ㄷ. 컵과 적외선 가열 장치 사이의 거리를 가까이 하면 컵 속의 온도는 낮아질 것이다.

① ㄱ ② ㄷ ③ ㄱ, ㄴ
④ ㄴ, ㄷ ⑤ ㄱ, ㄴ, ㄷ

11 위 실험 결과 나타나는 컵 속의 온도 변화로 옳은 것은?

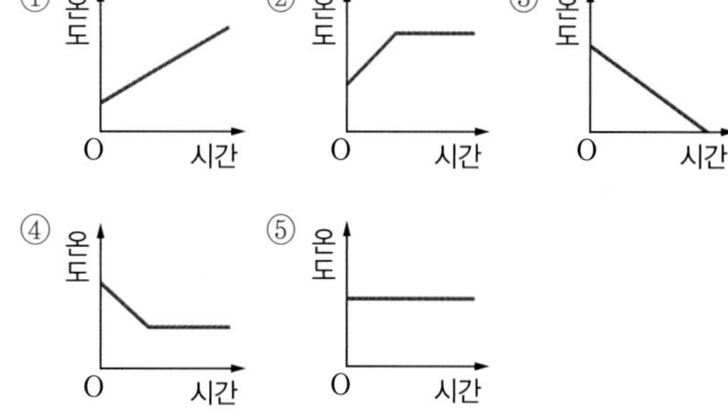

12 알루미늄 컵이 복사 평형 상태일 때 컵이 흡수하는 에너지양(A)과 컵이 방출하는 에너지양(B)의 크기를 옳게 비교한 것은?

① $A=0$ ② $B=0$ ③ $A=B$
④ $A<B$ ⑤ $A>B$

중요
13 그림은 지구의 복사 평형을 나타낸 것이다.

이에 대한 설명으로 옳지 않은 것은?

① A는 30 %이다.
② B는 50 %이다.
③ 지표에 흡수되는 태양 복사 에너지양은 50 %이다.
④ 대기에 흡수되는 태양 복사 에너지양은 20 %이다.
⑤ 지구는 흡수한 양만큼의 에너지를 우주로 방출한다.

14 온실 효과에 대한 설명으로 옳은 것을 보기에서 모두 고른 것은?

보기
ㄱ. 지구의 대기가 태양 복사 에너지를 모두 흡수하여 지구를 보온하는 현상이다.
ㄴ. 온실 효과를 일으키는 기체로는 이산화 탄소, 메테인 등이 있다.
ㄷ. 온실 효과에 의해 지구의 평균 기온이 높게 유지되고 있다.

① ㄱ　② ㄷ　③ ㄱ, ㄴ
④ ㄴ, ㄷ　⑤ ㄱ, ㄴ, ㄷ

15 오른쪽 그림과 같이 지구에 대기가 없다고 가정할 때 지구에서 나타날 수 있는 현상으로 옳은 것을 보기에서 모두 고른 것은?

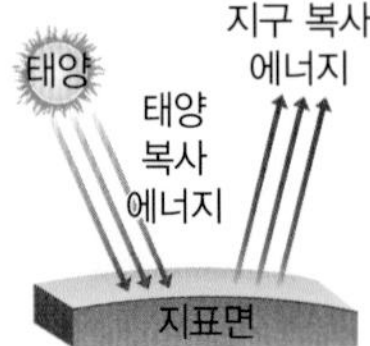

보기
ㄱ. 낮과 밤의 온도 차이가 커진다.
ㄴ. 지구의 평균 온도가 낮아진다.
ㄷ. 지구 온난화가 더 빠르게 진행된다.

① ㄱ　② ㄷ　③ ㄱ, ㄴ
④ ㄴ, ㄷ　⑤ ㄱ, ㄴ, ㄷ

16 지구 온난화에 대한 설명으로 옳은 것을 보기에서 모두 고른 것은?

보기
ㄱ. 지구의 평균 기온이 상승하는 현상이다.
ㄴ. 대기 중의 이산화 탄소 농도가 감소하여 발생한다.
ㄷ. 지구 온난화가 일어나면 지구는 복사 평형이 이루어지지 않는다.

① ㄱ　② ㄷ　③ ㄱ, ㄴ
④ ㄴ, ㄷ　⑤ ㄱ, ㄴ, ㄷ

중요
17 그림은 대기 중의 이산화 탄소 농도 변화를 나타낸 것이다.

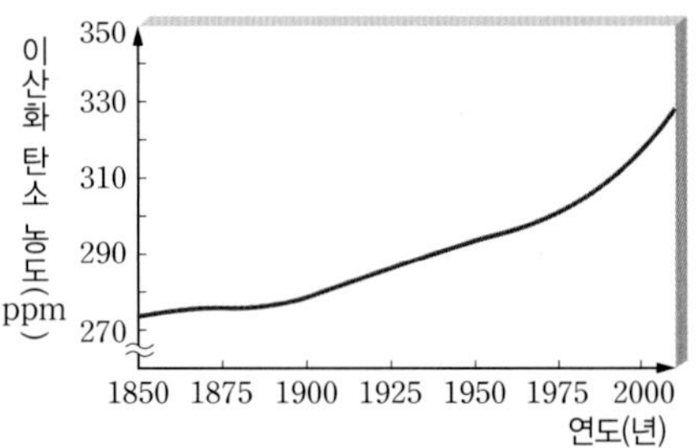

이에 대한 설명으로 옳은 것을 보기에서 모두 고른 것은?

보기
ㄱ. 화석 연료의 사용 증가로 대기 중의 이산화 탄소 농도가 증가하였다.
ㄴ. 같은 기간 동안 온실 효과는 감소하였을 것이다.
ㄷ. 같은 기간 동안 지구의 평균 기온은 상승하였을 것이다.

① ㄱ　② ㄴ　③ ㄷ
④ ㄱ, ㄷ　⑤ ㄴ, ㄷ

18 지구 온난화에 의한 지구 환경 변화로 옳지 않은 것은?

① 해수면이 상승한다.
② 빙하의 면적이 감소한다.
③ 육지의 면적이 증가한다.
④ 생물의 서식지가 달라진다.
⑤ 홍수와 가뭄 등 기상 이변이 많아진다.

정답과 해설 020쪽

01 오른쪽 그림은 기권에서 높이에 따른 기온 분포를 나타낸 것이다. 이에 대한 설명으로 옳은 것을 보기에서 모두 고른 것은?

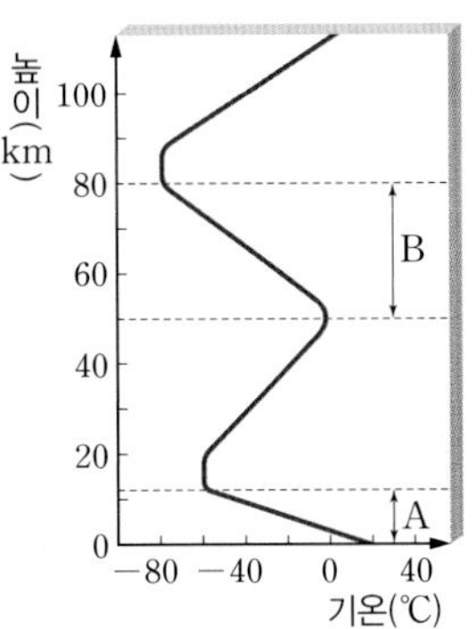

보기

ㄱ. A층과 B층에서는 모두 대류가 나타난다.
ㄴ. A층보다 B층에 도달하는 자외선의 양이 더 많다.
ㄷ. A층의 기온 분포는 주로 지구 복사, B층의 기온 분포는 주로 태양 복사의 영향을 받는다.

① ㄱ ② ㄴ ③ ㄷ
④ ㄱ, ㄴ ⑤ ㄱ, ㄴ, ㄷ

02 그림은 거리에 따른 복사 평형을 알아보기 위한 실험 장치를 나타낸 것이고, 표는 실험 결과를 나타낸 것이다.

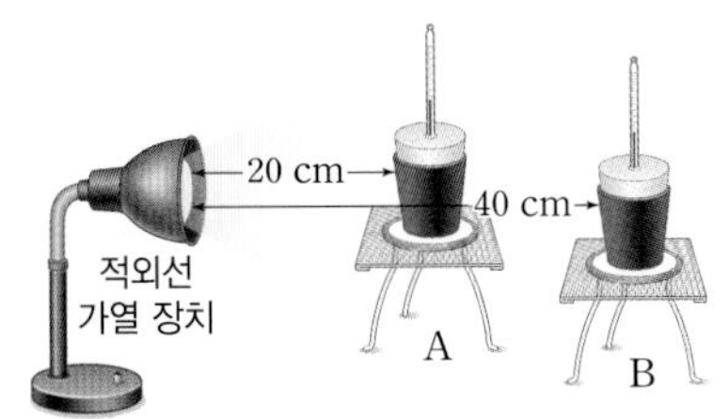

시간(분)	0	2	4	6	8	10
A의 온도(℃)	15	18	20	21	21	21
B의 온도(℃)	15	16	17	18	19	19

알루미늄 컵 A와 B에 대한 설명으로 옳지 않은 것은?

① A는 B보다 흡수하는 복사 에너지양이 더 많다.
② A의 온도는 점점 높아지다가 6분 이후 일정해진다.
③ A는 B보다 복사 평형에 도달하는 온도가 더 높다.
④ A는 B보다 더 빨리 복사 평형에 도달한다.
⑤ 10분이 지났을 때 B는 더 이상 복사 에너지를 흡수하지 않는다.

03 그림은 지구의 복사 평형을 나타낸 것이다.

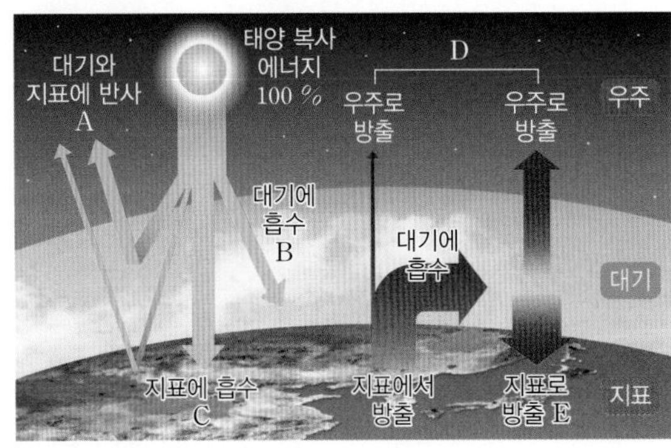

이에 대한 설명으로 옳은 것을 보기에서 모두 고른 것은?

보기

ㄱ. A는 30 %이다.
ㄴ. (B+C)의 양은 D의 양과 같다.
ㄷ. 대기 중의 온실 기체가 증가하면 E의 양은 감소할 것이다.

① ㄱ ② ㄷ ③ ㄱ, ㄴ
④ ㄴ, ㄷ ⑤ ㄱ, ㄴ, ㄷ

04 그림과 같이 두 개의 스타이로폼 상자를 햇빛이 비치는 곳에 두고, B에만 유리판을 덮어 놓았다.

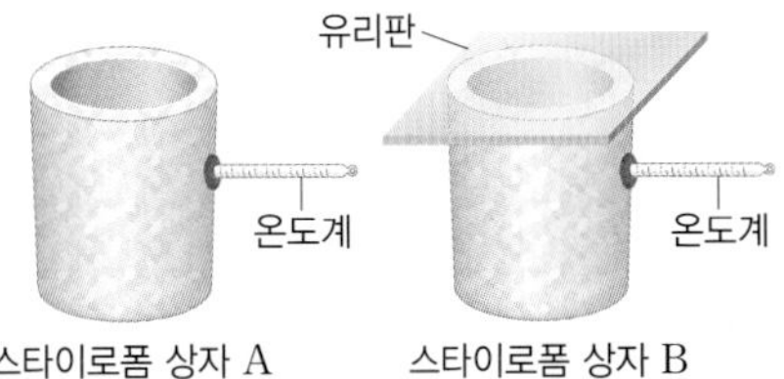

A와 B의 온도 변화로 옳은 것은?

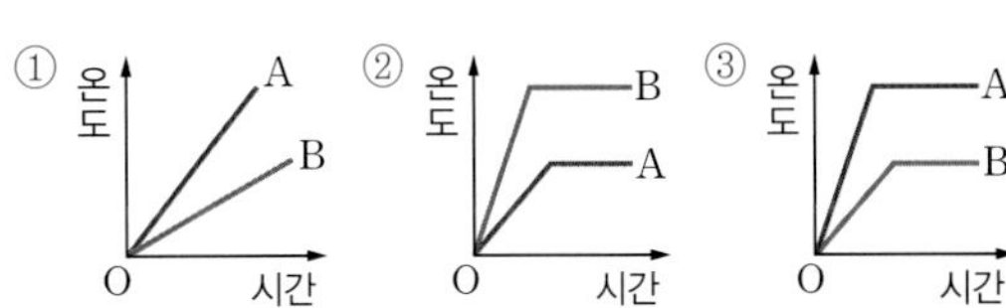

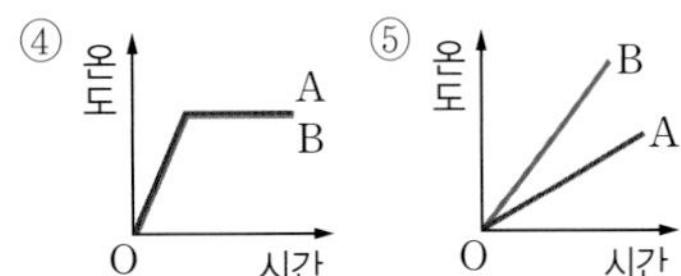

☞ 제시된 Keyword를 이용하여 문제를 해결해 보자.

1 그림은 기권의 층상 구조를 나타낸 것이다.

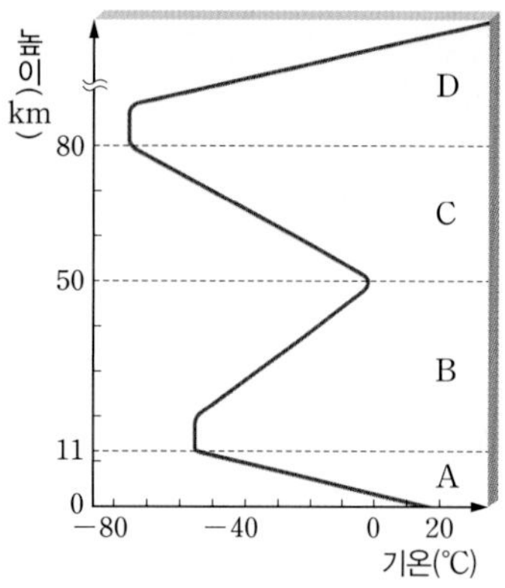

(1) 기권을 A~D 4개의 층으로 구분하는 기준은 무엇인지 설명하시오.

Keyword 높이, 기온

(2) A층에서 기상 현상이 나타나는 까닭은 무엇인지 설명하시오.

Keyword 대류, 수증기

(3) B층에서 위로 올라갈수록 기온이 높아지는 까닭은 무엇인지 설명하시오.

Keyword 자외선

(4) D층의 특징을 두 가지만 설명하시오.

Keyword 일교차, 고위도 지역

2 지구는 태양으로부터 끊임없이 에너지를 받고 있지만 평균 기온이 거의 일정하게 유지된다. 그 까닭은 무엇인지 설명하시오.

Keyword 태양 복사 에너지, 지구 복사 에너지

3 그림 (가)와 같이 설치한 후 적외선 가열 장치를 켰더니 알루미늄 컵 속의 온도가 (나)와 같이 나타났다.

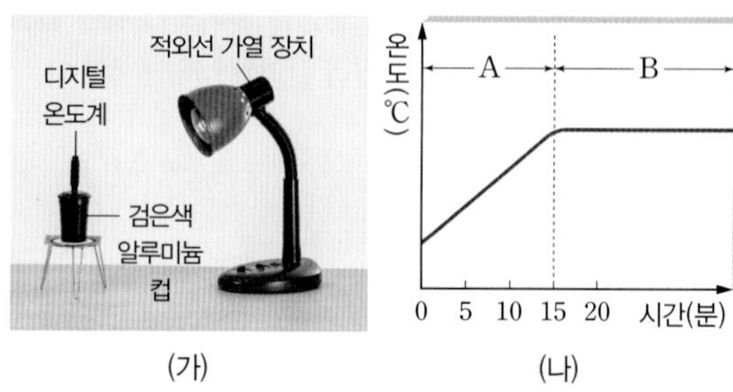

(가) (나)

(1) A 구간에서 컵 속의 온도가 변한 까닭은 무엇인지 설명하시오.

Keyword 흡수, 방출

(2) B 구간과 같이 일정한 시간이 지난 후에 컵 속의 온도가 변하지 않는 까닭은 무엇인지 설명하시오.

Keyword 흡수, 방출, 복사 평형

4 그림은 지구에 출입하는 에너지를 나타낸 것이다.

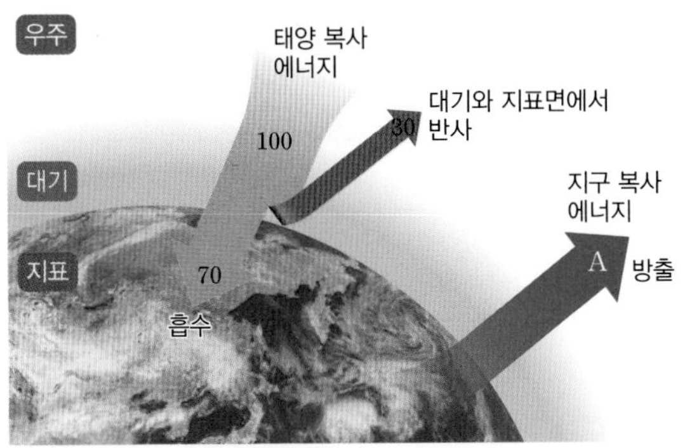

A의 값을 쓰고, 그렇게 생각한 까닭을 설명하시오.

Keyword 흡수, 방출, 복사 평형

5 그림 (가)는 지구에 대기가 없다고 가정했을 때, (나)는 지구에 대기가 있을 때의 복사 평형을 나타낸 것이다.

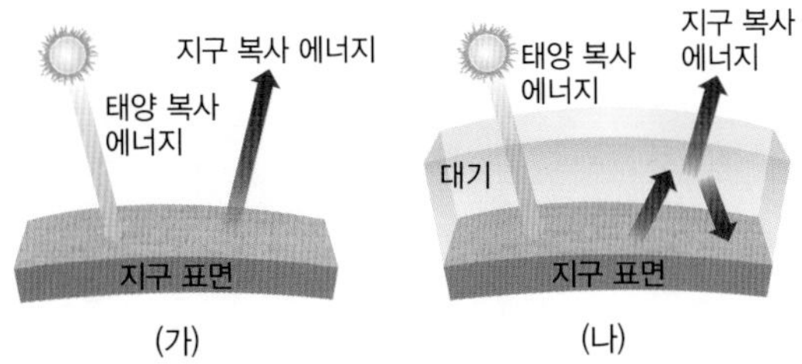

(가)와 (나) 중 평균 온도가 더 높을 것으로 예상되는 것을 쓰고, 그렇게 생각한 까닭을 설명하시오.

Keyword 대기, 온실 효과

6 그림은 대기 중의 이산화 탄소 농도 변화를 나타낸 것이다.

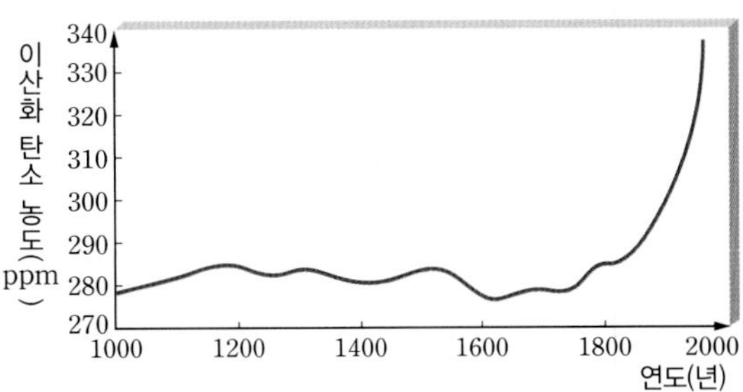

1800년 이후 대기 중의 이산화 탄소 농도가 급격하게 증가하게 된 까닭은 무엇인지 간단하게 설명하시오.

Keyword 산업혁명, 화석 연료

7 그림은 지구의 평균 기온 변화를 나타낸 것이다.

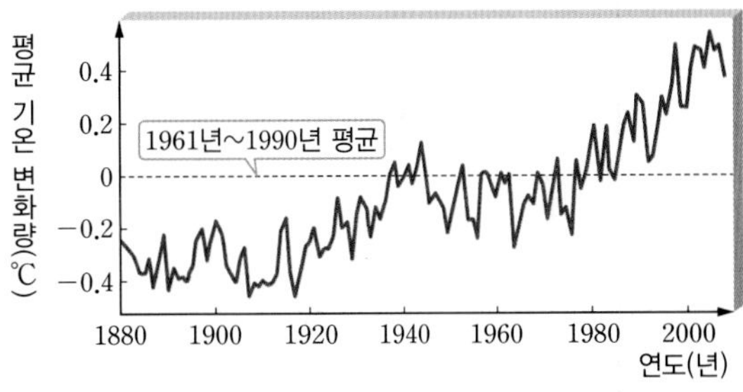

(1) 지구 온난화로 지구의 평균 기온이 상승하면 해수면의 높이가 상승한다. 그 까닭을 두 가지 설명하시오.

Keyword 열팽창, 빙하

(2) 이와 같은 추세가 계속될 때, 육지의 면적은 어떻게 변할지 근거와 함께 설명하시오.

Keyword 해안 저지대

02 대기 중의 물

대기 중에는 우리 눈에 보이지는 않지만 수증기가 포함되어 있다. 수증기는 대기 중의 양이 끊임없이 변하면서 구름, 비, 눈과 같은 기상 현상을 일으킨다. 이 단원에서는 대기 중에 수증기가 있음을 알고, 수증기가 어떻게 구름이나 비 등을 만드는 데 관여하는지 알아보도록 하자.

1 대기 중의 수증기

1. 증발과 응결

(1) **증발**: 물 표면에서 물이 수증기로 변하여 공기 중으로 들어가는 현상이다.

예 빨래가 마른다. 컵에 담아 둔 물이 점점 줄어든다.

(2) **응결**: 공기 중의 수증기가 물방울로 변하는 현상이다.

예 차가운 음료수 캔 표면에 물방울이 맺힌다. 새벽에 풀잎에 이슬이 맺힌다. 새벽에 안개가 생긴다.

캔 표면에 맺힌 물방울

2. 포화 상태와 불포화 상태

과포화 상태
공기가 최대로 포함할 수 있는 수증기량보다 더 많은 양의 수증기를 포함한 상태이다. 과포화 상태인 공기에서는 응결이 일어날 수 있다.

(1) **포화 상태**: 물이 담긴 그릇을 수조로 덮어 두면 그릇 속의 물은 증발이 일어나 그 양이 점점 줄어들다가 어느 정도 시간이 지나면 물의 양이 줄어들지 않는다. 그 까닭은 수조 안의 공기가 더 많은 수증기를 포함할 수 없기 때문이다. 이와 같이 어떤 공기가 수증기를 최대로 포함하고 있는 상태를 포화 상태라고 한다.

(2) **불포화 상태**: 공기가 최대로 포함할 수 있는 수증기량보다 적은 양의 수증기를 포함한 상태를 불포화 상태라고 한다.

↑ 물에서 공기 중으로 나가는 물 분자 / ↓ 공기에서 물속으로 들어가는 물 분자

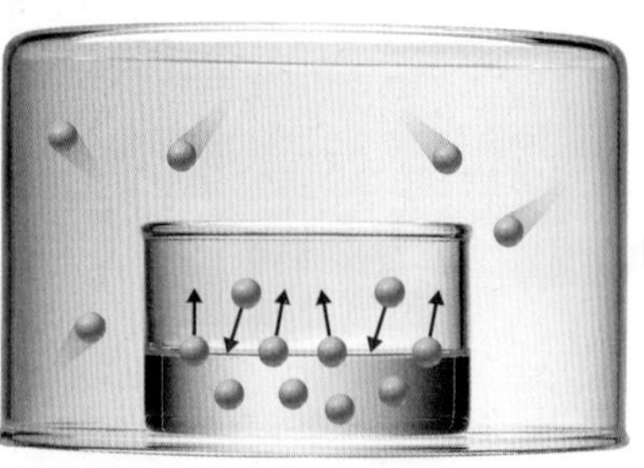

물에서 공기 중으로 나가는 물 분자 수가 공기에서 물속으로 들어가는 물 분자 수보다 많다.
→ 증발량 > 응결량 → 물의 양이 줄어든다. → 불포화 상태

물에서 공기 중으로 나가는 물 분자 수와 공기에서 물속으로 들어가는 물 분자 수가 같다.
→ 증발량 = 응결량 → 물의 양이 더 이상 줄어들지 않는다. → 포화 상태

포화 상태가 되는 과정

3. 포화 수증기량 포화 상태의 공기 1 kg 속에 들어 있는 수증기의 양을 g으로 나타낸 것이다. 포화 수증기량은 기온이 높을수록 증가한다.

탐구 더하기 온도와 포화 수증기량의 관계 알아보기

(가)는 플라스크에 따뜻한 물을 조금 넣고 헤어드라이어로 가열하면서 플라스크 내부의 변화를 관찰한 것이고, (나)는 가열한 플라스크를 찬물로 식히면서 플라스크 내부의 변화를 관찰한 것이다.

(가)

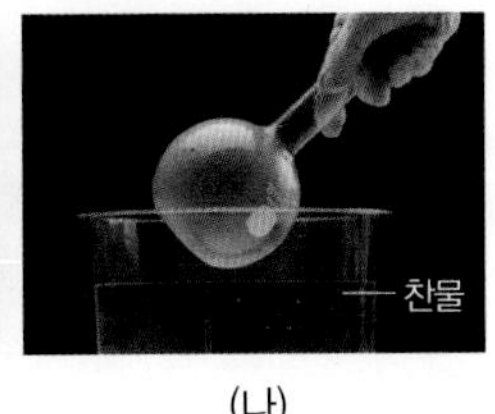

(나)

① (가)일 때: 기온이 높아지면 물이 증발하여 공기 중으로 들어가므로 플라스크 속의 수증기량은 증가한다.

② (나)일 때: 기온이 낮아지면 플라스크 속의 수증기가 응결하여 물방울로 변하므로 플라스크 속의 수증기량은 감소한다.

→ 같은 부피의 공기에 포함될 수 있는 수증기량은 기온이 높을수록 많다.

자료 더하기 포화 수증기량 곡선 해석

① 포화 수증기량 곡선 아래쪽에 있는 공기(A): 현재 수증기량(14.7 g/kg)이 포화 수증기량(27.1 g/kg)보다 적다. → 불포화 상태

② 포화 수증기량 곡선 상에 있는 공기(B, C): 현재 수증기량과 포화 수증기량이 같다. → 포화 상태

③ 포화 수증기량 곡선 위쪽에 있는 공기(D): 현재 수증기량(27.1 g/kg)이 포화 수증기량(14.7 g/kg)보다 많다. → 과포화 상태

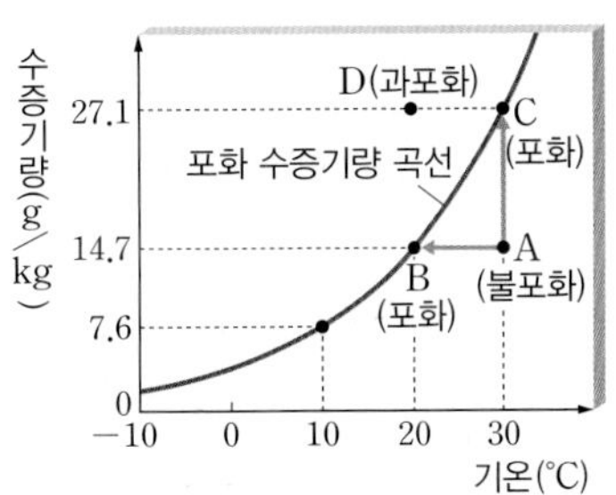

④ 불포화 상태의 공기(A)를 포화 상태로 만드는 방법: 온도를 낮추거나(A → B), 수증기를 공급(A → C)한다.

•현재 수증기량 읽기: 점이 찍힌 지점의 수증기량을 읽는다.
•포화 수증기량 읽기: 기온과 포화 수증기량 곡선이 만나는 곳의 수증기량을 읽는다.

4. 이슬점 불포화 상태의 공기가 냉각되어 기온이 계속 낮아지면 어느 온도에 이르러 공기가 포화 상태가 되고 응결이 일어나기 시작하는데, 이때의 온도를 이슬점이라고 한다. 이슬점은 기온과 관계없이 현재 수증기량이 많을수록 높다.

자료 더하기 이슬점과 응결량

기온이 달라도 수증기량이 같으면 이슬점이 같다. 따라서 이슬점을 알면 공기에 포함된 수증기량을 알 수 있다.

① 기온이 30 ℃인 A 공기 1 kg에 포함된 수증기량은 14.7 g으로, 불포화 상태이다.

② A 공기가 냉각되어 포화 수증기량 곡선과 만나면 포화 상태가 되어 응결이 일어나기 시작한다. 이때의 온도(20 ℃)가 이슬점이다.

③ 공기가 10 ℃로 냉각되면 과포화된 양만큼 응결된다.
→ 응결량(7.1 g/kg) = 현재 수증기량(14.7 g/kg) − 냉각된 온도에서의 포화 수증기량(7.6 g/kg)

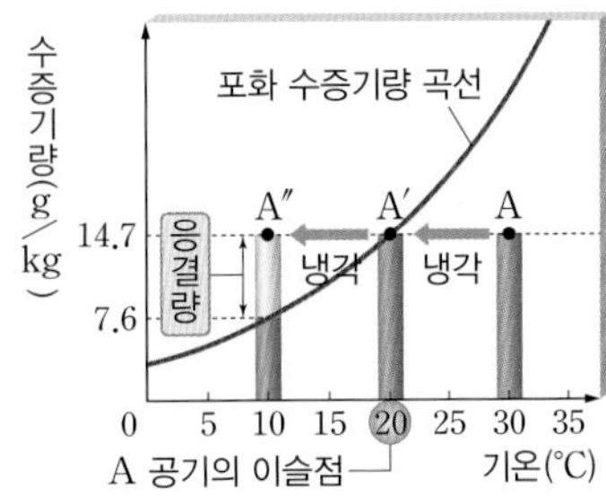

이슬점 측정 실험

비커에 실온의 물을 조금 넣고, 얼음물을 조금씩 부으며 천천히 저어 준다. 이때 비커의 바깥쪽 표면이 흐려지기 시작하는 순간의 물 속 온도가 이슬점이다.

이슬점의 여러 가지 의미

- 불포화 상태의 공기가 냉각되어 응결이 시작될 때의 온도
- 포화 상태에 도달할 때의 온도
- 현재 공기 중의 수증기량과 포화 수증기량이 같아질 때의 온도

절대 습도
공기 1 m^3 속에 들어 있는 실제 수증기의 질량을 g으로 나타낸 것이다. 절대 습도로는 공기의 건조하고 습한 정도를 바로 알 수 없다.

그림으로 이해하는 상대 습도

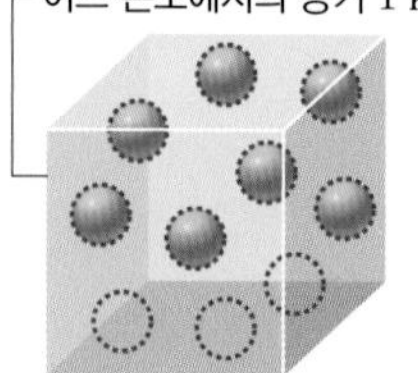

⋯ 포화 수증기량(g)
● 현재 공기에 포함된 수증기량(g)

상대 습도$=\frac{7\ g/kg}{10\ g/kg}\times 100$
$=70(\%)$

실생활에서 상대 습도의 변화 예

- 상대 습도가 낮아지는 경우: 방 안에 난로를 켜두면 방 안의 온도가 상승하여 포화 수증기량이 증가하므로 상대 습도가 낮아진다.
- 상대 습도가 높아지는 경우: 방 안의 온도가 일정할 때 가습기를 켜두면 공기 중의 수증기량이 증가하여 상대 습도가 높아진다.

5. 상대 습도

(1) 습도: 일정한 부피의 공기 중에 수증기가 많이 들어 있으면 습하고, 적게 들어 있으면 건조하다. 이와 같이 공기의 습한 정도를 습도라고 하며, 일상생활에서 주로 사용하는 습도는 상대 습도이다.

(2) 상대 습도: 현재 기온에서의 포화 수증기량에 대한 현재 공기의 실제 수증기량의 비를 백분율(%)로 나타낸 것이다.

$$\text{상대 습도}(\%)=\frac{\text{현재 공기의 실제 수증기량}(g/kg)}{\text{현재 기온의 포화 수증기량}(g/kg)}\times 100$$

(3) 상대 습도의 변화: 상대 습도는 현재 수증기량과 기온에 따라 달라진다.

- 포화 수증기량: 20 g/kg
- 현재 수증기량: 15 g/kg
- 상대 습도: 75 %

- 포화 수증기량: 20 g/kg
- 현재 수증기량: 10 g/kg
- 상대 습도: 50 %

- 포화 수증기량: 30 g/kg
- 현재 수증기량: 10 g/kg
- 상대 습도: 약 33.3 %

① 기온이 일정하고 현재 수증기량이 증가할 때: 공기 중에 포함된 수증기의 양이 증가하면 상대 습도가 높아진다.

② 현재 수증기량이 일정하고 기온이 높아질 때: 기온이 높아지면 포화 수증기량이 증가하여 상대 습도가 낮아진다.

자료 더하기 **맑은 날 하루 동안 기온, 상대 습도, 이슬점 변화**

① 기온 변화: 6시경에 기온이 가장 낮고, 15시경에 기온이 가장 높다.
② 상대 습도 변화: 6시경에 상대 습도가 가장 높고, 15시경에 상대 습도가 가장 낮다.
→ 맑은 날 기온과 상대 습도의 변화는 거의 반대로 나타난다.
③ 이슬점 변화: 맑은 날에는 공기 중에 포함된 수증기량이 거의 변하지 않아 이슬점 변화가 거의 없다.

→ 기온과 이슬점 중에서 맑은 날 상대 습도 변화에 더 큰 영향을 주는 것은 기온이다.

학습 내용 Check 정답과 해설 022쪽

1. 공기가 포함할 수 있는 최대 수증기량은 기온이 ______을수록 증가한다.
2. 공기가 냉각되어 수증기가 응결하기 시작할 때의 온도를 ______이라고 한다.
3. 기온이 일정할 때 현재 수증기량이 증가하면 상대 습도는 ______아지고, 현재 수증기량이 일정할 때 기온이 높아지면 상대 습도는 ______아진다.

2 구름

1. 단열 변화 공기가 외부로부터 열을 얻거나 외부로 열을 빼앗기지 않고 공기의 부피가 변하여 온도가 변하는 현상을 단열 변화라고 한다.

(1) **단열 팽창:** 공기가 외부와 열을 주고받지 않고 부피가 팽창하는 현상이다. 단열 팽창이 일어나면 기온이 낮아진다.

(2) **단열 압축:** 공기가 외부와 열을 주고받지 않고 부피가 수축하는 현상이다. 단열 압축이 일어나면 기온이 높아진다.

공기 덩어리가 상승하면 주위 공기의 밀도가 감소하므로 단열 팽창하여 기온이 낮아진다.

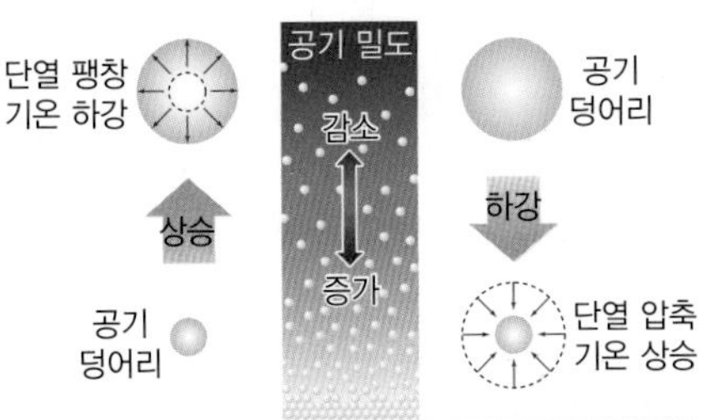

공기 덩어리가 하강하면 주위 공기의 밀도가 증가하므로 단열 압축하여 기온이 높아진다.

단열 팽창과 단열 압축

2. 구름 구름은 단열 팽창으로 공기 중의 수증기가 응결하여 생긴 작은 물방울이나 얼음 알갱이가 모여 하늘에 떠 있는 것이다.

(1) 구름의 생성 과정 탐구 086쪽

① 공기 덩어리 상승, 단열 팽창: 기권에서는 높이 올라갈수록 공기의 밀도가 감소하므로 주변 공기에 의한 압력이 작아진다. 따라서 수증기를 포함한 공기 덩어리가 상승하면 공기 덩어리의 부피가 팽창한다.

② 기온 하강: 공기 덩어리가 상승하여 단열 팽창하면 주변의 공기를 밀어내는 데 필요한 열을 내부에서 얻기 때문에 공기 덩어리의 온도가 낮아진다.

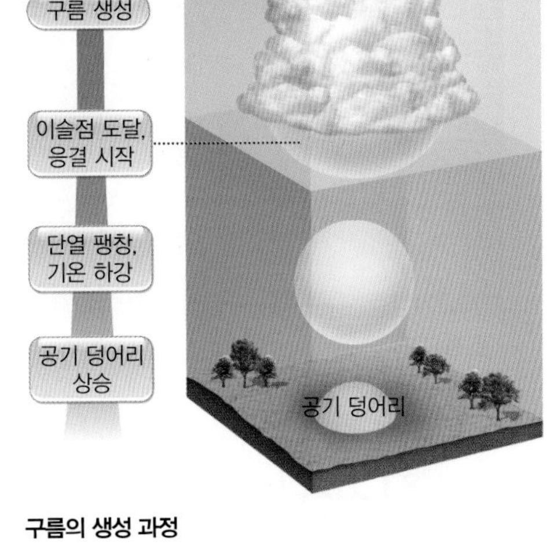

구름의 생성 과정

③ 이슬점 도달, 수증기 응결: 공기 덩어리의 온도가 점점 낮아져서 이슬점에 도달하면 포화 상태가 되어 수증기가 응결하기 시작한다.

④ 구름 생성: 수증기가 응결하여 생긴 작은 물방울이나 얼음 알갱이가 모여 구름이 된다.

단열 팽창의 예
- 입을 오므리고 바람을 불면 입 속의 공기가 갑자기 팽창하여 차가운 공기로 나온다.
- 스프레이를 뿌리고 나면 스프레이 통이 차가워진다.

구름의 생성 과정
공기 상승 → 부피 팽창(단열 팽창) → 기온 하강 → 이슬점 도달 → 수증기 응결 → 구름 생성

상승 응결 고도
상승하는 공기 덩어리가 응결하여 구름이 생성되는 높이를 상승 응결 고도라고 한다. 상승하는 공기 덩어리의 상대 습도가 낮으면 높은 곳에서 구름이 만들어지고, 상대 습도가 높으면 낮은 곳에서 구름이 만들어진다.

응결핵
수증기가 응결하여 구름이 생성될 때 응결이 잘 일어나도록 도와주는 작은 입자들을 응결핵이라고 한다. 응결핵에는 바닷물이 증발할 때 발생하는 소금 입자, 작은 먼지, 연기 등이 있다.

(2) **구름이 생성되는 경우**: 대기 중에서 구름이 생성되기 위해서는 지표의 공기 덩어리가 상승해야 한다. 공기가 자연 상태에서 상승하는 경우는 지표면이 강하게 가열될 때, 공기가 한군데로 모여들 때, 공기가 산을 타고 오를 때, 따뜻한 공기와 찬 공기가 만날 때 등이다.

지표면이 강하게 가열될 때

공기가 한군데로 모여들 때

공기가 산을 타고 오를 때

따뜻한 공기와 찬 공기가 만날 때

(3) **구름의 모양**: 구름의 모양은 공기 덩어리의 상승 운동과 관련이 있다. 과학 용어 사전 241쪽

① 적운형 구름: 공기 덩어리가 강하게 상승하는 경우에는 위로 솟은 모양의 적운형 구름이 된다.

② 층운형 구름: 공기 덩어리가 약하게 상승하는 경우에는 옆으로 넓게 퍼진 층운형 구름이 된다.

안개와 구름의 차이
안개와 구름은 모두 대기 중의 수증기가 응결하여 생성된 것인데, 안개는 지표 부근에서, 구름은 높은 곳에서 응결이 일어나 떠 있는 것이다.

적운형 구름

층운형 구름

학습 내용 Check

정답과 해설 022쪽

1. 공기 덩어리가 상승할 때 공기의 부피는 ______하고, 기온은 ______진다.

2. 구름은 '공기 덩어리 상승 → 단열 ______ → 기온 하강 → 이슬점 도달 → 수증기 ______ → 구름 생성'의 과정을 거쳐 생성된다.

3. 공기가 강하게 상승할 때는 ______ 구름이 만들어지고, 약하게 상승할 때는 ______ 구름이 만들어진다.

강수

1. 강수 구름에서 비나 눈 등이 지표로 떨어지는 것을 강수라고 한다.

2. 강수 과정

(1) **저위도 지방의 강수 과정(병합설)**: 저위도 지방에서 만들어지는 구름은 온도가 0 ℃보다 높으므로 대부분 물방울로만 이루어져 있다. 이러한 구름에서는 크고 작은 물방울들이 서로 부딪쳐 합쳐지면서 점점 커지고 무거워져 비가 되어 내린다. 이와 같은 강수 과정을 병합설이라고 한다. 우리나라 여름철에 수직으로 강하게 발달하는 적운형 구름에서 소나기 형태의 비가 내리는 것도 병합설로 설명할 수 있다.

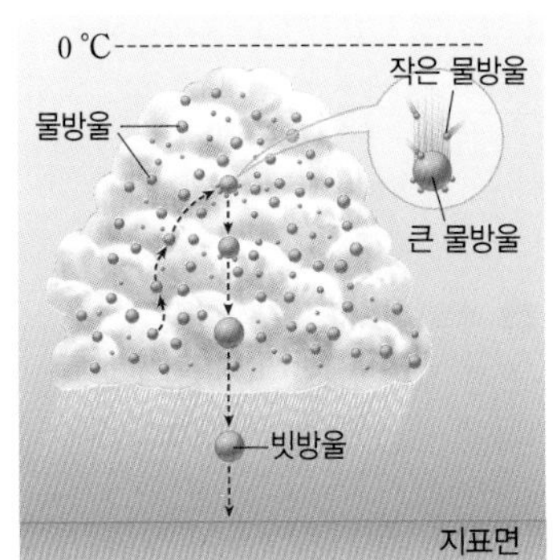

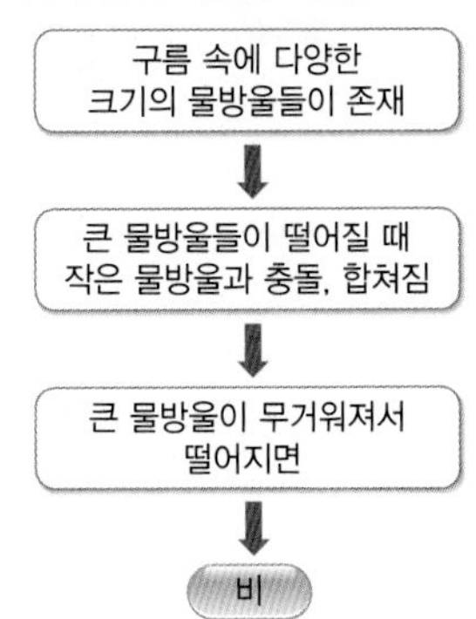

(2) **중위도나 고위도 지방의 강수 과정(빙정설)**: 우리나라와 같은 중위도 지방이나 고위도 지방에서 만들어지는 구름의 아랫부분은 물방울로 이루어져 있지만 윗부분은 기온이 낮아 얼음 알갱이(빙정)로 이루어져 있으며, 기온이 −40 ℃~0 ℃인 중간 부분은 물방울과 얼음 알갱이가 섞여 있다. 물방울과 얼음 알갱이가 섞여 있는 곳에서는 물방울에서 증발한 수증기가 얼음 알갱이에 달라붙어 얼음 알갱이가 점점 커지고 무거워져 지표면으로 떨어진다. 이때 얼음 알갱이가 녹지 않고 그대로 떨어지면 눈이 되고, 떨어지다가 따뜻한 공기층을 만나 녹으면 비가 된다.

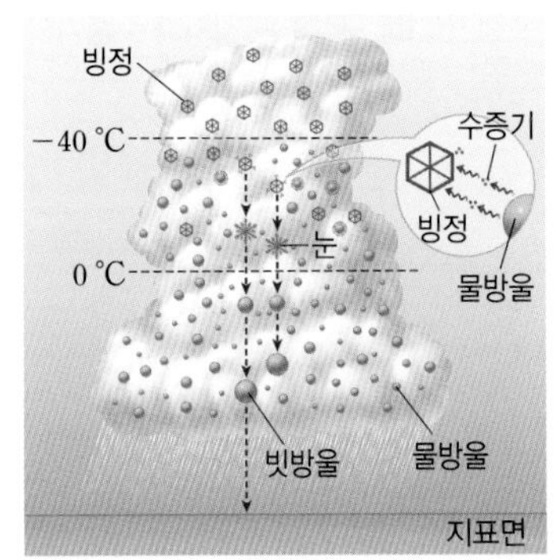

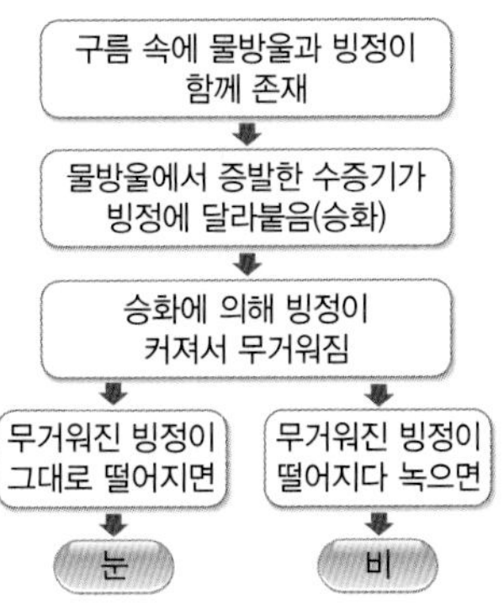

구름 입자와 빗방울의 크기 비교

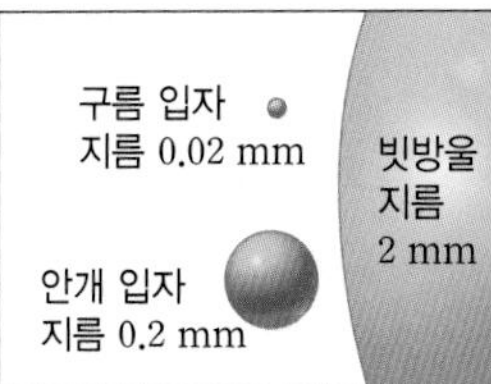

비나 눈은 구름이 있다고 해서 항상 내리는 것은 아니다. 구름 입자는 매우 작기 때문에 약 100만 개 이상의 구름 입자가 모여야 빗방울이 될 수 있다.

용어 빙정
대기의 온도가 0 ℃ 이하로 내려갈 때 대기 중의 수증기가 승화하여 만들어진 얼음 결정이다.

학습 내용 Check

정답과 해설 022 쪽

1. 저위도 지방의 구름은 대부분 ________로만 이루어져 있다.
2. 중위도나 고위도 지방에서 얼음 알갱이와 물방울이 섞여 있는 구름 속에서는 ________에서 증발한 수증기가 ________에 달라붙어 ________가 성장한다.

탐구 구름 발생 실험하기

구름이 만들어지는 원리를 설명할 수 있다.

과정

❶ 페트병에 약간의 물과 액정 온도계를 넣은 후, 간이 가압 장치가 달린 뚜껑을 닫고 온도를 측정한다.

❷ 간이 가압 장치의 펌프를 여러 번 누른 후, 페트병 내부의 변화를 관찰하고 온도를 확인한다.

❸ 간이 가압 장치의 뚜껑을 여는 순간 페트병 내부의 변화를 관찰하고 온도를 확인한다.

❹ 페트병에 향 연기를 조금 넣은 후, 과정 ❷와 ❸을 반복한다.

결과 및 정리

1. 페트병 내부의 변화와 온도 변화는 다음과 같다.

구분	과정	페트병 내부의 변화	온도 변화
향 연기를 넣지 않은 경우	압축 펌프를 누를 때	변화가 거의 없다.	높아진다.
	뚜껑을 열 때	흐려진다.	낮아진다.
향 연기를 넣은 경우	압축 펌프를 누를 때	맑아진다.	높아진다.
	뚜껑을 열 때	더 흐려진다.	낮아진다.

2. 간이 가압 장치의 펌프를 누르면 공기의 부피가 압축되면서 페트병 내부 온도가 높아진다. → 포화 수증기량이 증가한다.
3. 뚜껑을 열면 공기가 빠져나가면서 팽창하는데, 이때 페트병 내부 온도가 낮아진다. → 포화 수증기량이 감소하여 페트병 내부가 뿌옇게 흐려진다. 이는 공기가 상승하여 구름이 만들어지는 현상에 해당한다.
4. 페트병에 향 연기를 넣었을 때는 넣지 않았을 때보다 더 많이 흐려진다. → 향 연기를 구성하는 입자가 수증기의 응결을 도와주는 역할을 하기 때문이다.

탐구 확인 문제

정답과 해설 022쪽

1 위 탐구에 대한 설명으로 옳은 것은 ○, 옳지 않은 것은 ×로 표시하시오.

(1) 간이 가압 장치의 펌프를 누르면 페트병 내부의 온도가 낮아진다. ············ ( )

(2) 펌프를 여러 번 누른 후 뚜껑을 열면 페트병 내부가 뿌옇게 흐려진다. ············ ( )

(3) 페트병에 향 연기를 넣는 까닭은 수증기의 응결이 더 잘 일어나도록 하기 위해서이다. ············ ( )

2 적용 다음은 위 실험 결과를 바탕으로 구름의 생성 과정을 설명한 것이다. 빈칸에 알맞은 말을 순서대로 쓰시오.

> 간이 가압 장치의 뚜껑을 열면 공기가 빠져나가면서 팽창하듯이 공기 덩어리가 상승하면 단열 (㉠)하여 기온이 점차 (㉡)아지며, 이슬점에 도달하면 수증기가 (㉢)하여 구름이 생성된다.

포화 수증기량 곡선 해석하기

시험에서는 포화 수증기량 곡선을 이용한 다양한 유형의 문제가 출제된다. 포화 수증기량 곡선에서 어떤 공기의 현재 수증기량, 포화 수증기량, 이슬점, 응결량, 상대 습도를 알아내는 방법을 자세하게 알아보자.

1 현재 수증기량, 포화 수증기량 구하기

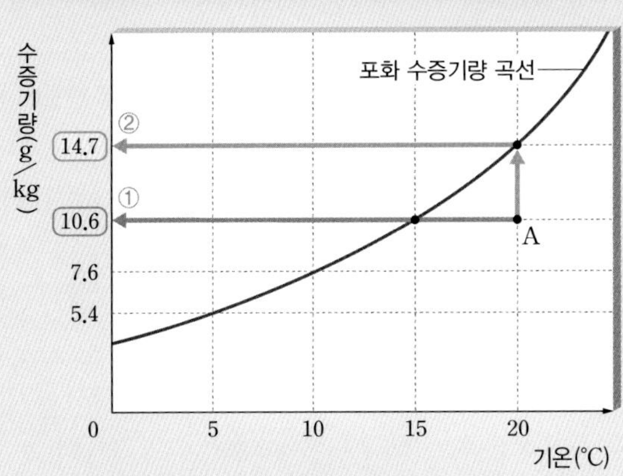

① A 공기의 현재 수증기량은 점이 찍힌 곳의 세로축 값을 읽는다. → 10.6 g/kg

② A 공기의 포화 수증기량은 점이 찍힌 곳에서 위로 올라가다가 포화 수증기량 곡선과 만나는 지점의 세로축 값을 읽는다. → 14.7 g/kg

2 상대 습도 구하기

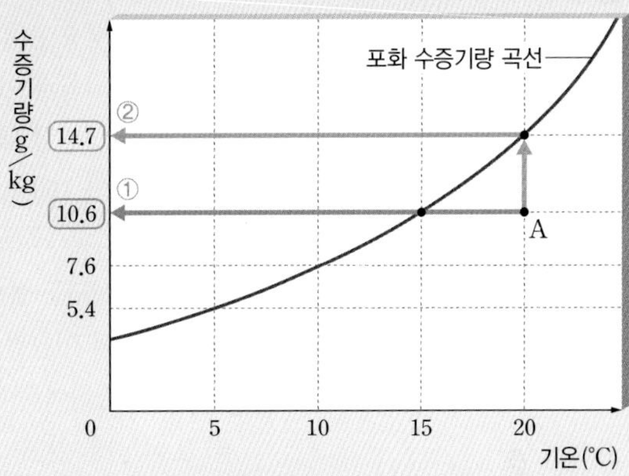

A 공기의 현재 수증기량(①)과 포화 수증기량(②)을 구한 다음, 아래 식에 대입한다.

$$\text{상대 습도(\%)} = \frac{\text{현재 수증기량}}{\text{포화 수증기량}} \times 100$$

$$= \frac{10.6\,\text{g/kg}}{14.7\,\text{g/kg}} \times 100$$

3 이슬점 구하기

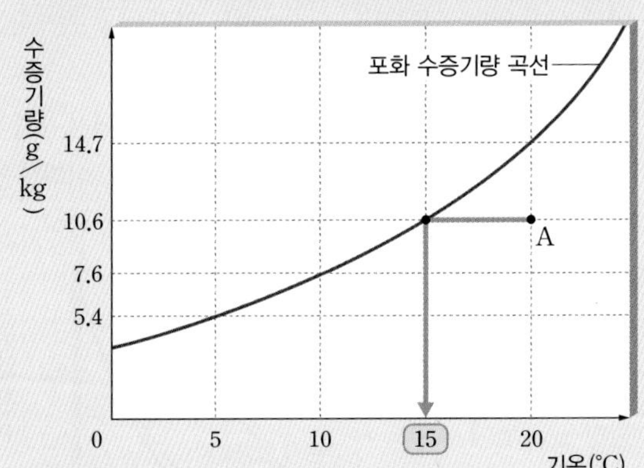

A 공기의 이슬점은 점이 찍힌 곳에서 왼쪽으로 이동하다가 포화 수증기량 곡선과 만나는 지점의 가로축 값을 읽는다. → 15 ℃

4 응결량 구하기

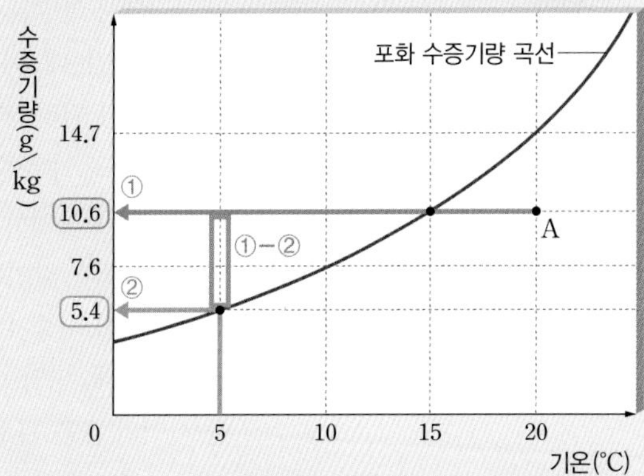

A 공기의 온도가 5 ℃로 낮아졌을 때 응결량은 현재 수증기량(①)에서 5 ℃일 때의 포화 수증기량(②)을 뺀 값이다. → 10.6 g/kg − 5.4 g/kg = 5.2 g/kg

구름이 생성되는 높이와 구름 속 빙정의 성장 원리

하늘의 구름은 높게 떠 있는 것도 있고 낮게 떠 있는 것도 있다. 구름이 생성되는 높이는 어떻게 달라지는지 알아보자. 또, 중위도 지방이나 고위도 지방의 강수 현상을 설명하는 빙정설에서 빙정이 성장하는 원리를 자세하게 알아보자.

1 구름이 생성되는 높이

① 상승 응결 고도: 상승하는 공기 덩어리 속의 수증기가 응결하기 시작하여 구름이 생성되는 높이를 상승 응결 고도라고 한다.

② 건조 단열 감률과 이슬점 감률: 불포화 상태의 공기 덩어리가 상승하면 단열 팽창에 의해 100 m 상승할 때마다 1 ℃씩 온도가 낮아지는데, 이를 건조 단열 감률이라고 한다. 또한, 공기가 100 m 상승할 때마다 이슬점은 0.2 ℃씩 낮아지는데, 이를 이슬점 감률이라고 한다.

③ 구름이 생성되는 높이: 지표에서 공기 덩어리의 온도와 이슬점을 측정하면 이 공기 덩어리가 상승하여 구름이 생성되는 높이(상승 응결 고도)를 알 수 있다. 예를 들어 오른쪽 그림과 같이 지표에서 온도가 24 ℃이고, 이슬점이 20 ℃인 공기 덩어리가 100 m 상승하면 공기 덩어리의 온도는 23 ℃, 이슬점은 19.8 ℃가 되고, 200 m 상승하면 공기 덩어리의 온도는 22 ℃, 이슬점은 19.6 ℃가 된다. 같은 방법으로 계산해 보면 500 m 높이에서 공기 덩어리의 온도와 이슬점이 19 ℃로 같아짐을 알 수 있다. 따라서 이 공기 덩어리가 상승하여 구름이 생성되는 높이는 500 m가 된다.

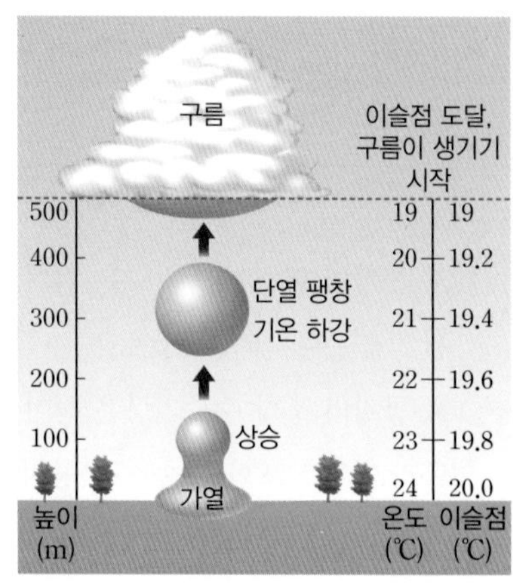

2 구름 속 빙정의 성장 원리

① 과냉각 물방울: 중위도나 고위도 지방에서 만들어지는 구름에서 기온이 −40 ℃~0 ℃인 구간에는 물방울과 빙정이 함께 섞여 있다. 이때 0 ℃ 이하에서도 얼지 않고 존재하는 물방울이 있는데, 이를 과냉각 물방울이라고 한다.

② 빙정의 성장 원리: 과냉각 물방울과 빙정이 구름 속에 함께 존재하면 물방울에서 수증기가 증발하고, 이 수증기는 승화하면서 빙정에 달라붙어 빙정의 크기가 커진다. 이러한 현상은 같은 온도에서 과냉각 물방울과 빙정의 포화 수증기압이 다르기 때문에 일어난다. 오른쪽 그림과 같이 −20 ℃일 때 과냉각 물방울의 포화 수증기압은 빙정의 포화 수증기압보다 큰데, 만약 대기 중의 수증기압이 이들 사이의 값을 가지게 되면 물방울 표면에서는 아직 수증기가 포화되지 않았으므로 증발이 일어나고, 빙정에서는 이미 포화 상태에 이르러 수증기가 승화되면서 빙정이 성장하게 되는 것이다.

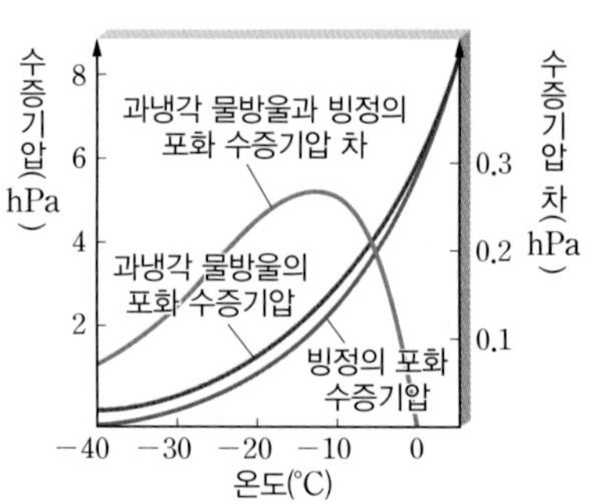

중단원 핵심 정리

02. 대기 중의 물

대기 중의 수증기

① 포화 수증기량

- **포화 상태:** 어떤 공기가 수증기를 최대로 포함하고 있는 상태
- **포화 수증기량:** 포화 상태의 공기 1 kg 속에 들어 있는 수증기의 양(g) → **기온이 높을수록 증가한다.**

② 응결과 이슬점

- **응결:** 공기 중의 수증기가 액체 상태의 물로 변하는 현상
- **이슬점:** 불포화 상태의 공기가 냉각되어 수증기가 응결하기 시작할 때의 온도 → **현재 수증기량이 많을수록 높다.**
- 응결량＝현재 수증기량－냉각된 온도에서의 포화 수증기량

③ **상대 습도:** 현재 기온에서의 포화 수증기량에 대한 실제 포함된 수증기량의 비율(%)

$$\text{상대 습도(\%)}=\frac{\text{현재 공기의 실제 수증기량(g/kg)}}{\text{현재 기온의 포화 수증기량(g/kg)}}\times 100$$

- **기온이 일정할 때:** **현재 수증기량이 많을수록** 상대 습도가 높아진다.
- **현재 수증기량이 일정할 때:** **기온이 높을수록** 상대 습도가 낮아진다.

④ 맑은 날 하루 동안 기온, 습도, 이슬점 변화

구분	가장 낮을 때	가장 높을 때
기온	새벽 6시경	오후 2～3시경
상대 습도	오후 2～3시경	새벽 6시경
이슬점	거의 일정	

- 맑은 날에는 기온과 습도의 변화가 서로 반대로 나타난다.
- 맑은 날에는 공기 중의 수증기량이 거의 변하지 않으므로 이슬점은 거의 일정하다.

구름

① 구름의 생성 과정

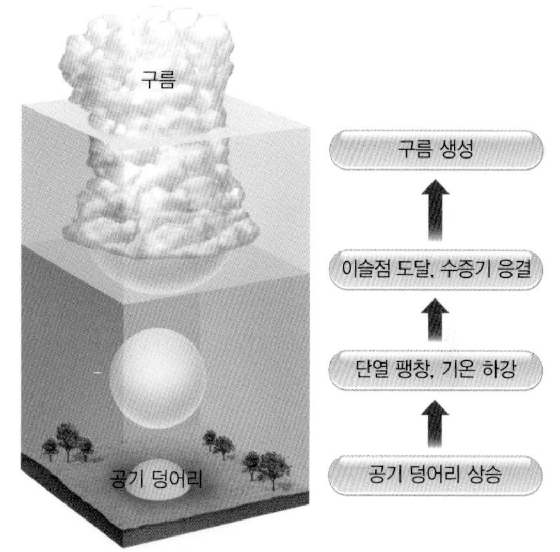

② **공기가 상승하여 구름이 생성되는 경우:** 지표면이 강하게 가열될 때, 공기가 한군데로 모여들 때, 공기가 산을 타고 오를 때, 따뜻한 공기와 찬 공기가 만날 때

강수

① **저위도 지방**의 강수 과정(병합설): 구름 속의 크고 작은 **물방울들이 서로 충돌**한다. → 합쳐져서 커진다. → 무거워져서 떨어지면 비가 된다.

② **중위도나 고위도 지방**의 강수 과정(빙정설): 구름의 중간 부분에서는 **물방울에서 증발한 수증기가 빙정에 달라붙는다.** → 빙정이 커진다. → 무거워져서 떨어진다. → 그대로 떨어지면 눈이 되고, 떨어지다가 녹으면 비가 된다.

개념 확인 문제

01 그림과 같이 컵에 물을 넣고 수조로 덮은 후 며칠 동안 두었더니 물의 높이가 조금 낮아지다가 더 이상 변하지 않았다.

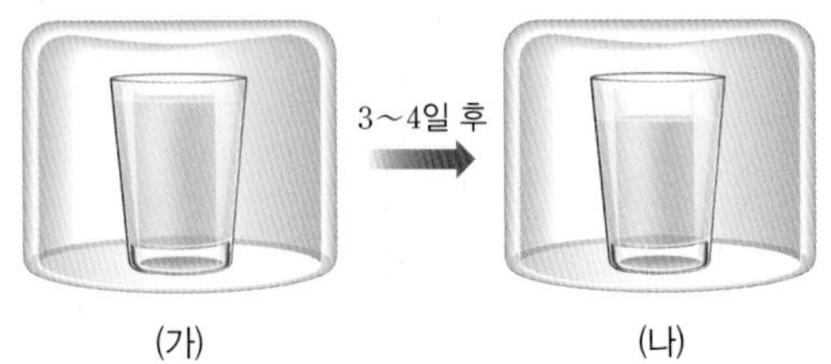

(가) (나)

이에 대한 설명으로 옳지 않은 것은?

① 증발이 일어나 물의 양이 줄어들었다.
② (가)는 불포화 상태, (나)는 포화 상태이다.
③ (가)일 때는 증발량이 응결량보다 많다.
④ (나)일 때는 더 이상 증발이 일어나지 않는다.
⑤ 이 실험을 통해 일정한 부피의 공기 속에 포함되는 수증기량에는 한계가 있다는 것을 알 수 있다.

02 그림 (가)와 같이 플라스크에 따뜻한 물을 조금 넣고 헤어드라이어로 가열한 후, (나)와 같이 가열한 플라스크를 찬물이 담긴 수조에 넣고 플라스크 내부의 변화를 관찰하였다.

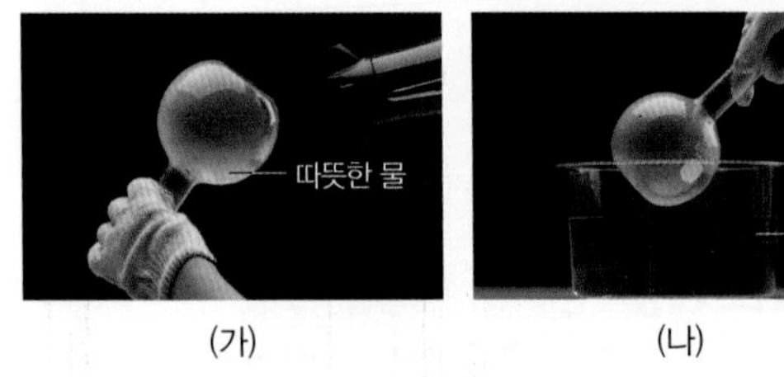

(가) (나)

이에 대한 설명으로 옳지 않은 것은?

① (가)일 때는 증발이 일어난다.
② (가)일 때는 플라스크 속의 수증기량이 증가한다.
③ (나)일 때는 플라스크 내부가 뿌옇게 흐려진다.
④ (나)일 때는 플라스크 속의 수증기량이 감소한다.
⑤ 같은 질량의 공기에 포함될 수 있는 수증기량은 기온이 낮을수록 많을 것이다.

03 그림은 기온과 포화 수증기량의 관계를 나타낸 것이다.

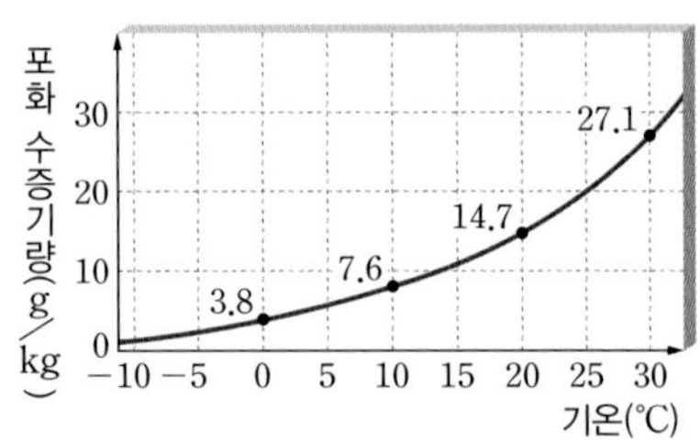

이에 대한 설명으로 옳은 것을 보기에서 모두 고른 것은?

보기
ㄱ. 기온이 높을수록 포화 수증기량은 증가한다.
ㄴ. 20 ℃에서 포화된 공기 1 kg에는 14.7 g의 수증기가 들어 있다.
ㄷ. 10 ℃에서 포화된 공기의 온도를 높이면 불포화 상태가 된다.

① ㄱ ② ㄴ ③ ㄷ
④ ㄱ, ㄴ ⑤ ㄱ, ㄴ, ㄷ

04 중요 그림과 같이 얼음이 담긴 시험관을 물이 들어 있는 컵 속에 넣고 잘 저었더니 물의 온도가 20 ℃가 될 때 컵의 표면이 뿌옇게 흐려졌다. 표는 기온에 따른 포화 수증기량을 나타낸 것이다.

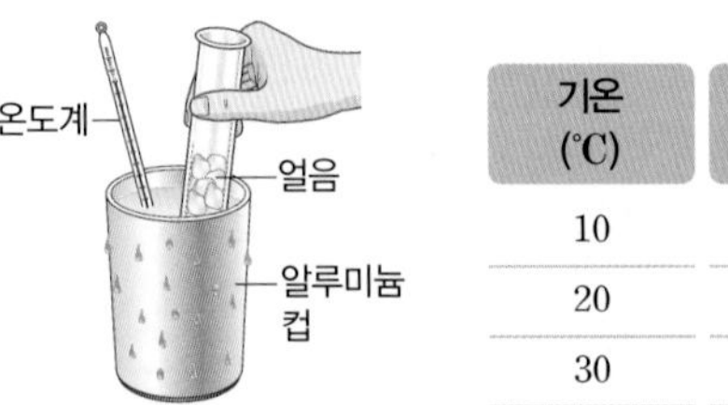

기온 (℃)	포화 수증기량 (g/kg)
10	7.6
20	14.7
30	27.1

위 실험에서 현재 기온이 30 ℃일 때 (가) 현재 공기 중에 있는 수증기량(g/kg)과 (나) 컵 속의 물이 10 ℃가 되었을 때 응결되는 수증기량(g/kg)을 옳게 짝 지은 것은?

	(가)	(나)		(가)	(나)
①	7.1	7.6	②	7.6	14.7
③	14.7	7.1	④	14.7	7.6
⑤	27.1	19.5			

05 응결이 일어난 원리가 나머지와 다른 것은?

① 새벽에 안개가 생긴다.
② 새벽에 거미줄에 이슬이 맺힌다.
③ 목욕탕 안의 공기가 뿌옇게 흐리다.
④ 냉장고에서 꺼낸 음료수 캔 표면에 물방울이 맺힌다.
⑤ 겨울철에 따뜻한 실내로 들어갔을 때 안경알이 뿌옇게 흐려진다.

중요
06 그림은 기온과 포화 수증기량의 관계를 나타낸 것이다.

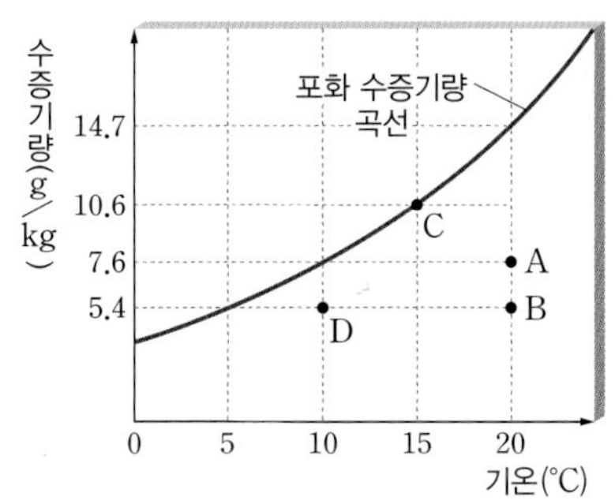

이에 대한 설명으로 옳지 않은 것은?

① A는 현재 수증기량이 7.6 g/kg이다.
② A와 B는 포화 수증기량이 같다.
③ B의 이슬점은 5 ℃이다.
④ C는 포화 상태이다.
⑤ D는 B보다 상대 습도가 낮다.

07 어떤 밀폐된 공간에서 P 상태인 공기의 온도가 P′으로 낮아졌다. 이때 이 공기의 성질 변화로 옳은 것을 보기에서 모두 고른 것은?

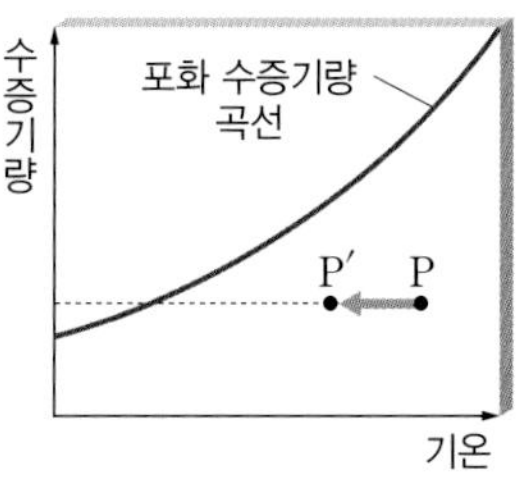

보기
ㄱ. 공기 중의 수증기량이 감소한다.
ㄴ. 포화 수증기량이 감소한다.
ㄷ. 상대 습도가 높아진다.

① ㄱ ② ㄴ ③ ㄱ, ㄷ
④ ㄴ, ㄷ ⑤ ㄱ, ㄴ, ㄷ

08 그림은 어느 날 하루 동안의 기온, 상대 습도, 이슬점 변화를 나타낸 것이다.

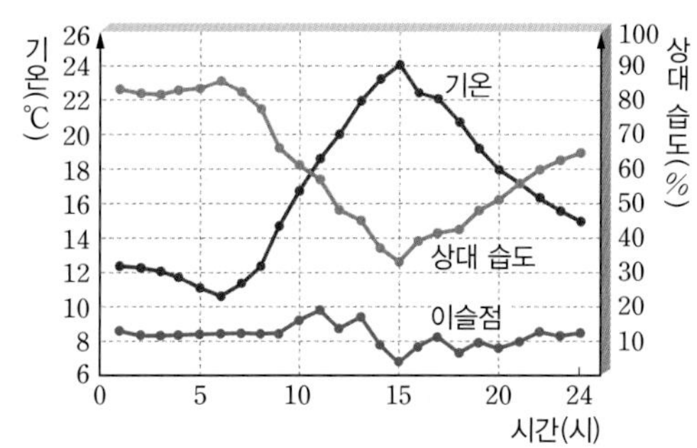

이에 대한 설명으로 옳은 것을 보기에서 모두 고른 것은?

보기
ㄱ. 상대 습도는 낮보다 밤에 높다.
ㄴ. 기온이 상승하면 상대 습도가 낮아진다.
ㄷ. 이 날은 흐리고 비가 내렸을 것이다.

① ㄱ ② ㄷ ③ ㄱ, ㄴ
④ ㄴ, ㄷ ⑤ ㄱ, ㄴ, ㄷ

중요
09 그림은 구름의 생성 과정을 나타낸 것이다.

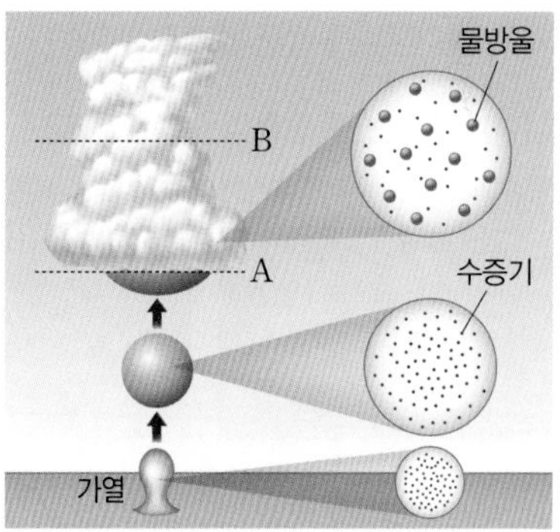

이에 대한 설명으로 옳은 것은?

① 높이 올라갈수록 공기는 압축된다.
② 상승하는 동안 공기의 온도는 높아진다.
③ A 높이에서 수증기의 응결이 시작된다.
④ 이 공기는 B 높이에서 처음 포화 상태가 된다.
⑤ 공기 덩어리가 상승하는 동안 포화 수증기량은 증가한다.

10 (중요) 그림과 같이 장치한 후, 압축 펌프를 여러 번 누르고 뚜껑을 열었을 때의 변화를 관찰하였다.

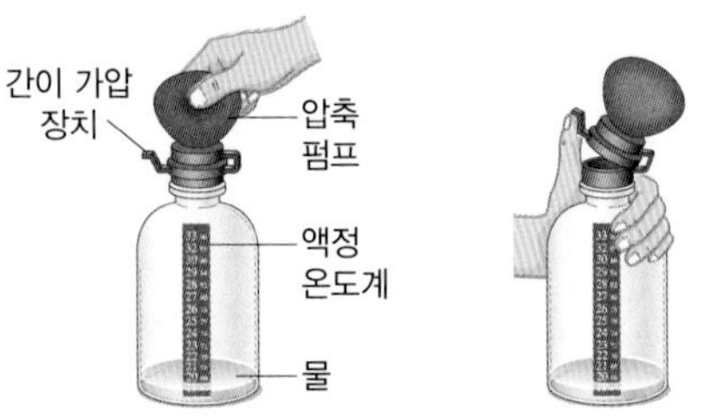

(가) 압축 펌프를 눌렀을 때 (나) 뚜껑을 열었을 때

이에 대한 설명으로 옳지 않은 것은?

① (가)는 단열 압축에 해당한다.
② (가)에서 페트병 안의 온도는 높아진다.
③ (나)에서는 페트병 안이 뿌옇게 흐려진다.
④ (나)는 구름이 생성될 때의 변화와 같다.
⑤ 페트병 안에 향 연기를 넣고 실험하면 (나)에서 뿌옇게 흐려지는 현상이 나타나지 않는다.

11 구름이 생성되는 경우가 아닌 것은?

① 공기가 한군데로 모여들 때
② 공기가 산을 타고 올라갈 때
③ 주변으로 공기가 빠져나갈 때
④ 따뜻한 공기와 찬 공기가 만날 때
⑤ 지표면의 일부가 강하게 가열될 때

12 그림 (가)와 (나)는 두 종류의 구름을 나타낸 것이다.

(가)

(나)

이에 대한 설명으로 옳은 것을 보기에서 모두 고른 것은?

보기
ㄱ. (가)는 적운형 구름, (나)는 층운형 구름이다.
ㄴ. (가)는 공기의 상승이 강할 때 발생한다.
ㄷ. (나)는 공기가 하강할 때 옆으로 퍼져 발생한다.

① ㄱ ② ㄷ ③ ㄱ, ㄴ
④ ㄴ, ㄷ ⑤ ㄱ, ㄴ, ㄷ

13 그림은 어느 지역에서 발생하는 강수 과정을 나타낸 모식도이다.

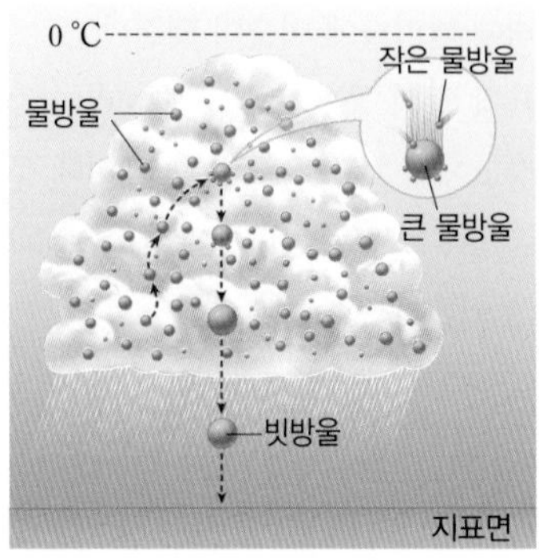

이에 대한 설명으로 옳은 것을 보기에서 모두 고른 것은?

보기
ㄱ. 하강 기류가 강할 때 발생한다.
ㄴ. 크고 작은 물방울들이 서로 충돌하여 커진다.
ㄷ. 저위도 지방이나 중위도 지방의 무더운 날에 발생하는 강수 과정이다.

① ㄱ ② ㄷ ③ ㄱ, ㄴ
④ ㄴ, ㄷ ⑤ ㄱ, ㄴ, ㄷ

14 (중요) 오른쪽 그림은 우리나라에서 자주 발생하는 강수 과정을 나타낸 것이다. 이에 대한 설명으로 옳은 것을 보기에서 모두 고른 것은?

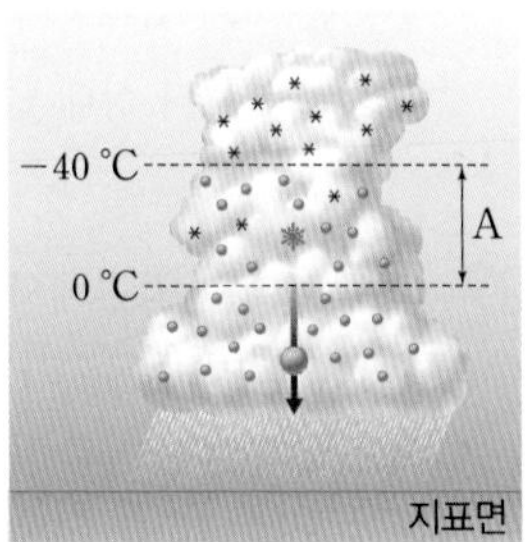

보기
ㄱ. A 구간에서는 물방울이 증발하여 빙정에 달라붙는다.
ㄴ. 지표 부근의 기온이 0 ℃보다 낮으면 눈, 0 ℃보다 높으면 비가 된다.
ㄷ. 병합설을 설명한 것이다.

① ㄱ ② ㄷ ③ ㄱ, ㄴ
④ ㄴ, ㄷ ⑤ ㄱ, ㄴ, ㄷ

실력 강화 문제

02. 대기 중의 물

정답과 해설 025쪽

01 그림은 (가)와 (나) 공기의 포화 수증기량과 실제 수증기량을 비교하여 모식적으로 나타낸 것이다.

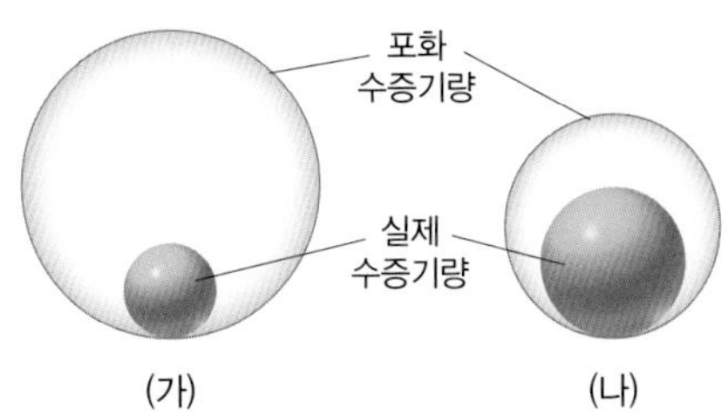

(가)와 (나) 공기의 성질을 옳게 비교한 것을 보기에서 모두 고른 것은?

보기
ㄱ. 기온: (가)>(나)　　ㄴ. 이슬점: (가)>(나)
ㄷ. 상대 습도: (가)>(나)

① ㄱ　② ㄴ　③ ㄷ
④ ㄱ, ㄴ　⑤ ㄴ, ㄷ

02 다음은 어느 추운 겨울날 지수의 행동을 나타낸 것이다.

(가) 야외 활동을 하다가 몸을 따뜻하게 하려고 방에 들어와 난로를 켰다.
(나) 어느 정도 시간이 지나자 방 안의 공기가 건조해져서 가습기를 틀었다.

위 상황에서 나타나는 방 안 공기의 상태가 A, B, C에 해당할 때, 방 안 공기의 상태 변화를 옳게 짝 지은 것은? (단, 방 안 공기는 외부와 차단되어 있다.)

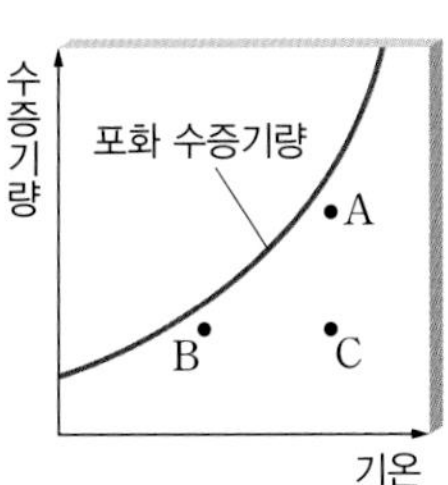

	(가)	(나)
①	A → B	B → C
②	A → C	C → B
③	B → A	A → C
④	B → C	C → A
⑤	C → B	B → A

03 그림은 어느 날 하루 동안의 기온과 이슬점 변화를 나타낸 것이다.

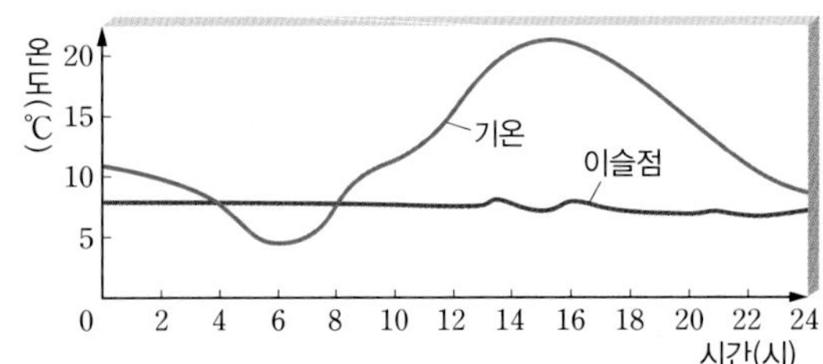

이에 대한 설명으로 옳은 것을 보기에서 모두 고른 것은?

보기
ㄱ. 4~8시 사이에 수증기의 응결이 활발하게 일어났다.
ㄴ. 8시 이후에 기온이 상승하면서 수증기의 양이 크게 감소하였다.
ㄷ. 15~16시경에 상대 습도가 가장 낮았을 것이다.

① ㄱ　② ㄴ　③ ㄱ, ㄷ
④ ㄴ, ㄷ　⑤ ㄱ, ㄴ, ㄷ

04 그림은 공기가 산을 타고 올라가면서 구름이 생기는 모습을 나타낸 것이다.

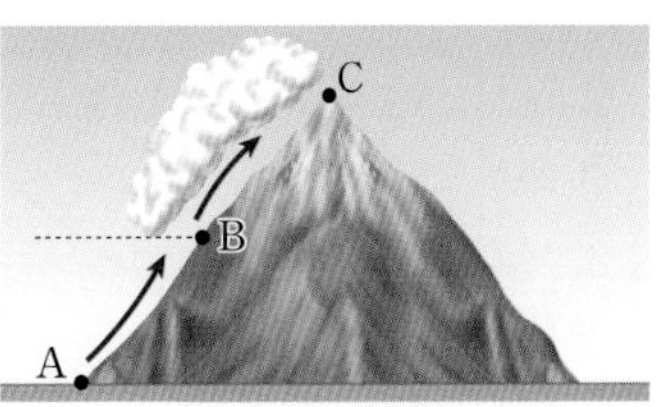

이에 대한 설명으로 옳은 것을 보기에서 모두 고른 것은?

보기
ㄱ. A → B 구간에서는 상대 습도가 증가한다.
ㄴ. B 지점에서 포화 상태가 된다.
ㄷ. B → C 구간에서는 과포화된 수증기가 응결한다.

① ㄱ　② ㄷ　③ ㄱ, ㄴ
④ ㄴ, ㄷ　⑤ ㄱ, ㄴ, ㄷ

☞ 제시된 Keyword를 이용하여 문제를 해결해 보자.

1 그림은 기온과 포화 수증기량의 관계를 나타낸 것이다.

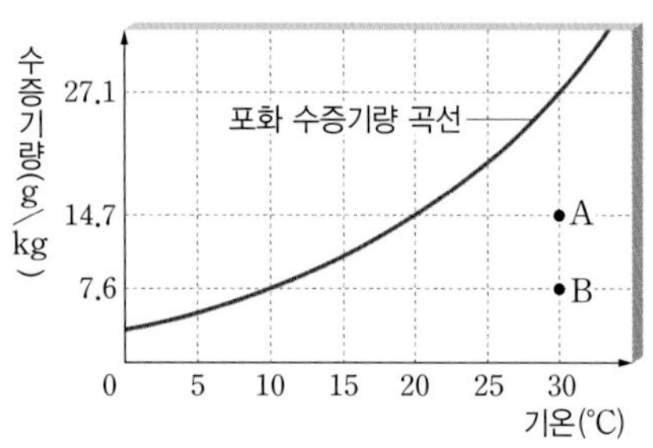

(1) A와 B 공기의 현재 수증기량, 포화 수증기량, 이슬점을 구체적인 값으로 비교하여 설명하시오.

Keyword 현재 수증기량, 포화 수증기량, 이슬점

(2) A와 B 공기 중 상대 습도가 더 높은 것을 고르고, 그렇게 생각한 까닭을 설명하시오.

Keyword 현재 수증기량, 포화 수증기량

2 그림은 불포화 상태인 공기 A의 기온과 수증기량을 나타낸 것이다.

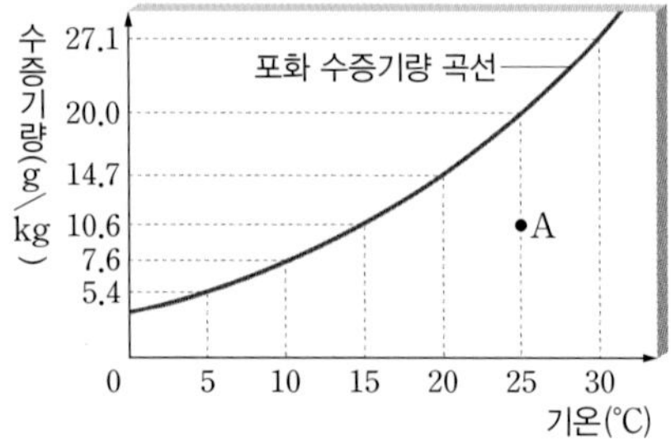

A 공기를 포화 상태로 만들기 위한 두 가지 방법을 구체적인 값을 제시하여 설명하시오.

Keyword 기온, 수증기

3 표는 기온에 따른 포화 수증기량을 나타낸 것이다.

기온(℃)	5	10	15	20	25
포화 수증기량 (g/kg)	5.4	7.6	10.6	14.7	20.0

(1) 현재 기온이 25 ℃인 밀폐된 방 안의 공기 1 kg 속에 10.6 g의 수증기가 포함되어 있다. 이 공기의 이슬점은 몇 ℃인지 쓰고, 그렇게 생각한 까닭을 설명하시오.

Keyword 현재 수증기량, 포화 수증기량

(2) 방 안의 기온을 10 ℃로 낮추었을 때, 공기 1 kg당 몇 g의 수증기가 응결하는지 식을 세워 구하시오.

Keyword 응결량

4 표는 기온에 따른 포화 수증기량을 나타낸 것이다.

기온(℃)	10	15	20	25	30
포화 수증기량 (g/kg)	7.6	10.6	14.7	20.0	27.1

기온이 25 ℃인 공기 2 kg 속에 수증기 21.2 g이 들어 있을 때, 이 공기의 상대 습도를 식을 세워 계산하시오.

Keyword 현재 수증기량, 포화 수증기량

5 그림은 상대 습도의 변화를 나타낸 모식도이다.

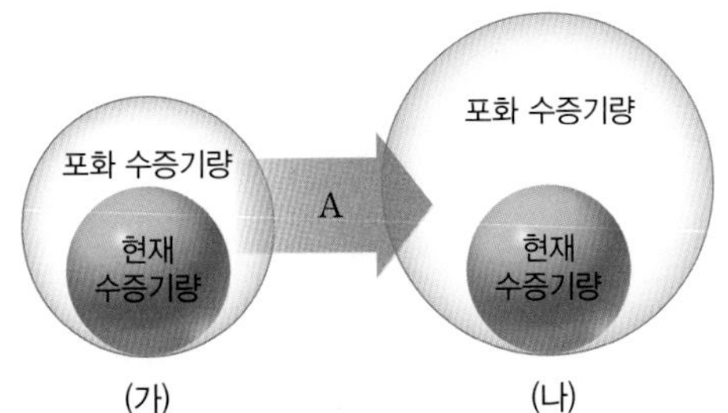

(1) (가)에서 (나)로 공기의 성질이 변했을 때 상대 습도는 어떻게 달라지는지 현재 수증기량과 포화 수증기량을 언급하여 설명하시오.

Keyword 현재 수증기량, 포화 수증기량

(2) A에 해당하는 물리량 변화를 쓰고, 일상생활에서 A에 해당하는 사례를 한 가지만 설명하시오.

Keyword 기온

6 구름의 생성 과정을 다음 단어들을 모두 포함하여 설명하시오.

공기 덩어리, 이슬점, 부피, 응결, 기온

Keyword 상승, 팽창, 수증기, 구름

7 그림은 구름이 생성되는 원리를 알아보기 위한 실험 과정 중 일부를 나타낸 것이다.

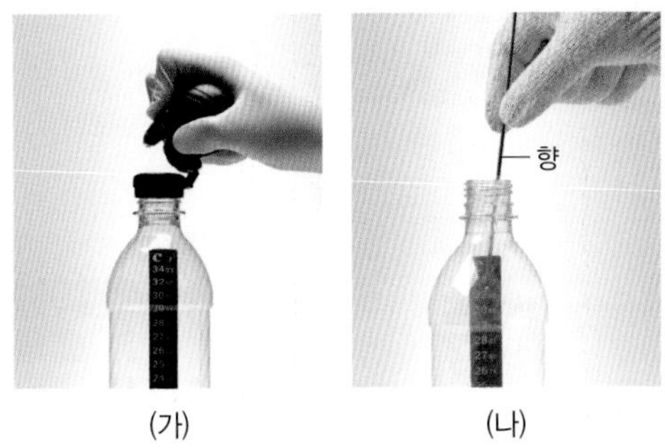

(1) (가)와 같이 압축 펌프로 페트병 안의 공기를 압축하였다가 뚜껑을 열었을 때 페트병 안에서 나타나는 변화를 공기의 부피, 온도 변화와 관련지어 설명하시오.

Keyword 팽창, 응결

(2) (나)와 같이 향 연기를 넣고 실험하면 (가)와 비교하여 어떻게 달라지는지 향 연기의 역할을 포함하여 설명하시오.

Keyword 응결핵

8 그림은 우리나라에서 발생한 구름의 모습을 나타낸 것이다.

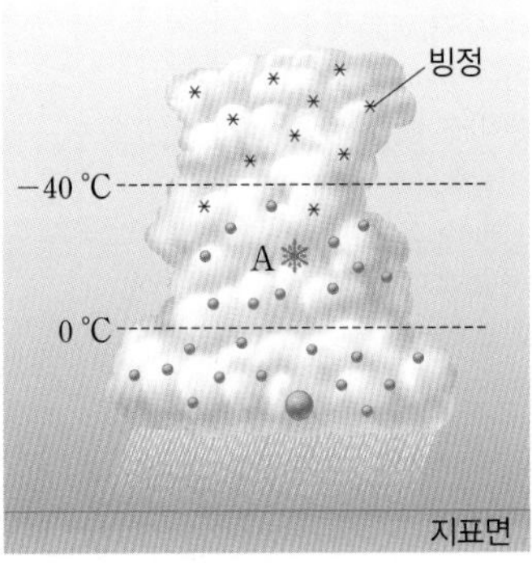

A에서 빙정이 성장하는 과정을 설명하시오.

Keyword 수증기, 증발, 빙정

03 날씨의 변화

우리나라는 사계절이 뚜렷하며 계절마다 특징적인 날씨가 나타난다. 또한, 하루 동안에도 바람의 방향이 바뀌고, 비가 내렸다가 그치는 등 날씨 변화가 나타난다. 이 단원에서는 기압, 바람, 기단, 전선, 고기압과 저기압에서의 날씨, 우리나라의 계절별 일기도에 관해 알아보도록 하자.

1 기압과 바람

1. 기압 기권을 이루는 공기는 중력에 의해 지표면을 누르고 있다. 공기가 단위 넓이에 작용하는 힘을 기압 또는 대기압이라고 한다.

(1) 기압의 작용 방향: 기압은 모든 방향으로 동일하게 작용한다.

유리컵에 물을 담고 종이로 덮은 후 거꾸로 뒤집어도 물이 쏟아지지 않는다.

더운물을 넣고 뚜껑을 닫은 페트병을 얼음물에 넣으면 페트병이 사방으로 찌그러진다.

넓게 펼친 신문지를 자로 빠르게 들어 올리면 잘 올라가지 않는다.

기압이 작용하는 방향을 알 수 있는 현상

(2) 기압의 측정: 토리첼리는 수은을 이용하여 기압의 크기를 최초로 측정하였다.

① 토리첼리의 실험: 한쪽 끝이 막혀 있는 1 m 길이의 유리관에 수은을 가득 채우고 수은이 담긴 수조에 거꾸로 세웠더니, 수은이 약 76 cm 높이까지 내려오다가 멈추었다. 이는 수조의 수은 면에 작용하는 기압(A)과 수은 기둥 76 cm가 누르는 압력(B)이 같아졌기 때문이다.

② 유리관의 굵기와 기울기에 따른 수은 기둥의 높이 변화: 기압이 같은 경우 굵은 유리관을 사용하거나 유리관을 기울여도 수은 기둥의 높이는 같다.

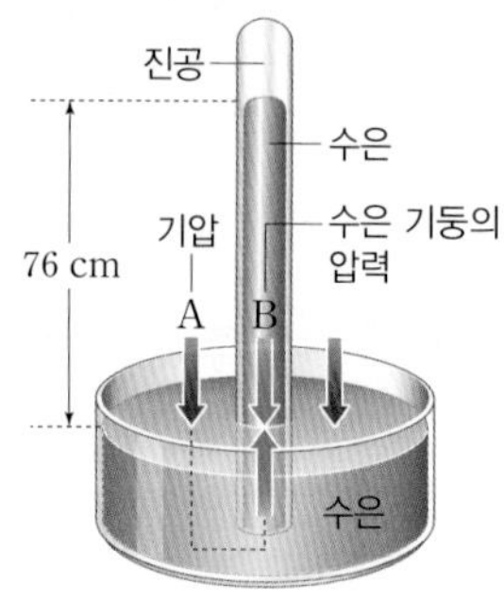

토리첼리의 실험

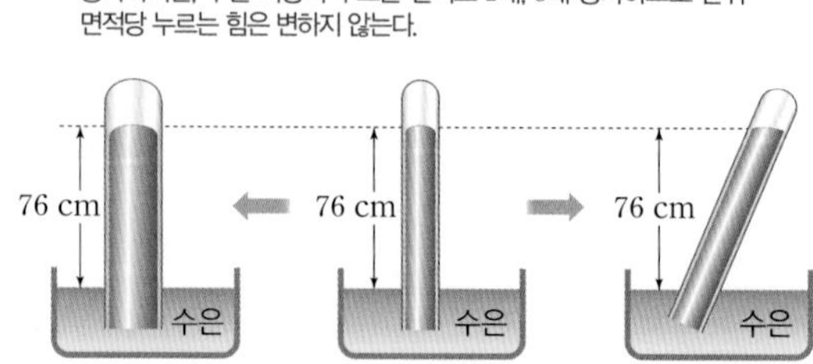

일상생활에서 우리가 기압을 느끼지 못하는 까닭
기압과 같은 크기의 압력이 몸속에서 외부로 작용하고 있기 때문이다.

수은을 이용하여 기압을 측정하는 까닭
수은의 밀도는 약 13.6 g/cm^3로, 물보다 13.6배 크다. 따라서 수은 기둥 76 cm의 압력은 물기둥 약 10 m(=76 cm×13.6)의 압력과 같다. 만약 수은 대신 물을 사용하여 토리첼리의 실험을 한다면 유리관의 길이가 10 m 이상이 되어야 한다. 따라서 비교적 적은 양으로 기압의 크기를 측정할 수 있도록 수은을 이용하는 것이다.

토리첼리의 진공
토리첼리의 실험에서 유리관 속 수은 기둥 위의 공간은 진공 상태인데, 이를 토리첼리의 진공이라고 한다.

(3) 1기압의 크기: 수은 기둥 76 cm의 압력에 해당하는 공기의 압력을 1기압이라고 한다. 1기압은 1013 hPa에 해당하며, 이는 약 10 m의 물기둥이 누르는 압력과 크기가 같다.

> 1기압=76 cmHg=물기둥 약 10 m가 누르는 압력=1013 hPa

(4) 기압의 변화

① 높이에 따른 변화: 공기는 대부분 대류권에 몰려 있으므로 지표면에서 높이 올라갈수록 공기의 양이 감소하여 기압이 낮아진다. 따라서 높은 산에서 토리첼리의 실험을 하면 지표면에서보다 수은 기둥의 높이가 낮아지며, 불어서 입구를 막은 풍선을 높은 곳에 가져가면 풍선이 크게 부푼다.

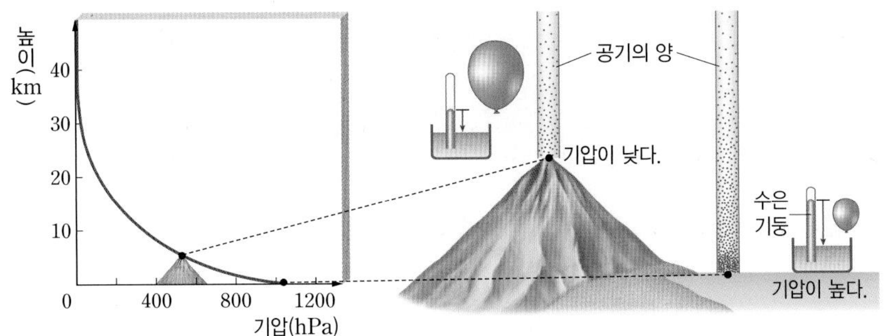

높이에 따른 기압 변화

② 장소와 시간에 따른 변화: 공기가 끊임없이 움직이므로 기압은 측정하는 장소와 시간에 따라 달라진다.

2. 바람 두 지점의 기압 차이에 의해 수평 방향으로 이동하는 공기의 흐름을 바람이라고 한다. 바람은 기압이 높은 곳에서 낮은 곳으로 분다.

(1) 바람의 발생 원리: 지표면은 같은 양의 태양 복사 에너지를 받더라도 지표면을 이루는 물질에 따라 가열되는 정도가 다르기 때문에 기압의 차이가 발생한다. 지표면의 온도가 높은 곳은 공기가 팽창하면서 상승하여 상공에서 공기가 주변으로 퍼져 나가 기압이 낮아지고, 온도가 낮은 곳은 공기가 수축하면서 하강하고 상공에서 주변의 공기가 모여들어 기압이 높아진다. 그 결과 지상에서는 기압이 높은 곳에서 낮은 곳으로 바람이 불게 된다. 탐구 103쪽

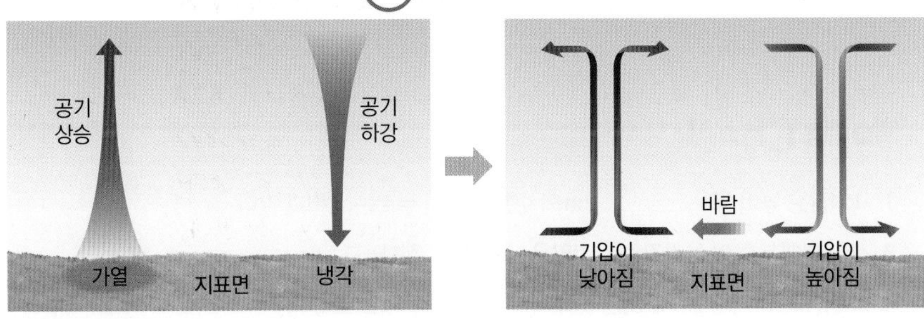

바람의 발생 원리

기압의 단위

- cmHg: 수은을 이용하여 기압을 측정할 때 사용하는 단위로, 높이를 표시하는 cm와 수은의 원소 기호인 Hg를 붙여 사용한다.
- hPa(헥토파스칼): 1 hPa은 100 Pa로, 1 m^2의 면적에 100 N의 힘이 작용할 때의 압력이다.

마그데부르크의 반구

독일 마그데부르크의 시장인 게리케는 1654년에 지름 약 50 cm인 반구 2개를 맞붙이고 펌프로 반구 속에서 공기를 빼낸 다음, 반구의 양쪽에서 각각 말 8마리가 끌어당겨야만 두 반구가 겨우 떨어진다는 것을 보여 주었다. 이를 통해 기압의 힘이 얼마나 큰지 확인할 수 있었다.

풍향과 풍속

- 풍향: 바람이 불어오는 방향을 풍향이라고 한다.
  예 북서풍은 북서쪽에서 남동쪽으로 부는 바람이다.
- 풍속: 바람의 세기를 풍속이라고 한다. 풍속은 기압 차가 클수록 세다.

(2) **해륙풍**: 해안에서 하루를 주기로 풍향이 바뀌는 바람으로, 낮에는 해풍이 불고, 밤에는 육풍이 분다.

① 해풍: 육지는 바다보다 열용량이 작으므로, 낮에 육지는 바다보다 빨리 가열된다. 따라서 상대적으로 온도가 높은 육지 쪽의 공기가 팽창하여 상승하므로 육지는 기압이 낮아지고, 바다는 기압이 높아져서 바다에서 육지로 해풍이 분다.

② 육풍: 육지는 바다보다 열용량이 작으므로, 밤에 육지는 바다보다 빨리 냉각된다. 따라서 상대적으로 온도가 높은 바다 쪽의 공기가 팽창하여 상승하므로 바다는 기압이 낮아지고, 육지는 기압이 높아져서 육지에서 바다로 육풍이 분다.

열용량

어떤 물질의 온도를 1 ℃ 높이는 데 필요한 열량을 열용량이라고 한다. 육지보다 바다가 열용량이 더 크다는 것은 바다의 온도를 1 ℃ 높이기 위해서는 육지의 온도를 1 ℃ 높일 때보다 더 많은 열이 필요하다는 뜻이다. 따라서 햇빛이 똑같이 비추면 열용량이 작은 육지 쪽의 온도는 상대적으로 높고, 열용량이 큰 바다 쪽의 온도는 상대적으로 낮게 된다.

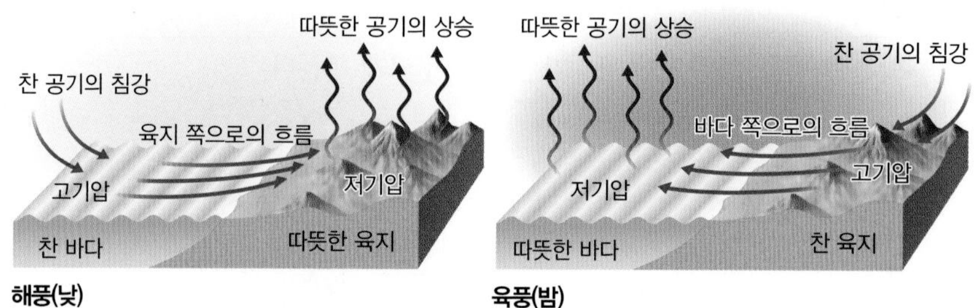

해풍(낮) **육풍(밤)**

(3) **계절풍**: 해륙풍과 같은 원리로 1년을 주기로 풍향이 바뀌는 바람으로, 우리나라 여름철에는 남동 계절풍이 불고, 겨울철에는 북서 계절풍이 분다.

① 남동 계절풍: 대륙은 해양보다 열용량이 작다. 따라서 여름철에는 대륙이 해양보다 빨리 가열되므로 대륙이 해양보다 상대적으로 기압이 낮아져서 해양에서 대륙으로 바람이 분다.

② 북서 계절풍: 겨울철에는 대륙이 해양보다 빨리 냉각되므로 대륙이 해양보다 상대적으로 기압이 높아져서 대륙에서 해양으로 바람이 분다.

우리나라의 계절풍

우리나라는 유라시아 대륙과 북태평양의 경계 부근에 위치하여 계절풍이 분다.

- 여름철: 북태평양에서 유라시아 대륙 쪽으로 남풍 또는 남동 계절풍이 불며, 계절풍의 영향으로 무덥고 습한 날씨가 나타난다.
- 겨울철: 유라시아 대륙에서 북태평양 쪽으로 북서 계절풍이 불며, 계절풍의 영향으로 춥고 건조한 날씨가 나타난다.

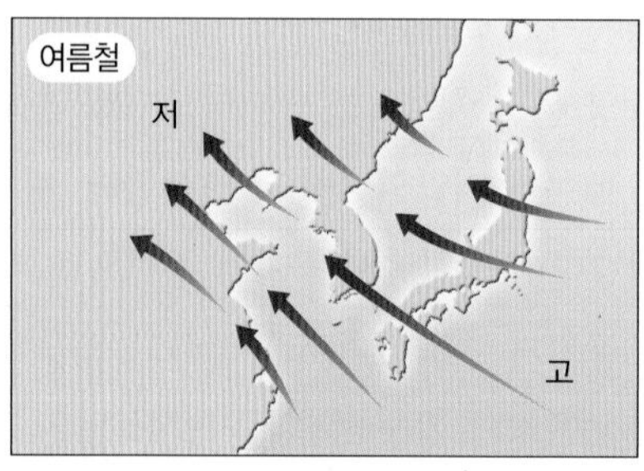

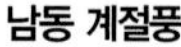
남동 계절풍

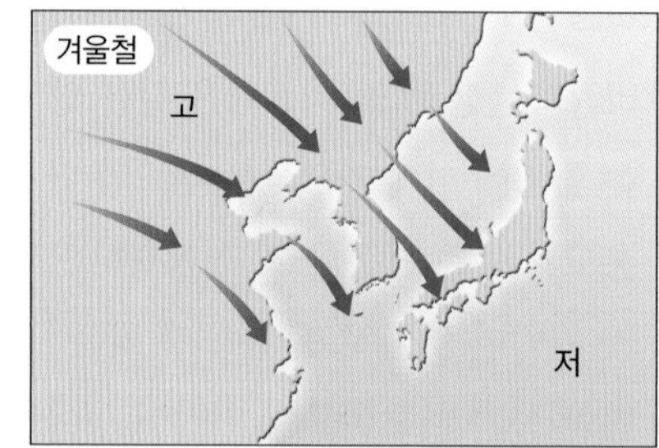

북서 계절풍

학습 내용 Check

정답과 해설 026쪽

1. 1기압은 높이 약 ________ cm의 수은 기둥이 누르는 압력과 같다.
2. 지표면에서 높이 올라갈수록 기압은 ________진다.
3. 바람은 기압이 ________은 곳에서 ________은 곳으로 분다.
4. 해안에서 낮에는 ________이 불고, 밤에는 ________이 분다.

2 기단과 전선

1. 기단 공기가 넓은 대륙이나 해양에 오랫동안 머물러 있으면 지표면의 영향을 받아 공기의 성질이 지표면의 성질과 비슷해진다. 이처럼 넓은 범위에 걸쳐 기온과 습도 등의 성질이 비슷한 대규모의 공기 덩어리를 기단이라고 한다.

(1) **기단의 성질**: 기단의 성질은 발생지의 성질에 따라 달라진다. 고위도에서 발생한 기단은 기온이 낮고, 저위도에서 발생한 기단은 기온이 높다. 또, 대륙에서 발생한 기단은 건조하고, 해양에서 발생한 기단은 습하다.

(2) **기단의 이동과 변질**: 기단이 발생지와 성질이 다른 곳으로 이동하면 기단의 성질이 변한다.

① 한랭한 기단의 이동: 차고 건조한 기단이 따뜻한 바다 위를 지나면 기단 하층은 해수로부터 열과 수증기를 공급받아 기온과 습도가 높아진다. 이와 같은 기단의 변질이 일어나면 적운형 구름이 생기고, 비나 눈이 많이 내리게 된다.

② 온난한 기단의 이동: 따뜻한 기단이 차가운 지표면이나 해수면 위를 지나면 기단 하층부터 서서히 냉각되어 안정해지므로 층운이나 안개가 잘 생긴다.

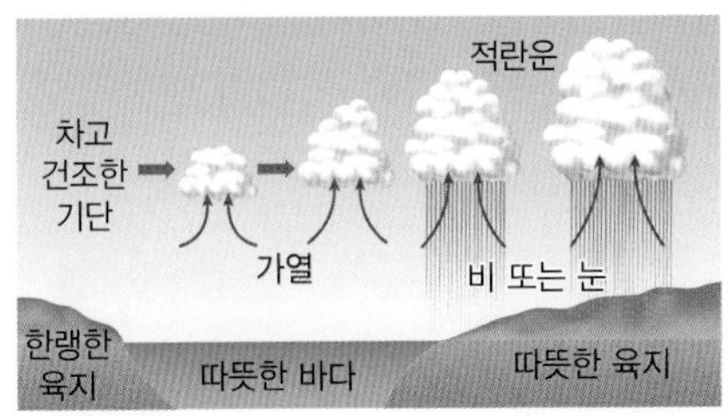

한랭한 기단의 변질

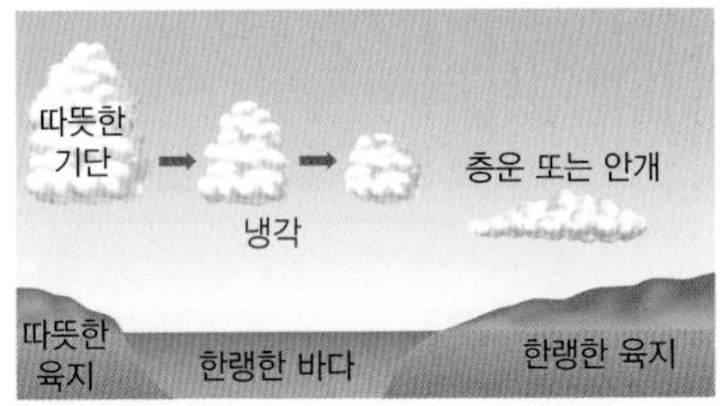

온난한 기단의 변질

(3) 우리나라 날씨에 영향을 주는 기단 기단은 세력이 커지거나 작아지면서 주변 지역의 날씨에 영향을 준다.

① 시베리아 기단: 시베리아 대륙에서 발생하여 차고 건조한 성질을 띤다. 우리나라에서는 겨울철에 시베리아 기단의 영향을 받아 매우 춥고 건조한 날씨가 나타난다.

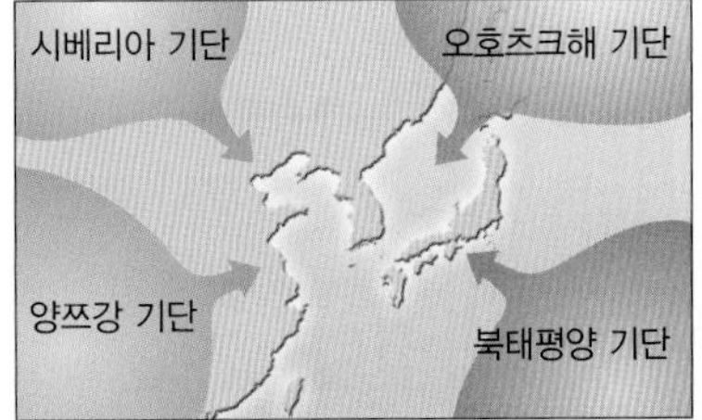

우리나라에 영향을 주는 기단

② 북태평양 기단: 북태평양에서 발생하여 고온 다습한 성질을 띤다. 우리나라에서는 여름철에 북태평양 기단의 영향을 받아 덥고 습한 날씨가 나타난다.

③ 양쯔강 기단: 양쯔강 유역의 대륙에서 발생하여 따뜻하고 건조한 성질을 띤다. 봄철과 가을철에 이동성 고기압의 형태로 우리나라를 통과하면 따뜻하고 건조한 날씨가 나타난다.

④ 오호츠크해 기단: 오호츠크해에서 발생하여 차고 습한 성질을 띤다. 초여름에는 오호츠크해 기단의 영향으로 동해안에서 저온 현상이 나타나기도 한다.

적도 기단
우리나라에 태풍이 북상할 때 영향을 주는 기단으로, 적도 부근 바다에서 발달하여 기온이 높고 습하다.

2. 전선 탐구 104쪽

(1) **전선면과 전선:** 기단은 발생한 지역에 계속 머물러 있는 경우도 있지만 다른 지역으로 이동하여 성질이 다른 기단을 만나기도 한다. 찬 기단과 따뜻한 기단이 만나면 바로 섞이지 않고 경계면이 생기는데 이를 전선면이라 하고, 전선면이 지표면과 만나서 이루는 선을 전선이라고 한다.

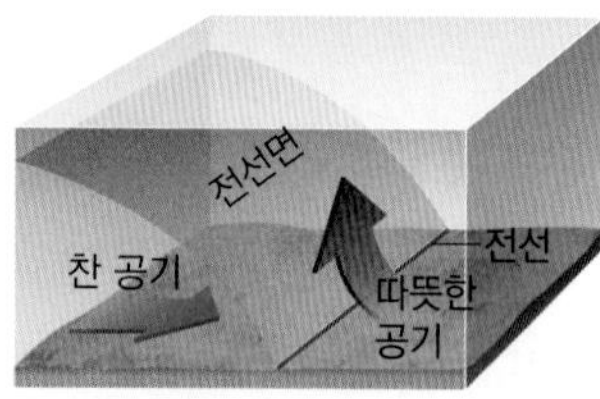

전선면과 전선

(2) **전선 부근의 날씨:** 전선은 성질이 다른 두 기단의 경계에 생기므로 전선을 경계로 기온, 습도, 바람 등이 크게 달라진다. 따라서 전선이 통과하는 지역은 날씨가 크게 변한다.

(3) **전선의 종류**

① 한랭 전선(▲▲▲▲): 찬 기단이 따뜻한 기단 쪽으로 이동하여 따뜻한 기단 아래로 파고들며 만들어진다. 한랭 전선에서는 전선면의 기울기가 급하고, 적운형 구름이 잘 생기며, 전선 뒤쪽의 좁은 지역에 소나기성 비가 내린다.

② 온난 전선(●●●●): 따뜻한 기단이 찬 기단 쪽으로 이동하여 찬 기단을 타고 올라가며 만들어진다. 온난 전선에서는 전선면의 기울기가 완만하고, 층운형 구름이 잘 생기며, 전선 앞쪽의 넓은 지역에 지속적인 비가 내린다.

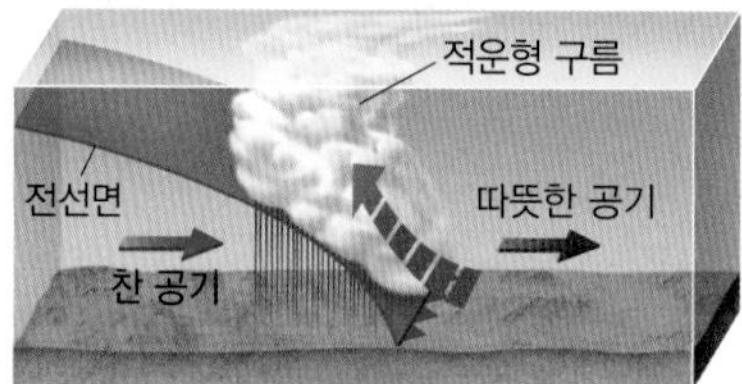

한랭 전선

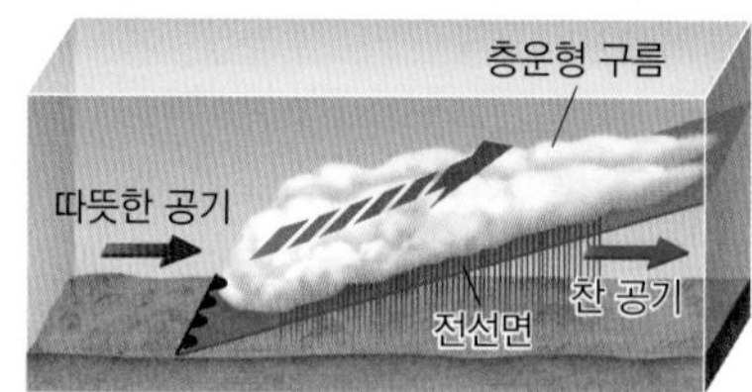

온난 전선

③ 폐색 전선(●▲●▲): 한랭 전선은 온난 전선보다 이동 속도가 빠르다. 따라서 한랭 전선과 온난 전선이 형성된 지역에서 한랭 전선이 온난 전선을 따라잡으면 두 전선이 겹쳐진다. 이때 생기는 전선을 폐색 전선이라고 한다.

④ 정체 전선(●▼●▼): 두 기단의 세력이 거의 비슷하여 움직이지 않고 한 곳에 오랫동안 머물러 있는 전선을 정체 전선이라고 한다. 우리나라 초여름에 나타나는 장마 전선이 정체 전선의 한 예이다.

폐색 전선의 형성과 소멸 과정

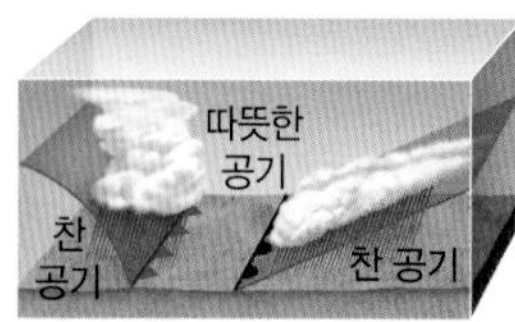

한랭 전선이 온난 전선보다 빠르게 이동

⬇

두 전선이 만나 폐색 전선 형성

⬇

따뜻한 공기가 모두 위로 올라가고 아래에 찬 기단이 자리하면서 폐색 전선 소멸

장마 전선

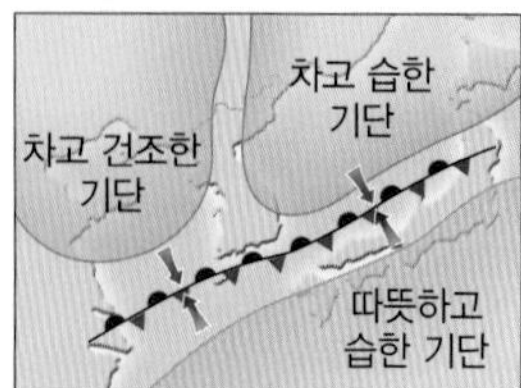

우리나라 초여름에는 북태평양 기단의 세력이 확장되어 북쪽의 찬 기단과 만나 장마 전선이 형성된다. 이때 북태평양 기단이 찬 기단 위로 상승하면서 넓은 지역에 많은 비를 내린다.

학습 내용 Check

정답과 해설 026쪽

1. 시베리아 기단은 고위도의 대륙에서 발생하여 ________한 성질을 띠고, 우리나라 ________철 날씨에 큰 영향을 준다.

2. 한랭 전선에서는 ________형 구름이 잘 생기고, 온난 전선에서는 ________형 구름이 잘 생긴다.

3. ________ 전선의 뒤쪽 좁은 지역에는 소나기성 비가 내린다.

3 기압과 날씨

1. 고기압과 저기압 주변보다 기압이 높은 곳을 고기압, 주변보다 기압이 낮은 곳을 저기압이라고 한다.

(1) **고기압 지역의 날씨:** 고기압에서는 위에서 아래로 공기가 내려오는 하강 기류가 생기고, 북반구의 경우 지상에서는 바람이 시계 방향으로 불어 나간다. 따라서 고기압 지역에서는 구름이 생기지 않아 날씨가 맑다.

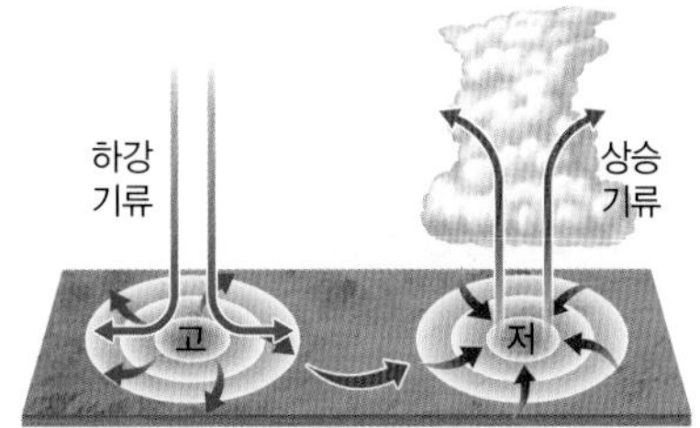

고기압과 저기압에서의 바람(북반구)

(2) **저기압 지역의 날씨:** 저기압에서는 아래에서 위로 공기가 올라가는 상승 기류가 생기고, 북반구의 경우 지상에서는 바람이 시계 반대 방향으로 불어 들어온다. 따라서 저기압 지역에서는 구름이 잘 생기므로 날씨가 흐리고 비나 눈이 내리기도 한다.

2. 온대 저기압 우리나라와 같은 중위도 지역에서는 북쪽의 찬 기단과 남쪽의 따뜻한 기단이 만나 한랭 전선과 온난 전선을 동반한 저기압이 자주 발생하는데, 이를 온대 저기압이라고 한다.

(1) **온대 저기압의 특징:** 온대 저기압의 중심에서 남동쪽으로는 온난 전선이 발달하고, 남서쪽으로는 한랭 전선이 발달한다. 온대 저기압은 편서풍의 영향으로 서에서 동으로 이동한다.

(2) **온대 저기압 주변의 날씨**

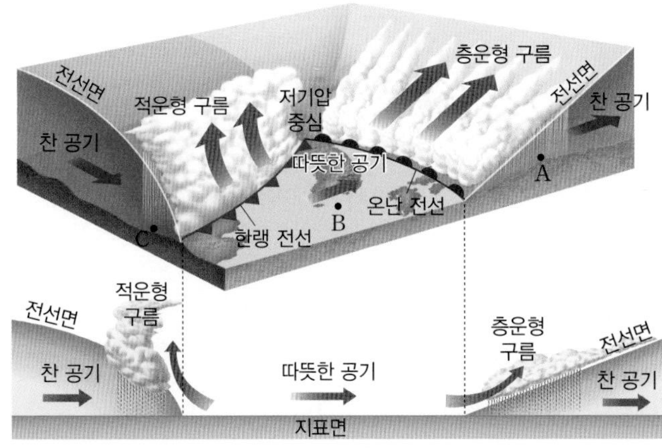

① 온난 전선 앞쪽(A): 찬 공기의 영향으로 기온이 낮고, 층운형 구름이 발달하여 넓은 지역에 지속적으로 비가 내린다.

② 온난 전선과 한랭 전선 사이(B): 따뜻한 공기의 영향으로 기온이 높고, 대체로 맑은 날씨가 나타난다.

③ 한랭 전선 뒤쪽(C): 찬 공기의 영향으로 기온이 낮고, 적운형 구름이 발달하여 좁은 지역에 소나기성 비가 내린다.

용어 편서풍
중위도 지역에서 일 년 내내 서쪽에서 동쪽으로 부는 바람이다.

탐구 더하기 고기압과 저기압 지역의 날씨 비교하기

그림 (가)와 (나)는 어느 날 우리나라 부근의 일기도와 인공위성에서 촬영한 구름 사진을 나타낸 것이다. 일기도와 구름 사진을 비교해 보자.

① 고기압의 중심부에는 구름이 거의 없다. → 날씨 맑음

② 저기압의 중심부에는 구름이 많이 있다. → 날씨 흐림

③ 전선을 따라 구름이 발달해 있다.

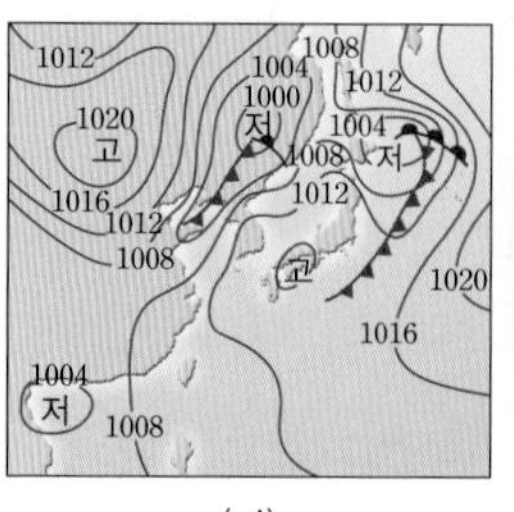

(가)

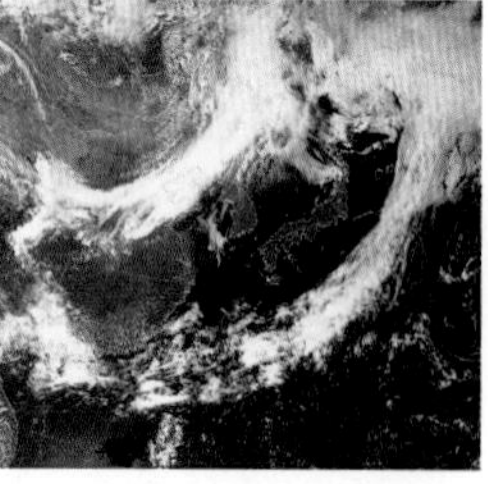
(나)

일기도 과학 용어 사전 241쪽

일정한 시각의 날씨 상태를 지도 위에 기호나 숫자 등으로 나타낸 것이다.

3. 우리나라의 계절별 날씨

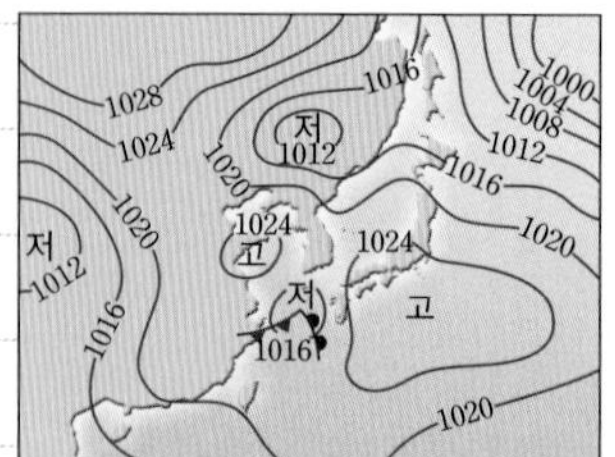

봄철 일기도

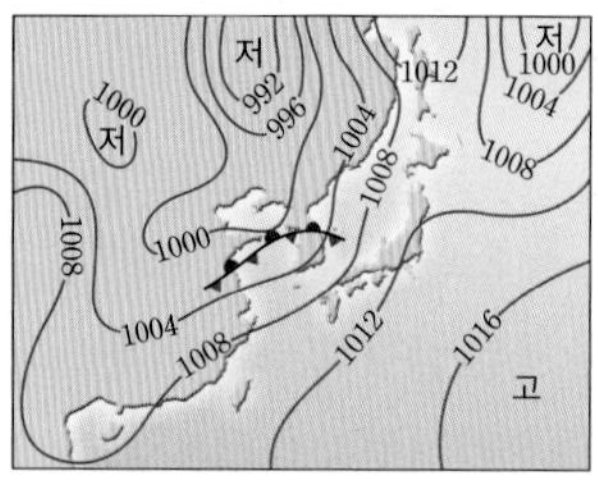

여름철 일기도

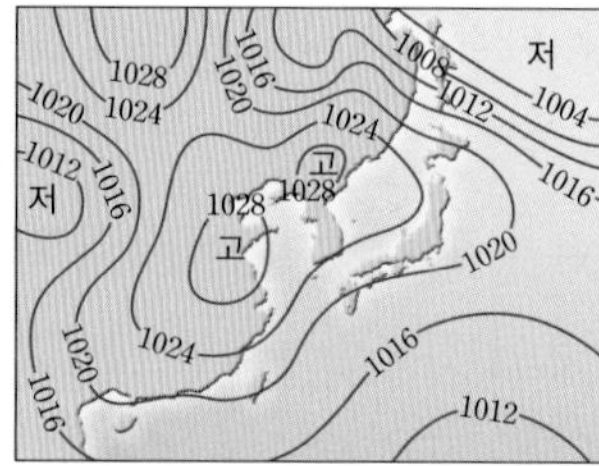

가을철 일기도

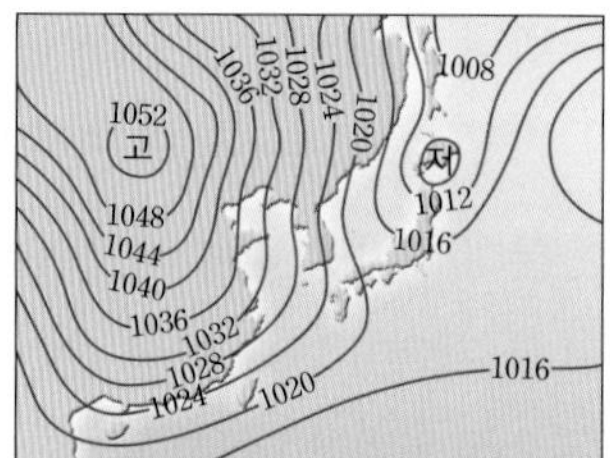

겨울철 일기도

(1) 봄: 양쯔강 기단의 영향으로 온난 건조한 날씨가 나타난다. 이동성 고기압과 저기압이 자주 지나가므로 날씨가 자주 변하며, 황사가 나타나기도 한다. 과학 용어 사전 241쪽

(2) 여름: 초여름에는 장마가 나타나고, 여름에는 북태평양 기단의 영향으로 무덥고 습한 날씨가 나타난다. 이때는 우리나라 남동쪽에 고기압이, 북서쪽에 저기압이 발달하여 남동 계절풍이 분다. 또한, 적도 부근에서 발생한 태풍이 우리나라를 지나가기도 한다.

(3) 가을: 북태평양 기단의 세력이 약해지고 이동성 고기압이 자주 지나가므로 맑은 날씨가 자주 나타난다. 시간이 지나면서 시베리아 기단의 세력이 점차 강해져 날씨가 서늘해진다.

(4) 겨울: 시베리아 기단의 영향으로 춥고 건조한 날씨가 나타난다. 이때는 우리나라 북서쪽에 고기압이, 남동쪽에 저기압이 발달하여 북서 계절풍이 분다. 기온이 급격히 내려가는 한파가 나타나고, 폭설이 내리기도 한다.

용어 이동성 고기압과 저기압

이동성 고기압과 저기압은 한자리에 머물러 있지 않고 이동하는 비교적 규모가 작은 고기압과 저기압이다. 이동성 저기압은 보통 온대 저기압을 말한다.

태풍 과학 용어 사전 241쪽

위도가 5°~25°이고 수온이 27 ℃ 이상인 열대 해상에서 발생하는 저기압을 열대 저기압이라 하며, 열대 저기압 중에서 중심 부근 최대 풍속이 17 m/s 이상인 것을 태풍이라고 한다.

학습 내용 Check

정답과 해설 026쪽

1. ________기압 지역은 날씨가 맑고, ________기압 지역은 구름이 많고 날씨가 흐리다.
2. 온대 저기압은 ________쪽에서 ________쪽으로 이동하며 주변 지역의 날씨를 변화시킨다.
3. 우리나라 겨울철에는 북서쪽에 ________기압이 발달하고, 남동쪽에 ________기압이 발달하여 ________ 계절풍이 분다.

탐구 바람의 발생 원인 알아보기

지표의 차등 가열에 의해 기압 차이가 생겨 바람이 부는 과정을 설명할 수 있다.

과정

❶ 사각 접시 두 개에 각각 물과 모래를 담는다.

❷ 접시 주위에 두꺼운 판지로 만든 바람막이를 세우고, 물과 모래에 온도계를 놓는다.

❸ 적외선 가열 장치를 켜서 10분 동안 가열한 후 물과 모래의 온도를 측정한다.

❹ 물과 모래 사이에 향을 피우고 향 연기의 이동 방향을 관찰한다.

결과 해석 및 정리

1. 가열했을 때 물과 모래의 온도 비교: 모래>물 → 모래가 물보다 더 빨리 가열된다.
2. 가열했을 때 물과 모래의 기압 비교: 모래<물 → 온도가 더 높은 모래 쪽의 공기가 상승하므로 모래 쪽이 물 쪽보다 기압이 낮다.
3. 향 연기의 움직임: 물에서 모래로 이동 → 상대적으로 기압이 높은 물 쪽에서 기압이 낮은 모래 쪽으로 이동한다.

같은 주제 다른 탐구

따뜻한 물과 얼음물을 이용하여 바람이 부는 원인을 알아볼 수 있다.

과정

❶ 수조 가운데에 향을 세우고 칸막이를 설치한다.

❷ 칸막이 양쪽 칸에 각각 따뜻한 물과 얼음물이 담긴 지퍼 백을 넣는다.

❸ 시간이 5분 정도 지난 후 향에 불을 붙이고, 칸막이를 들어 올린다.

❹ 향 연기의 이동 방향을 확인한다.

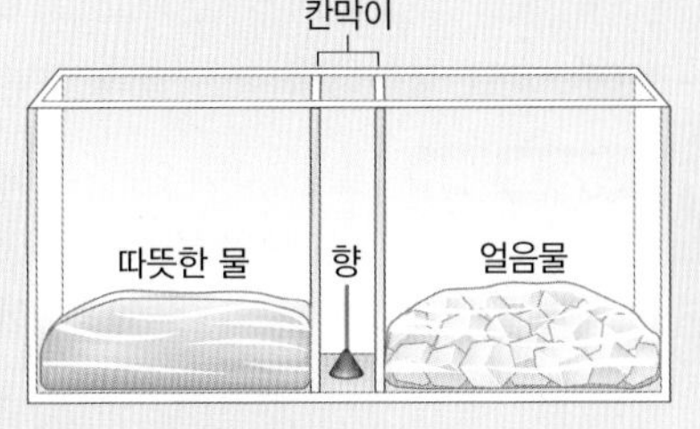

결과 및 정리

1. 향 연기는 얼음물이 있는 쪽에서 따뜻한 물이 있는 쪽으로 이동한다.
2. 향 연기의 이동 방향으로 보아 기압은 얼음물이 있는 쪽이 따뜻한 물이 있는 쪽보다 높다.
3. 수조에서 기압 차이가 나타난 까닭은 따뜻한 물과 얼음물의 온도 차이 때문이다.

탐구 확인 문제

정답과 해설 026쪽

1 위 탐구에 대한 설명으로 옳은 것은 ○, 옳지 않은 것은 ×로 표시하시오.

(1) 모래가 물보다 빨리 가열된다. ······················ (　　)

(2) 10분 동안 가열했을 때 모래의 온도는 물의 온도보다 높아진다. ··· (　　)

(3) 가열 후 10분이 지났을 때 모래 쪽은 물 쪽보다 기압이 높아진다. ··· (　　)

(4) 모래와 물 사이에 향 연기를 피우면 향 연기는 모래 쪽에서 물 쪽으로 이동한다. ··························· (　　)

2 적용 위 탐구의 결과를 해륙풍과 관련지어 옳게 설명한 것을 보기에서 모두 고른 것은?

보기

ㄱ. 모래는 육지, 물은 바다에 비유된다.

ㄴ. 낮에는 육지가 바다보다 빨리 가열된다.

ㄷ. 밤에는 바다에서 육지로 해풍이 분다.

① ㄱ　② ㄷ　③ ㄱ, ㄴ　④ ㄴ, ㄷ　⑤ ㄱ, ㄴ, ㄷ

탐구 전선이 형성되는 원리 알아보기

성질이 다른 두 기단이 만나 전선이 형성되는 과정을 설명할 수 있다.

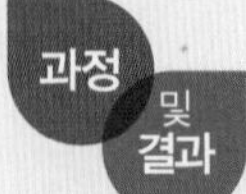

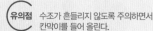

과정 및 결과

❶ 칸막이가 있는 수조 한쪽에 얼음을 넣고 향을 피운 후, 5분 정도 둔다.
❷ 수조의 칸막이를 들어 올리고 수조 안의 변화를 관찰한다.
→ 향 연기는 옆 칸에 있던 공기 아래로 비스듬히 가라앉으며 이동한다.

유의점 수조가 흔들리지 않도록 주의하면서 칸막이를 들어 올린다.

→

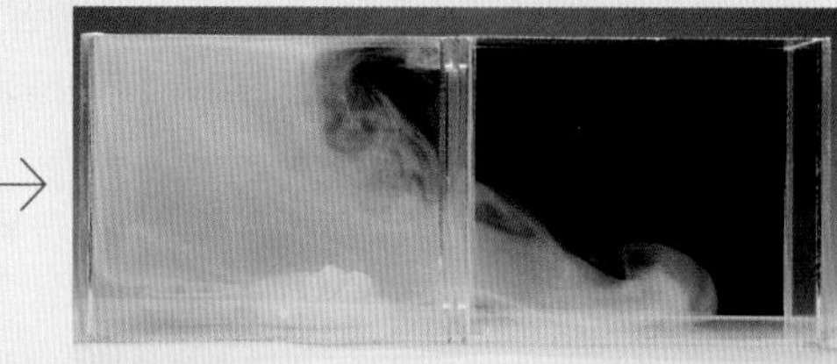

정리

1. 얼음이 들어 있는 칸의 공기는 온도가 낮으므로 옆 칸에 있는 공기보다 밀도가 크다.
2. 성질이 다른 두 공기가 만나면 바로 섞이지 않고 비스듬한 경계면을 이룬다.

같은 주제 다른 탐구

찬물과 따뜻한 물을 이용하여 전선이 형성되는 원리를 알아볼 수 있다.

과정 및 결과

❶ 칸막이가 있는 수조에 파란색 색소를 탄 찬물과 빨간색 색소를 탄 따뜻한 물을 넣는다.
❷ 수조의 칸막이를 들어 올리면서 찬물과 따뜻한 물이 만나는 모습을 관찰한다.
→ 찬물이 따뜻한 물 아래로 파고들면서 경계면이 만들어진다.

정리 찬물과 따뜻한 물이 만나면 바로 섞이지 않고, 밀도가 큰 찬물은 아래로 이동하고, 밀도가 작은 따뜻한 물은 위로 이동한다.

탐구 확인 문제

정답과 해설 027쪽

1 위 탐구에 대한 설명으로 옳은 것은 ○, 옳지 않은 것은 ×로 표시하시오.

(1) 전선의 형성 원리를 알아보기 위한 실험이다. … (　　)
(2) 온도가 다른 공기가 만나면 밀도가 다르기 때문에 바로 섞이지 않는다. ……… (　　)
(3) 찬 공기와 따뜻한 공기가 만나면 찬 공기가 따뜻한 공기 위로 올라간다. ……… (　　)

2 (적용) 전선에 대한 설명으로 옳은 것을 보기에서 모두 고르시오.

보기
ㄱ. 성질이 서로 다른 기단이 만나 형성된다.
ㄴ. 전선면과 지표면이 만나는 선을 전선이라고 한다.
ㄷ. 온난 전선은 찬 기단이 따뜻한 기단 아래를 파고들 때 형성된다.
ㄹ. 한랭 전선은 따뜻한 기단이 찬 기단을 타고 올라갈 때 형성된다.

온대 저기압의 일생과 이동에 따른 날씨 변화

온대 저기압은 생성, 발달, 소멸 단계를 거치면서 서쪽에서 동쪽으로 이동한다. 이러한 온대 저기압의 이동 속도와 발달 정도를 관측하면 앞으로의 일기 변화를 예상할 수 있다. 온대 저기압이 발생하고 소멸되는 과정을 알아보고, 온대 저기압이 이동함에 따라 나타나는 날씨 변화를 알아보자.

1 온대 저기압의 발생과 소멸

온대 저기압의 발생에서 소멸까지는 대체로 5일~7일이 걸린다.

① 정체 전선 형성	② 파동 발생	③ 온대 저기압 발달
찬 공기 / 따뜻한 공기	찬 공기 / 찬 공기 / 따뜻한 공기	찬 공기 / 찬 공기 / 따뜻한 공기
중위도 지역에서 북쪽의 찬 공기와 남쪽의 따뜻한 공기가 만나 정체 전선이 형성된다.	전선 부근의 기온 차가 커서 파동이 발생하고, 지구의 자전 때문에 저기압성 회전이 발생한다.	저기압 중심의 남서쪽에 한랭 전선이 형성되고, 남동쪽에 온난 전선이 형성되면서 온대 저기압이 발달한다.

④ 폐색 시작	⑤ 폐색 전선 발달	⑥ 온대 저기압 소멸
찬 공기 / 찬 공기 / 따뜻한 공기	따뜻한 공기	따뜻한 공기 / 찬 공기
한랭 전선이 온난 전선보다 이동 속도가 빠르므로, 중심 부근부터 겹쳐져 폐색 전선이 형성되기 시작한다.	폐색 전선이 충분히 발달하고, 폐색 전선 양쪽에 찬 공기가 자리 잡게 되면서 온대 저기압이 약해진다.	따뜻한 공기는 모두 위쪽으로 이동하고, 찬 공기는 아래쪽에 남아 안정한 상태가 되어 온대 저기압이 소멸한다.

2 온대 저기압의 이동에 따른 날씨 변화

온대 저기압이 지나가는 지역에서는 온난 전선과 한랭 전선이 차례로 통과하며 날씨 변화가 나타난다. 따라서 온대 저기압의 이동 속도를 측정하여 일기를 예보할 수 있다.

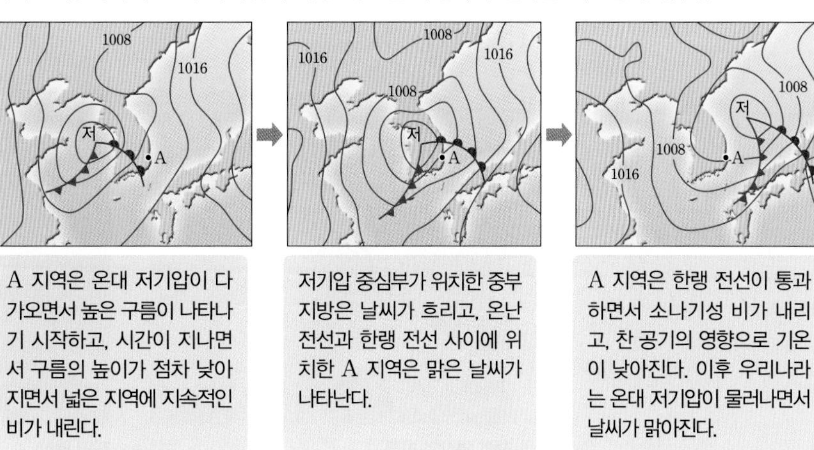

A 지역은 온대 저기압이 다가오면서 높은 구름이 나타나기 시작하고, 시간이 지나면서 구름의 높이가 점차 낮아지면서 넓은 지역에 지속적인 비가 내린다.

저기압 중심부가 위치한 중부 지방은 날씨가 흐리고, 온난 전선과 한랭 전선 사이에 위치한 A 지역은 맑은 날씨가 나타난다.

A 지역은 한랭 전선이 통과하면서 소나기성 비가 내리고, 찬 공기의 영향으로 기온이 낮아진다. 이후 우리나라는 온대 저기압이 물러나면서 날씨가 맑아진다.

위성 영상의 종류와 특징

지구의 기상을 관측하는 인공위성을 기상 위성이라고 한다. 기상 위성은 가시광선, 적외선 등 특정 파장을 관측하여 가시 영상, 적외 영상 등을 만들어낸다. 우리나라 날씨를 예측하기 위해 필요한 위성 영상의 종류와 특징을 알아보자.

1 가시 영상

가시 영상은 구름과 지표면에서 반사된 햇빛의 강약을 나타내는데, 반사된 햇빛이 강할수록 영상에서 밝게 보인다. 따라서 두꺼운 구름에서는 햇빛의 대부분이 반사되고, 얇은 구름에서는 햇빛의 일부가 구름을 투과하면서 일부만 반사되므로, 두꺼운 구름일수록 밝게 보인다. 가시 영상은 햇빛을 받지 않는 밤에는 얻을 수 없다.

가시 영상의 원리

가시 영상

2 적외 영상

적외 영상은 물체가 방출하는 적외선 에너지양의 많고 적음을 나타내는데, 물체의 온도가 낮을수록 방출하는 적외선 에너지양이 적어 밝게 보인다. 따라서 고도가 낮은 구름은 온도가 높아 어둡게 보이고, 고도가 높은 구름은 온도가 낮아 밝게 보인다. 적외 영상은 물체의 온도를 탐지하여 나타내므로 태양이 없는 밤에도 관측이 가능하다. 따라서 연속으로 기상 감시를 할 수 있으므로, 집중 호우 및 태풍 등을 감시할 때 특히 유용하다.

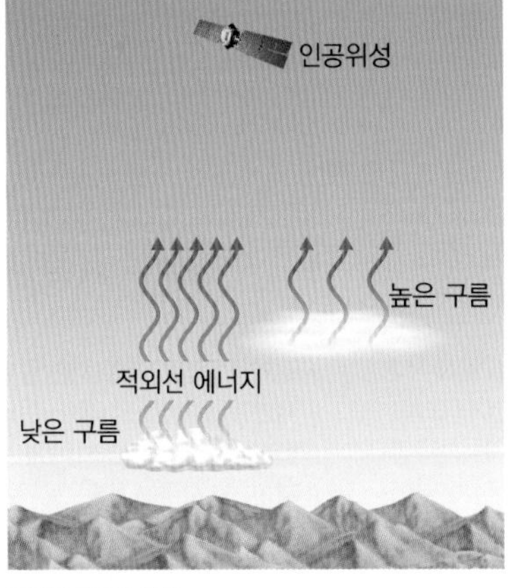

적외 영상의 원리

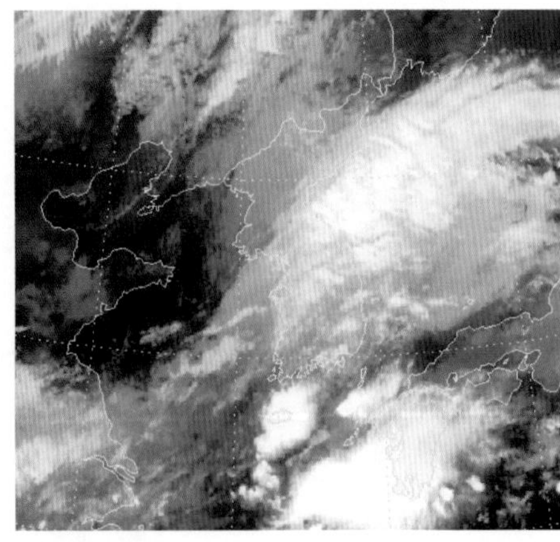
적외 영상

중단원 핵심 정리

03. 날씨의 변화

1-1 기압

① 기압: 단위 면적에 작용하는 공기의 압력 → 모든 방향으로 작용

② 기압의 측정: 유리관의 굵기나 기울기에 관계없이 1기압일 때 수은 기둥의 높이는 약 76 cm이다.

③ 기압의 크기: 1기압=76 cmHg=물기둥 약 10 m의 압력=1013 hPa

④ 기압의 변화: 높이 올라갈수록 기압이 낮아지고, 때와 장소에 따라 달라진다.

1-2 바람

① 바람: 지표의 차등 가열에 의해 기압 차이가 발생하여 기압이 높은 곳에서 낮은 곳으로 분다.

② 해륙풍

구분	해풍	육풍
부는 때	낮	밤
기온	육지 > 바다	육지 < 바다
기압	육지 < 바다	육지 > 바다
부는 방향	육지 ← 바다	육지 → 바다

2-1 우리나라 날씨에 영향을 주는 기단

기단	성질	영향을 주는 계절
시베리아 기단	한랭 건조	겨울
북태평양 기단	고온 다습	여름
양쯔강 기단	온난 건조	봄, 가을
오호츠크해 기단	한랭 다습	초여름

2-2 한랭 전선과 온난 전선의 비교

구분	한랭 전선	온난 전선
전선면 기울기	급하다	완만하다
이동 속도	빠르다	느리다
구름 형태	적운형	층운형
강수 구역	전선 뒤쪽 좁은 곳	전선 앞쪽 넓은 곳
강수 형태	소나기성 비	지속적인 비

3-1 고기압과 저기압 주변의 날씨

① 고기압에서의 날씨: 하강 기류 발달 → 날씨 맑음

② 저기압에서의 날씨: 상승 기류 발달 → 날씨 흐림

③ 온대 저기압 주변의 날씨

지역	날씨
A	적운형 구름, 소나기성 비
B	대체로 맑음
C	층운형 구름, 지속적인 비

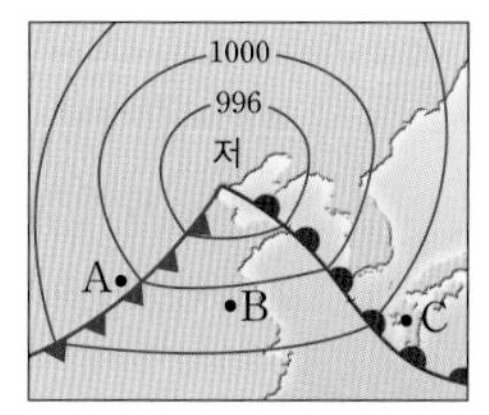

3-2 우리나라의 계절별 날씨

① 봄: 건조한 날씨, 이동성 고기압과 저기압이 자주 지나가므로 날씨가 자주 변함, 황사, 꽃샘추위

② 초여름: 장마 전선으로 많은 비

③ 여름: 남고북저형 기압 배치로 남동 계절풍, 무더위, 열대야, 태풍

④ 가을: 이동성 고기압이 자주 지나가므로 날씨가 대체로 맑음

⑤ 겨울: 서고동저형 기압 배치로 북서 계절풍, 한파, 폭설

개념 확인 문제

01 오른쪽 그림과 같이 물을 담은 유리컵에 종이를 덮은 후 거꾸로 뒤집었더니 물이 쏟아지지 않았다. 이 현상으로부터 알 수 있는 기압의 특징은?

① 기압은 시간에 따라 달라진다.
② 기압은 모든 방향으로 작용한다.
③ 기압은 높이 올라갈수록 낮아진다.
④ 기압은 측정하는 장소에 따라 달라진다.
⑤ 기압의 크기는 공기의 밀도가 클수록 커진다.

중요

02 그림과 같이 **1 m** 길이의 유리관에 수은을 가득 채운 후, 수은이 담긴 수조에 거꾸로 세웠더니 유리관 속의 수은이 일정한 높이(h)에서 더 이상 내려오지 않고 멈추었다.

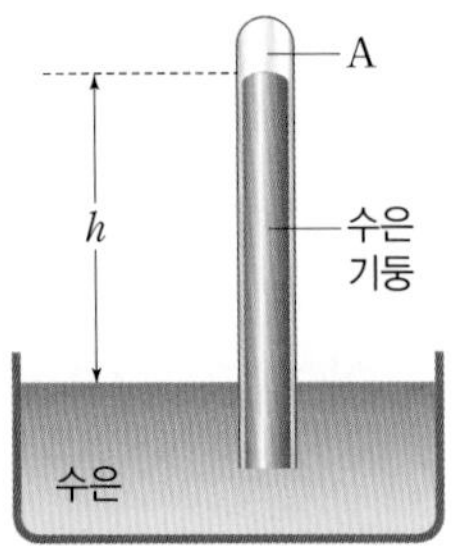

이에 대한 설명으로 옳은 것을 보기에서 모두 고른 것은?

보기
ㄱ. A는 진공 상태이다.
ㄴ. h cm의 수은 기둥이 누르는 압력은 기압과 같다.
ㄷ. 유리관을 기울이면 수은 기둥의 높이는 h보다 낮아질 것이다.

① ㄱ ② ㄴ ③ ㄷ
④ ㄱ, ㄴ ⑤ ㄱ, ㄴ, ㄷ

03 그림은 높이에 따른 기압의 변화를 나타낸 것이다.

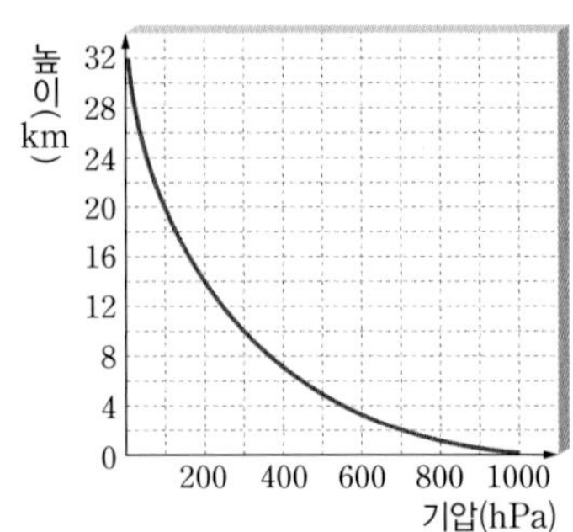

이에 대한 설명으로 옳은 것을 보기에서 모두 고른 것은?

보기
ㄱ. 높이 올라갈수록 공기의 밀도가 감소한다.
ㄴ. 전체 공기의 약 50 % 이상이 높이 6 km 이내에 존재한다.
ㄷ. 지표면에서 풍선을 띄워 올리면 풍선은 올라가면서 팽창해 커진다.

① ㄱ ② ㄴ ③ ㄷ
④ ㄱ, ㄴ ⑤ ㄱ, ㄴ, ㄷ

04 그림은 지표면이 불균등하게 가열된 모습을 나타낸 것이다.

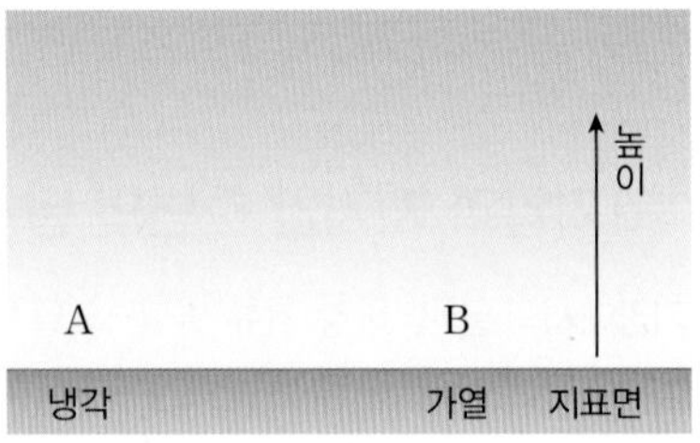

이에 대한 설명으로 옳은 것을 보기에서 모두 고른 것은?

보기
ㄱ. A에서는 상승 기류가 생긴다.
ㄴ. A보다 B 지역의 기압이 더 낮아진다.
ㄷ. 지표면 부근에서 바람은 A에서 B로 분다.

① ㄱ ② ㄴ ③ ㄷ
④ ㄱ, ㄴ ⑤ ㄴ, ㄷ

중요

05 그림과 같이 장치한 후, 적외선 가열 장치를 켜고 온도 변화를 측정하였다.

이에 대한 설명으로 옳은 것을 보기에서 모두 고른 것은?

보기
ㄱ. 모래가 물보다 빨리 가열된다.
ㄴ. 향 연기는 물에서 모래 쪽으로 이동한다.
ㄷ. 이 실험을 통해 해륙풍과 계절풍이 부는 원리를 알 수 있다.

① ㄱ ② ㄴ ③ ㄷ
④ ㄱ, ㄴ ⑤ ㄱ, ㄴ, ㄷ

중요

06 그림은 해안가에서 부는 해풍과 육풍을 나타낸 것이다.

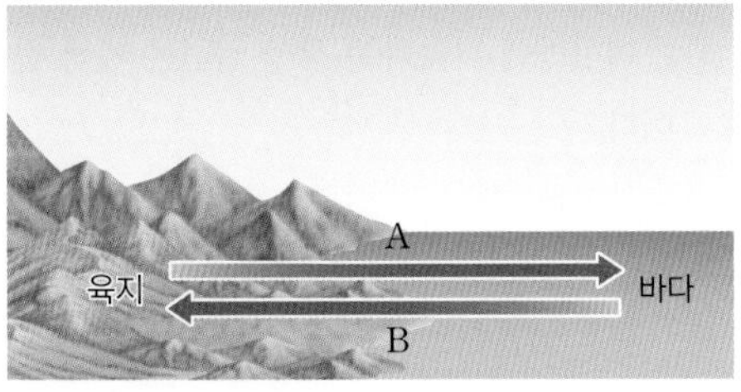

이에 대한 설명으로 옳은 것을 보기에서 모두 고른 것은?

보기
ㄱ. A는 육풍이고, B는 해풍이다.
ㄴ. 낮에는 육지 쪽이 바다 쪽보다 기압이 높게 나타난다.
ㄷ. 낮에는 주로 A 방향으로, 밤에는 주로 B 방향으로 바람이 분다.

① ㄱ ② ㄴ ③ ㄱ, ㄷ
④ ㄴ, ㄷ ⑤ ㄱ, ㄴ, ㄷ

07 그림 (가)와 (나)는 우리나라 부근에서 부는 계절풍을 나타낸 것이다.

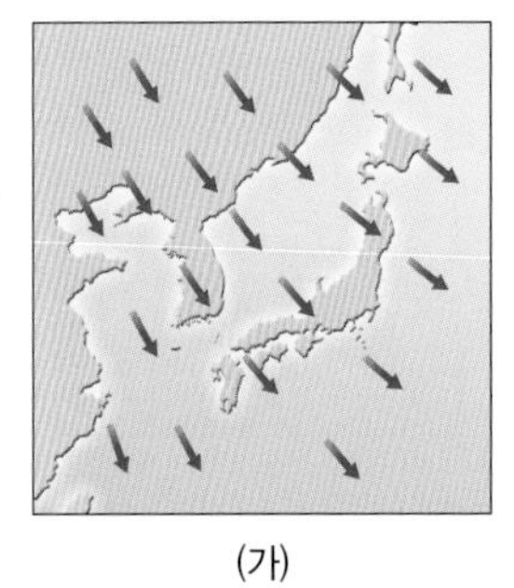
(가)

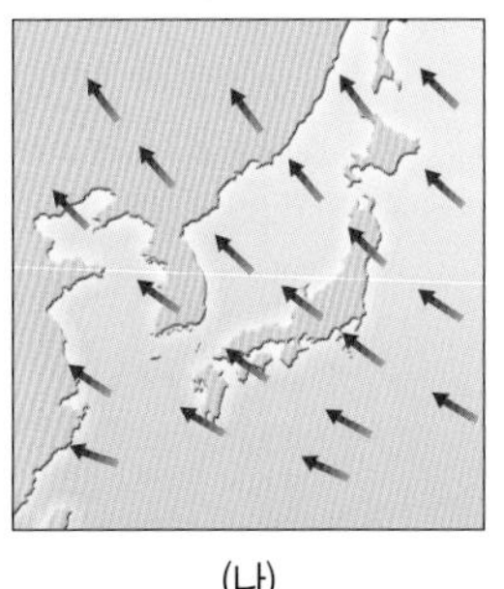
(나)

이에 대한 설명으로 옳은 것은?

① (가)는 남동 계절풍이다.
② (나)는 겨울철에 부는 계절풍이다.
③ (가)에서 대륙은 해양보다 기압이 낮다.
④ (가)와 (나)는 하루를 주기로 풍향이 바뀐다.
⑤ (가)와 (나)는 대륙과 해양의 열용량 차이 때문에 발생한다.

08 그림은 고위도의 대륙에서 발생한 어떤 기단이 따뜻한 바다 위를 이동하는 모습을 나타낸 것이다.

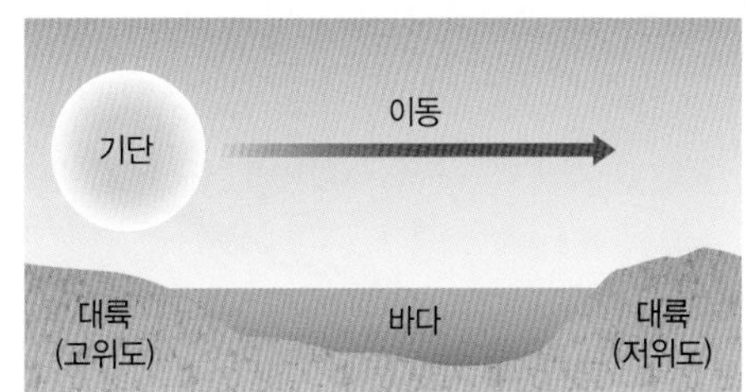

이에 대한 설명으로 옳은 것을 보기에서 모두 고른 것은?

보기
ㄱ. 고위도 대륙에서 발생한 기단은 한랭 건조하다.
ㄴ. 기단이 바다 위를 이동하는 동안 열과 수증기를 공급받는다.
ㄷ. 기단이 바다를 통과한 후에는 비나 눈을 내린다.

① ㄱ ② ㄴ ③ ㄱ, ㄷ
④ ㄴ, ㄷ ⑤ ㄱ, ㄴ, ㄷ

09 (중요) 그림은 우리나라에 영향을 주는 기단을 나타낸 것이다.

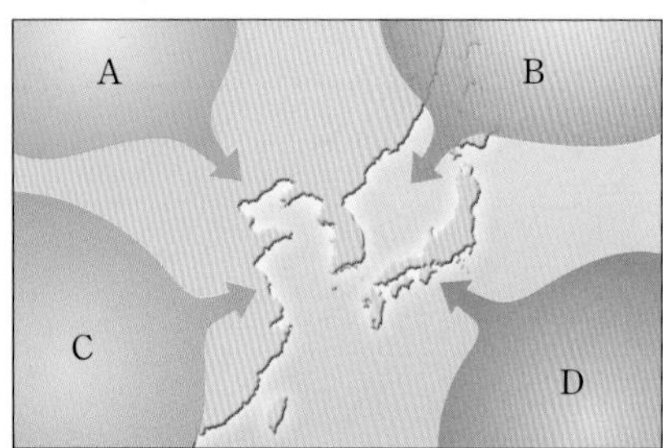

이에 대한 설명으로 옳은 것을 보기에서 모두 고른 것은?

보기
ㄱ. A와 B 기단은 건조한 기단이다.
ㄴ. 봄이나 가을에는 C 기단의 영향을 받아 건조한 날이 많다.
ㄷ. 초여름에 동해안의 저온 현상을 일으키는 기단은 D이다.

① ㄱ ② ㄴ ③ ㄱ, ㄷ
④ ㄴ, ㄷ ⑤ ㄱ, ㄴ, ㄷ

10 (중요) 그림은 어느 전선의 모습을 나타낸 것이다.

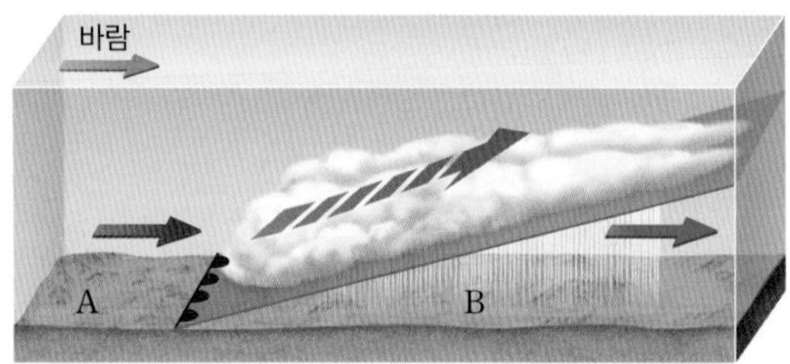

이에 대한 설명으로 옳은 것을 보기에서 모두 고른 것은?

보기
ㄱ. 온난 전선이다.
ㄴ. 기온은 A 지역보다 B 지역에서 높다.
ㄷ. B 지역에는 주로 적운형 구름이 발달한다.

① ㄱ ② ㄷ ③ ㄱ, ㄴ
④ ㄴ, ㄷ ⑤ ㄱ, ㄴ, ㄷ

11 오른쪽 그림은 어느 전선의 단면을 나타낸 것이다. 이에 대한 설명으로 옳은 것을 보기에서 모두 고른 것은?

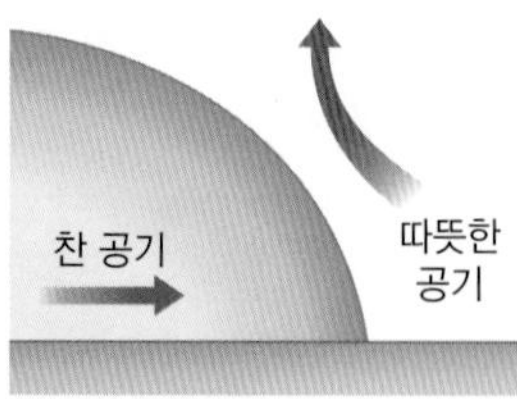

보기
ㄱ. 전선 기호는 (반원 기호) 로 나타낸다.
ㄴ. 층운형 구름이 주로 발달한다.
ㄷ. 전선 뒤쪽에서는 소나기성 비가 내린다.

① ㄱ ② ㄴ ③ ㄷ
④ ㄱ, ㄴ ⑤ ㄱ, ㄴ, ㄷ

12 전선에 대한 설명으로 옳지 않은 것은?
① 전선을 경계로 기온, 습도 등이 크게 달라진다.
② 한랭 전선은 온난 전선보다 이동 속도가 빠르다.
③ 정체 전선은 두 기단의 세력이 비슷할 때 생긴다.
④ 폐색 전선은 한랭 전선과 온난 전선이 겹쳐져서 생긴다.
⑤ 우리나라에 나타나는 장마 전선은 폐색 전선의 한 예이다.

13 고기압과 저기압에 대한 설명으로 옳지 않은 것은?
① 고기압은 주위보다 기압이 높은 곳이다.
② 고기압 중심부에서는 하강 기류가 나타난다.
③ 저기압 지역에서는 구름이 만들어진다.
④ 저기압 지역에서는 흐린 날씨가 나타난다.
⑤ 북반구의 경우 고기압 중심부의 지상에서는 바람이 시계 방향으로 불어 들어온다.

[14~15] 그림은 어느 날 우리나라 부근의 일기도를 나타낸 것이다.

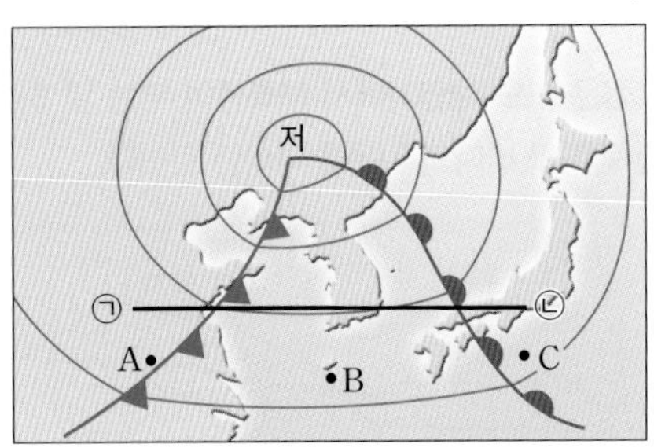

14 위 그림에서 ㉠-㉡의 단면을 옳게 나타낸 것은?

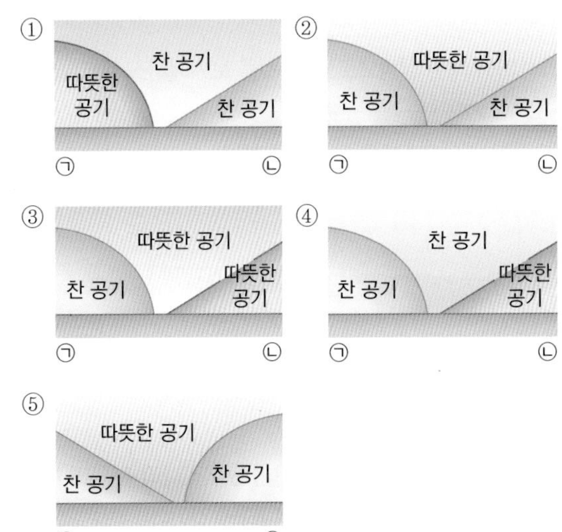

중요

15 위 그림에 대한 설명으로 옳은 것을 보기에서 모두 고른 것은?

보기
ㄱ. A~C 중 기온이 가장 높은 곳은 C이다.
ㄴ. A에서는 적운형 구름이 발달한다.
ㄷ. 앞으로 우리나라는 이슬비가 내린 뒤 기온이 높아질 것이다.

① ㄱ ② ㄴ ③ ㄱ, ㄷ
④ ㄴ, ㄷ ⑤ ㄱ, ㄴ, ㄷ

16 그림 (가)와 (나)는 각각 우리나라 어느 계절에 잘 나타나는 대표적인 일기도를 나타낸 것이다.

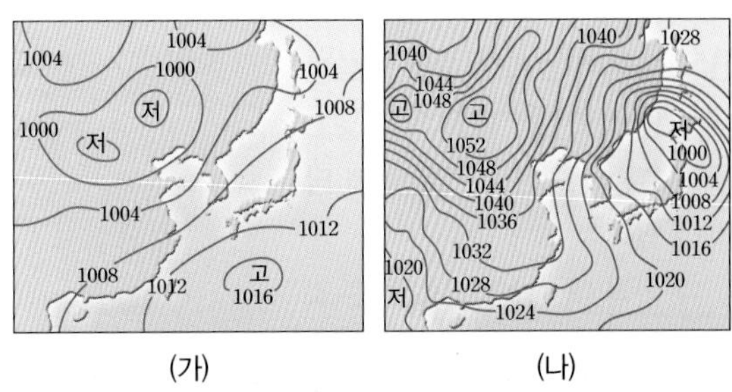

(가) (나)

이에 대한 설명으로 옳은 것을 보기에서 모두 고른 것은?

보기
ㄱ. (가)는 여름철의 대표적인 일기도이다.
ㄴ. (나)일 때는 우리나라 서해안 지역에 폭설이 내리기도 한다.
ㄷ. (가)일 때는 북서 계절풍, (나)일 때는 남동 계절풍이 분다.

① ㄱ ② ㄴ ③ ㄷ
④ ㄱ, ㄴ ⑤ ㄱ, ㄴ, ㄷ

17 그림 (가)는 우리나라 봄철에, (나)는 초여름에 잘 나타나는 일기도를 나타낸 것이다.

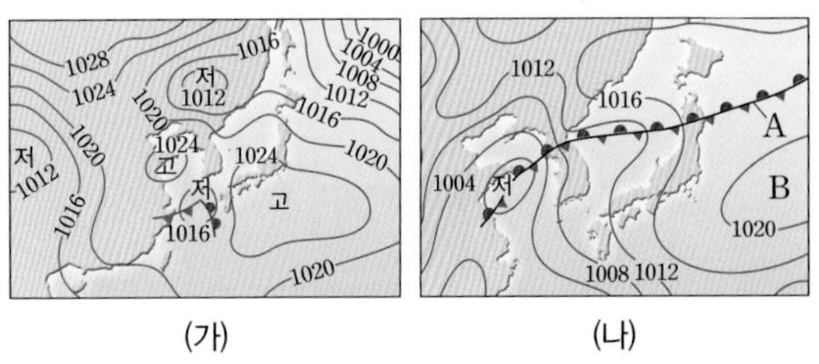

(가) (나)

이에 대한 설명으로 옳은 것을 보기에서 모두 고른 것은?

보기
ㄱ. (가)일 때 이동성 고기압과 저기압이 자주 통과한다.
ㄴ. (나)의 A는 정체 전선이다.
ㄷ. 한여름에는 (나)의 B 세력이 강해져 덥고 습한 날씨가 나타난다.

① ㄱ ② ㄷ ③ ㄱ, ㄴ
④ ㄴ, ㄷ ⑤ ㄱ, ㄴ, ㄷ

01 오른쪽 그림과 같이 페트병 안에 따뜻한 물을 약간 넣고 뚜껑을 닫은 후, 얼음물에 담궜다.
이에 대한 설명으로 옳은 것을 보기에서 모두 고른 것은?

보기
ㄱ. 페트병이 찌그러진다.
ㄴ. 페트병 안의 공기 밀도가 감소한다.
ㄷ. 대기의 압력이 페트병 내부의 압력보다 크기 때문에 나타나는 현상이다.

① ㄱ ② ㄴ ③ ㄱ, ㄷ
④ ㄴ, ㄷ ⑤ ㄱ, ㄴ, ㄷ

02 그림은 어느 날 지표면에서 측정한 수은 기둥의 높이를 나타낸 것이다.

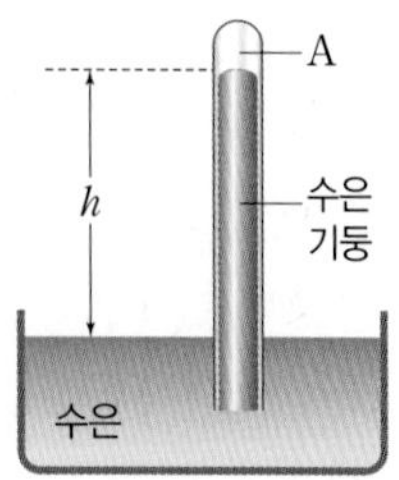

이에 대한 설명으로 옳은 것을 보기에서 모두 고른 것은?

보기
ㄱ. h가 77 cm이면 기압은 1013 hPa보다 높다.
ㄴ. 두꺼운 유리관을 사용하면 수은 기둥의 높이는 h보다 낮아진다.
ㄷ. 이날 같은 시각에 상공에서 측정한 수은 기둥의 높이는 h보다 높을 것이다.

① ㄱ ② ㄴ ③ ㄱ, ㄷ
④ ㄴ, ㄷ ⑤ ㄱ, ㄴ, ㄷ

03 그림은 어느 해안가에서 해륙풍이 부는 날 하루 동안 측정한 육지와 바다의 기온을 나타낸 것이다.

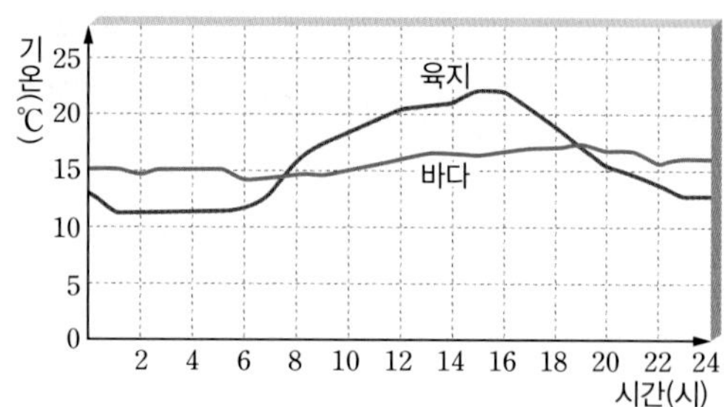

이에 대한 설명으로 옳은 것을 보기에서 모두 고른 것은?

보기
ㄱ. 오전 4시에는 육풍이 분다.
ㄴ. 육지와 바다의 기압 차이는 6시경보다 15시경에 더 크다.
ㄷ. 날씨가 맑은 날에 잘 나타나는 기온 분포이다.

① ㄱ ② ㄴ ③ ㄱ, ㄷ
④ ㄴ, ㄷ ⑤ ㄱ, ㄴ, ㄷ

04 그림 (가)는 해안가에서, (나)는 우리나라 부근의 대륙과 해양 사이에서 부는 바람을 나타낸 것이다.

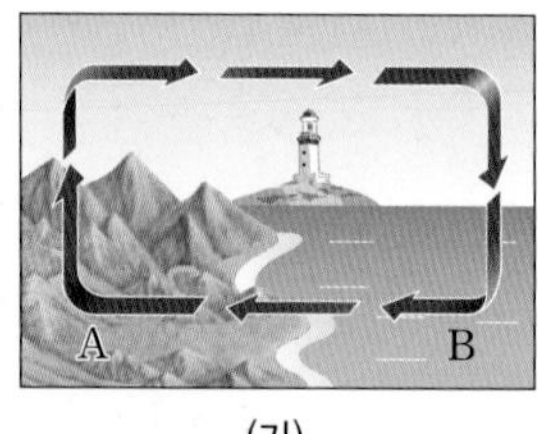

(가)

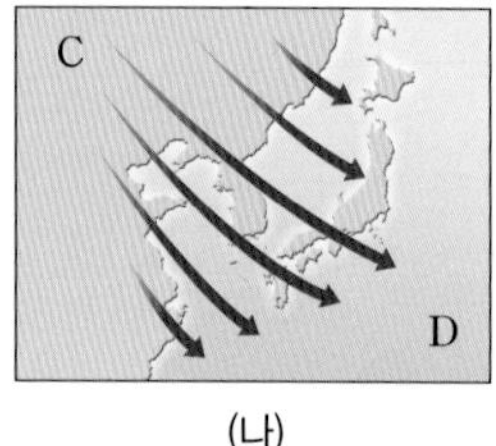

(나)

이에 대한 설명으로 옳은 것을 보기에서 모두 고른 것은?

보기
ㄱ. (가)는 계절풍, (나)는 육풍이다.
ㄴ. (가)에서 A는 B보다 기압이 높다.
ㄷ. (가), (나)와 같은 바람은 육지와 해양이 가열되고 냉각되는 정도가 다르기 때문에 분다.

① ㄱ ② ㄷ ③ ㄱ, ㄴ
④ ㄴ, ㄷ ⑤ ㄱ, ㄴ, ㄷ

05 그림은 우리나라에 영향을 주는 기단 A～D의 성질을 나타낸 것이다.

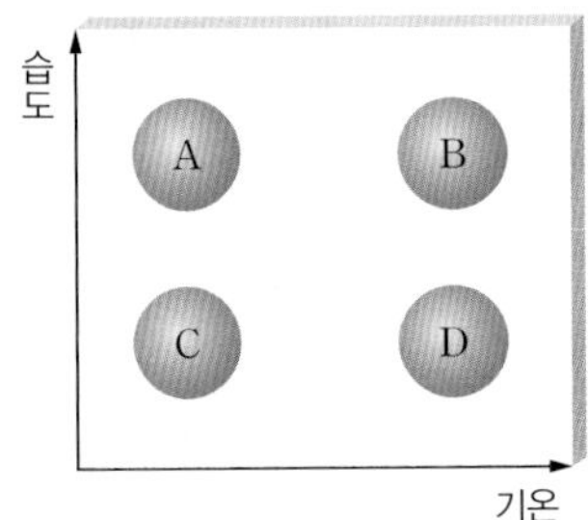

이에 대한 설명으로 옳은 것을 보기에서 모두 고른 것은?

보기
ㄱ. A는 B보다 고위도에서 발생한다.
ㄴ. B는 대륙성 기단이고, C는 해양성 기단이다.
ㄷ. 봄에는 C의 세력이 약해지고 D의 영향을 주로 받는다.

① ㄱ ② ㄴ ③ ㄱ, ㄷ
④ ㄴ, ㄷ ⑤ ㄱ, ㄴ, ㄷ

06 그림 (가)와 (나)는 기단이 변질되는 경우를 나타낸 것이다.

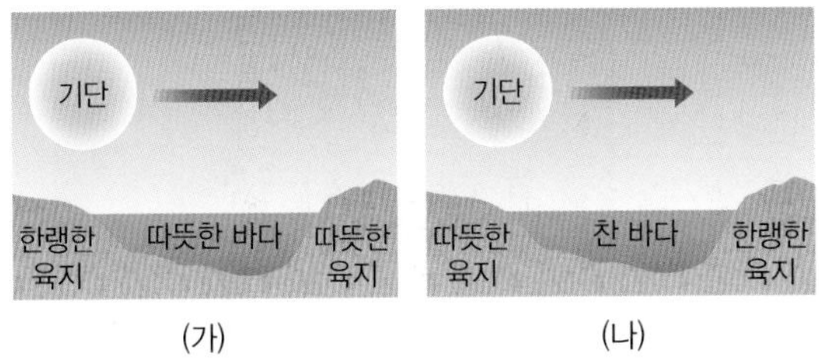

(가) (나)

이에 대한 설명으로 옳은 것을 보기에서 모두 고른 것은?

보기
ㄱ. (가)에서 기단이 바다를 통과하는 동안 습도와 이슬점이 높아진다.
ㄴ. (나)에서는 적운형 구름이 잘 생성된다.
ㄷ. 시베리아 기단이 우리나라로 남하하는 경우는 (가)에 해당한다.

① ㄱ ② ㄴ ③ ㄱ, ㄷ
④ ㄴ, ㄷ ⑤ ㄱ, ㄴ, ㄷ

07 그림 (가)와 (나)는 서로 다른 두 전선의 단면을 나타낸 것이다.

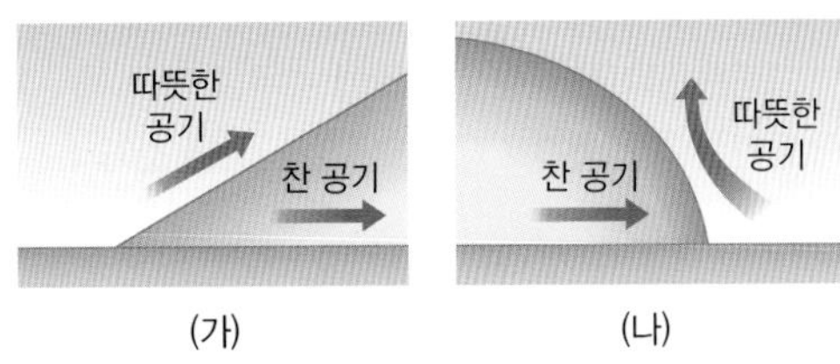

(가) (나)

이에 대한 설명으로 옳은 것을 보기에서 모두 고른 것은?

보기
ㄱ. (가)는 한랭 전선, (나)는 온난 전선이다.
ㄴ. 구름이 생기는 범위는 (가)보다 (나)에서 대체로 넓다.
ㄷ. 공기의 연직 운동은 (가)보다 (나)에서 더 활발하게 일어난다.

① ㄱ ② ㄷ ③ ㄱ, ㄴ
④ ㄴ, ㄷ ⑤ ㄱ, ㄴ, ㄷ

08 그림 (가)와 (나)는 어느 날 우리나라 주변의 일기도와 위성 사진을 나타낸 것이다.

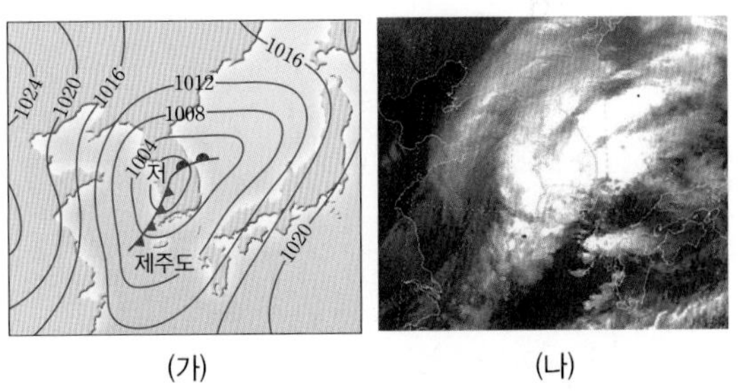

(가) (나)

이에 대한 설명으로 옳은 것을 보기에서 모두 고른 것은?

보기
ㄱ. 구름은 저기압 중심과 전선을 따라 발달한다.
ㄴ. 현재 남부 지방은 중부 지방보다 비가 많이 내린다.
ㄷ. 시간이 지나면서 제주도는 점차 맑아지고 기온이 상승할 것이다.

① ㄱ ② ㄷ ③ ㄱ, ㄴ
④ ㄴ, ㄷ ⑤ ㄱ, ㄴ, ㄷ

03. 날씨의 변화

☞ 제시된 Keyword를 이용하여 문제를 해결해 보자.

1 그림은 굵기가 다른 유리관에 수은을 가득 채우고 수은이 담긴 수조에 거꾸로 세운 모습을 나타낸 것이다.

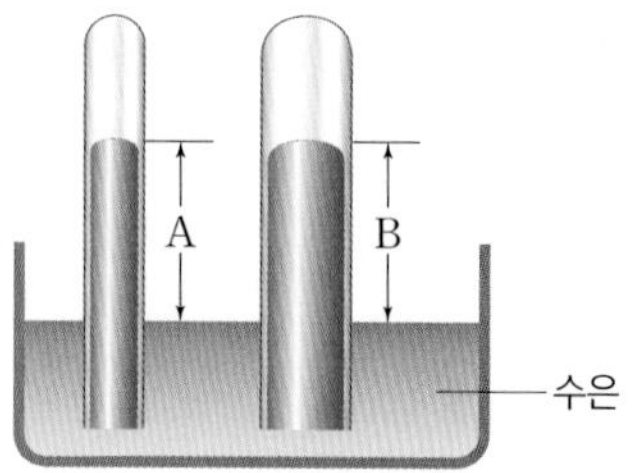

(1) 수은 기둥의 높이 A와 B를 등호나 부등호를 이용하여 비교하고, 그렇게 생각한 까닭을 설명하시오.

Keyword 기압, 단위 면적

(2) 위 실험을 높은 산에 올라가서 한다면 수은 기둥의 높이는 어떻게 변하는지 쓰고, 그 까닭을 설명하시오.

Keyword 기압

2 다음 단어를 모두 포함하여 바람이 부는 원리를 설명하시오.

기압　기온　바람　불균등 가열

Keyword 기온 차, 기압 차

3 그림은 어느 해안가에서 낮과 밤에 부는 해륙풍의 풍향을 나타낸 것이다.

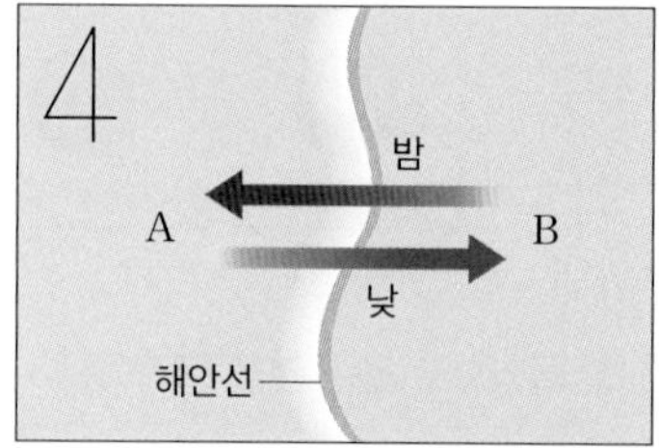

A와 B 중 육지는 어느 쪽인지 쓰고, 그렇게 생각한 까닭을 설명하시오.

Keyword 육지, 바다, 가열, 냉각

4 그림은 우리나라의 날씨에 영향을 주는 기단을 나타낸 것이다.

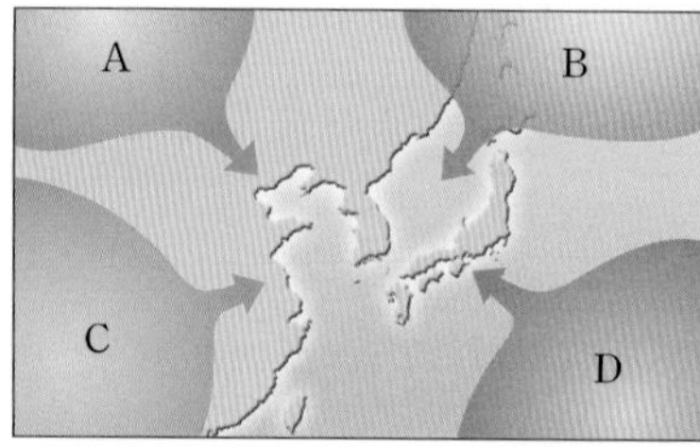

(1) 기단 A~D 중 우리나라 여름철 날씨에 주로 영향을 주는 기단의 기호와 이름을 쓰시오.

Keyword 북태평양

(2) B 기단과 C 기단의 성질을 비교하여 설명하시오.

Keyword 한랭, 온난, 건조, 다습

5 **다음은 서로 다른 두 전선의 형성 과정을 설명한 것이다.**

(가) 찬 기단이 따뜻한 기단 아래로 파고들면서 따뜻한 기단을 밀어 올릴 때 형성된다.
(나) 따뜻한 기단이 찬 기단 쪽으로 이동하여 찬 기단을 타고 상승할 때 형성된다.

전선 (가)와 (나)에서 발생하는 구름의 종류와 강수 형태를 비교하여 설명하시오.

Keyword 적운형, 층운형, 지속적인 비, 소나기성 비

7 **다음은 우리나라에 온대 저기압이 통과하기 전후로 나타나는 날씨 변화를 순서 없이 정리한 것이다.**

A. 기온이 높고, 날씨가 대체로 맑다.
B. 기온이 낮고, 좁은 지역에 소나기성 비가 내린다.
C. 기온이 낮고, 넓은 지역에 지속적인 비가 내린다.

날씨 변화가 일어난 순서대로 나열하고, 그렇게 생각한 까닭을 온대 저기압의 이동과 관련지어 설명하시오.

Keyword 편서풍, 온난 전선, 한랭 전선

6 **그림은 북반구의 A, B 지역에서 공기의 연직 방향의 흐름을 나타낸 것이다.**

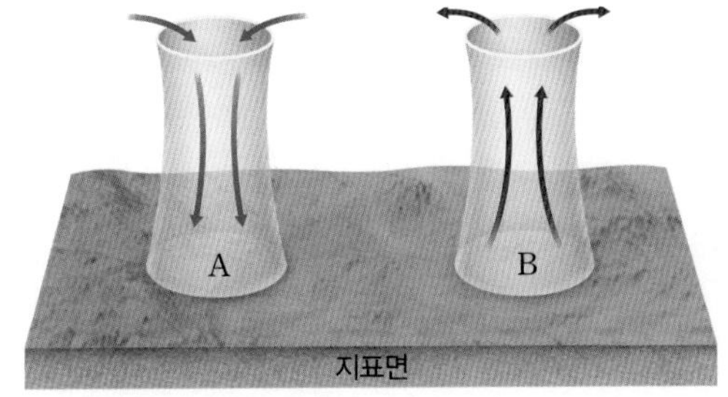

(1) A와 B 지역의 날씨를 근거와 함께 각각 설명하시오.

Keyword 구름

(2) A와 B 지역의 지상에서 나타나는 바람의 방향을 각각 설명하시오.

Keyword 중심부, 시계 방향, 시계 반대 방향

8 **그림 (가)와 (나)는 우리나라 여름철과 겨울철의 대표적인 일기도를 순서 없이 나타낸 것이다.**

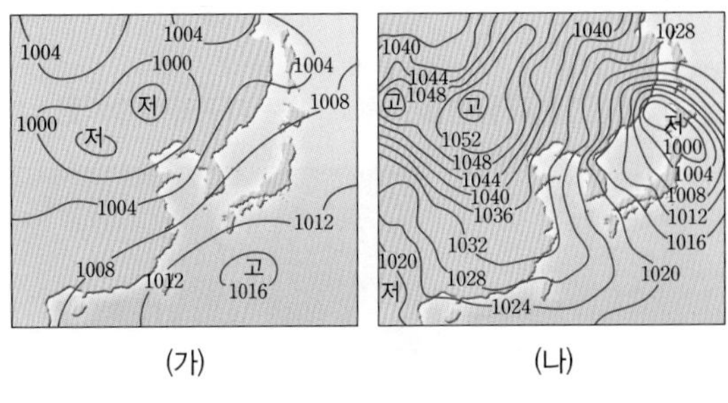

(가) (나)

(1) (가)와 (나)는 각각 어떤 계절에 해당하는지 쓰시오.

Keyword 여름철, 겨울철

(2) (1)과 같이 생각한 까닭을 기압 배치와 관련지어 설명하시오.

Keyword 남고북저, 서고동저

최상위권 도전 문제

☞ 제시된 Tip을 이용하여 문제를 해결해 보자.

1 **그림 (가)는 기권의 층상 구조를 나타낸 것이고, (나)는 기권에서 나타나는 여러 가지 현상들의 모습이다.**

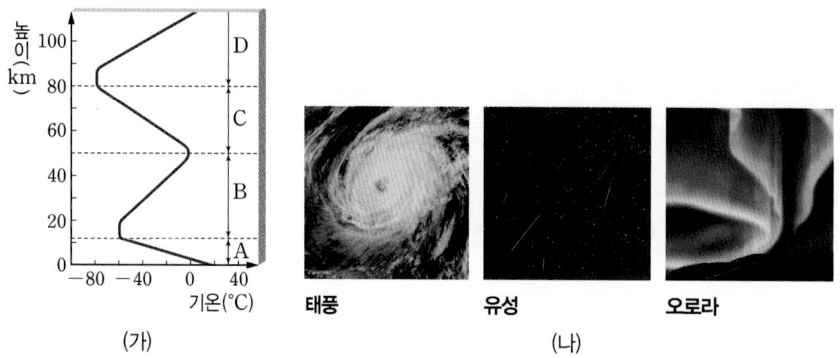

(가) (나)

이에 대한 설명으로 옳은 것을 보기에서 모두 고른 것은?

보기

ㄱ. 태풍은 A층에서만 나타난다.
ㄴ. 유성은 공기의 밀도가 커지는 B층에서부터 나타난다.
ㄷ. 오로라는 D층에서 높은 온도에 의해 공기가 연소되는 현상이다.

① ㄱ ② ㄷ ③ ㄱ, ㄴ
④ ㄴ, ㄷ ⑤ ㄱ, ㄴ, ㄷ

Tip
태풍은 수증기, 유성은 공기와의 마찰, 오로라는 전기적인 현상과 관련이 있다.

유성
혜성이나 소행성에서 떨어져 나온 암석 조각이나 티끌 또는 태양계를 떠돌던 먼지 등이 지구 중력에 이끌려 대기 안으로 들어오면서 대기와의 마찰에 의해 타면서 빛을 내는 현상이다.

2 **그림은 복사 평형을 이루고 있는 지구의 열수지를 나타낸 모식도이다.**

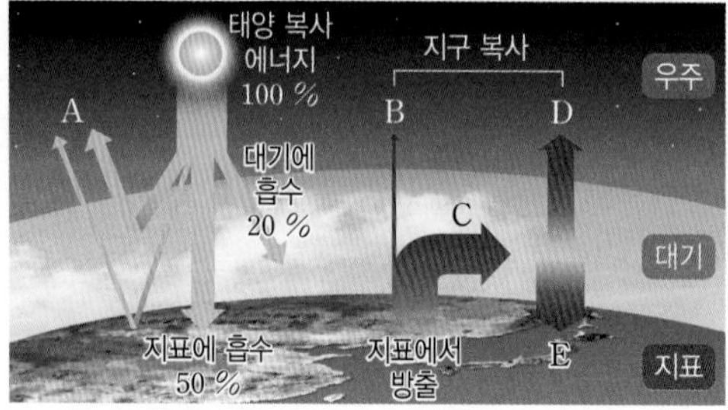

이에 대한 설명으로 옳은 것을 보기에서 모두 고른 것은?

보기

ㄱ. A는 대기와 지표에 반사 또는 산란되는 태양 복사 에너지이다.
ㄴ. B와 D를 합한 값은 지구가 흡수한 태양 복사 에너지양과 같다.
ㄷ. 지구 온난화가 진행되면 B~E의 양이 모두 증가한다.

① ㄱ ② ㄷ ③ ㄱ, ㄴ
④ ㄴ, ㄷ ⑤ ㄱ, ㄴ, ㄷ

Tip
지구는 복사 평형을 이루고 있으므로 지구가 태양으로부터 흡수하는 에너지양과 지구가 우주로 방출하는 에너지양은 같다.

3 그림은 지구 온난화가 심해지는 과정의 일부를 나타낸 것이다.

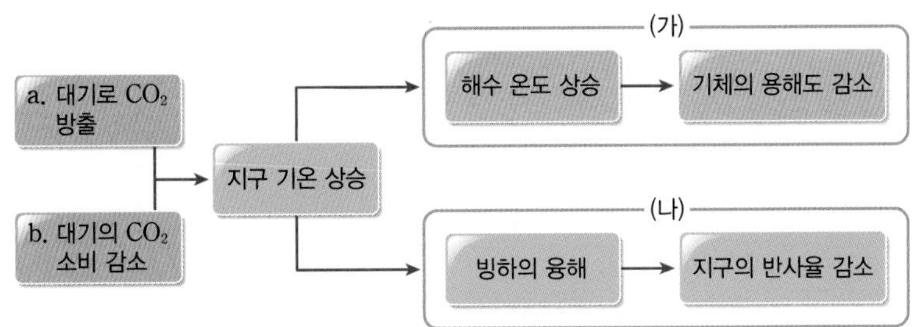

이에 대한 설명으로 옳은 것을 보기에서 모두 고른 것은?

보기

ㄱ. 이산화 탄소는 지구 복사 에너지를 흡수하여 지구의 기온을 상승시킨다.
ㄴ. (가)에 의해 해수에 녹아 있던 이산화 탄소가 대기로 방출된다.
ㄷ. (나)에 의해 지구에 흡수되는 태양 복사 에너지양이 감소한다.

① ㄱ　② ㄷ　③ ㄱ, ㄴ
④ ㄴ, ㄷ　⑤ ㄱ, ㄴ, ㄷ

Tip
온실 기체는 짧은 파장의 태양 복사 에너지는 잘 통과시키지만, 긴 파장의 지구 복사 에너지는 대부분 흡수한다.

반사율
지구에 입사하는 태양 복사 에너지 중에서 지구에 흡수되지 못하고 대기나 지표에 의해 반사되는 비율을 반사율이라고 한다.

4 그림은 어떤 공기의 포화 수증기량과 현재 수증기량의 변화를 나타낸 것이다.

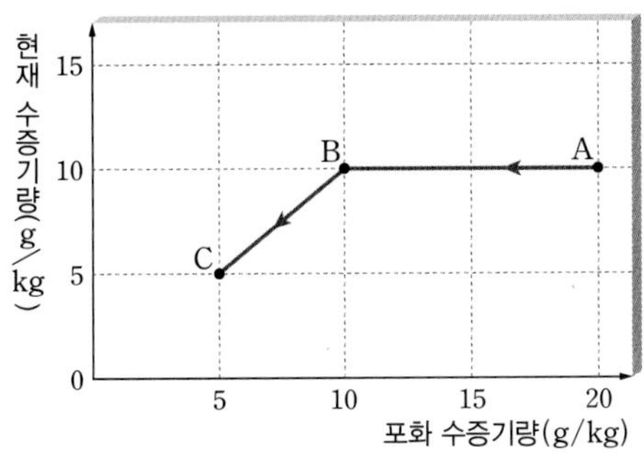

공기의 상태가 A → B → C로 변하는 과정에 대한 설명으로 옳지 않은 것은?

① A → B 과정에서 공기는 불포화 상태이다.
② A → B 과정에서 공기의 이슬점은 감소한다.
③ B → C 과정에서 수증기가 응결된다.
④ B → C 과정에서 상대 습도는 일정하다.
⑤ A → C 과정에서 기온은 하강한다.

Tip
포화 수증기량과 현재 수증기량이 같으면 포화 상태이고, 포화 수증기량이 현재 수증기량보다 많으면 불포화 상태이다.

5 **그림 (가)는 지표에서 25 ℃로 가열된 공기 덩어리가 상승하여 구름이 생성되는 과정을 나타낸 것이고, 표 (나)는 기온에 따른 포화 수증기량을 나타낸 것이다.**

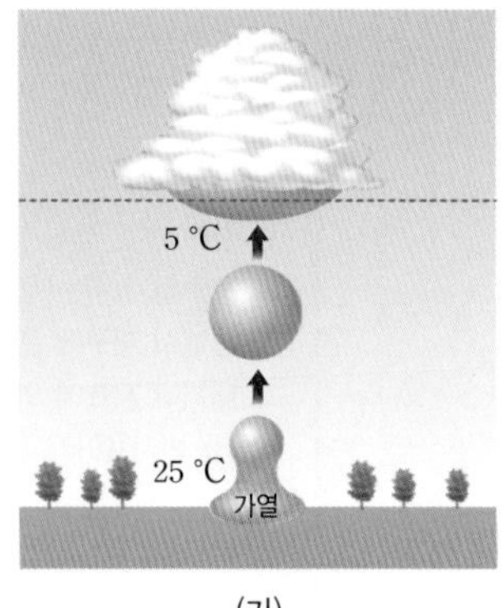

(가)

기온(℃)	포화 수증기량(g/kg)
5	5.4
10	7.6
15	10.6
20	14.7
25	20.0
30	27.1

(나)

구름이 생성되기 시작했을 때 공기 덩어리의 온도는 5 ℃였다. 이 공기 덩어리가 상승하기 직전에 지표에 있을 때의 상대 습도를 구하시오. (단, 상승하는 동안 공기 덩어리에 포함된 수증기의 양은 변하지 않았다.)

Tip
기온과 이슬점이 같아지면 응결이 일어나기 시작한다.

6 **그림은 멀지 않은 두 지점 A, B에서 지표의 차등 가열이 일어났을 때 공기의 밀도 변화를 나타낸 모식도이다.**

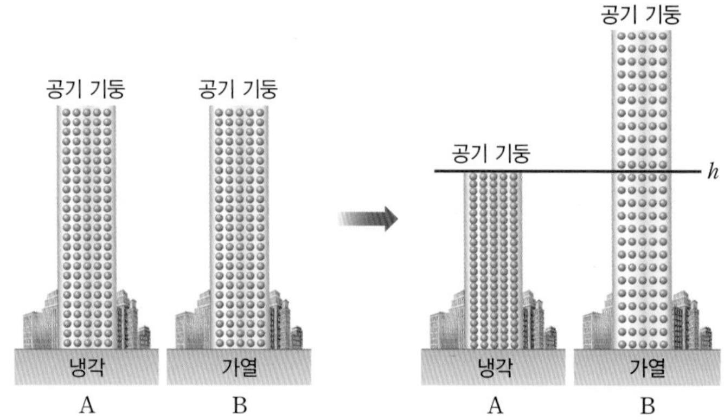

이에 대한 설명으로 옳은 것을 보기에서 모두 고른 것은? (단, 각 공기 기둥의 밀도는 고도에 따라 일정하다고 가정한다.)

보기

ㄱ. A 지역에서는 하강 기류가 나타난다.
ㄴ. h 높이에서의 기압은 A 지역이 B 지역보다 낮다.
ㄷ. 지상에서는 바람이 A 지역에서 B 지역으로 불고, h 높이에서는 바람이 B 지역에서 A 지역으로 분다.

① ㄱ　② ㄴ　③ ㄷ
④ ㄱ, ㄷ　⑤ ㄱ, ㄴ, ㄷ

Tip
기압은 측정 지점을 기준으로 그 위에 놓여 있는 공기 기둥이 누르는 압력이다.

7 그림은 어느 시기에 우리나라 주변에서 고기압과 저기압의 위치 변화를 24시간 간격으로 나타낸 것이다.

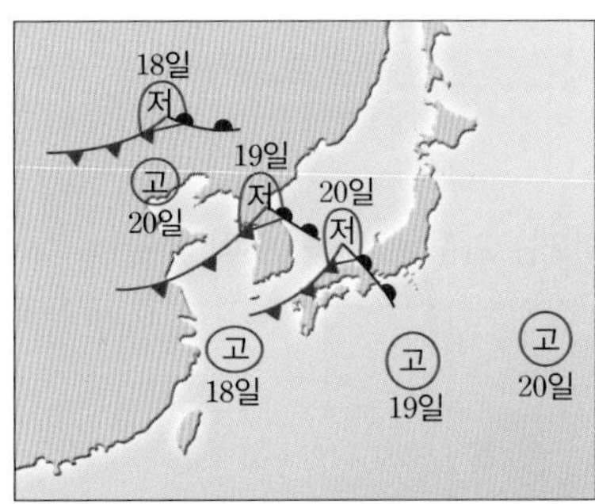

이에 대한 설명으로 옳은 것을 보기에서 모두 고른 것은?

보기

ㄱ. 18일~19일에는 우리나라의 기압이 점차 감소하였을 것이다.
ㄴ. 19일에 제주도에서는 주로 북풍이 분다.
ㄷ. 21일에 우리나라의 날씨는 흐릴 것이다.

① ㄱ ② ㄷ ③ ㄱ, ㄴ
④ ㄴ, ㄷ ⑤ ㄱ, ㄴ, ㄷ

Tip
북반구의 지상 저기압에서는 바람이 시계 반대 방향으로 불어 들어간다.

8 그림은 우리나라 여름철과 겨울철의 대표적인 일기도를 순서 없이 나타낸 것이다.

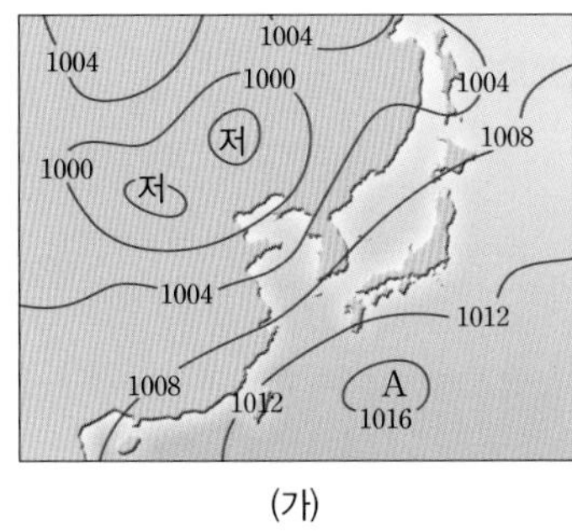

(가)

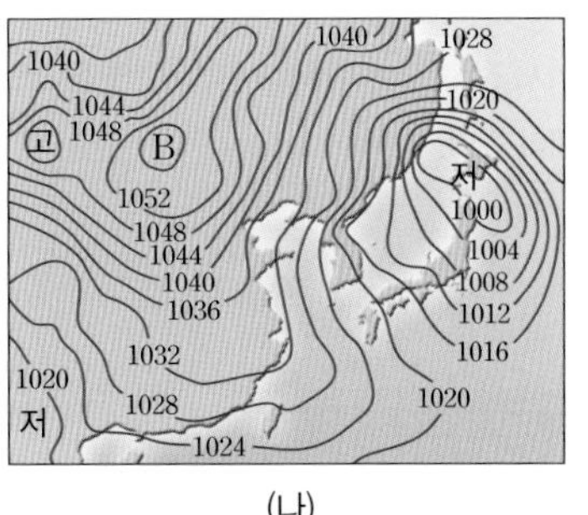

(나)

이에 대한 설명으로 옳은 것을 보기에서 모두 고른 것은?

보기

ㄱ. (가)는 여름철, (나)는 겨울철 일기도이다.
ㄴ. A에서는 하강 기류, B에서는 상승 기류가 나타난다.
ㄷ. A와 B는 모두 편서풍의 영향으로 서쪽으로 빠르게 이동한다.

① ㄱ ② ㄷ ③ ㄱ, ㄴ
④ ㄴ, ㄷ ⑤ ㄱ, ㄴ, ㄷ

Tip
우리나라 여름철에는 정체성 고기압인 북태평양 고기압의 영향을 주로 받고, 겨울철에는 정체성 고기압인 시베리아 고기압의 영향을 주로 받는다.

창의·사고력 향상 문제

예제

출제 의도
전선의 특징을 알고, 날씨 변화를 설명할 수 있는가?

문제 해결을 위한 배경 지식
- **편서풍**: 중위도 지역에서 일 년 내내 서쪽에서 동쪽으로 부는 바람이다.
- **온대 저기압**: 온대 저기압 중심의 남동쪽에 온난 전선이 발달하고, 남서쪽에 한랭 전선이 발달한다.

그림은 우리나라 부근에서 온대 저기압이 발생하고 이동하여 소멸되는 과정을 나타낸 것이다.

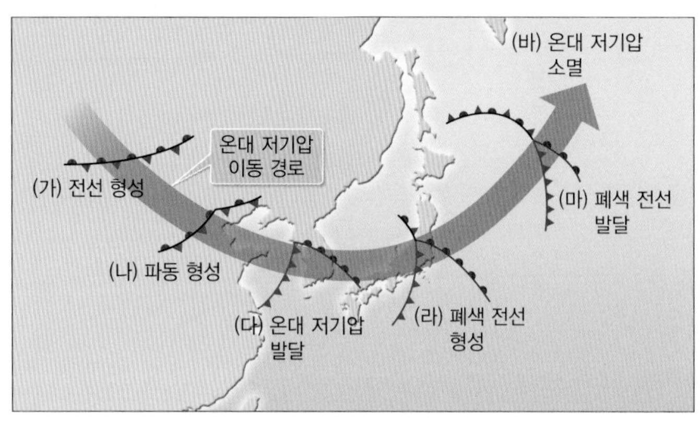

(1) 온대 저기압이 이동하는 원인을 설명하시오.

(2) 전선의 이동 속도 차이를 이용하여 온대 저기압의 소멸 과정을 설명하시오.

(3) (다)~(라) 시기에 나타나는 우리나라 남부 지방의 날씨 변화를 설명하시오.

해결 전략 클리닉

전선은 성질이 다른 두 기단이 만나서 형성된다. 따라서 전선은 대기에서 나타나는 현상이므로 전선의 움직임은 대기의 이동, 즉 바람과 관련이 있음을 생각해야 한다.

❶ 중위도 지역에는 편서풍이 분다.

❷ 찬 공기가 따뜻한 공기를 파고들면서 생성되는 전선은 따뜻한 공기가 찬 공기를 타고 올라가면서 생성되는 전선보다 이동 속도가 빠르다.

❸ 북반구의 지상 저기압에서는 바람이 시계 반대 방향으로 불어 들어간다.

Keyword
(1) 편서풍
(2) 전선의 이동 속도, 폐색 전선
(3) 한랭 전선, 소나기, 북서풍

모범 답안

(1) 온대 저기압은 편서풍의 영향으로 서쪽에서 동쪽으로 이동한다.

(2) 한랭 전선이 온난 전선보다 이동 속도가 빠르다. 따라서 온대 저기압이 이동하는 동안 한랭 전선과 온난 전선 사이의 거리가 가까워지고 시간이 더 지나게 되면 두 전선이 겹쳐져서 폐색 전선이 되어 온대 저기압이 소멸된다.

(3) (다) 시기에 우리나라 남부 지방은 온난 전선과 한랭 전선 사이에 위치하여 날씨가 대체로 맑고, 남서풍이 우세하게 분다. 이후 한랭 전선이 통과하면서 곳에 따라 소나기가 내린 다음 기온이 내려가고, 풍향은 북서풍이 우세하게 분다.

완벽한 답안 작성을 위한 tip
(1) 전선의 이동이 편서풍과 관련 있음을 명확히 한다.
(2) 온대 저기압이 소멸되는 과정을 두 전선의 이동 속도 차이와 폐색 전선의 형성을 언급하여 설명한다.
(3) 기온, 풍향, 눈이나 비 등을 언급하여 설명하면 좋은 답안이 된다.

실전 문제

정답과 해설 032쪽

1 논리적 서술형

그림은 복사 평형을 이루고 있는 지구의 열수지를 나타낸 것이다.

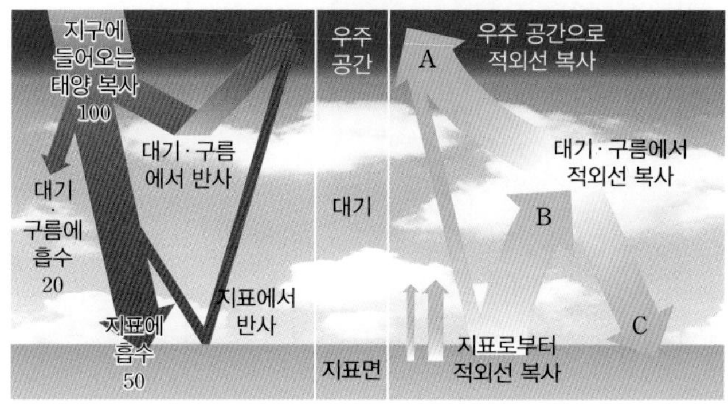

대기 중의 온실 기체의 양이 증가하여 지구 온난화가 일어나는 과정을 그림의 A, B, C의 양 변화를 언급하여 설명하시오.

Tip

지구는 복사 평형을 이루고 있으므로 지구가 흡수하는 에너지양과 방출하는 에너지양이 같다. 지구 온난화는 우주로 방출하는 에너지양이 적어지는 것이 아니라 지구 내부에서 이동하는 에너지양이 증가하는 현상이다.

Keyword

흡수, 재복사, 증가

2 단계적 문제 해결형

그림은 기온에 따른 포화 수증기량을 나타낸 것이다.

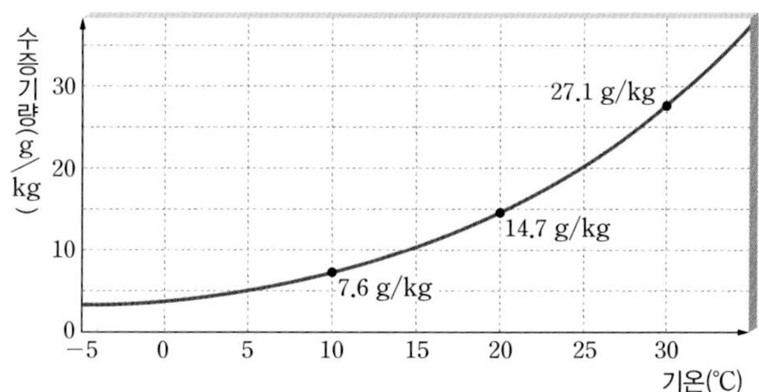

어떤 밀폐된 방 안 공기의 온도가 30 ℃이고, 이슬점이 20 ℃일 때, 현재 방 안 공기의 상대 습도를 구하고, 방 안의 온도가 10 ℃로 낮아질 때 응결되는 수증기의 양을 풀이 과정과 함께 설명하시오.

Tip

상대 습도는 수증기량이 일정할 때 기온이 높을수록 낮아지고, 기온이 낮을수록 높아진다.

Keyword

상대 습도, 포화 수증기량, 현재 수증기량

3 논리적 서술형

그림 (가)와 (나)는 여름철의 어느 맑은 날 오전 9시경과 오후 2시경에 같은 지역에서 발생한 구름의 모습을 순서 없이 나타낸 것이다.

(가)

(나)

(가)와 (나) 중 오후 2시경에 발생한 구름을 고르고, 그렇게 생각한 까닭을 설명하시오.

Tip
지표면의 가열이 심한 때가 언제인지 생각해 본다.

Keyword
지표면 가열, 상승, 적운형 구름

4 단계적 문제 해결형

그림 (가)는 어느 지역에서 바람이 불지 않을 때의 등압면 분포를, (나)는 이 지역에서 가열과 냉각에 의해 변화된 등압면 분포를 나타낸 것이다.

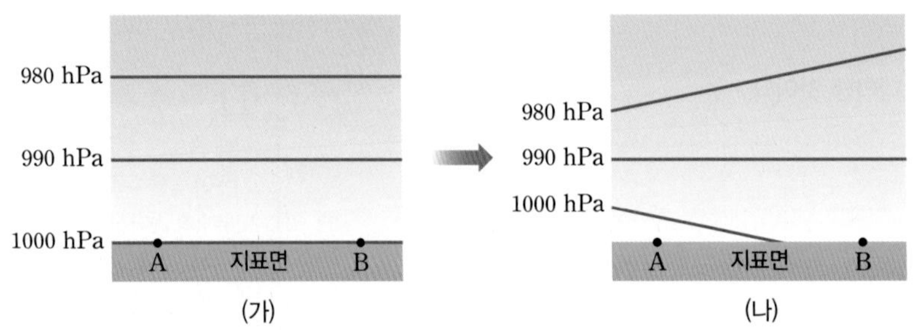

(가) (나)

A 지점과 B 지점에서 일어난 변화를 아래의 조건에 맞게 설명하시오.

- 기압이 상승한 곳과 하강한 곳은 어디인가?
- 상대적으로 가열된 곳과 냉각된 곳은 어디인가?
- 상승 기류와 하강 기류가 나타나는 곳은 어디인가?
- 지표면 부근에서 바람은 어느 쪽으로 부는가?

Tip
높이 올라갈수록 기압이 낮아지므로 1000 hPa보다 위의 지점과 아래의 지점은 기압이 각각 1000 hPa보다 높은지, 낮은지를 판단해 본다.

Keyword
기압, 가열, 냉각, 상승 기류, 하강 기류, 바람

5 창의적 문제 해결형

다음은 어느 날 서해안에 폭설이 내렸을 때의 위성 사진과 일기 예보 내용 중 일부를 나타낸 것이다.

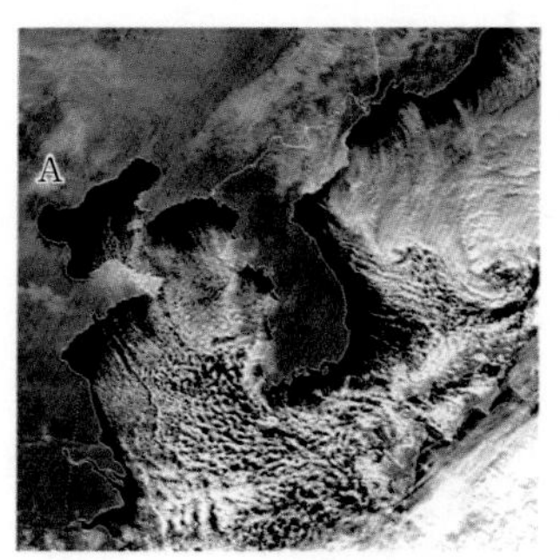

대설인 오늘, 서해안 지역에는 많은 눈이 내리겠습니다. 현재 목포와 광주 등지에 눈이 내리고 있으며, 오늘과 내일 전북 서해안에 최고 10 cm, 전북 내륙과 충남 서해안, 전남 서해안에 2~7 cm 가량의 많은 눈이 내리겠습니다. 충남과 전북에는 대설특보도 내려지겠습니다.

현재 기온은 서울이 −8.7 ℃, 춘천은 −7 ℃, 안동은 −3.6 ℃로 어제보다 7~8 ℃ 가량 낮고, 한낮에도 칼바람은 여전하겠습니다.

이날 우리나라 주변의 기압 배치를 예상하고, A에 있던 공기가 황해를 통과하면서 어떤 변화가 나타나는지 설명하시오.

Tip
황해를 건너오는 공기 덩어리의 성질이 변하는 까닭을 생각해 보자.

Keyword
불안정, 수증기 공급

6 단계적 문제 해결형

그림 (가)와 (나)는 북반구 어느 지방에 온대 저기압이 통과하는 동안 관측한 기온과 풍향 변화를 나타낸 것이다.

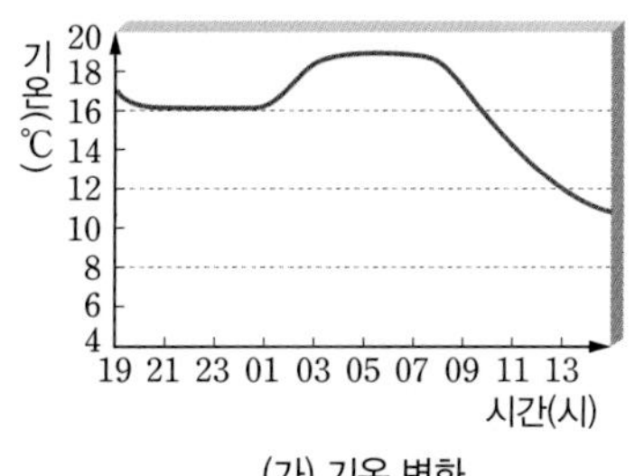

(가) 기온 변화

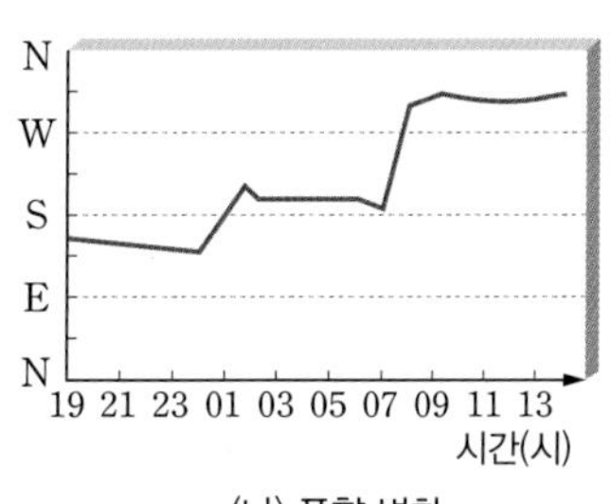

(나) 풍향 변화

관측한 시간 동안 이 지방을 통과한 전선의 종류와 통과 시각을 쓰고, 그 까닭을 주어진 자료를 근거로 설명하시오. (단, 각 전선이 통과하는 데 걸린 시간은 약 1시간 정도이다.)

Tip
전선이 통과할 때 풍향이 급격히 변하는 특징을 이용하여 전선의 통과 시각 및 전선의 종류를 찾아낸다.

Keyword
온난 전선, 한랭 전선

Sc!ence Talk

우리가 생활 속에서 느끼고 이용하는

공기의 힘

비행기가 이륙하여 높은 고도로 올라가면 기압의 변화에 따라 사람들의 생체에 변화가 생기는데, 기압 변화에 가장 민감한 기관인 귀가 먹먹해지거나 통증이 발생하는 경우가 많다. 이와 같은 귀 통증의 원인은 기압에 따라 자동으로 열리고 닫히면서 압력을 조절하는 기관인 '이관'에 있다. 이관은 평소에는 닫혀 있다가 침을 삼키거나, 음식을 씹거나, 하품을 할 때 열린다. 비행기 이착륙 시 몸속과 바깥 압력에 급격한 변화가 생기면서 이관에 영향을 주어 귀 통증이 일어나게 되는 것이다. 귀 통증이 일어날 때는 하품을 하는 시늉을 하거나 침을 삼키면 이관이 열리면서 압력이 조절돼 통증을 완화시킬 수 있다.

한편, 비행기의 창문은 안과 밖의 기압 차에 의한 파손을 줄이기 위해 모서리를 둥글게 제작한다. 비행기의 창문이 네모난 형태를 하고 있다면 창문의 모서리에 압력이 집중되면서 균열이 발생할 수 있다. 이러한 사실은 1953년에 발생한 비행기 사고 조사 중 밝혀졌다. 이 사건 이후 창문의 모서리 부분을 날카롭게 만들지 않고 둥근 형태로 만들어 비행기 창문에 주는 영향을 분산시키도록 하였다.

또한, 비행기 창문을 보면 작은 구멍이 뚫린 것을 볼 수 있는데, 이 구멍도 매우 중요한 역할을 한다. 비행기의 창문은 총 세 개의 판으로 이루어져 있는데, 블리드홀(Bleed Hole)이라고 불리는 이 구멍은 가장 안쪽 판에 위치하며, 중간 판과 바깥쪽 판의 압력을 조절하는 역할을 하고, 유사시에 가장 바깥쪽 판이 깨지도록 한다.

비행기의 둥근 창문

지상에서도 기압의 변화에 따라 인체에 미치는 영향이 다르게 나타난다. 고기압 환경에서는 신체가 다소 수축하면서 체내 신진대사 및 육체 활동이 왕성해진다고 한다. 맑고 푸른 하늘 아래에서 절로 기운이 나고 힘도 팍팍 솟구치는 것은 바로 이 때문이다. 반면 저기압에서는 신체가 늘어지고 무기력해지게 되며, 관절이 약할 경우 통증도 발생할 수 있다. 관절통이 있으면 얼마 못 가서 비가 온다는 옛 속담은 현대과학의 관점에서 합리적인 날씨 관련 속담 중 하나이다.

이러한 공기의 힘을 우리는 생활 속에서 이용하기도 하는데, 대표적인 예로 흡착판, 빨대, 진공청소기, 분무기 등이 있다.

① 흡착판: 흡착판을 벽에 붙이고 눌러주면 흡착판 내부의 공기가 빠져나가면서 내부 기압이 낮아진다. 따라서 외부의 높은 기압이 흡착판을 눌러주는 효과로 벽에 붙을 수 있다.

② 빨대: 빨대를 컵에 꽂고 들이마시면 빨대 안의 공기가 빠지면서 기압이 낮아져 음료수를 끌어올리는 역할을 한다. 이는 펌프의 원리와 비슷하다.

③ 진공청소기: 진공청소기는 날개가 달린 모터를 돌려 청소기 안의 공기를 밖으로 빼내면 진공 상태가 되어 내부 기압이 낮아지므로 외부의 공기를 먼지와 함께 흡입할 수 있는 원리를 이용한 것이다.

흡착판

빨대

진공청소기

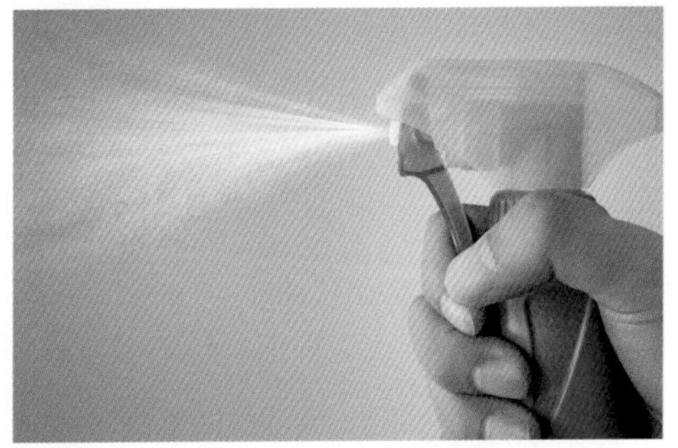

분무기

III
운동과 에너지

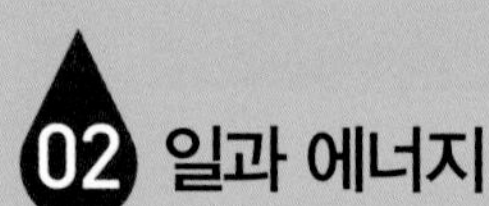

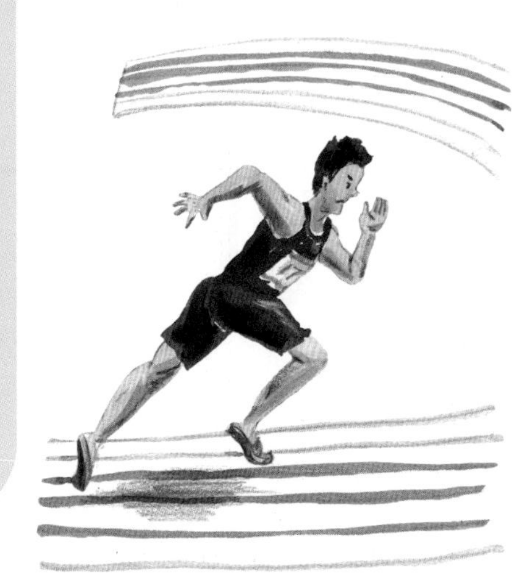

등속 운동과 자유 낙하 운동이란 무엇인지를 알고, 운동과 에너지의 관계를 이해하도록 하여 우리 주변에서 볼 수 있는 다양한 운동과 에너지에 대해 흥미를 갖도록 한다. 또 과학적인 일의 개념을 통해 중력에 대하여 한 일과 중력이 한 일을 이해한다.

01 운동

축구, 야구와 같은 스포츠 경기를 중계하는 방송을 보면 선수나 공의 궤적을 한 화면에 담아 내어 이를 분석하곤 한다. 이 단원에서는 이러한 분석의 기초가 되는 속력에 대해 알아보자. 그리고 등속 운동과 자유 낙하 운동을 기록한 사진을 과학적으로 분석해 보자.

1 운동

1. 운동 시간에 따라 물체의 위치가 변할 때 물체가 운동한다고 한다.

(1) **운동하는 물체의 빠르기 비교**: 같은 시간 동안 이동한 거리나, 같은 거리를 이동하는 데 걸린 시간을 비교하면 물체의 빠르기를 비교할 수 있다.

① 걸린 시간이 같을 때: 이동한 거리가 클수록 빠르다.

② 이동한 거리가 같을 때: 걸린 시간이 짧을수록 빠르다.

물체의 위치 표현
물체의 위치는 다음과 같은 세 가지 요소를 이용하여 표현한다.
- 기준점
- 기준점에서의 방향
- 기준점으로부터의 거리

예 학교를 기준점으로 할 때, 병원은 서쪽으로 200 m 위치에 있고, 우체국은 동쪽으로 100 m 위치에 있다.

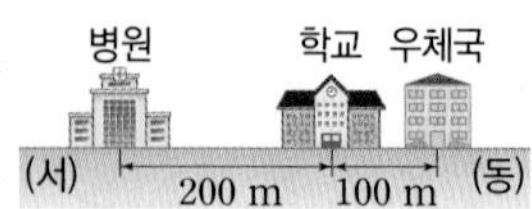

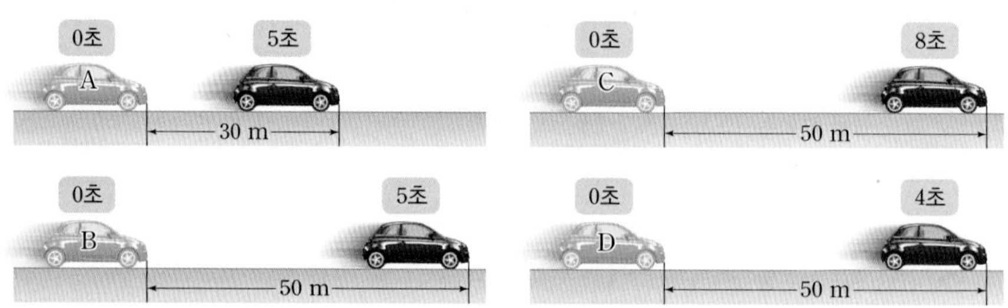

같은 시간 동안 이동한 거리 비교
5초 동안의 이동 거리가 A<B이므로 B가 A보다 빠르다.

같은 거리를 이동하는 데 걸린 시간 비교
50 m를 이동하는 데 걸린 시간이 C>D이므로 D가 C보다 빠르다.

(2) **속력**: 1초, 1분, 1시간 등과 같은 단위 시간 동안 물체가 이동한 거리를 나타낸 값으로, 운동하는 물체의 빠르기를 나타낸다.

① 속력(v): 물체가 이동한 거리(s)를 걸린 시간(t)으로 나누어 구한다. → 시간 t 동안 물체가 평균적으로 어느 정도의 빠르기로 운동하였는지를 나타내므로, 이 속력을 평균 속력이라고도 한다. – 속력이 일정하게 증가하거나 감소할 때, 평균 속력$=\frac{\text{처음 속력}+\text{나중 속력}}{2}$ 이다.

$$\text{속력}=\frac{\text{이동 거리}}{\text{걸린 시간}},\ v=\frac{s}{t}$$

② 속력의 단위: m/s(미터 매 초), km/h(킬로미터 매 시) 등

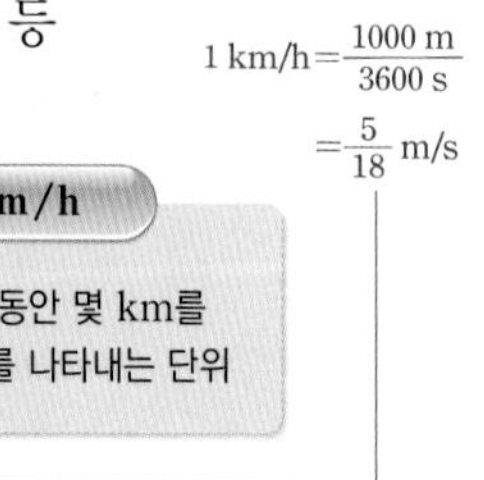

속력의 단위 환산
다음과 같은 과정을 통해 속력의 단위를 환산한다.
① 주어진 속력을 분자가 이동 거리, 분모가 시간인 분수 형태로 나타낸다.
② 환산하려는 단위에 맞추어 이동 거리와 시간의 단위를 각각 환산한다.
③ 분수를 간단히 하여 나타낸다.

예 $36\,\text{km/h}=\frac{36\,\text{km}}{1\,\text{h}}$ … ①
$=\frac{36000\,\text{m}}{(60\times60)\,\text{s}}$ … ②
$=10\,\text{m/s}$ … ③

자료 더하기 속력 구하기

어떤 자동차가 A에서 B까지 6 m를 이동하는 데 1초, B에서 C까지 4 m를 이동하는 데 4초가 걸렸다. 이때 각 구간에서의 속력은 다음과 같다.

구간	A~B 구간	B~C 구간	A~C 구간
이동 거리	6 m	4 m	6 m+4 m=10 m
걸린 시간	1초	4초	1초+4초=5초
속력	$\frac{6\text{ m}}{1\text{ s}}$=6 m/s	$\frac{4\text{ m}}{4\text{ s}}$=1 m/s	$\frac{10\text{ m}}{5\text{ s}}$=2 m/s — A~C까지 평균 속력

2. 운동의 기록 일정한 시간 간격으로 촬영한 사진이나 시간에 따른 그래프 등 여러 가지 방법으로 기록하여 해석할 수 있다.

(1) 일정한 시간 간격으로 촬영한 사진: 운동하는 물체를 일정한 시간 간격으로 촬영하여 한 장의 사진에 나타내면, 물체와 물체 사이의 거리는 같은 시간 간격 동안 이동한 거리인 속력으로 해석할 수 있다.

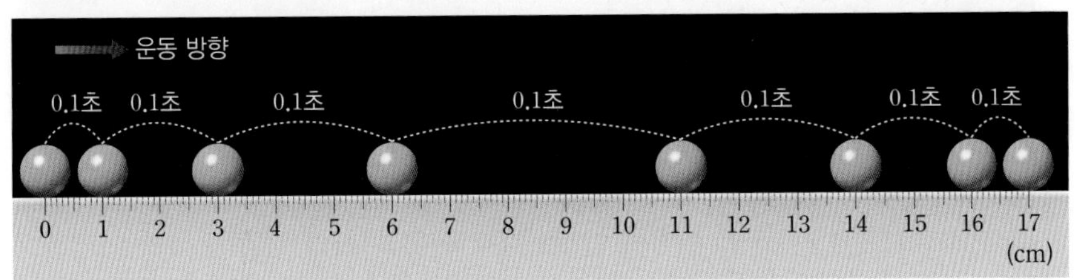

물체의 운동을 0.1초 간격으로 나타낸 다중 섬광 사진 시간이 지날수록 물체 사이의 간격이 점점 넓어지다가 좁아지므로, 물체의 속력은 점점 증가하다가 감소하는 것으로 해석할 수 있다.

(2) 시간에 따른 이동 거리 및 속력 그래프: 물체의 운동을 시간에 따른 이동 거리나 속력으로 나타낸 그래프를 해석하면 물체의 속력을 알 수 있다. 집중분석 133쪽

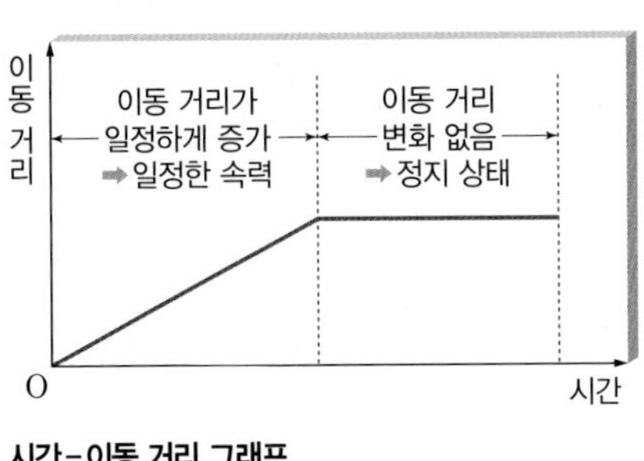

시간-이동 거리 그래프

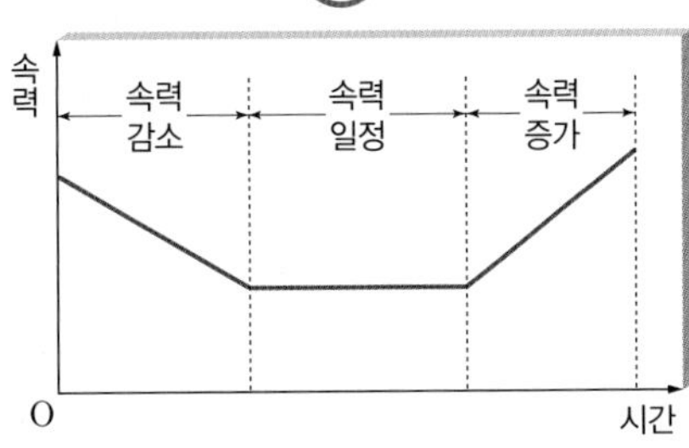

시간-속력 그래프

다중 섬광 사진과 시간 기록계
운동을 기록하는 방법으로 다중 섬광 사진이나 시간 기록계를 사용하기도 한다.

• 다중 섬광 사진: 어두운 곳에서 일정한 시간 간격으로 섬광을 내어 물체의 움직임을 한 장에 담아 낸 사진

• 시간 기록계: 일정한 시간 간격으로 물체와 연결된 종이 테이프에 타점을 찍어 물체의 운동을 기록하는 장치

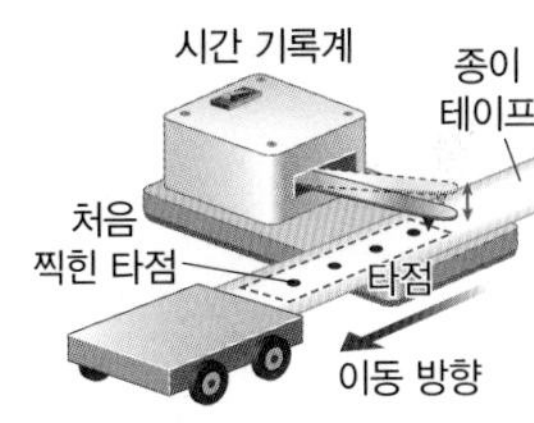

학습 내용 Check

정답과 해설 034 쪽

1. 단위 시간 동안 물체가 이동한 거리를 나타낸 값을 ________이라고 하며, 물체가 이동한 거리를 걸린 ________으로 나누어 구한다.

2. 물체의 운동을 일정한 시간 간격으로 촬영한 사진에서, 물체와 물체 사이의 거리는 ________으로 해석할 수 있다.

2 속력이 일정한 운동

1. **등속 운동** 무빙워크나 에스컬레이터, 스키장의 리프트는 일정한 빠르기로 운동한다. 이처럼 속력이 일정한 운동을 등속 운동이라고 한다.

무빙워크

에스컬레이터

스키장의 리프트

2. 등속 운동의 표현 집중 분석 134쪽

(1) 일정한 시간 간격으로 촬영한 사진: 물체의 속력이 일정하므로 같은 시간 동안 이동한 거리가 같다. 따라서 물체와 물체 사이의 간격이 일정하게 나타난다.

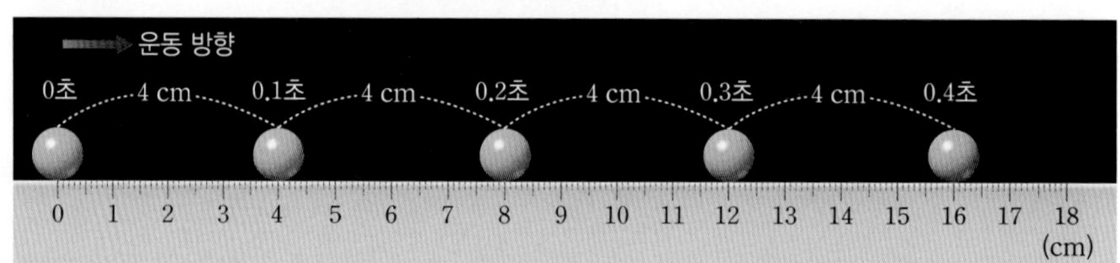

등속 운동을 하는 물체의 다중 섬광 사진 물체와 물체 사이의 시간 간격은 0.1초로 일정하다. 즉, 물체는 0.1초 동안 4 cm(=0.04 m)를 이동하는 일정한 속력으로 운동한다.

(2) 등속 운동 그래프: 물체의 속력이 일정하므로 이동 거리가 시간에 따라 일정하게 증가한다. 따라서 이를 나타낸 시간－이동 거리 그래프는 이동 거리가 시간에 비례하여 증가하는 직선 형태이고, 시간－속력 그래프는 시간축과 나란한 직선 형태이다.

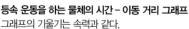

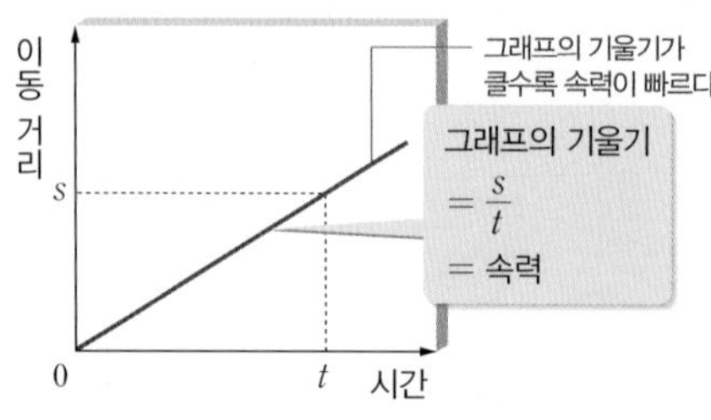

등속 운동을 하는 물체의 시간－이동 거리 그래프
그래프의 기울기는 속력과 같다.

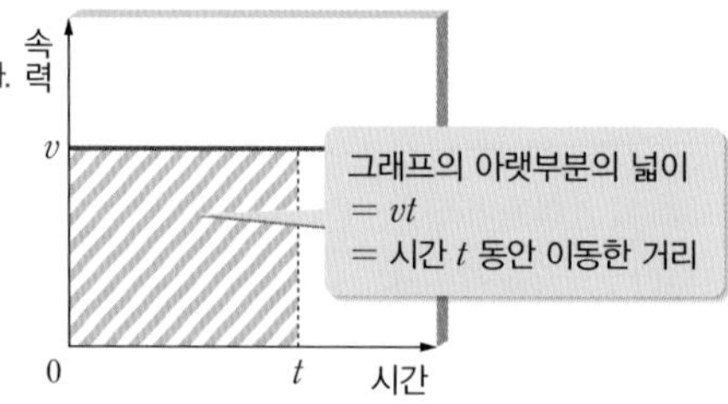

등속 운동을 하는 물체의 시간－속력 그래프
그래프의 아랫부분의 넓이는 이동 거리와 같다.

비례 관계
하나의 양이 2배, 3배, … 가 될 때 다른 양도 2배, 3배, … 가 되는 것을 비례 관계라고 한다. 비례 관계를 그래프로 나타내면 원점을 지나는 비스듬한 직선 형태이다.

그래프의 기울기
그래프가 기울어진 정도를 뜻하며, x축 값 변화량에 대한 y축 값 변화량의 비로 구한다.

$$\text{기울기} = \frac{y\text{축 값 변화량}}{x\text{축 값 변화량}}$$

학습 내용 Check

정답과 해설 034쪽

1. 속력이 일정한 운동을 ________이라고 한다.
2. 등속 운동을 하는 물체를 일정한 시간 간격으로 촬영한 사진에서 물체와 물체 사이의 간격은 ________하게 나타난다.
3. 등속 운동을 하는 물체의 시간－이동 거리 그래프는 이동 거리가 시간에 ________하는 직선 형태이고, 시간－속력 그래프는 시간축과 ________ 직선 형태이다.

3 떨어지는 물체의 운동

1. 자유 낙하 운동 공기 저항이 없을 때 공중에서 가만히 놓은 물체가 연직 아래 방향으로 떨어지는 운동을 자유 낙하 운동이라고 한다.

연직 아래 방향: 추를 매단 실이 나타내는 방향으로, 지면에 대해 수직이다.

(1) 물체가 자유 낙하 운동을 하게 하는 힘: 물체는 연직 아래 방향으로 작용하는 중력만을 받아 자유 낙하 운동을 한다.

(2) 자유 낙하 운동을 하는 물체의 속력 변화: 물체의 운동 방향과 같은 방향으로 작용하는 중력에 의해 물체는 속력이 1초마다 9.8 m/s씩 증가하는 운동을 한다.

속력=9.8×시간, $v=9.8t$

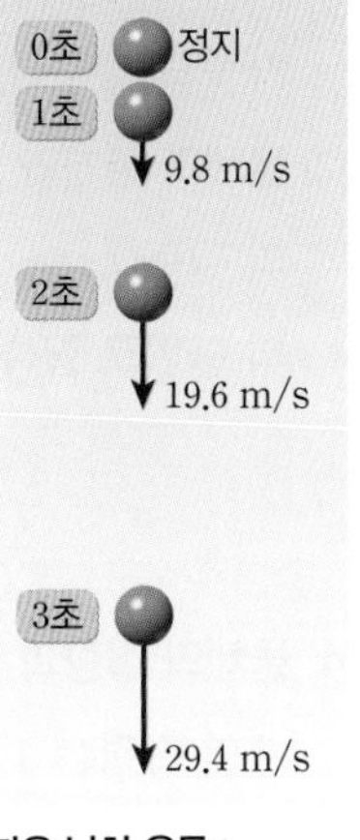

자유 낙하 운동

2. 자유 낙하 운동의 표현 집중분석 135쪽

(1) 일정한 시간 간격으로 촬영한 사진: 자유 낙하 운동을 하는 물체는 속력이 점점 증가하므로, 물체와 물체 사이의 간격이 점점 넓어진다.

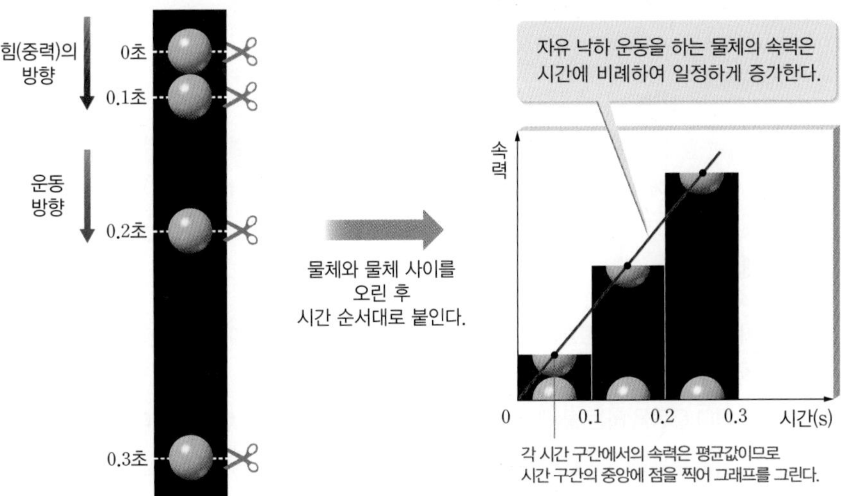

자유 낙하 운동을 하는 물체의 다중 섬광 사진 물체와 물체 사이의 간격은 같은 시간 동안 이동한 거리, 즉 속력과 같다. 따라서 물체와 물체 사이를 오린 후 시간 순서대로 붙이면 가로축은 시간, 세로축은 속력인 그래프와 같다.

(2) 자유 낙하 운동의 시간-속력 그래프: 속력이 시간에 비례하여 증가하는 직선 형태이다.

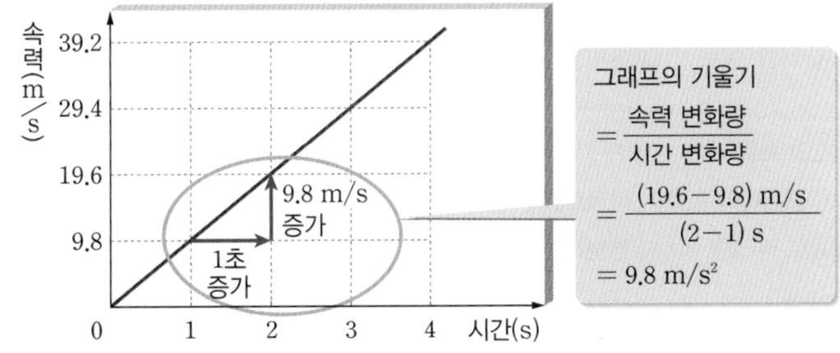

자유 낙하 운동을 하는 물체의 시간-속력 그래프 속력이 1초마다 9.8 m/s씩 일정하게 증가하는 직선 형태이다.

과학 용어 사전 242쪽

힘의 방향과 속력 변화의 관계

- 힘과 운동 방향이 같은 경우: 물체의 속력이 증가한다.
  예 경사면을 내려가는 스키 선수: 스키 선수는 경사면을 내려가던 방향으로 힘(중력의 빗면 아래 방향 성분)을 받으므로 속력이 증가한다.

- 힘과 운동 방향이 반대인 경우: 물체의 속력이 감소한다.
  예 도로에서 정지하는 자동차: 가속 페달을 밟지 않으면 달리던 자동차는 진행하던 방향과 반대 방향으로 힘(마찰력)을 받으므로 속력이 감소한다.

3. 중력 가속도 상수와 무게

용어 중력 가속도
자유 낙하 운동을 하는 물체의 시간에 따른 속력 변화 정도를 뜻한다. 중력 가속도의 단위는 m/s^2을 사용한다.

(1) **중력 가속도 상수:** 자유 낙하 운동을 하는 물체의 1초당 속력 변화량인 9.8을 중력 가속도 상수라고 한다.

(2) **물체의 무게와 중력 가속도 상수:** 물체에 작용하는 중력의 크기, 즉 무게(w)는 물체의 질량(m)에 중력 가속도 상수를 곱한 값과 같다. 이때 질량의 단위로 kg, 무게의 단위로 N(뉴턴)을 사용한다.

무게=9.8×질량, $w=9.8m$

4. 물체의 질량과 자유 낙하 운동

물체의 질량에 관계없이 자유 낙하 운동을 하는 물체의 속력은 1초마다 9.8 m/s씩 증가한다. → 같은 높이에서 동시에 자유 낙하 운동을 하는 물체는 질량에 관계없이 지면에 동시에 도달한다.

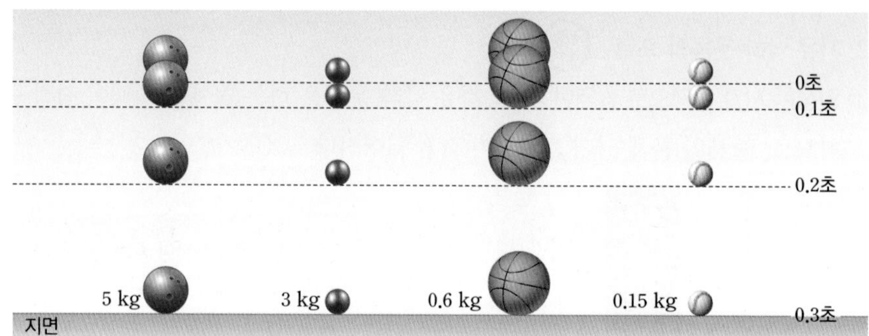

같은 높이에서 동시에 자유 낙하 하는 질량이 다른 네 물체 질량에 관계없이 지면에 동시에 도달한다.

학습 내용 Check

정답과 해설 034쪽

1. 공기 저항이 없을 때 공중에서 가만히 놓은 물체가 중력만을 받아 연직 아래 방향으로 떨어지는 운동을 ________이라고 한다.
2. 자유 낙하 운동을 하는 물체에는 연직 아래 방향으로 ________이 작용한다.
3. 자유 낙하 운동을 하는 물체의 속력은 질량에 관계없이 1초마다 ________ m/s씩 증가한다.

알고 보면 재미있는 과학 갈릴레이가 생각한 자유 낙하 운동

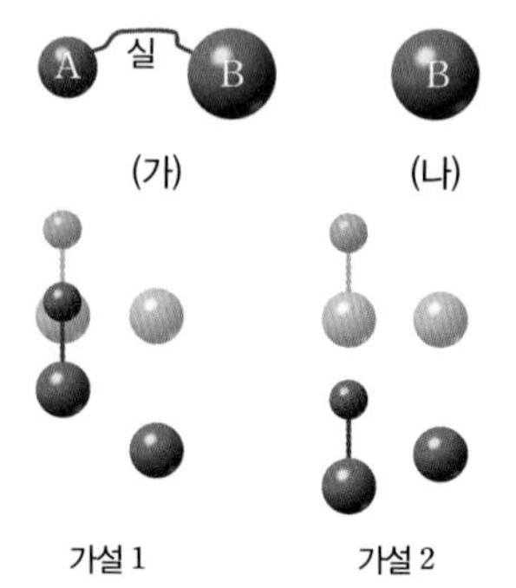

과거 사람들은 무거운 물체일수록 더 빠르게 떨어진다고 믿었다. 이에 의문을 제기한 갈릴레이는 다음과 같은 사고 실험으로 설명하였다. 무게가 다른 두 물체 A, B를 실로 연결하여 떨어뜨릴 때 (가)와 B를 그냥 떨어뜨릴 때 (나) 중 어떤 것이 먼저 떨어질까?

가설 1: 무거운 물체가 더 빠르게 떨어진다면 B보다 A의 속력이 더 느리게 증가할 것이고, (가)에서 A와 B는 실로 연결되어 있어 B를 그냥 떨어뜨린 (나)에서보다 (가)에서의 속력이 작으므로 (나)가 먼저 떨어질 것이다.

가설 2: (가)에서 A와 B가 연결되어 있어 하나의 물체로 본다면 (나)의 B보다 (가)가 무거우므로 (가)에서의 속력이 (나)에서의 속력보다 빨라 (가)가 먼저 떨어질 것이다.

갈릴레이는 이 사고 실험을 통해 똑같은 상황에서 두 가지 결과가 모두 성립할 수는 없으므로 물체의 무게와 물체가 떨어지는 속력은 관련이 없다고 주장하였다.

집중분석 시간에 따른 이동 거리 및 속력 그래프 분석하기

운동하는 물체의 이동 거리나 속력을 시간에 따라 나타낸 그래프를 보면 물체의 속력이 어떻게 달라지는지 한눈에 파악할 수 있다. 이러한 시간에 따른 이동 거리 및 속력 그래프를 분석하는 방법에 관하여 지금부터 알아보자.

1 시간－이동 거리 그래프 분석

그림은 일직선상에서 운동하는 어떤 물체의 시간－이동 거리 그래프를 나타낸 것이다. 이 그래프의 기울기는 속력을 의미하므로, 각 시간 구간에서의 속력을 구하면 다음과 같다.

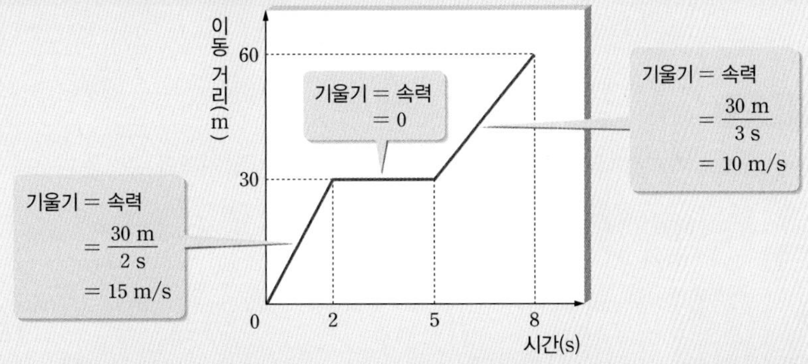

시간 구간	0초~2초 구간	2초~5초 구간	5초~8초 구간
그래프 형태	기울기가 일정한 직선 형태이다.	기울기가 0이다.	기울기가 일정한 직선 형태이다.
물체의 운동	일정한 속력으로 운동한다.	물체는 정지해 있다.	일정한 속력으로 운동한다.
물체의 속력	15 m/s	0	10 m/s

2 시간－속력 그래프 분석

위에서 표로 분석한 자료를 토대로 시간－속력 그래프를 그리면 다음과 같다. 이때 어떤 시간 구간에서 그래프 아랫부분의 넓이는 그 시간 동안 물체가 이동한 거리와 같다.

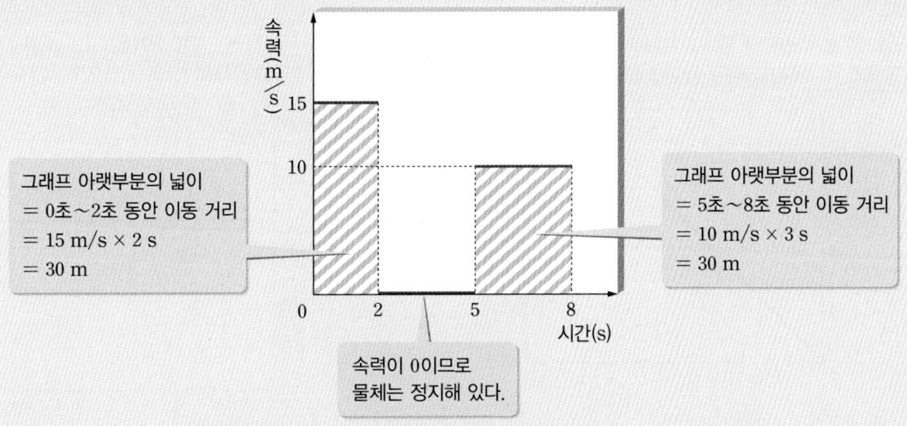

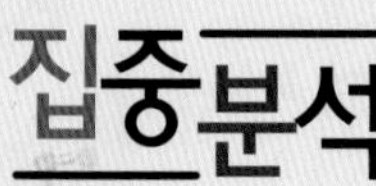

집중분석 등속 운동을 기록한 자료 분석하기

등속 운동을 기록한 다중 섬광 사진을 체계적으로 분석하면 물체의 속력을 알 수 있다. 이를 분석하는 방법과 시간에 따른 이동 거리 및 속력 그래프로 나타내는 방법에 관하여 지금부터 알아보자.

그림은 직선상에서 운동하는 물체의 모습을 0.1초 간격으로 나타낸 다중 섬광 사진이다.

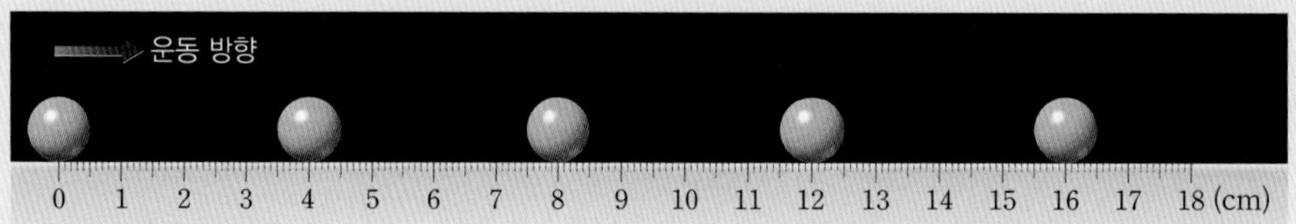

1 다중 섬광 사진 분석

다중 섬광 사진에 0.1초 간격으로 나타난 물체의 위치를 통해 물체의 이동 거리와 속력을 다음과 같이 정리한다.

시간	0초		0.1초		0.2초		0.3초		0.4초
물체의 위치	0 cm		4 cm		8 cm		12 cm		16 cm
구간 이동 거리		(4 cm－0 cm＝) 4 cm		(8 cm－4 cm＝) 4 cm		(12 cm－8 cm＝) 4 cm		(16 cm－12 cm＝) 4 cm	
구간 평균 속력		$\left(\frac{0.04\ \text{m}}{0.1\ \text{s}}=\right)$ 0.4 m/s		$\left(\frac{0.04\ \text{m}}{0.1\ \text{s}}=\right)$ 0.4 m/s		$\left(\frac{0.04\ \text{m}}{0.1\ \text{s}}=\right)$ 0.4 m/s		$\left(\frac{0.04\ \text{m}}{0.1\ \text{s}}=\right)$ 0.4 m/s	

구간 이동 거리

나중 위치에서 처음 위치를 빼서 구한다. 예를 들어 0초~0.1초 구간의 이동 거리는 0.1초일 때의 위치인 4 cm에서 0초일 때의 위치인 0 cm를 빼서 구한다.

구간 평균 속력

구간 이동 거리를 걸린 시간으로 나누어 구한다. 예를 들어 0초～0.1초 구간의 평균 속력은 그 시간 구간에서의 이동 거리인 4 cm를 걸린 시간인 0.1초로 나누어 구한다.

2 그래프로 나타내는 방법

위 표에 정리한 값을 토대로 다음과 같이 그래프로 나타낸다.

시간 - 이동 거리 그래프

표에서 정리한 '물체의 위치' 항목을 토대로 0.1초마다 각 순간에 해당하는 물체의 위치에 점을 찍은 후, 이를 선으로 연결한다.

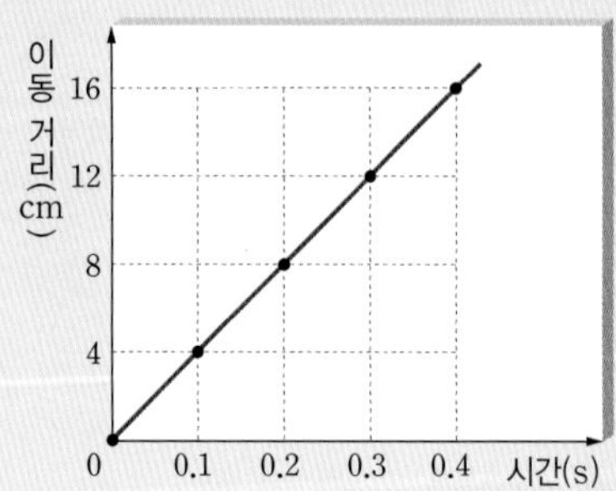

시간 - 속력 그래프

표에서 정리한 '구간 평균 속력' 항목은 0.1초 시간 간격마다의 평균 속력이다. 이 항목을 토대로 0.1초 시간 간격의 가운데에 해당하는 속력에 점을 찍은 후, 이를 선으로 연결한다.

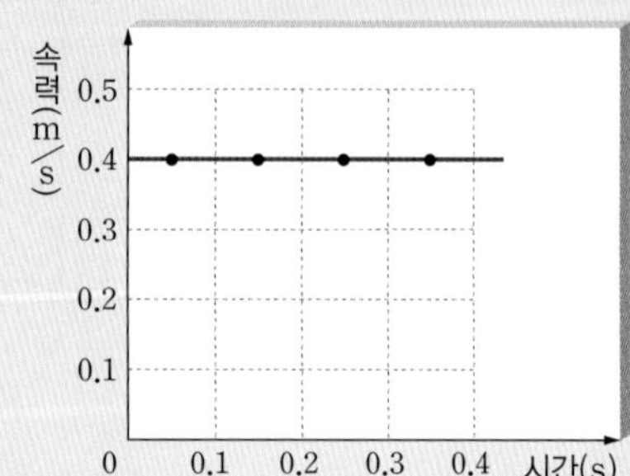

집중분석 자유 낙하 운동을 기록한 자료 분석하기

자유 낙하 운동을 기록한 다중 섬광 사진을 체계적으로 분석하면 물체의 속력 변화를 알 수 있다. 이를 분석하는 방법과 시간에 따른 이동 거리 및 속력 그래프로 나타내는 방법에 관하여 지금부터 알아보자.

오른쪽 그림은 자유 낙하 운동을 하는 물체를 1초 간격으로 나타낸 다중 섬광 사진이다.

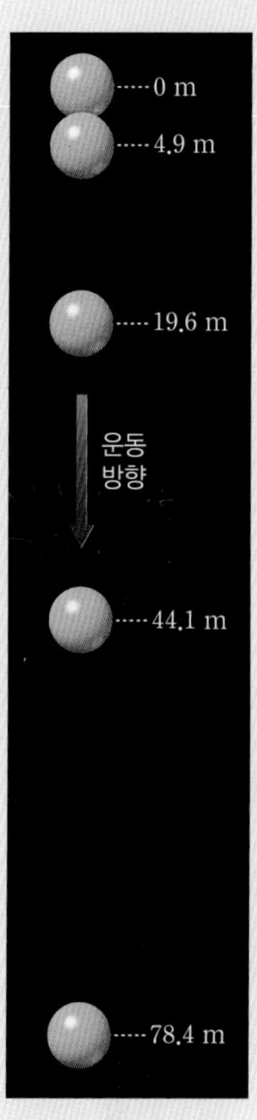

1 다중 섬광 사진 분석

1초 간격으로 나타난 물체의 위치를 통해 물체의 이동 거리와 속력을 다음과 같이 정리한다.

시간	0초	1초	2초	3초	4초
물체의 위치	0 m	4.9 m	19.6 m	44.1 m	78.4 m
구간 이동 거리	(4.9 m − 0 m =) 4.9 m	(19.6 m − 4.9 m =) 14.7 m	(44.1 m − 19.6 m =) 24.5 m	(78.4 m − 44.1 m =) 34.3 m	
구간 평균 속력	$\left(\frac{4.9\text{ m}}{1\text{ s}}=\right)$ 4.9 m/s	$\left(\frac{14.7\text{ m}}{1\text{ s}}=\right)$ 14.7 m/s	$\left(\frac{24.5\text{ m}}{1\text{ s}}=\right)$ 24.5 m/s	$\left(\frac{34.3\text{ m}}{1\text{ s}}=\right)$ 34.3 m/s	
속력 변화		(14.7 m/s − 4.9 m/s =) 9.8 m/s	(24.5 m/s − 14.7 m/s =) 9.8 m/s	(34.3 m/s − 24.5 m/s =) 9.8 m/s	

구간 평균 속력과 속력 변화

자유 낙하 운동을 하는 물체의 속력은 시간에 비례하여 일정하게 증가한다. 따라서 구간 평균 속력은 그 시간 구간의 가운데일 때의 속력과 같다. 예를 들어 0초~1초 구간 평균 속력인 4.9 m/s는 그 시간 구간의 가운데인 0.5초일 때의 속력과 같다. 따라서 이웃한 구간 평균 속력의 차이는 1초 동안 속력이 얼마나 변했는지를 나타낸다. 예를 들어 0초~1초 구간 평균 속력과 1초~2초 구간 평균 속력 차이는 0.5초와 1.5초일 때의 속력 차이, 즉 1초 동안의 속력 변화와 같다.

2 그래프로 나타내는 방법

위 표에 정리한 값을 토대로 다음과 같이 그래프로 나타낸다.

시간 – 이동 거리 그래프

표에서 정리한 '물체의 위치' 항목을 토대로 1초마다 각 순간에 해당하는 물체의 위치에 점을 찍은 후, 이를 선으로 연결한다.

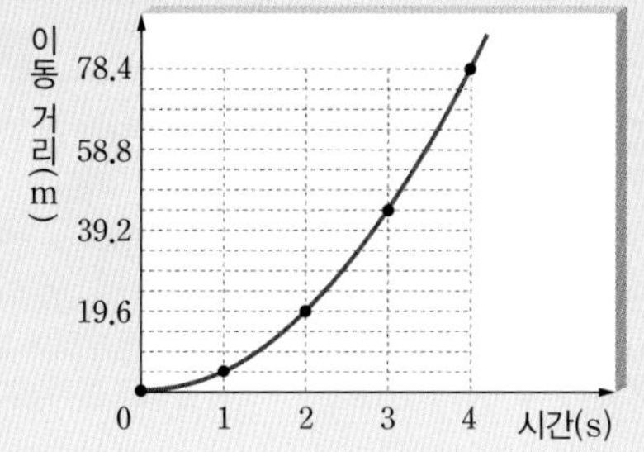

시간 – 속력 그래프

표에서 정리한 '구간 평균 속력' 항목을 토대로 1초 시간 간격의 가운데에 해당하는 속력에 점을 찍은 후, 이를 선으로 연결한다.

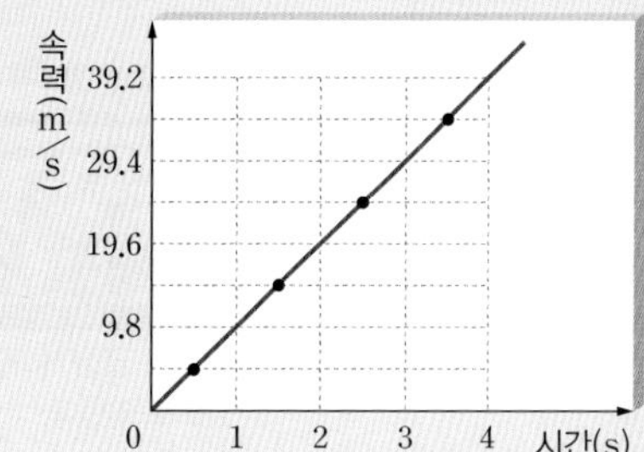

심화

관성과 물체의 운동

달리는 자동차는 브레이크를 밟아도 바로 멈추지 않고 일정 거리를 움직인 후에 멈춘다. 움직이던 자동차가 계속 움직이던 까닭은 무엇일까? 물체의 상태를 유지하려는 성질인 관성에 대해 알아보자.

1 갈릴레이의 사고 실험

(1) 갈릴레이의 사고 실험: 마찰이 없다면 빗면의 한쪽 끝 A 지점에서 내려간 공은 처음과 같은 높이인 B 지점까지 올라갈 것이다. 이때 맞은편 빗면이 완만할수록 공은 같은 높이인 B 지점까지 올라가기 위해 더 멀리 운동할 것이다. 그렇다면 맞은편 빗면이 수평면과 나란할 때에는 공은 영원히 운동할 것이다.

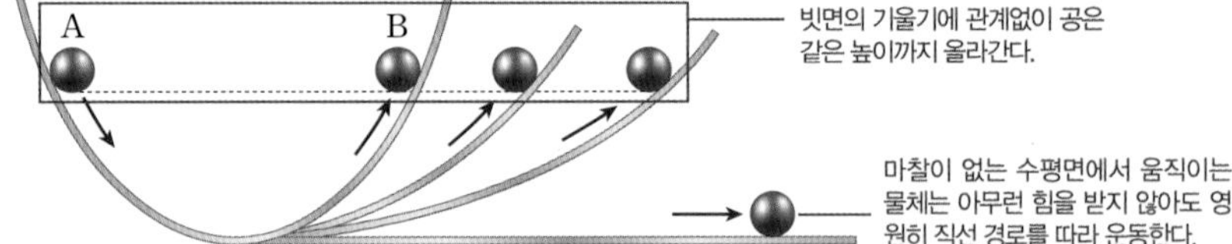
A
B
빗면의 기울기에 관계없이 공은 같은 높이까지 올라간다.
마찰이 없는 수평면에서 움직이는 물체는 아무런 힘을 받지 않아도 영원히 직선 경로를 따라 운동한다.

(2) 힘과 물체의 운동: 마찰이 없는 수평면에서 움직이는 물체에는 작용하는 힘이 없다. 이때 물체는 운동 방향과 속력을 계속 유지하는 운동을 한다. 즉, 운동하는 물체에 작용하는 힘이 0이면, 그 물체는 일직선상에서 등속 운동을 한다.

2 관성

(1) 관성: 물체에 힘이 작용하지 않을 때 물체가 원래의 운동 상태를 계속 유지하려는 성질을 말한다.

(2) 관성에 의한 현상

① 정지해 있던 물체의 관성: 정지해 있는 물체에 힘이 작용하지 않으면, 물체는 계속 정지해 있으려는 관성을 나타낸다.

부우우우웅~
500
팡
팡

버스가 급출발하면 승객의 몸이 뒤로 쏠린다.	종이를 손가락으로 퉁겨 날리면 동전은 컵 속으로 떨어진다.	이불을 두드리면 먼지가 이불에서 떨어져 나온다.

② 운동하던 물체의 관성: 운동하는 물체에 힘이 작용하지 않으면, 물체는 운동 방향과 속력을 계속 유지하려는 관성을 나타낸다.

끼이이이익~
쿵
쿵

버스가 급정거하면 승객의 몸이 앞으로 쏠린다.	망치 자루를 내려치면 망치 머리가 자루에 꽉 끼어 고정된다.	걷다가 돌부리에 발이 걸리면 몸이 앞으로 쏠려 넘어진다.

중단원 핵심 정리

01. 운동

1 운동

① **운동**: 시간에 따라 물체의 위치가 변하는 것

② **속력**: 단위 시간 동안 물체가 이동한 거리로, 운동하는 물체의 빠르기를 나타낸다.(단위: m/s, km/h 등)

$$속력=\frac{이동\ 거리}{걸린\ 시간},\ v=\frac{s}{t}$$

- 걸린 시간이 같을 때: 이동한 거리가 클수록 빠르다.
- 이동한 거리가 같을 때: 걸린 시간이 짧을수록 빠르다.

③ **일정한 시간 간격으로 촬영한 사진**: 물체와 물체 사이의 거리는 속력으로 해석할 수 있다.

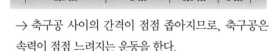

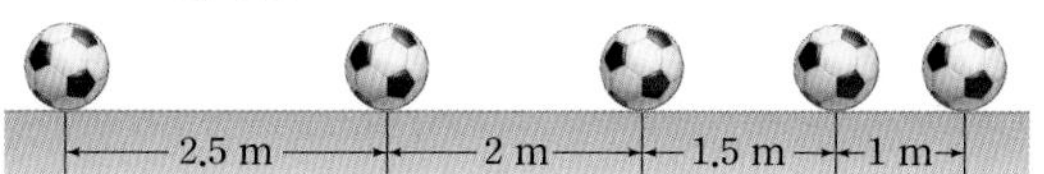

→ 축구공 사이의 간격이 점점 좁아지므로, 축구공은 속력이 점점 느려지는 운동을 한다.

2 속력이 일정한 운동

① **등속 운동**: 속력이 일정한 운동

예 무빙워크, 에스컬레이터, 스키장의 리프트 등

② **등속 운동을 일정한 시간 간격으로 촬영한 사진**: 물체와 물체 사이의 거리가 일정하다.

③ **등속 운동 그래프**

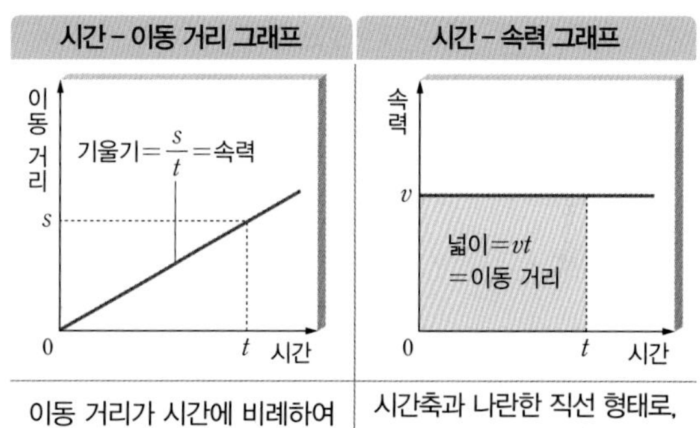

시간 - 이동 거리 그래프	시간 - 속력 그래프
이동 거리가 시간에 비례하여 증가하는 직선 형태로, 그래프의 기울기는 속력과 같다.	시간축과 나란한 직선 형태로, 그래프의 아랫부분의 넓이는 이동 거리와 같다.

3 떨어지는 물체의 운동

① **자유 낙하 운동**: 공기 저항이 없을 때 공중에서 가만히 놓은 물체가 중력만을 받아 연직 아래 방향으로 떨어지는 운동

② **자유 낙하 운동을 하는 물체의 속력 변화**: 물체의 질량에 관계없이 물체의 속력은 1초마다 9.8 m/s씩 증가한다. 이때 9.8을 중력 가속도 상수라고 한다.

$$속력=9.8\times 시간,\ v=9.8t$$

③ **자유 낙하 운동의 시간 - 속력 그래프**: 속력이 시간에 비례하여 증가하는 직선 형태이며, 그래프의 기울기는 중력 가속도 상수와 같다.

④ 같은 높이에서 동시에 자유 낙하 하는 물체는 질량에 관계없이 지면에 동시에 도달한다.

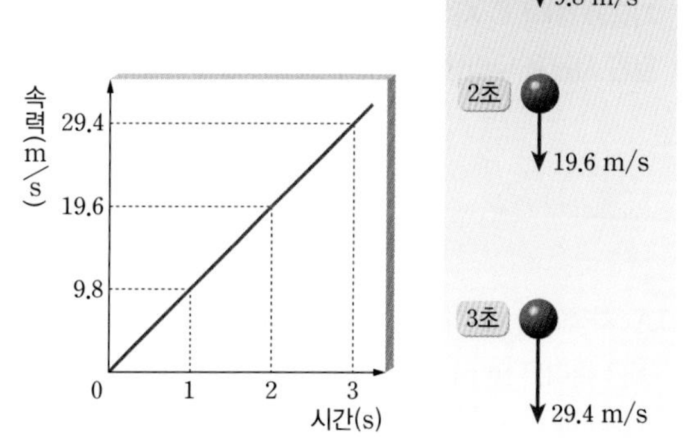

개념 확인 문제

01. 운동

01 물체의 운동에 대한 설명으로 옳은 것을 보기에서 모두 고른 것은?

보기
ㄱ. 시간에 따라 물체의 위치가 변하는 것을 뜻한다.
ㄴ. 물체가 빠르게 운동할수록 같은 시간 동안 이동한 거리가 크다.
ㄷ. 물체가 느리게 운동할수록 같은 거리를 이동하는 데 걸린 시간이 길다.

① ㄱ ② ㄴ ③ ㄱ, ㄷ
④ ㄴ, ㄷ ⑤ ㄱ, ㄴ, ㄷ

중요
02 표는 세 학생이 약속 장소에 도달할 때까지 걸린 시간과 이동 거리를 나타낸 것이다.

구분	지우	은수	우재
걸린 시간	8분	4분	4분
이동 거리	400 m	200 m	400 m

세 학생의 속력을 등호 또는 부등호를 사용하여 비교하시오.

03 그림은 직선 경로를 따라 장난감 자동차가 A 지점에서 B 지점을 지나 C 지점까지 이동할 때 각 구간의 이동 거리와 걸린 시간을 나타낸 것이다.

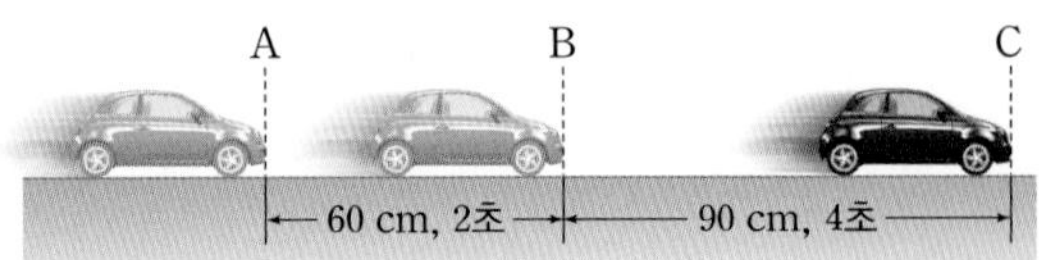

A 지점에서 C 지점까지 이동하는 동안 장난감 자동차의 평균 속력은 몇 m/s인가?

① 0.025 m/s ② 0.225 m/s ③ 0.25 m/s
④ 2.5 m/s ⑤ 25 m/s

04 그림은 직선 경로를 따라 각각 등속 운동을 하는 두 장난감 자동차 A와 B의 위치를 1초 간격으로 나타낸 것이다.

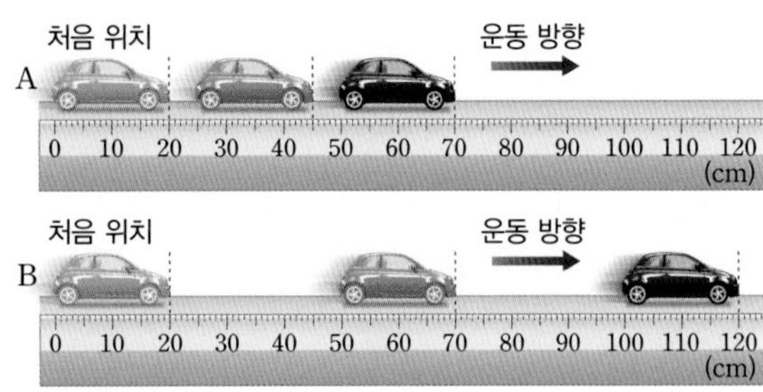

이에 대한 설명으로 옳은 것은?

① A의 속력은 50 cm/s이다.
② A의 속력은 B의 속력의 2배이다.
③ B는 4초 동안 2 m만큼 이동한다.
④ 같은 시간 동안 이동한 거리는 A가 B보다 크다.
⑤ 같은 거리를 이동하는 데 걸린 시간은 A가 B보다 짧다.

중요
05 그림은 어떤 물체의 시간에 따른 이동 거리를 나타낸 것이다.

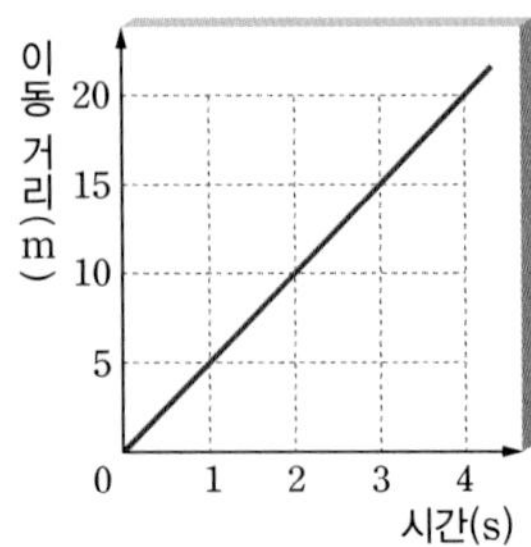

이에 대한 설명으로 옳은 것을 보기에서 모두 고른 것은?

보기
ㄱ. 물체는 속력이 점점 증가하는 운동을 한다.
ㄴ. 0초부터 1초까지 물체는 2.5 m만큼 이동한다.
ㄷ. 3초일 때 물체의 속력은 5 m/s이다.

① ㄱ ② ㄴ ③ ㄷ
④ ㄱ, ㄴ ⑤ ㄴ, ㄷ

06 그림은 어떤 물체의 시간에 따른 속력을 나타낸 것이다.

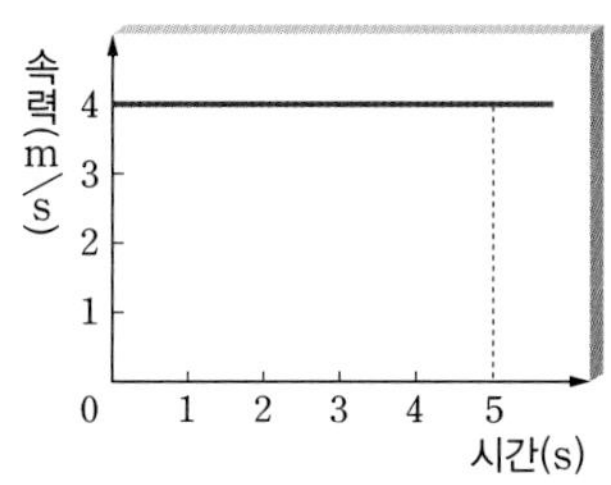

이에 대한 설명으로 옳지 <u>않은</u> 것은?

① 물체는 등속 운동을 한다.

② 그래프의 기울기는 속력과 같다.

③ 물체는 1초마다 4 m를 이동한다.

④ 물체의 이동 거리는 시간에 비례한다.

⑤ 물체는 5초 동안 20 m만큼 이동하였다.

07 표는 두 물체 A와 B의 시간에 따른 이동 거리를 나타낸 것이다.

시간(s)	0	1	2	3	4	5
A의 이동 거리(m)	0	2	4	6	8	10
B의 이동 거리(m)	0	4	8	12	16	20

A와 B의 운동을 나타낸 시간에 따른 속력 그래프로 옳은 것은?

①
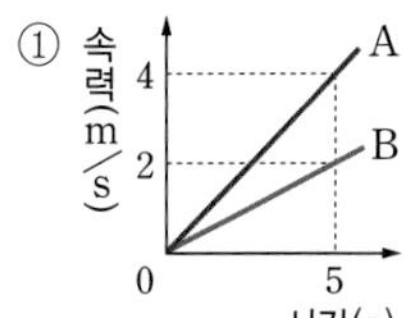

②
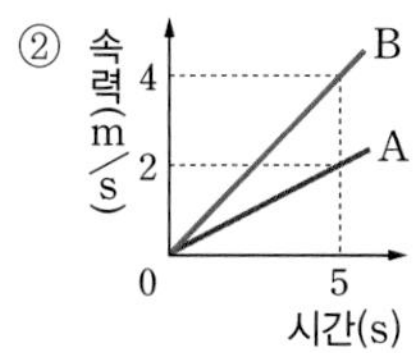

③
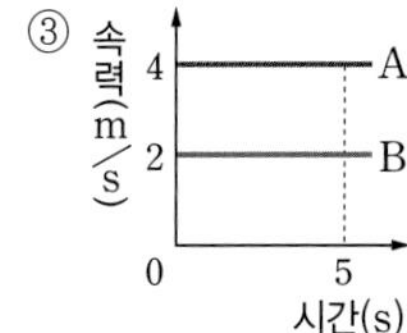

④
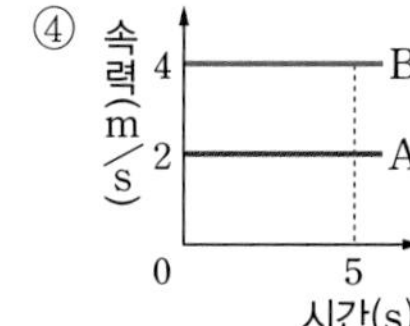

⑤
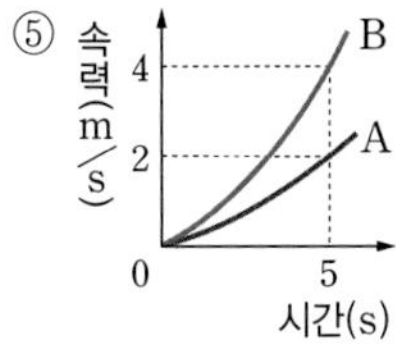

08 (중요) 다음 물체들의 공통적인 운동 모습으로 적절한 것은?

- 스키장의 리프트
- 지하철 역의 무빙워크
- 백화점의 에스컬레이터
- 공항의 수하물 컨베이어

① 속력이 일정한 운동

② 속력이 점점 빨라지는 운동

③ 속력이 점점 느려지는 운동

④ 속력과 운동 방향이 동시에 계속 변하는 운동

⑤ 운동 방향은 일정하고 속력이 계속 변하는 운동

09 (중요) 그림은 두 물체 A와 B의 시간에 따른 이동 거리를 나타낸 것이다.

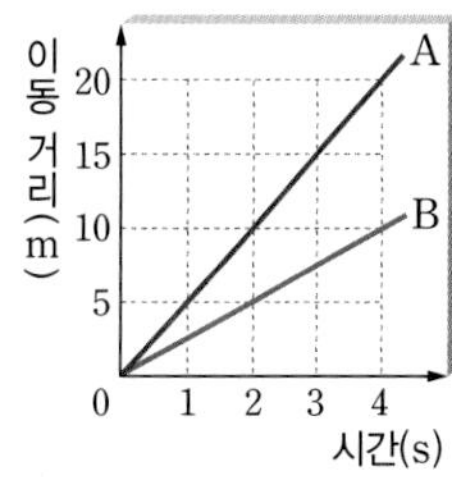

A와 B의 속력의 비(A : B)를 구하시오.

10 구간 단속은 그림과 같이 구간의 시작과 끝 지점에 카메라를 설치하고 자동차가 두 카메라 사이를 지나가는 시간을 측정하여 과속 여부를 가려내는 단속 방법이다.

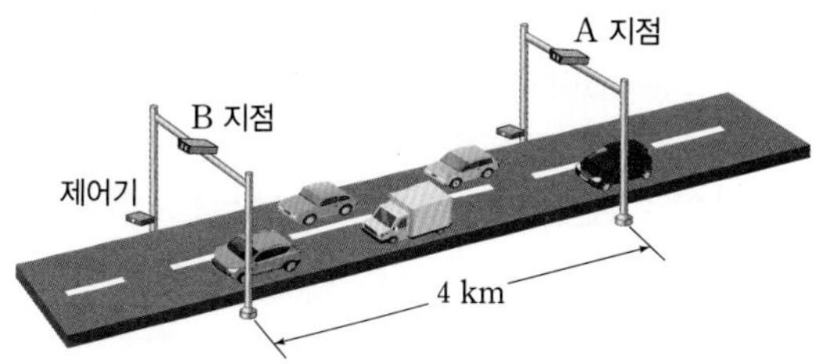

구간 단속 A와 B 지점 사이의 거리가 4 km일 때, 어떤 자동차가 제한 속력인 80 km/h로 등속 운동을 한다면, 이 구간을 통과하는 데 걸리는 시간은 몇 분인가?

① 2분　② 3분　③ 4분　④ 5분　⑤ 6분

11 자유 낙하 운동에 대한 설명으로 옳은 것은?

① 물체의 속력이 0이 될 때까지의 운동이다.
② 물체에 힘이 작용하지 않을 때의 운동이다.
③ 물체가 일정한 속력으로 이동할 때의 운동이다.
④ 공중에서 정지해 있던 물체가 중력만을 받아 떨어지는 운동이다.
⑤ 진공 중에서 물체에 일정하지 않은 크기의 힘이 작용할 때의 운동이다.

12 오른쪽 그림은 질량이 500 g인 공을 O점에서 가만히 놓은 순간부터 0.1초 간격으로 공의 운동을 나타낸 것이다. 이에 대한 설명으로 옳지 않은 것은? (단, 중력 가속도 상수는 9.8이고, 공기와의 마찰은 무시한다.)

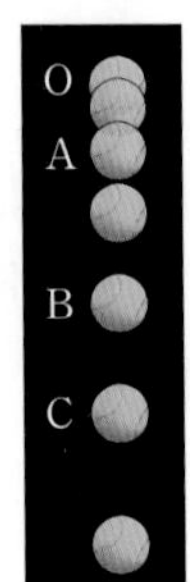

① 공은 자유 낙하 운동을 한다.
② O점에서 공에 작용하는 중력의 크기는 4.9 N이다.
③ B점에서의 속력은 A점에서의 2배이다.
④ C점에서 공의 속력은 4.9 m/s이다.
⑤ 공에 작용하는 중력의 크기는 A점에서가 B점에서보다 크다.

13 중요 오른쪽 그림 (가), (나)는 가벼운 깃털과 무거운 구슬을 공기 중과 진공 중에서 동시에 가만히 놓았을 때의 모습을 일정한 시간 간격으로 순서없이 나타낸 것이다. 이에 대한 설명으로 옳지 않은 것은? (단, 중력 가속도 상수는 9.8이다.)

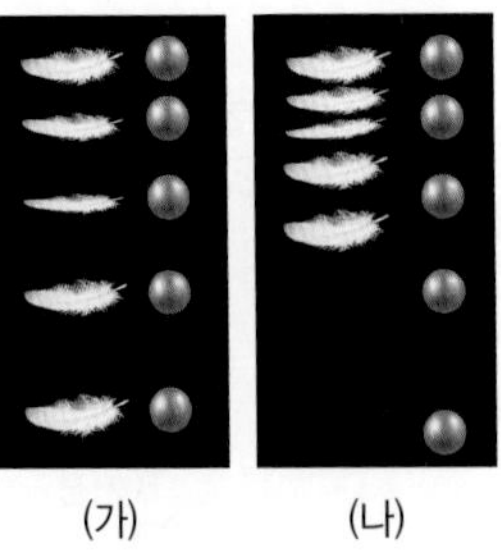
(가) (나)

① (가)의 두 물체에는 힘이 작용하지 않는다.
② (가)의 두 물체는 자유 낙하 운동을 한다.
③ (나)는 공기 중에서 낙하할 때의 모습이다.
④ (나)에서는 공기와의 마찰 때문에 깃털이 지면에 나중에 도달한다.
⑤ (가)에서는 두 물체의 속력이 1초마다 9.8 m/s씩 일정하게 증가한다.

14 자유 낙하 운동을 하는 물체의 속력과 시간의 관계 그래프로 옳은 것은?

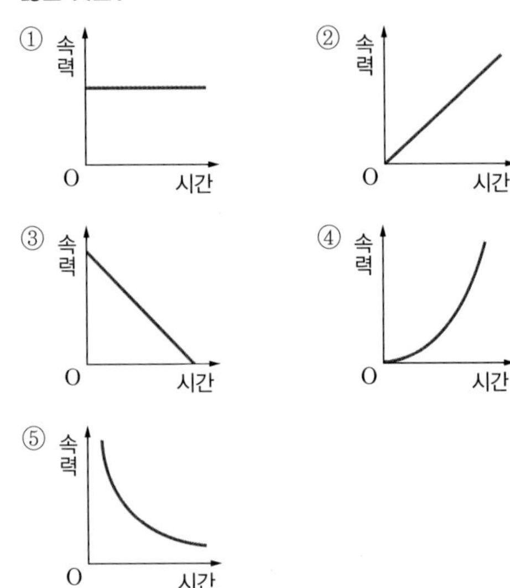

15 표는 자유 낙하 운동을 하는 어떤 물체의 시간에 따른 속력을 나타낸 것이다.

시간(초)	0	1	2	3	4
속력(m/s)	0	9.8	19.6	29.4	39.2

이에 대한 설명으로 옳은 것을 보기에서 모두 고른 것은?

보기
ㄱ. 물체의 속력은 일정하게 증가한다.
ㄴ. 5초일 때 물체의 속력은 78.4 m/s가 된다.
ㄷ. 물체의 질량을 2배로 하면 물체의 속력은 1초마다 4.9 m/s씩 일정하게 증가한다.

① ㄱ ② ㄴ ③ ㄷ
④ ㄱ, ㄴ ⑤ ㄴ, ㄷ

16 오른쪽 그림과 같이 질량이 100 g인 물체 A와 질량이 200 g인 물체 B를 같은 높이에서 동시에 떨어뜨렸다. 지면에 도달하는 순간까지 A와 B의 속력 변화의 비(A : B)를 쓰시오. (단, 공기와의 마찰은 무시한다.)

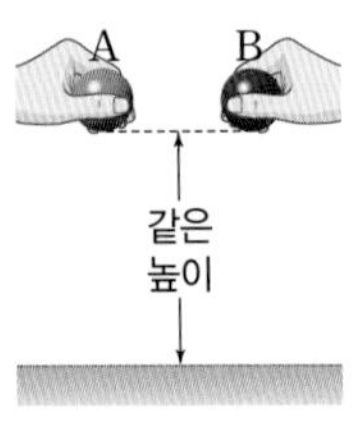

정답과 해설 035쪽

01 그림과 같이 영희가 자전거를 타고 집에서 반환점까지 갈 때는 평균 속력이 6 m/s이고, 반환점에서 집까지 올 때는 평균 속력이 3 m/s이었다.

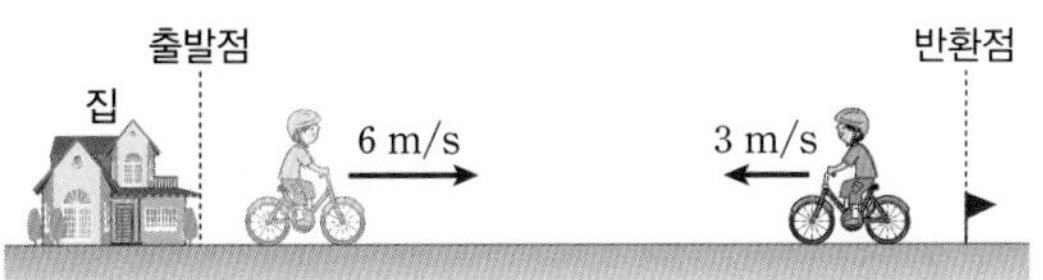

집에서 출발하여 반환점을 돌아 다시 집에 도착할 때까지 2분이 걸렸다면 영희가 자전거를 타고 이동한 거리는 몇 m인가? (단, 반환점을 도는 데 걸리는 시간은 무시한다.)

① 360 m ② 480 m ③ 540 m
④ 600 m ⑤ 720 m

02 그림은 직선 경로를 따라 운동하는 어떤 물체의 시간에 따른 속력을 나타낸 것이다.

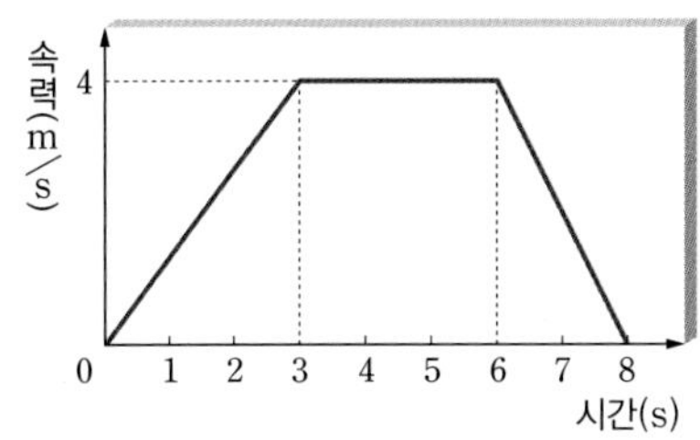

이 물체의 운동에 대한 설명으로 옳은 것은?

① 0초~3초 동안 속력은 일정하게 감소한다.
② 6초~8초 동안 평균 속력은 4 m/s이다.
③ 0초~8초 동안 이동한 거리는 22 m이다.
④ 0초~8초 동안 평균 속력은 2 m/s이다.
⑤ 등속 운동을 하는 동안 이동한 거리는 24 m이다.

03 오른쪽 그림은 진공 중에서 질량이 100 g인 물체를 가만히 놓았을 때 물체의 위치를 1초 간격으로 나타낸 것이다. 이 물체의 운동에 대한 설명으로 옳은 것은? (단, 중력 가속도 상수는 9.8이다.)

0초 0
1초 4.9
2초 19.6
3초 44.1
이동 거리 (m)

① 3초인 순간 물체의 속력은 29.4 m/s이다.
② 물체에 작용하는 중력의 크기는 9.8 N이다.
③ 0초~3초 동안 물체의 이동 거리는 68.6 m이다.
④ 0초~1초 동안 물체의 평균 속력은 9.8 m/s이다.
⑤ 물체에는 연직 위 방향으로 중력이 작용한다.

04 오른쪽 그림은 어떤 물체의 운동을 1초에 60타점을 찍는 시간기록계로 기록한 후 종이테이프를 6타점 간격으로 잘라 시간 순서대로 붙였을 때의 모습이다. 이에 대한 설명으로 옳은 것을 보기에서 모두 고른 것은?

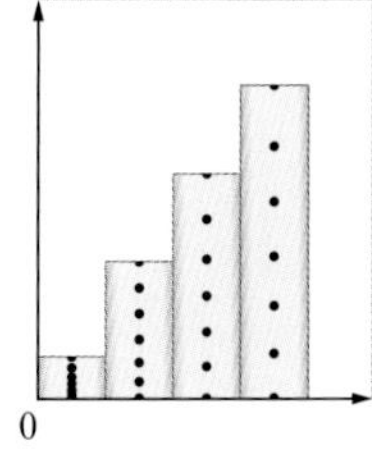

보기
ㄱ. 물체는 속력이 일정한 운동을 하였다.
ㄴ. 시간에 따라 타점 사이의 간격은 점점 넓어졌다.
ㄷ. 각각의 종이테이프의 길이는 $\frac{1}{60}$초 동안 물체의 이동 거리를 나타낸다.

① ㄱ ② ㄴ ③ ㄷ
④ ㄱ, ㄴ ⑤ ㄴ, ㄷ

서술형 문제

01. 운동

☞ 제시된 Keyword를 이용하여 문제를 해결해 보자.

1 그림은 직선 경로를 따라 운동하는 물체를 1초 간격으로 나타낸 것이다.

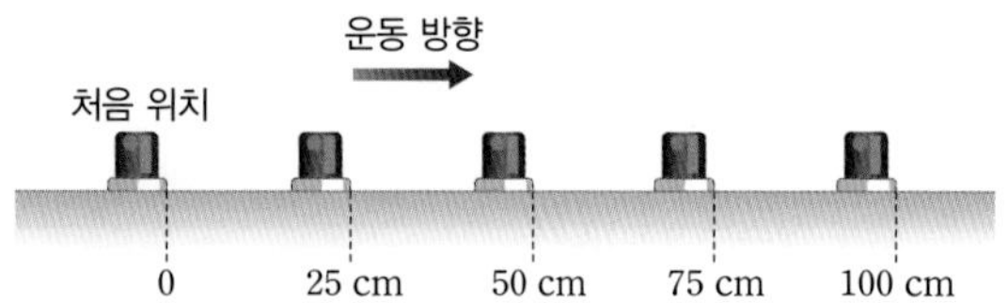

(1) 물체의 운동을 시간에 따른 속력 그래프로 나타내시오.

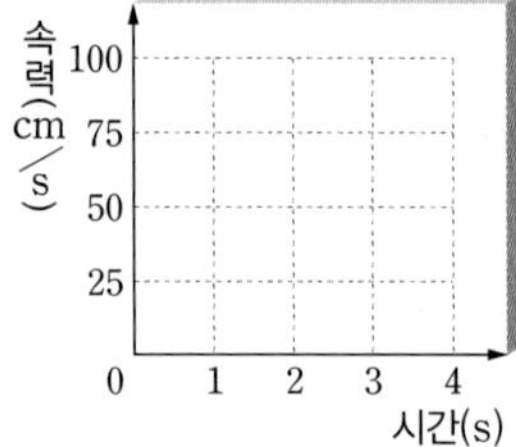

(2) 물체는 어떤 운동을 하는지 시간에 따른 이동 거리 변화와 관련지어 설명하시오.

Keyword 시간, 이동 거리, 등속 운동

2 그림은 직선 경로를 따라 운동하는 두 물체 A와 B의 시간에 따른 속력을 나타낸 것이다.

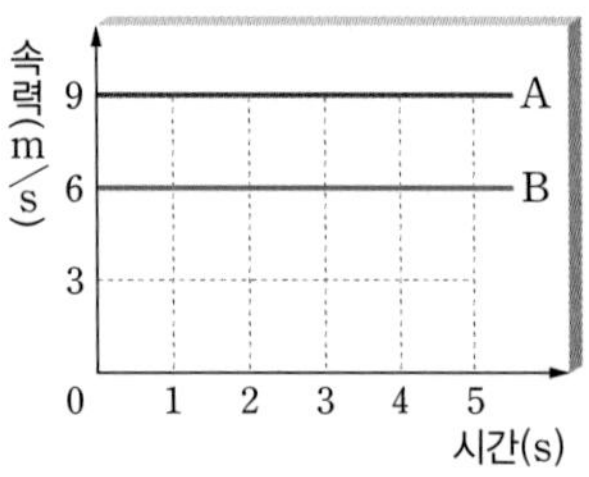

A와 B가 출발선에서 같은 방향으로 동시에 출발하였을 때, 5초 후 A와 B 사이의 거리는 몇 m인지 풀이 과정과 함께 설명하시오.

Keyword 이동 거리, 속력, 시간

3 오른쪽 그림은 높은 곳에서 다이빙을 하는 사람의 모습을 나타낸 것이다. (단, 공기와의 마찰은 무시한다.)

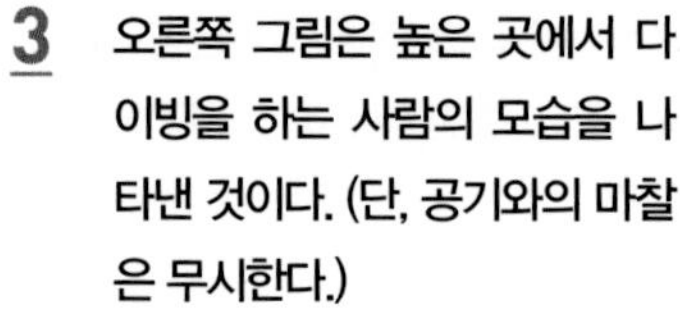

(1) 낙하하는 동안 사람에게 작용하는 힘의 종류와 힘의 방향을 쓰시오.

(2) 낙하하는 동안 사람의 속력은 어떻게 변하는지 그 까닭과 함께 설명하시오.

Keyword 낙하, 중력, 속력

4 그림은 질량이 5 kg인 물체 A와 질량이 3 kg인 물체 B가 자유 낙하 운동을 하는 모습을 0.3초 간격으로 나타낸 것이다.

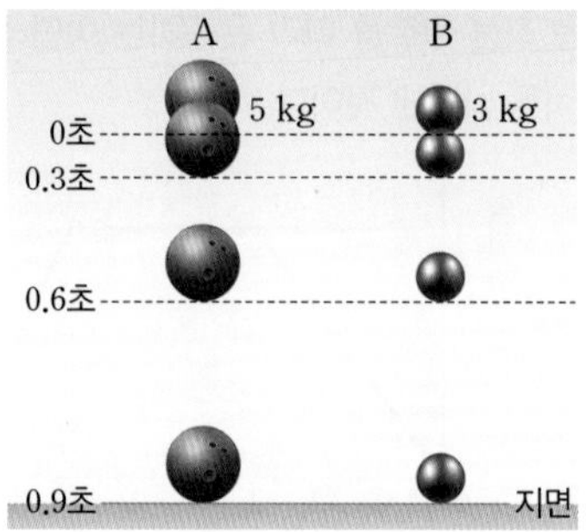

A와 B 각각에 작용하는 중력의 크기를 구하고, 물체의 질량과 속력 변화의 관계를 설명하시오.

Keyword 자유 낙하 운동, 속력 변화, 질량

5 그림은 세 물체 A~C의 시간에 따른 이동 거리를 나타낸 것이다.

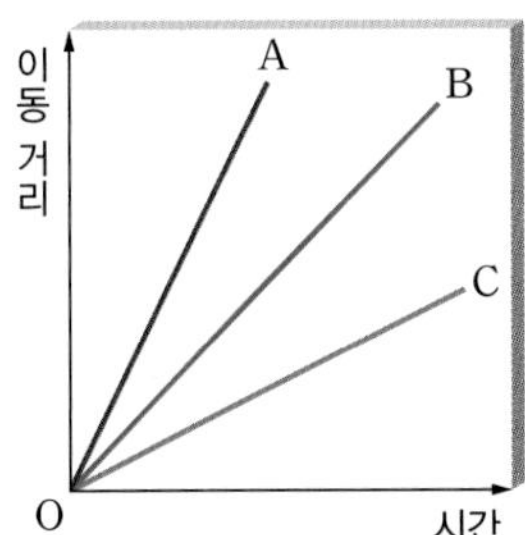

A~C 중 속력이 가장 빠른 물체를 고르고, 그 까닭을 설명하시오.

Keyword 그래프, 기울기, 속력

6 다음은 일상생활에서 볼 수 있는 여러 가지 물체의 운동을 나타낸 것이다.

무빙워크의 운동 에스컬레이터의 운동 스키장 리프트의 운동

(1) 위 물체들의 운동의 공통적인 특징을 설명하시오.

Keyword 속력

(2) 위 물체들의 시간에 따른 이동 거리 그래프를 대략적으로 그리시오.

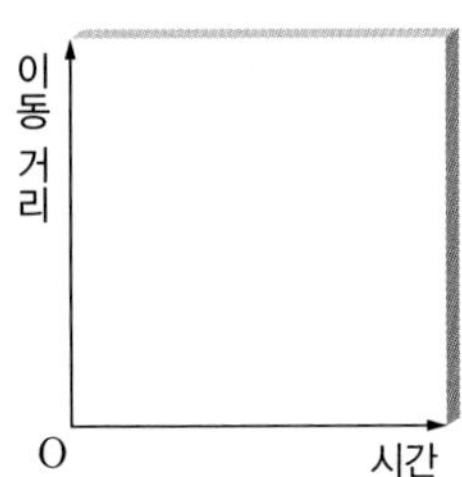

7 그림과 같이 가벼운 깃털과 무거운 구슬이 각각 들어 있는 속이 진공인 두 관을 동시에 세워, 두 물체가 같은 높이에서 동시에 자유 낙하 운동을 하게 하였다.

깃털과 구슬 중 어느 것이 바닥에 먼저 떨어지는지를 쓰고, 그 까닭을 설명하시오. (단, 중력 가속도 상수는 9.8이다.)

Keyword 자유 낙하 운동, 속력, 9.8 m/s

8 표는 어떤 물체를 진공 중에서 가만히 놓았을 때 1초 간격의 시간 구간마다 물체가 이동한 거리를 나타낸 것이다. (단, 공기 저항은 무시한다.)

시간 구간	0초~1초 구간	1초~2초 구간	2초~3초 구간
각 시간 구간에서의 이동 거리(m)	4.9	14.7	24.5
각 시간 구간에서의 평균 속력(m/s)	(㉠)	(㉡)	(㉢)

(1) 표의 ㉠~㉢에 들어갈 값을 각각 쓰시오.

(2) 위 물체의 속력과 시간의 관계를 설명하시오.

Keyword 시간, 속력, 증가

02 일과 에너지

상점에서 무거운 짐을 들고 걸어가는 사람을 보면 매우 힘들어 보인다. 또, 같은 짐이라도 카트에 담아 밀고 가는 모습을 보면 힘들어 보이지 않는다. 하지만 과학에서는 짐을 들고 걸어가는 사람은 일을 하지 않고, 카트를 밀고 가는 사람은 일을 한 것이다. 일상생활에서의 일과 과학에서의 일은 무엇이 다를까? 또, 이러한 일과 에너지는 어떤 관계가 있을까?

1 과학에서의 일

1. 일 '일'이라는 단어는 일상생활에서 다양하게 쓰인다. 그런데 과학에서 말하는 일은 일상생활에서 말하는 일과 뜻이 다르다.

(1) **일상생활에서의 일**: 정신적 활동이나 힘을 사용하는 인간의 모든 활동을 일이라고 한다. 예 책을 읽는다, 공부를 한다, 연구를 한다 등

(2) **과학에서의 일**: 물체에 힘이 작용하여 물체가 힘의 방향으로 이동할 때 힘이 물체에 일을 했다고 한다.

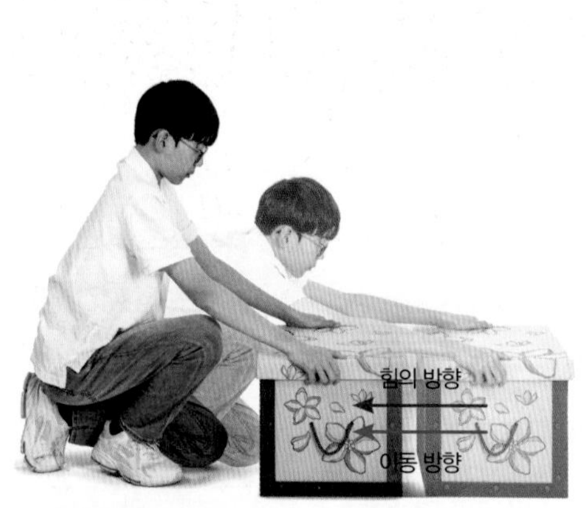

상자를 당겨 힘의 방향으로 이동시킬 때
힘이 상자에 일을 한 것이다.

상자를 들어 힘의 방향으로 이동시킬 때
힘이 상자에 일을 한 것이다.

2. 일의 양 일의 양은 힘의 크기와 이동 거리를 이용하여 구할 수 있다.

(1) **일의 양**: 힘이 물체에 한 일의 양(W)은 물체에 작용한 힘의 크기(F)와 물체가 힘의 방향으로 이동한 거리(s)의 곱이다.

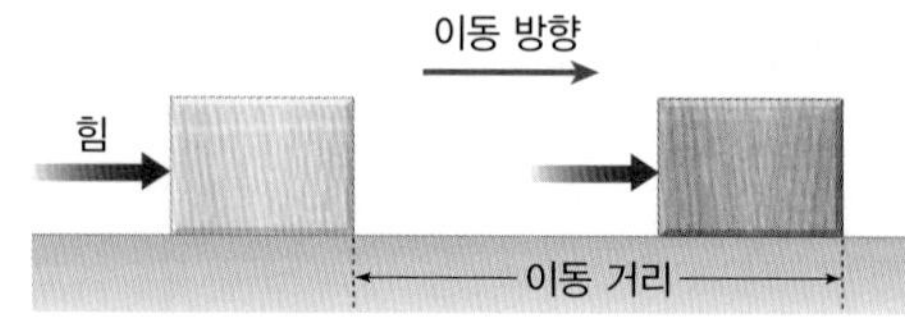

일(J) = 힘(N) × 이동 거리(m), $W = Fs$

기호의 표기
물리량을 뜻하는 영단어의 한 글자를 따서 표기한다.

구분	기호	의미
일	W	Work
힘	F	Force
거리	s	distance
질량	m	mass
높이	h	height
속력	v	velocity

(2) 일의 단위: J(줄)을 사용한다.

- 1 J: 물체에 1 N의 힘을 작용하여 물체를 힘의 방향으로 1 m만큼 이동시킬 때 힘이 물체에 한 일의 양이다.

일의 단위
일의 단위로 J(줄) 외에도 N·m를 사용하기도 한다. 이때 1 J=1 N·m이다.

자료 더하기 **이동 거리에 따른 힘 그래프**

가로축이 이동 거리, 세로축이 힘인 그래프에서 그래프 아랫부분의 넓이, 즉 그래프와 가로축으로 둘러싸인 부분의 넓이는 한 일의 양과 같다.

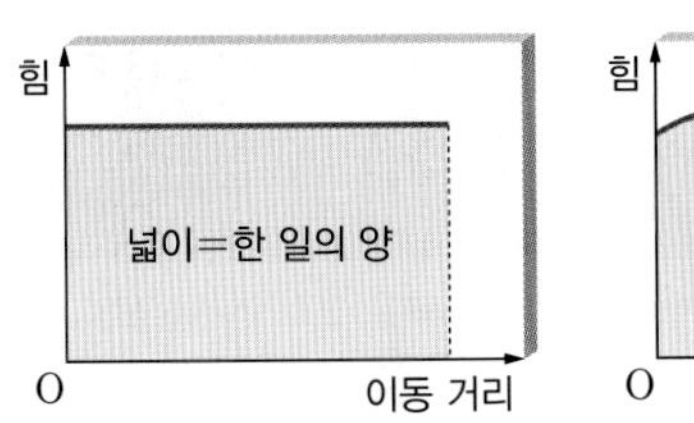

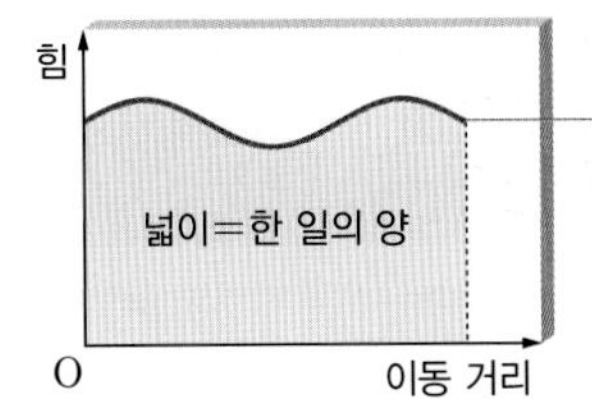

그래프의 형태에 관계없이 그래프 아랫부분의 넓이는 힘이 한 일의 양을 의미한다.

3. 한 일이 0인 경우 물체에 작용한 힘이 0이거나, 물체에 힘이 작용하더라도 물체의 이동 거리가 0이거나, 힘의 방향과 이동 방향이 수직이면 한 일은 0이다.

(1) 물체에 작용한 힘이 0일 때: 물체가 이동하더라도 물체에 작용한 힘이 0이면 힘이 한 일은 0이다.

(2) 물체의 이동 거리가 0일 때: 아무리 큰 힘을 작용하더라도 물체가 이동하지 않으면 힘이 한 일은 0이다.

(3) 힘의 방향과 이동 방향이 수직일 때: 물체가 힘의 방향으로 이동한 거리가 0이므로 힘이 한 일은 0이다.

힘의 방향과 이동 방향이 비스듬할 때
힘을 이동 방향과 이동 방향에 수직인 방향으로 분해하여, 이동 방향으로 작용한 힘의 크기를 이용하여 한 일을 계산한다.

얼음판에서 미끄러질 때 얼음판 위에서 일정한 빠르기로 이동하는 사람에 작용하는 힘이 0이므로 사람에 한 일은 0이다.

역기를 들고 서 있을 때 역기에 힘을 위 방향으로 작용하지만 역기의 이동 거리가 0이므로 힘이 역기에 한 일은 0이다.

상자를 들고 걸어갈 때 상자에 작용하는 힘의 방향은 연직 위, 이동 방향은 수평 방향으로 서로 수직이므로 상자에 한 일은 0이다.

학습 내용 Check

정답과 해설 037쪽

1. 물체에 ________이 작용하여 물체가 ________의 방향으로 이동할 때 힘이 물체에 일을 했다고 한다.

2. 일의 양은 물체에 작용한 힘의 크기와 물체가 힘의 방향으로 이동한 ________의 곱이며, 단위로 ________을 사용한다.

3. 물체에 힘을 작용하더라도 물체의 이동 거리가 ________이거나, 물체에 작용한 힘의 방향과 물체의 이동 방향이 ________이면, 이때 힘이 한 일은 0이다.

2 일과 에너지

1. 에너지 물체가 가진 일을 할 수 있는 능력을 에너지라고 하며, 단위로 일의 단위와 같은 J(줄)을 사용한다.

바람이 가진 에너지 바다 위에 떠 있는 요트를 움직이게 하는 일을 할 수 있다.

전기 에너지 고속 열차를 레일 위에서 움직이게 하는 일을 할 수 있다.

에너지의 단위
J(줄) 외에도 에너지의 단위로 N·m, $kg·m^2/s^2$, cal 등을 사용한다.
- $1\ kg·m^2/s^2 = 1\ N·m = 1\ J$
- $1\ cal ≒ 4.2\ J$

2. 에너지의 종류 에너지는 여러 가지 형태로 존재한다.

에너지	운동 에너지	중력에 의한 위치 에너지
정의	운동하는 물체가 가지는 에너지	높은 곳에 있는 물체가 가지는 에너지
예	• 굴러가는 볼링공 • 달리는 자동차	• 댐에 저장된 물 • 높은 곳에 떠 있는 열기구

에너지	전기 에너지	화학 에너지
정의	전류나 전기를 띤 물체가 가지는 에너지	화학 결합에 의해 물체가 가지는 에너지
예	• 털가죽으로 마찰한 플라스틱 막대 • 전기 회로에 흐르는 전류	• 작은 전기 제품에 사용하는 건전지 • 자동차에 사용하는 휘발유

역학적 에너지
물체의 운동 에너지와 위치 에너지의 합을 역학적 에너지라고 한다.

여러 가지 에너지에 대한 내용은 **2권 080쪽**을 보면 자세히 알 수 있어요.

3. 일과 에너지의 관계 일은 에너지로, 에너지는 일로 전환될 수 있다. 즉, 일과 에너지는 서로 전환될 수 있다.

구분	일이 에너지로 전환될 때	에너지가 일로 전환될 때
일과 에너지 전환	물체에 한 일은 물체의 에너지로 전환된다. → 일을 받은 물체의 에너지는 증가한다.	에너지를 가진 물체는 일을 할 수 있다. → 일을 한 물체의 에너지는 감소한다.
예	전지에 저장된 화학 에너지가 장난감 자동차를 움직이는 일로 전환되며, 이 일은 다시 장난감 자동차의 운동 에너지로 전환된다. 전지에 저장된 화학 에너지가 자동차를 움직이는 일로 전환된다. 자동차에 일을 한 전지의 화학 에너지는 감소한다. 일을 받은 자동차의 운동 에너지는 증가한다.	

학습 내용 Check

정답과 해설 037쪽

1. 일을 할 수 있는 능력을 ________ 라고 하며, 단위로 ________ 을 사용한다.
2. 일은 ________ 로, 에너지는 ________ 로 전환될 수 있다.

3 중력에 의한 위치 에너지

1. 중력에 의한 위치 에너지 높은 곳에 있는 추는 중력을 받아 떨어져 땅에 말뚝을 박는 일을 할 수 있다. 이와 같이 높은 곳에 있는 물체가 가지는 에너지를 중력에 의한 위치 에너지라고 한다.

2. 중력에 대하여 한 일과 중력에 의한 위치 에너지의 관계 물체를 들어 올려 중력에 대하여 일을 해 주면 물체는 중력에 의한 위치 에너지를 갖는다.

(1) 중력에 대하여 한 일의 양: 물체를 들어 올리기 위해서는 적어도 물체의 무게만큼의 힘을 작용해야 한다. 따라서 중력에 대하여 한 일의 양은 물체의 무게와 물체를 들어 올린 높이의 곱과 같다.

> 중력에 대하여 한 일(J)=무게(N)×들어 올린 높이(m)
> =9.8×질량(kg)×들어 올린 높이(m)
> (무게(N)=9.8×질량(kg))

(2) 중력에 대하여 한 일과 중력에 의한 위치 에너지의 관계: 중력에 대하여 한 일의 양만큼 물체의 중력에 의한 위치 에너지가 증가한다.

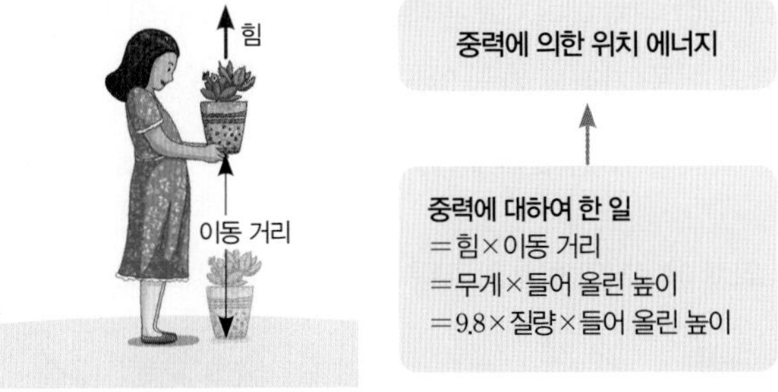

중력에 대하여 한 일과 중력에 의한 위치 에너지

(3) 중력에 의한 위치 에너지의 크기($E_{위치}$): 9.8과 물체의 질량(m)과 높이(h)를 곱한 값이다.

> 중력에 의한 위치 에너지(J)=(9.8×질량)(N)×높이(m), $E_{위치}=9.8mh$

(4) 기준면과 중력에 의한 위치 에너지: 물체가 같은 위치에 있더라도 기준면에 따라 중력에 의한 위치 에너지가 달라질 수 있다.

예 기준면에 따른 공의 중력에 의한 위치 에너지

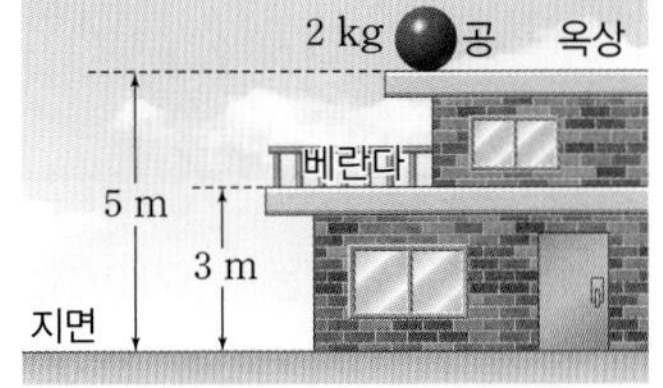

- 지면을 기준으로 할 때: 공의 높이가 지면으로부터 5 m이므로, 중력에 의한 위치 에너지는 (9.8×2) N×5 m=98 J이다.
- 베란다를 기준으로 할 때: 공의 높이가 베란다로부터 2 m이므로, 중력에 의한 위치 에너지는 (9.8×2) N×2 m=39.2 J이다.
- 옥상을 기준으로 할 때: 공의 높이가 0이므로, 중력에 의한 위치 에너지는 0이다. — 기준면에 있는 물체의 중력에 의한 위치 에너지는 0이다.

탄성력에 의한 위치 에너지
고무줄이나 용수철과 같은 탄성체가 변형되었을 때 일을 할 수 있는 것은 에너지를 갖고 있기 때문인데, 탄성력에 의해 물체가 갖게 되는 에너지를 탄성력에 의한 위치 에너지라고 한다. 이때 탄성력의 크기 F는 용수철이 변형된 길이 x에 비례하며, 용수철이 가지는 탄성력에 의한 위치 에너지는 용수철이 변형된 길이의 제곱인 x^2에 비례한다.
- 활시위를 당겼다가 놓으면 활이 가지는 탄성력에 의한 위치 에너지에 의해 화살이 날아가게 하는 일을 할 수 있다.
- 용수철에 연결된 나무 도막을 당겼다가 놓으면 용수철이 가지는 탄성력에 의한 위치 에너지에 의해 나무 도막을 끌어당기는 일을 할 수 있다.

중력에 의한 위치 에너지의 변화
- 물체를 들어 올릴 때: 물체의 중력에 의한 위치 에너지가 증가한다.
- 물체가 낙하할 때: 물체의 중력에 의한 위치 에너지가 감소한다.

기준면
기준면은 임의의 위치로 잡을 수 있으나, 보통은 지면을 기준면으로 잡는다.

3. 중력에 의한 위치 에너지의 크기와 물체의 질량 및 높이의 관계

그림 (가), (나)와 같이 질량과 높이를 달리하면서 쇠구슬을 수평면에 놓인 나무 도막에 충돌하게 하면 쇠구슬은 나무 도막에 일을 하게 된다. 이때 나무 도막의 이동 거리는 쇠구슬이 가지는 중력에 의한 위치 에너지에 비례한다.

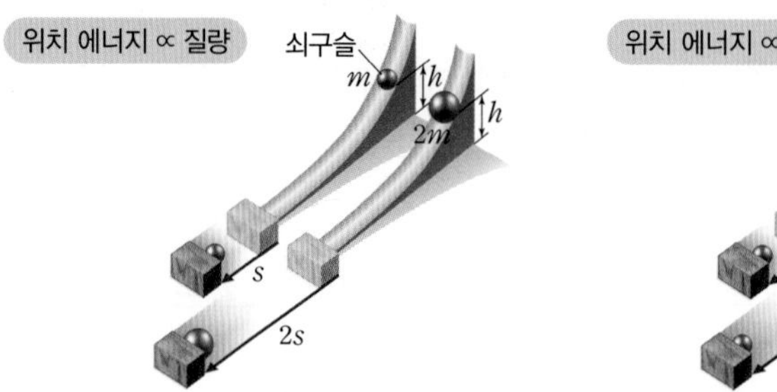

(가) 쇠구슬의 질량을 변화시킬 때 **(나) 쇠구슬의 높이를 변화시킬 때**

(1) **질량과 중력에 의한 위치 에너지의 관계:** (가)에서 쇠구슬의 질량이 2배, 3배, …가 되면 나무 도막의 이동 거리도 2배, 3배, …가 된다. → 질량에 비례한다.

> 중력에 의한 위치 에너지 ∝ 질량

(2) **높이와 중력에 의한 위치 에너지의 관계:** (나)에서 쇠구슬의 높이가 2배, 3배, …가 되면 나무 도막의 이동 거리도 2배, 3배, …가 된다. → 높이에 비례한다.

> 중력에 의한 위치 에너지 ∝ 높이

(3) **중력에 의한 위치 에너지와 물체의 질량 및 높이의 관계 그래프**

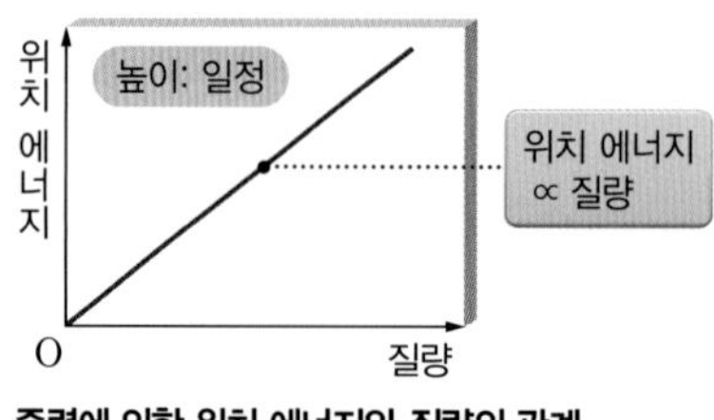

중력에 의한 위치 에너지와 질량의 관계

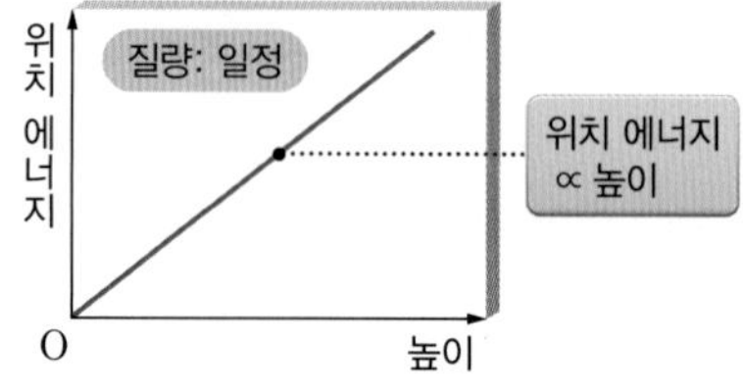

중력에 의한 위치 에너지와 높이의 관계

4. 중력에 의한 위치 에너지를 가지고 있는 예 수력 발전소의 댐에 저장된 물, 말뚝을 박기 위해 들어 올린 파일해머의 추, 하늘에 떠 있는 구름, 출발 위치에 있는 스키 점프 선수, 하늘에 떠 있는 비행기, 나무에 열린 사과 등

수력 발전소의 원리
높은 곳에 있는 물은 중력에 의한 위치 에너지를 가지고 있으므로, 낙하하면서 물의 운동 에너지로 전환되면서 발전기를 돌려 전기를 생산하게 된다.

학습 내용 Check

정답과 해설 037쪽

1. 높은 곳에 있는 물체가 가지는 에너지를 중력에 의한 ________ 에너지라고 한다.
2. 어떤 물체에 중력에 대하여 일을 해 주면, 그 일의 양만큼 물체의 중력에 의한 위치 에너지가 ________한다.
3. 물체의 중력에 의한 위치 에너지는 물체의 ________과 기준면으로부터의 ________에 각각 비례한다.

운동 에너지

1. 운동 에너지 굴러가는 볼링공은 볼링핀을 튕겨 내는 일을 할 수 있다. 이와 같이 운동하는 물체가 가지는 에너지를 운동 에너지라고 한다.

운동 에너지를 가진 볼링공의 모습

2. 운동 에너지의 크기와 물체의 질량 및 속력의 관계 다음과 같이 운동 에너지를 가진 수레는 정지해 있는 나무 도막을 밀고 가는 일로 전환된다.

→ 수레의 운동 에너지는 나무 도막의 이동 거리에 비례한다. — 수레의 운동 에너지 감소량 = 나무 도막에 한 일의 양 = 나무 도막에 작용한 힘(마찰력)의 크기 × 나무 도막의 이동 거리

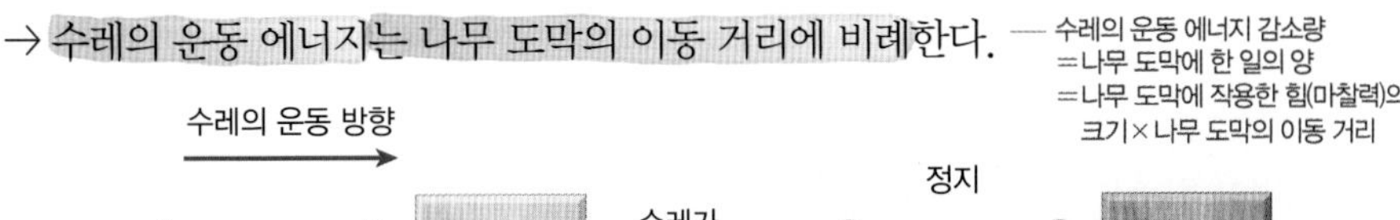

운동 에너지를 가진 수레가 나무 도막에 한 일

(1) 질량과 운동 에너지의 관계: 수레가 나무 도막에 같은 속력으로 부딪치더라도 수레의 질량이 2배, 3배, …가 되면 나무 도막의 이동 거리도 2배, 3배, …가 된다.

→ 수레의 운동 에너지는 질량에 비례한다.

> 운동 에너지 ∝ 질량

(2) 속력과 운동 에너지의 관계: 수레의 질량이 같더라도 수레의 속력이 2배, 3배, …가 되면 나무 도막의 이동 거리는 2^2배, 3^2배, …가 된다.

→ 수레의 운동 에너지는 $(속력)^2$에 비례한다.

> 운동 에너지 ∝ $(속력)^2$

(3) 운동 에너지와 물체의 질량 및 속력의 관계 그래프

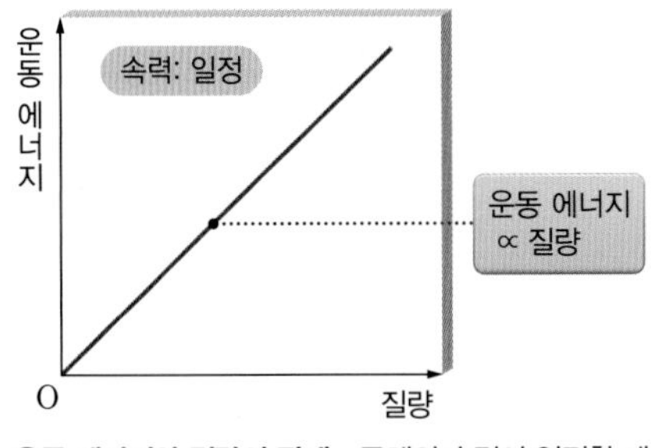

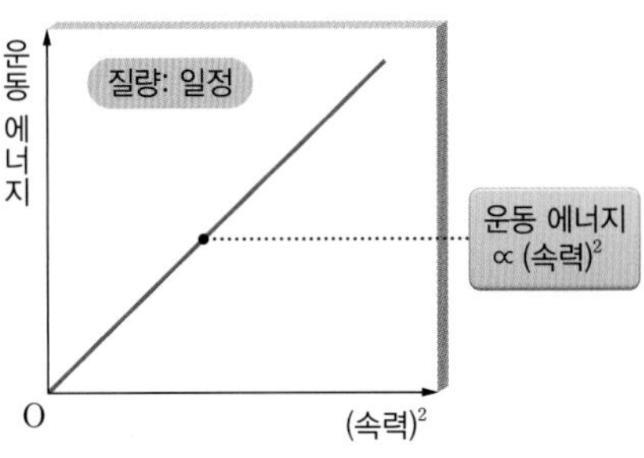

운동 에너지와 질량의 관계 물체의 속력이 일정할 때 물체의 운동 에너지는 물체의 질량에 비례한다.

운동 에너지와 속력의 관계 물체의 질량이 일정할 때 물체의 운동 에너지는 물체의 $(속력)^2$에 비례한다.

(4) 운동 에너지의 크기($E_{운동}$): $\frac{1}{2}$과 물체의 질량(m)과 속력(v)의 제곱을 곱한 값이다.

$$운동\ 에너지(J)=\frac{1}{2}\times 질량(kg)\times \{속력(m/s)\}^2,\ E_{운동}=\frac{1}{2}mv^2$$

운동 에너지의 식에서 $\frac{1}{2}$

정밀한 실험을 통해 질량이 1 kg인 물체가 1 m/s의 속력으로 운동할 때 물체의 운동 에너지가 $\frac{1}{2}$ J로 측정되었다.

마찰

한 물체가 접촉해 있는 다른 물체에 의해 운동을 방해받는 현상으로, 이때 작용하는 힘을 마찰력이라고 한다. 과학 용어 사전 242쪽

중력이 한 일을 이용한 운동 에너지의 식 유도

자유 낙하 운동을 하는 물체의 속력은 1초 후에 9.8 m/s이다. 한편, 다음과 같은 자유 낙하 운동의 시간-속력 그래프의 아랫부분의 넓이로 낙하 거리를 구하면 $\frac{1}{2}\times 9.8t^2$이다.

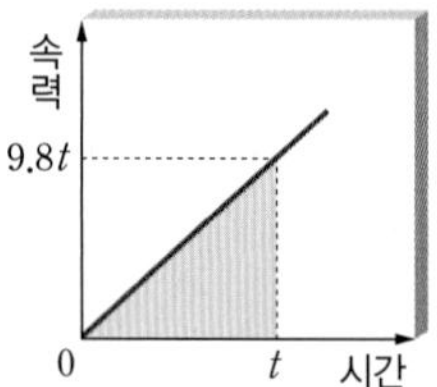

따라서 물체가 자유 낙하 운동을 하는 동안 중력이 한 일은 중력의 크기 $9.8m$과 이동 거리 $\frac{1}{2}\times 9.8t^2$의 곱이므로 물체의 운동 에너지는 다음과 같다.

$$\begin{aligned}일&=중력\times 낙하\ 거리\\&=9.8m\times\left(\frac{1}{2}\times 9.8t^2\right)\\&=\frac{1}{2}m\times(9.8t)^2\\&=\frac{1}{2}mv^2\\&=운동\ 에너지\end{aligned}$$

3. 일과 운동 에너지의 관계 

집중 분석 152쪽

일이 운동 에너지로 전환되는 경우	운동 에너지가 일로 전환되는 경우
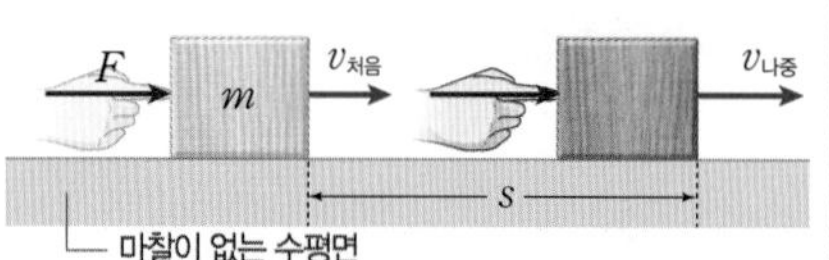	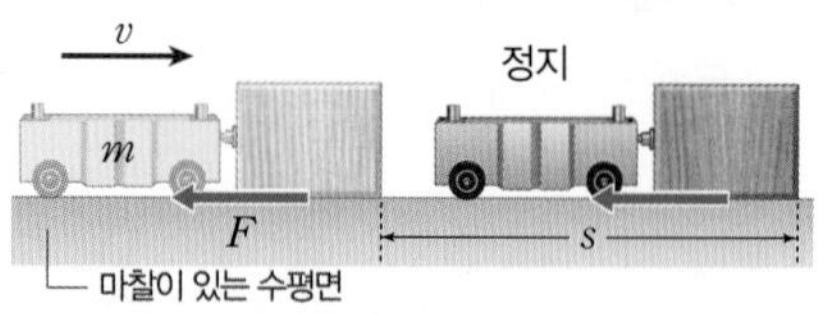
마찰이 없는 수평면에서 나무 도막을 미는 일을 하면 나무 도막의 운동 에너지가 증가한다. 한 일의 양=나중 운동 에너지−처음 운동 에너지 $Fs=\frac{1}{2}m(v_{나중}{}^2-v_{처음}{}^2)$	운동하던 수레가 다른 물체에 일을 하면 수레의 운동 에너지는 감소한다. 감소한 운동 에너지=한 일의 양 $\frac{1}{2}mv^2=Fs$

4. 중력이 한 일과 운동 에너지의 관계

물체를 공중에서 놓으면 물체가 중력을 받아 중력의 방향으로 이동한다. 즉, 자유 낙하 운동을 하는 동안 중력이 물체에 일을 하며, 이 일이 물체의 운동 에너지로 전환된다. 탐구 151쪽

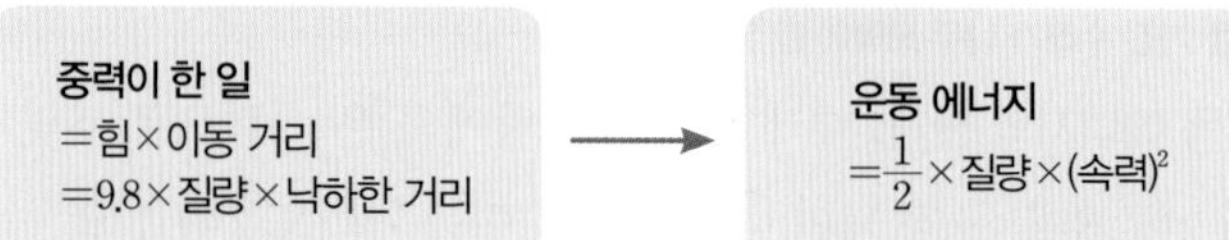

→ 물체의 질량이 클수록, 물체가 낙하한 거리가 길수록 중력이 물체에 한 일의 양이 많아져서 물체의 운동 에너지가 증가한다.

5. 운동 에너지를 가지고 있는 예

포수를 향해 날아가는 야구공, 레일 위를 굴러가는 볼링공, 하늘을 나는 비행기, 도로 위를 달리는 자동차, 떨어지는 빗방울, 길을 걸어가는 사람, 지구 주변을 공전하는 달 등 과학 용어 사전 243쪽

자료 더하기 자동차의 제동 거리

1. 제동 거리: 달리고 있던 자동차가 브레이크 페달을 밟은 순간부터 완전히 멈출 때까지의 거리
2. 제동 거리와 운동 에너지의 관계: 브레이크 페달을 밟으면 자동차의 운동 에너지가 지면과의 마찰력에 대해 한 일로 전환된다. 따라서 제동 거리는 자동차의 운동 에너지에 비례한다.
3. 자동차의 속력과 제동 거리의 관계: 제동 거리는 운동 에너지에 비례하므로, 브레이크 페달을 밟기 전 자동차의 (속력)^{2}에 비례한다. → 제동 거리∝(속력)^2

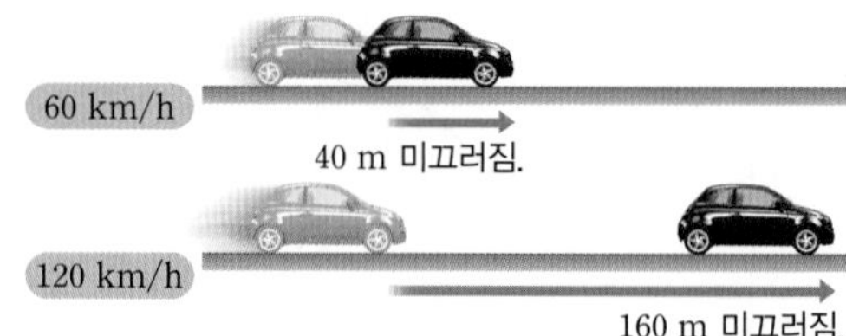

학습 내용 Check 정답과 해설 037쪽

1. 운동하는 물체가 가지는 에너지를 ________ 에너지라고 한다.
2. 물체의 운동 에너지는 물체의 ________과 ________의 제곱에 각각 비례한다.
3. 자유 낙하 운동은 ________이 물체에 일을 하는 과정이며, 이때 ________이 한 일은 물체의 운동 에너지로 전환된다.

탐구 중력이 한 일과 운동 에너지의 관계 알아보기

자유 낙하 운동에서 중력이 한 일과 운동 에너지의 관계를 설명할 수 있다.

과정 및 결과

❶ 그림과 같이 스탠드에 투명 플라스틱 관, 자, 속력 측정기, 종이컵, 실로 묶은 질량이 100 g인 추를 장치한다.

❷ 추를 관 아래 끝부분으로부터 10 cm, 20 cm, 30 cm 높이에서 떨어뜨리고, 이때 속력 측정기에 나타난 값을 측정한다. 이 과정을 5회 반복하여 그 평균값을 구한다.

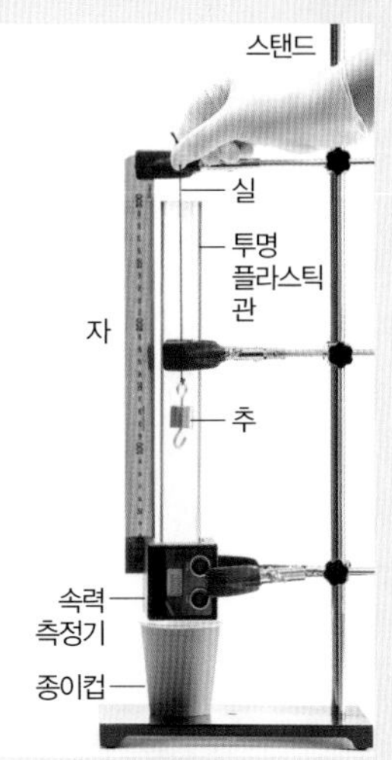

추의 낙하 높이(cm)		10	20	30
속력 측정기에 나타난 값(m/s)	1회	1.39	1.95	2.41
	2회	1.40	1.96	2.38
	3회	1.38	2.00	2.50
	4회	1.41	1.98	2.42
	5회	1.42	1.99	2.39
	평균값	1.40	1.98	2.42

❸ 추의 낙하 높이에 따른 중력이 추에 한 일의 양을 구한다. 그리고 속력 측정기에 나타난 값의 평균값을 이용하여 추의 운동 에너지를 구한다.

추의 낙하 높이(cm)	10	20	30
중력이 추에 한 일의 양(J)	$9.8\times0.1\times0.1=0.098$	$9.8\times0.1\times0.2=0.196$	$9.8\times0.1\times0.3=0.294$
추의 운동 에너지(J)	$\frac{1}{2}\times0.1\times1.40^2=0.098$	$\frac{1}{2}\times0.1\times1.98^2\fallingdotseq0.196$	$\frac{1}{2}\times0.1\times2.42^2\fallingdotseq0.293$

Tip 중력이 추에 한 일의 양 $=9.8\times$추의 질량$\times$낙하한 거리

추의 운동 에너지 $=\frac{1}{2}\times$추의 질량$\times$(추의 속력)^2

결과 해석 및 정리

1. 추의 낙하 높이가 높을수록 추의 속력이 빨라진다.
2. 물체가 자유 낙하 운동을 할 때 중력이 물체에 한 일은 물체의 운동 에너지로 전환된다.

탐구 확인 문제

정답과 해설 037쪽

1 위 탐구에 대한 설명으로 옳은 것은 ○, 옳지 않은 것은 ×로 표시하시오.

(1) 자유 낙하 운동을 할 때 중력이 추에 작용한 힘의 크기는 9.8과 낙하한 거리의 곱이다. ………………… ( )

(2) 질량이 200 g인 추로 같은 실험을 하면 추의 운동 에너지는 2배가 된다. ……………………………… ( )

2 적용 오른쪽 그림과 같이 2 m 높이에서 가만히 놓은 질량이 1 kg인 물체가 자유 낙하 운동을 할 때, 지면에 도달하는 순간 물체의 운동 에너지는 몇 J인지 구하시오. (단, 중력 가속도 상수는 9.8이다.)

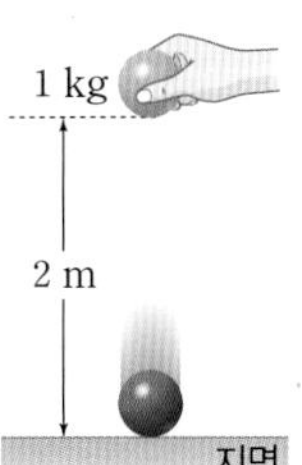

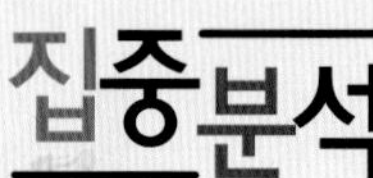

일과 운동 에너지의 관계 분석

운동 에너지를 가진 물체는 다른 물체에 일을 할 수 있으며, 물체에 한 일이 운동 에너지로 전환되기도 한다. 각각의 경우 일과 운동 에너지는 어떤 관계가 있는지 알아보자.

일과 운동 에너지의 관계 알아보기

❶ 운동 에너지가 일로 전환되는 경우

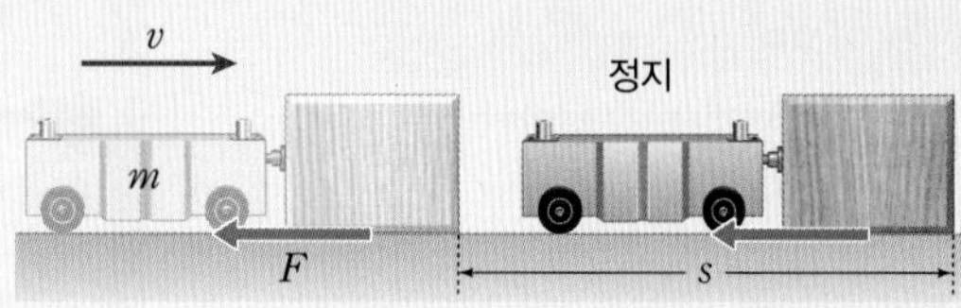

(1) 마찰이 있는 수평면에서 v의 속력으로 운동하던 질량이 m인 수레가 나무 도막을 미는 일을 하면 수레의 운동 에너지는 감소한다.

(2) 수레의 운동 에너지=나무 도막에 마찰력 F에 대하여 한 일의 양

$$\frac{1}{2}mv^2=Fs$$

❷ 일이 운동 에너지로 전환되는 경우

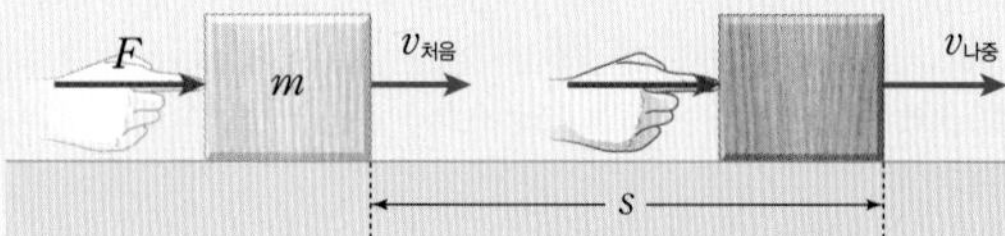

(1) 마찰이 없는 수평면에서 $v_{처음}$의 속력으로 운동하던 질량이 m인 나무 도막에 일정한 크기 F의 힘으로 미는 일을 해 주면 나무 도막의 속력이 $v_{나중}$으로 빨라지면서 나무 도막의 운동 에너지가 증가한다.

(2) 한 일의 양=나중 운동 에너지−처음 운동 에너지

$$Fs=\frac{1}{2}mv_{나중}^2-\frac{1}{2}mv_{처음}^2$$
$$=\frac{1}{2}m(v_{나중}^2-v_{처음}^2)$$

❸ 중력이 한 일이 운동 에너지로 전환되는 경우

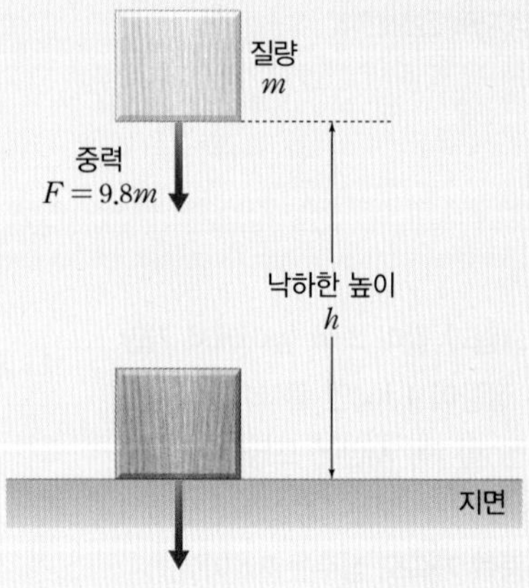

(1) 물체가 자유 낙하 운동을 할 때 중력이 물체에 일을 하며, 이 일이 물체의 운동 에너지로 전환된다.

(2) 질량이 m인 물체가 높이 h에서 자유 낙하 운동을 할 때 중력이 한 일의 양은 물체에 작용한 중력의 크기인 무게와 낙하한 높이의 곱과 같다.

중력이 한 일의 양=힘×이동 거리=무게×낙하한 높이

=9.8×질량×낙하한 높이

$=9.8mh$

(3) 중력이 물체에 한 일이 물체의 운동 에너지로 전환된다.

중력이 한 일=운동 에너지

$$9.8mh=\frac{1}{2}mv^2$$

→ $v^2=2\times9.8h$이므로, 지면에 도달하는 순간 물체의 속력 $v=\sqrt{19.6h}$이다.

일과 운동 에너지의 관계 적용하기

① 운동 에너지가 일로 전환되는 경우

그림과 같이 수평면에서 2 m/s 속력으로 운동하던 질량이 1 kg인 수레가 정지해 있던 나무 도막에 충돌하여 나무 도막을 미는 일을 하였다. 수레가 정지할 때까지 나무 도막에 한 일은 몇 J인지 구하시오.

풀이 운동 에너지가 나무 도막을 미는 일로 전환되므로 나무 도막에 한 일의 양은 수레의 운동 에너지와 같다. 수레의 운동 에너지 $E_{운동}=\frac{1}{2}\times1\text{ kg}\times(2\text{ m/s})^2=2\text{ J}$이므로 수레가 나무 도막에 한 일도 2 J이다.

② 일이 운동 에너지로 전환되는 경우

그림과 같이 마찰이 없는 수평면에서 2 m/s의 속력으로 운동하는 질량이 1 kg인 수레에 운동 방향과 같은 방향으로 5 N의 일정한 힘을 작용하여 수레를 1 m 밀어 주었다. 수레의 나중 운동 에너지는 몇 J인지 구하시오.

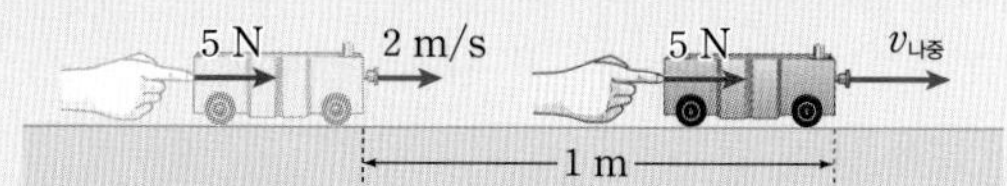

풀이 수레에 한 일이 수레의 운동 에너지로 전환되므로 수레의 속력이 빨라지면서 운동 에너지가 증가한다. (나중 운동 에너지)=(처음 운동 에너지)+(수레에 한 일)$=\left\{\frac{1}{2}\times1\text{ kg}\times(2\text{ m/s})^2\right\}+(5\text{ N}\times1\text{ m})=2\text{ J}+5\text{ J}=7\text{ J}$이다.

③ 중력이 한 일이 운동 에너지로 전환되는 경우

오른쪽 그림과 같이 말뚝으로부터 1 m 떨어진 높이에서 질량이 2 kg인 쇠뭉치를 낙하시켜 말뚝을 박을 때, 쇠뭉치에 중력이 한 일의 양은 몇 J인지 구하시오. (단, 모든 마찰은 무시한다.)

풀이 쇠뭉치가 자유 낙하 운동을 할 때 쇠뭉치에 중력이 한 일은 쇠뭉치에 작용한 중력의 크기인 무게와 낙하한 높이의 곱과 같다. 중력이 한 일의 양=힘×이동 거리=9.8×쇠뭉치의 질량×낙하한 높이$=(9.8\times2)\text{ N}\times1\text{ m}=19.6\text{ J}$이다.

연습 문제

01 그림과 같이 일정한 속력 v로 운동하던 질량이 4 kg인 수레가 나무 도막을 미는 일을 한 후 정지하였다. 수레가 나무 도막에 한 일이 18 J일 때, 나무 도막과 충돌하는 순간 수레의 속력 v는 몇 m/s인지 구하시오.

연습 문제

02 그림과 같이 마찰이 없는 수평면에서 5 m/s의 속력으로 운동하는 질량이 2 kg인 나무 도막에 일정한 크기의 힘으로 미는 일을 해 주었더니 나무 도막의 속력이 10 m/s가 되었다. 나무 도막에 한 일은 몇 J인지 구하시오.

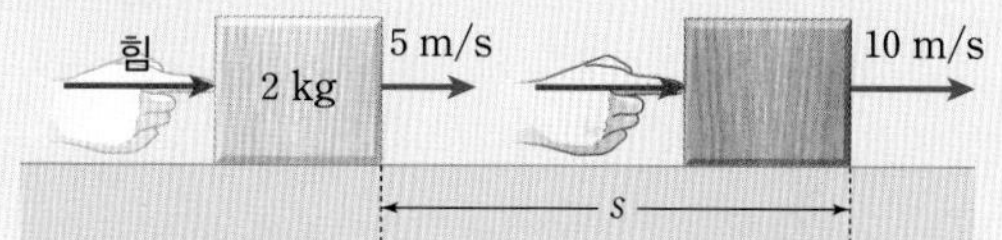

연습 문제

03 오른쪽 그림과 같이 지면으로부터 2.5 m 높이에서 질량이 1 kg인 물체가 자유 낙하 운동을 하였다.

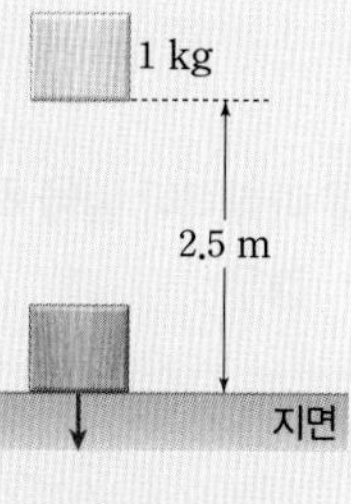

(1) 물체가 자유 낙하 운동을 하는 동안 중력이 물체에 한 일은 몇 J인지 구하시오.

(2) 물체가 지면에 도달하는 순간 속력은 몇 m/s인지 구하시오.

힘과 일

지구상의 물체에는 중력이 작용하고, 수평면에서 운동하는 물체에는 마찰력이 작용한다. 이 힘들의 방향과 반대 방향으로 사람이 일을 하는 경우와 이러한 힘들이 물체에 일을 하는 경우는 어떻게 다른지 알아보자.

1 중력에 대하여 일을 하는 경우

(1) 일정한 속력으로 질량이 m인 물체를 h만큼 들어 올리기 위해서는 연직 위 방향으로 물체의 무게인 $9.8m$만큼의 힘을 가해야 한다.

(2) 물체에 중력에 대하여 한 일=물체의 무게×들어 올린 높이

$$W=(9.8m)\times h=9.8mh$$

2 마찰력에 대하여 일을 하는 경우

(1) 물체를 밀어서 이동시키기 위해서는 마찰력만큼의 힘을 가해야 한다.

(2) 물체를 미는 힘을 F라 하고, 물체의 이동 거리를 s라고 하면,

상자에 마찰력에 대하여 한 일=마찰력의 크기×이동 거리, $W=Fs$

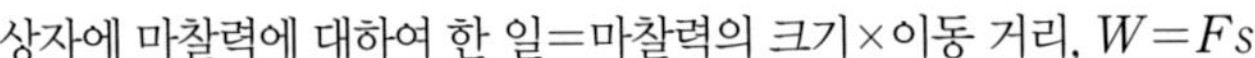

3 중력이 일을 하는 경우

질량이 m인 물체가 중력 $F(=9.8m)$만을 받으면서 낙하할 때 중력이 물체에 일을 한다.

(가) 물체가 $9.8m$의 힘을 받으며 h 높이만큼 자유 낙하 운동을 할 때,

중력이 한 일=물체의 무게×낙하한 높이

$$W=9.8mh$$

(나) 마찰이 없는 빗면 위를 미끄러져 내려올 때, 물체는 빗면 아래 방향으로 $9.8m\sin\theta$의 힘을 받으며 s만큼 이동하며, 이동 거리 s와 연직 높이 h 사이에는 $h=s\sin\theta$의 관계가 성립하므로 중력이 한 일은 다음과 같다.

중력이 한 일=힘의 크기×이동 거리

$$W=9.8ms\sin\theta=9.8mh$$

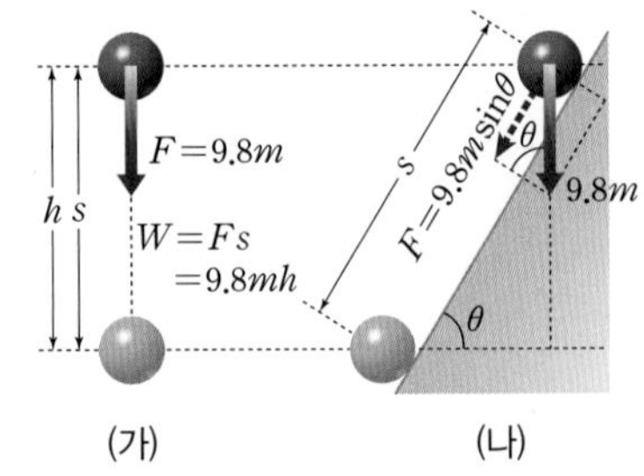

→ 중력이 한 일은 (가), (나)와 같이 각 θ와 관계가 없기 때문에, 떨어지는 연직 높이만 동일하다면 운동 경로가 다르다 하더라도 중력이 물체에 한 일이 동일함을 의미한다. 즉, 물체가 어떤 형태로 떨어지더라도 떨어진 연직 높이만 같으면 낙하한 물체의 속력은 같다.

4 마찰력이 일을 하는 경우

(1) 마찰이 있는 수평면에서 오른쪽 방향으로 운동하고 있는 물체에는 왼쪽 방향으로 마찰력이 작용한다.

(2) 물체에 마찰력이 한 일=마찰력의 크기×이동 거리$=f\times(-s)=-fs$

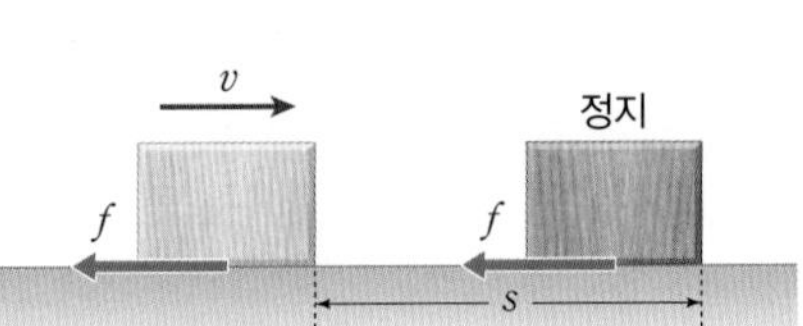

→ (−)부호는 물체의 운동 에너지를 감소시킴을 의미하며, 마찰력의 크기와 이동 거리가 클수록 물체의 속력이 감소하는 정도는 커진다.

중단원 핵심 정리

02. 일과 에너지

과학에서의 일

① 과학에서의 일: 물체에 힘이 작용하여 물체가 힘의 방향으로 이동할 때, 힘이 물체에 일을 했다고 한다.

② 힘이 물체에 한 일의 양

일의 양(J)=힘(N)×이동 거리(m)

③ 한 일이 0인 경우
- 물체에 작용한 힘이 0일 때
- 물체의 이동 거리가 0일 때
- 힘의 방향과 이동 방향이 수직일 때

일과 에너지

① 에너지: 물체가 가진 일을 할 수 있는 능력으로, 단위는 일의 단위와 같은 J(줄)을 사용한다.

② 일과 에너지의 관계: 일과 에너지는 서로 전환될 수 있다.
- 물체에 일을 해 줄 때: 일을 받은 물체의 에너지는 증가한다.
- 물체가 외부에 일을 할 때: 일을 한 물체의 에너지는 감소한다.

3 중력에 의한 위치 에너지

① 중력에 의한 위치 에너지: 높은 곳에 있는 물체가 가지는 에너지

② 중력에 의한 위치 에너지의 크기

중력에 의한 위치 에너지(J)=(9.8×질량)(N)×높이(m)

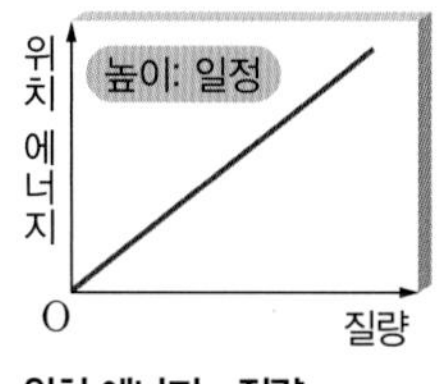

위치 에너지∝질량

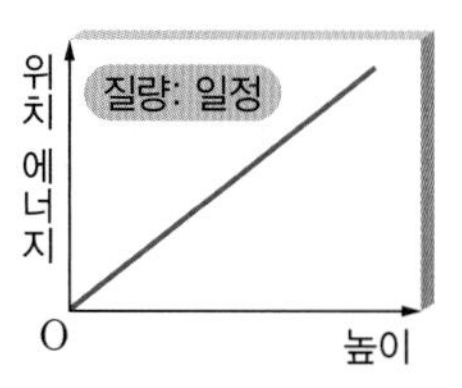

위치 에너지∝높이

③ 중력에 대하여 한 일과 중력에 의한 위치 에너지: 중력에 대하여 한 일의 양만큼 물체의 중력에 의한 위치 에너지가 증가한다.

중력에 대하여 한 일
=힘×이동 거리
=무게×들어 올린 높이
=9.8×질량×들어 올린 높이
→ 중력에 의한 위치 에너지

운동 에너지

① 운동 에너지: 운동하는 물체가 가지는 에너지

② 운동 에너지의 크기

운동 에너지(J)=$\frac{1}{2}$×질량(kg)×{속력(m/s)}^{2}

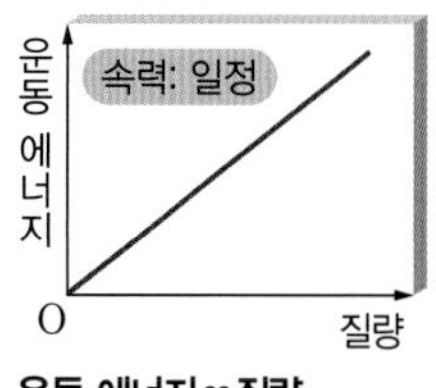

운동 에너지∝질량

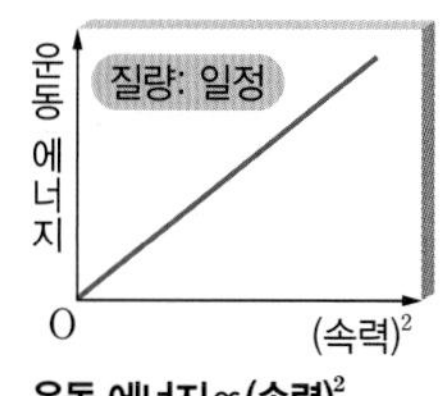

운동 에너지∝(속력)^2

③ 중력이 한 일과 운동 에너지: 자유 낙하 운동은 중력이 물체에 일을 하는 과정으로 볼 수 있으며, 중력이 한 일의 양만큼 물체의 운동 에너지가 증가한다.

중력이 한 일
=힘×이동 거리
=9.8×질량×낙하한 거리
→ 운동 에너지
=$\frac{1}{2}$×질량×(속력)^2

개념 확인 문제

01 일에 대한 설명으로 옳은 것을 보기에서 모두 고른 것은?

보기
ㄱ. 물체에 힘이 작용하면 힘은 항상 물체에 일을 한다.
ㄴ. 힘이 물체에 한 일의 양은 물체에 작용한 힘의 크기와 물체가 힘의 방향으로 이동한 거리의 곱이다.
ㄷ. 1 J은 물체에 1 N의 힘이 작용하여 물체를 힘의 방향으로 1 cm만큼 이동시킬 때 힘이 물체에 한 일의 양이다.

① ㄱ ② ㄴ ③ ㄷ
④ ㄱ, ㄴ ⑤ ㄴ, ㄷ

02 (중요) 그림과 같이 어떤 물체에 10 N의 일정한 힘이 작용하여 물체를 힘의 방향으로 2 m 이동시켰을 때, 힘이 물체에 한 일의 양은 몇 J인가?

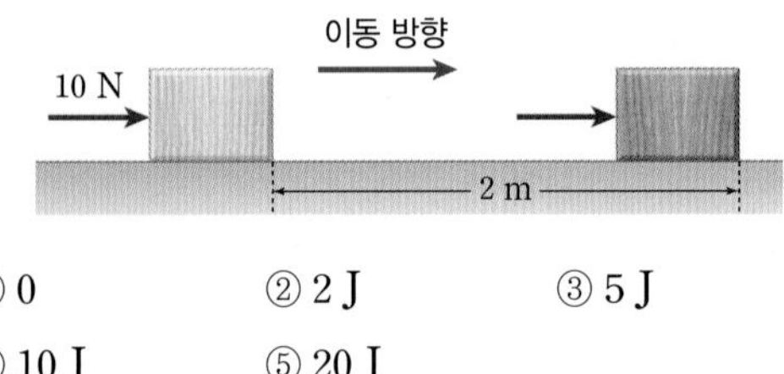

① 0 ② 2 J ③ 5 J
④ 10 J ⑤ 20 J

03 그림과 같이 은수가 질량이 2 kg인 상자를 들고 수평 방향으로 5 m 걸어갈 때, 은수가 상자에 작용한 힘의 크기와 한 일의 양을 옳게 짝 지은 것은? (단, 중력 가속도 상수는 9.8이다.)

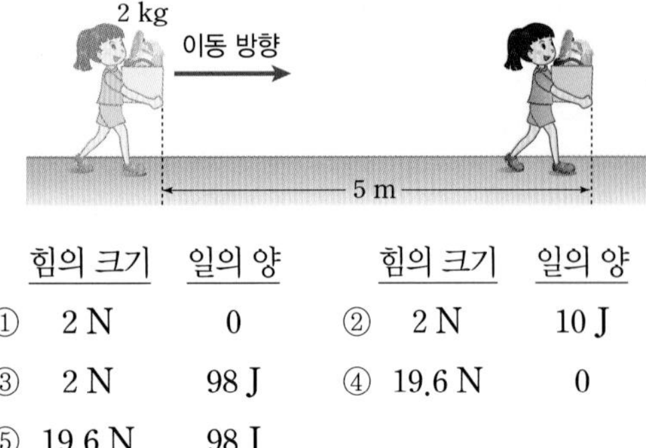

	힘의 크기	일의 양		힘의 크기	일의 양
①	2 N	0	②	2 N	10 J
③	2 N	98 J	④	19.6 N	0
⑤	19.6 N	98 J			

04 오른쪽 그림은 바닥에 놓인 어떤 물체에 힘을 작용하여 힘의 방향으로 이동시킬 때, 물체에 작용한 힘의 크기를 이동 거리에 따라 나타낸 것이다. 이에 대한 설명으로 옳지 않은 것은?

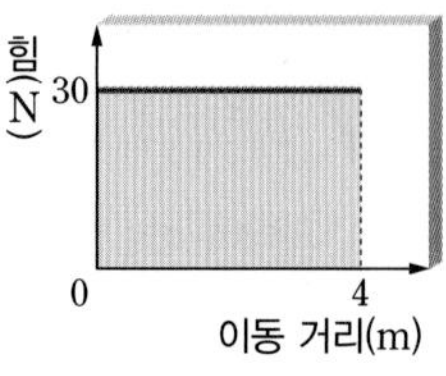

① 힘이 물체에 한 일의 양은 200 J이다.
② 물체에 작용한 힘의 크기는 30 N이다.
③ 힘이 물체에 한 일의 양은 이동 거리에 비례한다.
④ 그래프 아랫부분의 넓이는 힘이 물체에 한 일의 양과 같다.
⑤ 물체에 작용한 힘의 크기와 물체가 힘의 방향으로 이동한 거리의 곱이 힘이 물체에 한 일의 양이다.

05 다음의 세 사람이 물체에 한 일의 양을 옳게 비교한 것은? (단, 중력 가속도 상수는 9.8이다.)

- 지우: 질량이 10 kg인 상자를 서서히 50 cm 들어 올렸다.
- 은수: 책상을 20 N의 힘으로 밀어서 힘의 방향으로 2 m 이동시켰다.
- 우재: 무게가 50 N인 물통을 든 채로 수평 방향으로 1 m 걸어갔다.

① 지우>은수>우재 ② 지우>우재>은수
③ 은수>지우>우재 ④ 은수>우재>지우
⑤ 우재>은수>지우

06 (중요) 오른쪽 그림과 같이 지면에 놓인 질량이 1 kg인 물체를 서서히 1 m 들어 올릴 때, 물체에 중력에 대하여 한 일의 양은 몇 J인가? (단, 중력 가속도 상수는 9.8이고, 공기와의 마찰은 무시한다.)

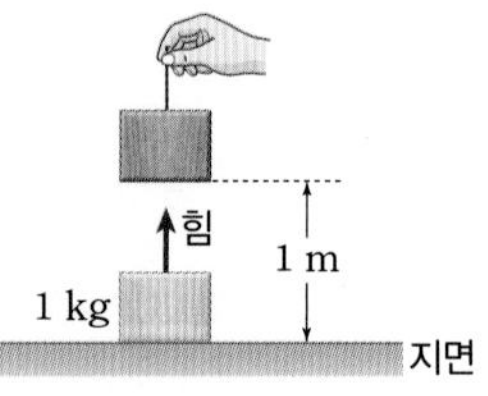

① 0 ② 0.5 J ③ 1 J
④ 4.9 J ⑤ 9.8 J

07 그림과 같이 추를 위로 들어 올린 후 추를 낙하시켜 바닥에 놓인 말뚝을 박게 하였다.

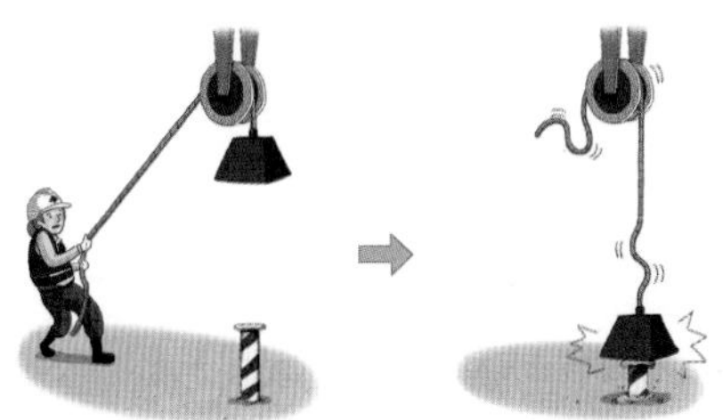

이에 대한 설명으로 옳지 않은 것은?

① 추에 중력에 대하여 일을 하면 추의 에너지는 감소한다.
② 높은 곳에 있는 추는 중력에 의한 위치 에너지를 가지고 있다.
③ 높은 곳에 있는 추는 일을 할 수 있는 능력이 있다.
④ 추가 낙하하는 동안 중력이 추에 일을 한다.
⑤ 추가 말뚝을 박는 일을 하면 추의 에너지는 감소한다.

08 오른쪽 그림과 같이 책상 위에 놓인 상자를 서서히 1 m 들어 올릴 때 중력에 대하여 상자에 한 일의 양이 49 J이었다. 지면을 기준면으로 할 때, 2 m 높이에 있는 상자의 중력에 의한 위치 에너지는 몇 J인가? (단, 중력 가속도 상수는 9.8이고, 공기와의 마찰은 무시한다.)

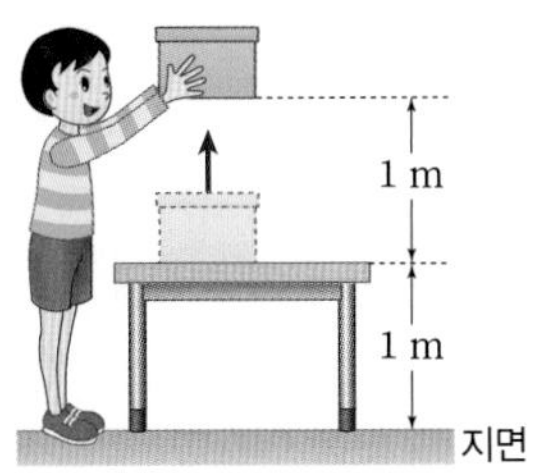

① 0 ② 24.5 J ③ 49 J
④ 98 J ⑤ 196 J

09 오른쪽 그림은 무게가 5 N인 상자가 지면으로부터 2 m 높이에 놓여 있는 것을 나타낸 것이다. 지면을 기준면으로 할 때와 지면으로부터 1 m 높이에 있는 책상면을 기준면으로 할 때, 상자가 가지는 중력에 의한 위치 에너지의 비(지면 : 책상면)는?

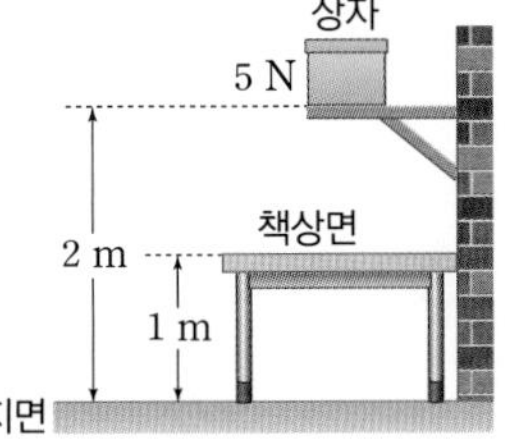

① 1 : 1 ② 1 : 2 ③ 1 : 4
④ 2 : 1 ⑤ 4 : 1

10 오른쪽 그림과 같이 옥상에 질량이 1 kg인 물체가 놓여 있다. 이에 대한 설명으로 옳지 않은 것은? (단, 중력 가속도 상수는 9.8이고, 공기와의 마찰은 무시한다.)

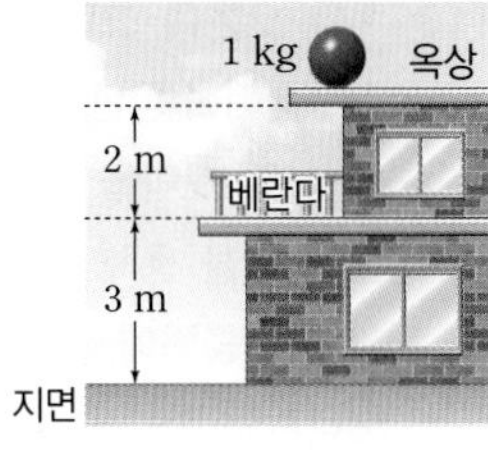

① 물체가 지면까지 낙하하면 49 J의 일을 할 수 있다.
② 기준면에 따라 물체의 중력에 의한 위치 에너지가 달라진다.
③ 옥상을 기준면으로 물체가 가지는 중력에 의한 위치 에너지는 0이다.
④ 베란다를 기준면으로 물체가 가지는 중력에 의한 위치 에너지는 9.8 J이다.
⑤ 물체가 가지는 중력에 의한 위치 에너지는 기준면으로부터의 높이에 비례한다.

11 오른쪽 그림은 세 물체 A~C의 질량과 지면으로부터의 높이를 각각 나타낸 것이다. 지면을 기준면으로 할 때, 세 물체가 가지는 중력에 의한 위치 에너지의 크기를 옳게 비교한 것은?

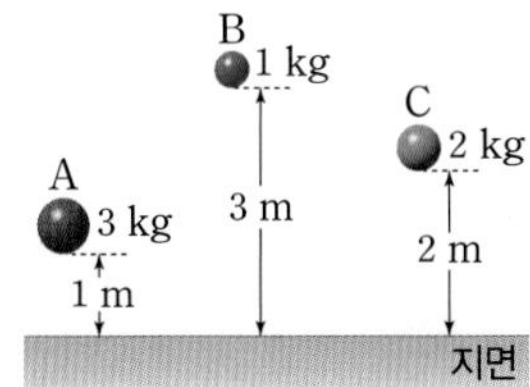

① A>B>C ② A>C>B ③ B=C>A
④ C>A=B ⑤ C>B>A

12 오른쪽 그림은 어떤 물체의 높이에 따른 중력에 의한 위치 에너지의 크기를 나타낸 것이다. 이에 대한 설명으로 옳은 것을 보기에서 모두 고른 것은?

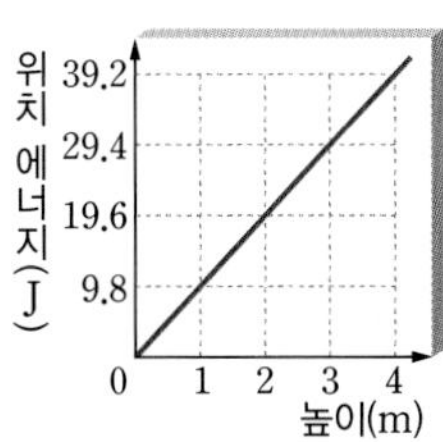

보기
ㄱ. 물체의 질량은 0.1 kg이다.
ㄴ. 중력에 의한 위치 에너지는 높이에 반비례한다.
ㄷ. 높이가 5 m일 때 물체가 가지는 중력에 의한 위치 에너지는 49 J이다.

① ㄱ ② ㄴ ③ ㄷ
④ ㄱ, ㄴ ⑤ ㄴ, ㄷ

[13~14] 오른쪽 그림과 같이 쇠구슬이 수평면으로 내려와 나무 도막을 이동시키는 실험을 통해 쇠구슬이 가지는 중력에 의한 위치 에너지와 질량 및 높이의 관계를 알아보았다.

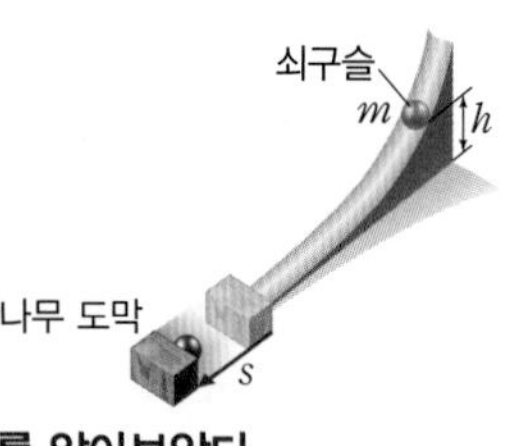

13 위 실험에 대한 설명으로 옳은 것을 보기에서 모두 고른 것은? (단, 빗면에서의 마찰은 무시한다.)

보기
ㄱ. 쇠구슬의 높이(h)만 2배로 하면 나무 도막의 이동 거리는 그대로이다.
ㄴ. 쇠구슬의 질량(m)만 2배로 하면 나무 도막의 이동 거리는 4배가 된다.
ㄷ. 나무 도막의 이동 거리(s)는 쇠구슬이 가지는 중력에 의한 위치 에너지에 비례한다.

① ㄱ ② ㄴ ③ ㄷ
④ ㄱ, ㄷ ⑤ ㄴ, ㄷ

14 (중요) 쇠구슬의 질량이 일정할 때, 쇠구슬이 가지는 중력에 의한 위치 에너지($E_{위치}$)와 쇠구슬의 높이(h)의 관계를 나타낸 그래프로 옳은 것은?

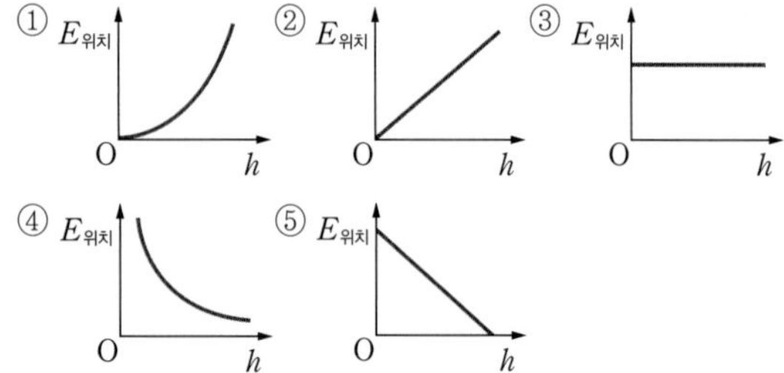

15 오른쪽 그림과 같이 질량이 8 kg인 매가 180 km/h의 속력으로 날고 있을 때, 매의 운동 에너지는 몇 J인가?

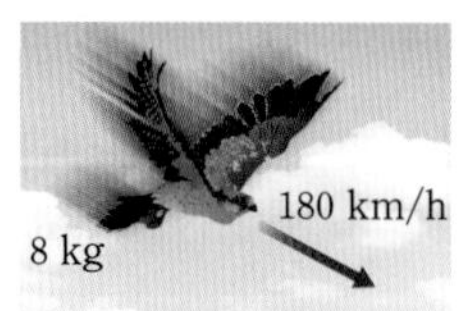

① 200 J ② 10000 J ③ 20000 J
④ 129600 J ⑤ 259200 J

16 그림과 같이 20 cm 높이에 정지해 있던 질량이 1 kg인 수레가 빗면을 따라 내려온 후 수평면에 놓인 나무 도막을 밀어 나무 도막이 10 cm 이동하였다.

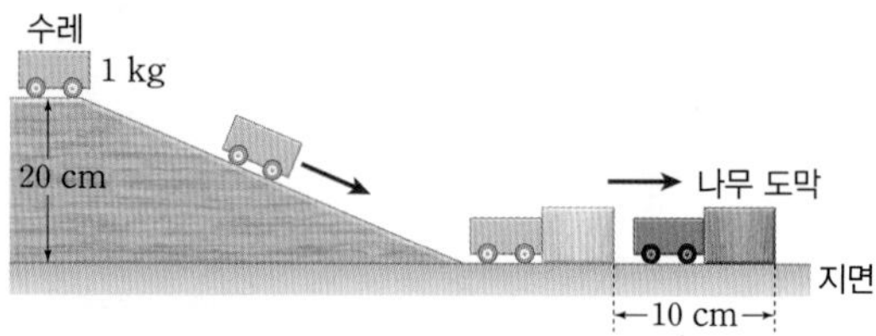

만약 질량이 3 kg인 수레로 10 cm 높이에서 위의 실험을 한다면, 나무 도막은 몇 cm 이동하겠는가? (단, 빗면에서의 마찰은 무시한다.)

① 5 cm ② 10 cm ③ 15 cm
④ 30 cm ⑤ 60 cm

17 오른쪽 그림은 질량이 4 kg인 물체에 힘이 작용하여 힘의 방향으로 물체를 이동시키는 동안 작용한 힘의 크기를 이동 거리에 따라 나타낸 것이다.

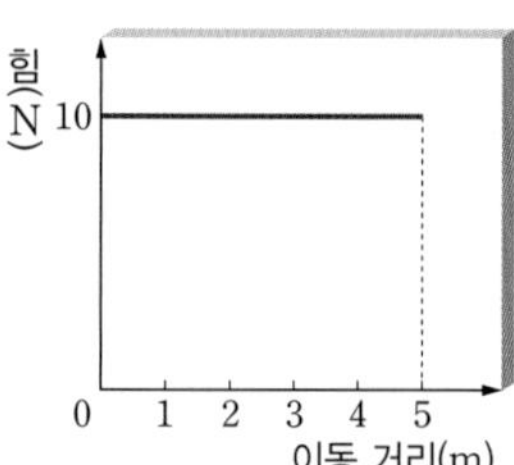

5 m를 이동한 후 물체가 가지는 운동 에너지는 몇 J인가? (단, 모든 마찰은 무시한다.)

① 5 J ② 10 J ③ 25 J
④ 50 J ⑤ 100 J

18 그림과 같이 마찰이 없는 수평면에서 정지해 있던 질량이 2 kg인 수레에 25 N의 일정한 힘을 작용하여 힘의 방향과 같은 방향으로 1 m 밀었다.

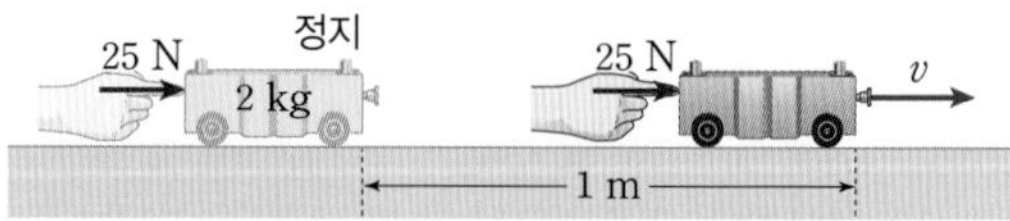

수레의 나중 속력 v는 몇 m/s인가?

① 2 m/s ② 5 m/s ③ 10 m/s
④ 25 m/s ⑤ 50 m/s

19 표는 세 물체 A~C의 질량과 속력을 나타낸 것이다.

물체	A	B	C
질량(kg)	1	2	4
속력(m/s)	10	7	5

세 물체의 운동 에너지의 크기를 옳게 비교한 것은?

① A>B>C ② A=C>B ③ B>C>A
④ C>A=B ⑤ C>B>A

[20~21] 그림과 같이 어떤 수레의 속력을 달리하면서 나무 도막에 충돌시킨 후 나무 도막의 이동 거리를 측정하는 실험을 하였다. (단, 수레와 바닥 사이의 마찰은 무시한다.)

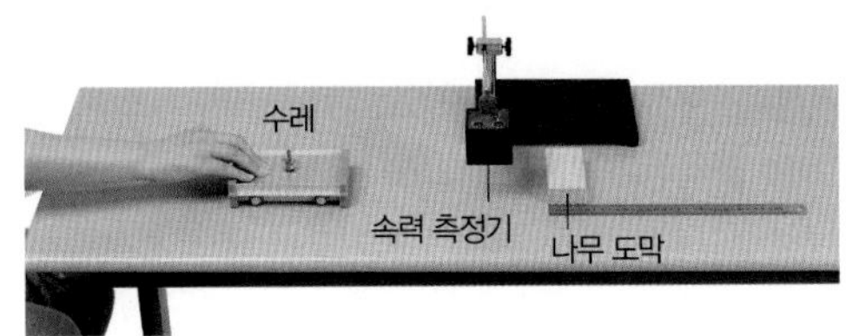

20 위 실험에 대한 설명으로 옳지 않은 것은?

① 수레의 운동 에너지는 수레의 (속력)^{2}에 비례한다.
② 수레의 운동 에너지가 나무 도막을 미는 일로 전환된다.
③ 나무 도막의 이동 거리는 수레의 운동 에너지에 비례한다.
④ 수레의 운동 에너지는 수레의 질량과 수레의 (속력)^{2}에 각각 비례한다.
⑤ 수레의 질량이 일정할 때 나무 도막의 이동 거리는 수레의 속력에 비례한다.

중요
21 나무 도막의 이동 거리와 수레의 (속력)^{2}의 관계 그래프로 옳은 것은?

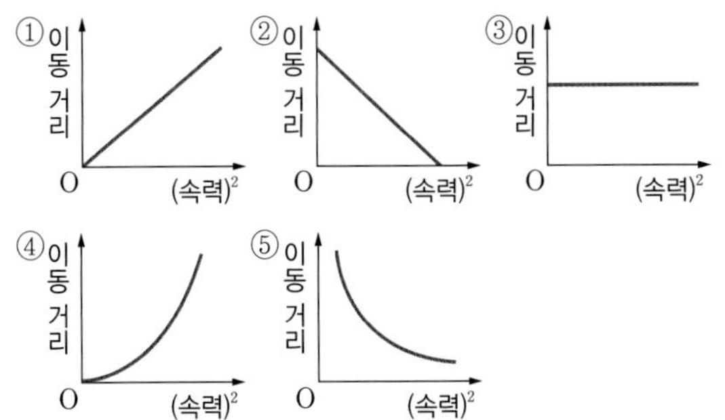

중요
22 그림과 같이 두 물체 A와 B가 각각 일정한 속력으로 운동하고 있을 때 B의 질량은 A의 2배이고, A의 속력은 B의 2배이었다.

A의 운동 에너지는 B의 몇 배인가?

① $\frac{1}{4}$배 ② $\frac{1}{2}$배 ③ 1배
④ 2배 ⑤ 4배

23 오른쪽 그림과 같이 추의 낙하 높이를 달리하면서 가만히 떨어뜨려 속력 측정기로 추의 속력을 측정하는 실험을 하였다. 이에 대한 설명으로 옳은 것을 보기에서 모두 고른 것은? (단, 실의 질량, 공기와의 마찰은 무시한다.)

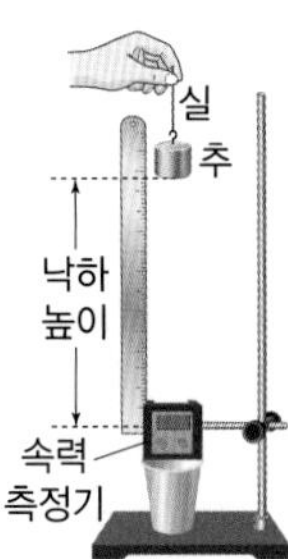

보기
ㄱ. 낙하하는 동안에는 추에 중력이 작용하지 않는다.
ㄴ. 중력이 추에 한 일의 양은 추의 무게와 낙하 높이의 곱과 같다.
ㄷ. 추의 질량이 작을수록, 추의 낙하 높이가 클수록 추의 운동 에너지가 커진다.

① ㄱ ② ㄴ ③ ㄷ
④ ㄱ, ㄷ ⑤ ㄴ, ㄷ

24 다음 글의 (   ) 안에 공통으로 들어갈 용어로 적절한 것은?

- 윈드서핑은 바람의 (   ) 에너지를 이용하여 파도를 탄다.
- 당구는 구르는 공의 (   ) 에너지를 이용하여 다른 공을 움직이게 한다.
- 달리는 자동차는 (   ) 에너지를 가지고 있다.

① 열 ② 빛 ③ 위치
④ 운동 ⑤ 화학

실력 강화 문제

02. 일과 에너지

01 오른쪽 그림은 어떤 물체에 작용한 힘의 크기를 힘의 방향으로 이동한 물체의 이동 거리에 따라 나타낸 것이다. 이에 대한 설명으로 옳은 것을 보기에서 모두 고른 것은?

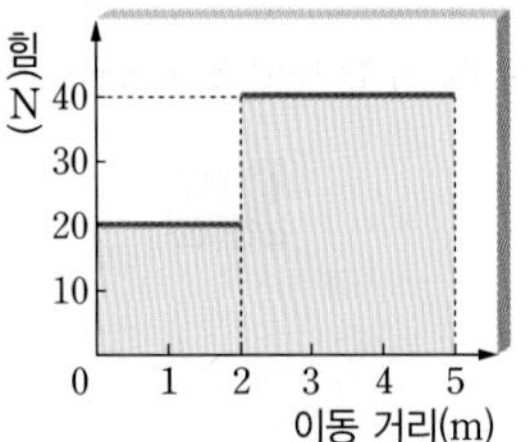

보기

ㄱ. 물체를 처음 2 m 이동시키는 동안 힘이 물체에 한 일의 양은 120 J이다.

ㄴ. 물체를 5 m 이동시키는 동안 힘이 물체에 한 일의 양은 200 J이다.

ㄷ. 그래프와 가로축으로 둘러싸인 부분의 넓이는 물체를 5 m 이동시키는 동안 힘이 물체에 한 일의 양과 같다.

① ㄱ　② ㄴ　③ ㄷ　④ ㄱ, ㄴ　⑤ ㄴ, ㄷ

02 오른쪽 그림과 같이 지면에 있던 질량이 1 kg인 물체를 일정한 높이까지 서서히 들어 올렸더니 지면을 기준면으로 물체가 가지는 중력에 의한 위치 에너지가 4.9 J이었다. 이에 대한 설명으로 옳은 것을 보기에서 모두 고른 것은? (단, 중력 가속도 상수는 9.8이고, 공기와의 마찰은 무시한다.)

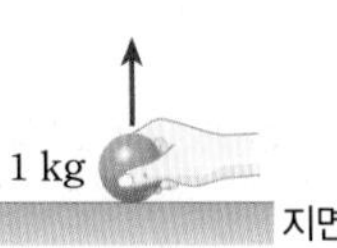

보기

ㄱ. 물체를 들어 올린 높이는 50 cm이다.

ㄴ. 물체를 들어 올린 힘의 크기는 4.9 N이다.

ㄷ. 물체를 들어 올린 힘이 중력에 대하여 물체에 한 일의 양은 9.8 J이다.

① ㄱ　② ㄴ　③ ㄷ　④ ㄱ, ㄴ　⑤ ㄴ, ㄷ

03 그림과 같이 탁자 위에 있던 무게가 50 N인 물체를 서서히 50 cm 들어 올릴 때, 이에 대한 설명으로 옳은 것은? (단, 중력 가속도 상수는 9.8이고, 공기와의 마찰은 무시한다.)

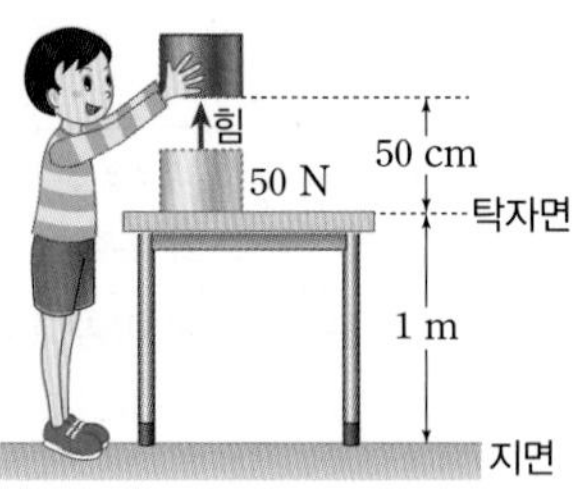

① 물체가 받은 일의 양은 250 J이다.

② 물체는 지면까지 떨어지면서 25 J의 일을 할 수 있다.

③ 지면을 기준면으로 물체가 가지는 중력에 의한 위치 에너지는 75 J이다.

④ 탁자면을 기준면으로 물체가 가지는 중력에 의한 위치 에너지는 0 J이다.

⑤ 중력이 물체에 일을 하면 이 일은 물체가 가지는 중력에 의한 위치 에너지로 전환된다.

04 오른쪽 그림은 두 물체 A, B의 높이에 따른 중력에 의한 위치 에너지의 크기를 나타낸 것이다. 이에 대한 설명으로 옳지 않은 것은?

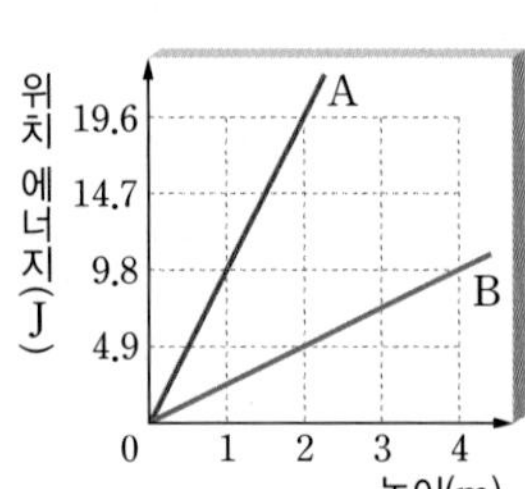

① A의 질량은 1 kg이다.

② A의 질량은 B의 4배이다.

③ A와 B가 가지는 중력에 의한 위치 에너지는 각각 높이에 비례한다.

④ 높이가 4 m일 때 A가 가지는 중력에 의한 위치 에너지는 39.2 J이다.

⑤ 같은 높이에 있을 때 A와 B가 가지는 중력에 의한 위치 에너지의 비(A : B)는 1 : 4이다.

정답과 해설 040쪽

05 오른쪽 그림과 같이 어떤 높이에서 추를 떨어뜨려 집게에 잡혀 있던 원통형 나무가 밀려 내려가게 하였다. 이에 대한 설명으로 옳지 않은 것은? (단, 집게와 원통형 나무 사이의 마찰력의 크기는 일정하고, 실의 질량, 공기와의 마찰은 무시한다.)

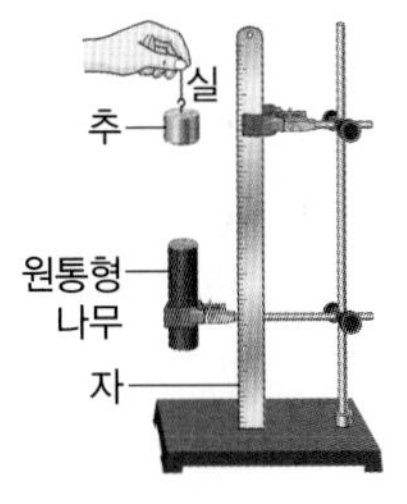

① 추가 원통형 나무에 한 일의 양은 원통형 나무의 이동 거리에 비례한다.
② 추의 질량이 일정할 때 원통형 나무의 이동 거리는 추의 높이에 비례한다.
③ 추의 높이가 일정할 때 원통형 나무의 이동 거리는 추의 질량에 반비례한다.
④ 추가 가지는 중력에 의한 위치 에너지가 원통형 나무를 미는 일로 전환된다.
⑤ 원통형 나무의 이동 거리는 추가 가지는 중력에 의한 위치 에너지에 비례한다.

06 그림과 같이 마찰이 없는 수평면에서 처음에 3 m/s의 속력으로 운동하던 질량이 2 kg인 물체에 힘을 가해 40 J의 일을 해 주었더니 속력이 v가 되었다.

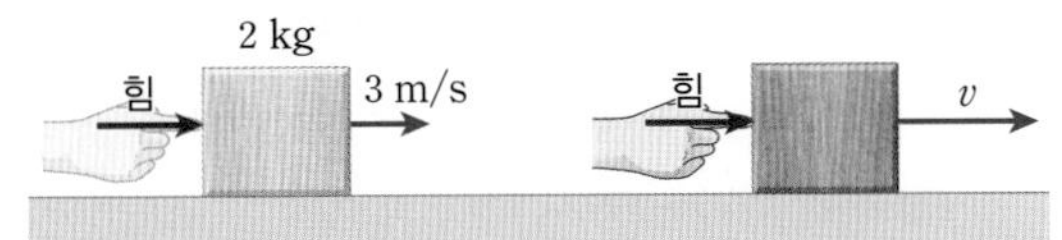

이에 대한 설명으로 옳은 것을 보기에서 모두 고른 것은?

보기
ㄱ. 물체의 나중 속력 v는 49 m/s이다.
ㄴ. 물체의 처음 운동 에너지는 9 J이다.
ㄷ. 물체에 한 일은 물체의 운동 에너지로 전환된다.

① ㄱ ② ㄴ ③ ㄷ
④ ㄱ, ㄴ ⑤ ㄴ, ㄷ

07 그림과 같이 운동하는 수레를 나무 도막에 충돌시켜 나무 도막의 이동 거리를 측정하는 실험을 하여 표와 같은 결과를 얻었다.

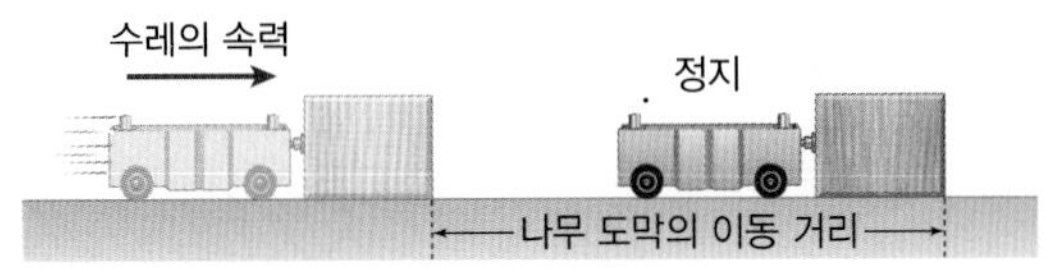

실험	(가)	(나)	(다)
수레의 질량(kg)	1	2	4
수레의 속력(m/s)	4	2	1
나무 도막의 이동 거리(cm)	10	(㉠)	(㉡)

위 실험의 결과에 대한 설명으로 옳은 것은? (단, 수레와 바닥 사이의 마찰은 무시한다.)

① ㉠은 20이다.
② ㉡은 ㉠의 2배이다.
③ (가)의 수레가 가지는 운동 에너지가 가장 작다.
④ (가)의 수레가 나무 도막에 한 일의 양은 16 J이다.
⑤ (나)의 수레가 가지는 운동 에너지는 (다)의 수레의 2배이다.

08 그림과 같이 정지해 있던 질량이 5 kg인 매가 10 m 높이를 자유 낙하 할 때, 중력이 매에 한 일의 양과 매의 나중 속력을 옳게 짝 지은 것은? (단, 중력 가속도 상수는 9.8이다.)

	일의 양	나중 속력		일의 양	나중 속력
①	490 J	14 m/s	②	490 J	20 m/s
③	980 J	14 m/s	④	980 J	20 m/s
⑤	1960 J	20 m/s			

서술형 문제

02. 일과 에너지

☞ 제시된 Keyword를 이용하여 문제를 해결해 보자.

1 그림은 역도 선수가 무게가 100 N인 역기를 들고 서 있는 모습을 나타낸 것이다. (단, 역기는 지면으로부터 2 m 높이에 있다.)

(1) 역도 선수가 역기에 작용한 힘의 크기와 힘의 방향을 쓰시오.

(2) 역도 선수가 역기를 들고 서 있는 동안 힘이 역기에 한 일의 양은 몇 J인지 쓰고, 그 까닭을 설명하시오.

Keyword 힘, 이동 거리, 한 일의 양

2 그림 (가)와 같이 추를 들어 올릴 때와 (나)와 같이 추가 말뚝을 박을 때, 추가 가진 에너지가 각각 어떻게 변하는지 설명하시오.

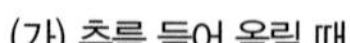

(가) 추를 들어 올릴 때

(나) 추가 말뚝을 박을 때

Keyword 추, 일, 에너지

3 다음은 은수의 하루 일과 중 일부를 나타낸 것이다.

> (가) 가방을 메고 학교까지 수평인 길을 따라 100 m 걸어갔다.
> (나) 가방을 메고 3 m 높이의 계단을 올라가서 교실에 도착했다.
> (다) 문틈에 낀 가방을 당겼으나 움직이지 않았다.

(가) ~ (다)에서 은수가 가방에 한 일의 양이 가장 큰 것을 고르고, 그 까닭을 설명하시오. (단, 가방의 질량은 모두 같다.)

Keyword 힘의 방향, 일, 이동 거리

4 그림과 같이 쇠구슬의 질량(m) 및 높이(h)를 달리하면서 나무 도막에 부딪치게 한 후 나무 도막의 이동 거리(s)를 측정하였다. (단, 빗면에서의 마찰은 무시한다.)

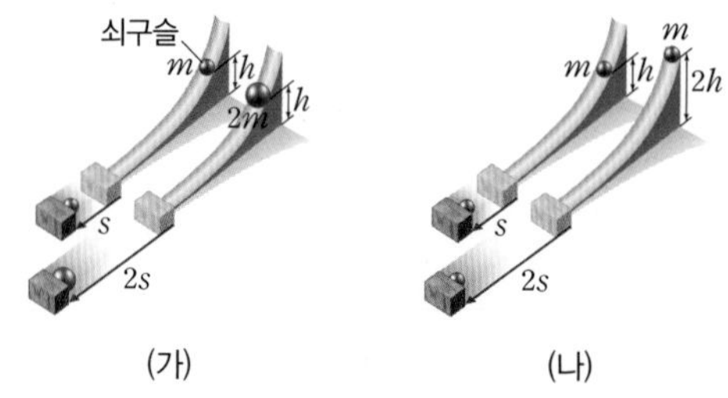

(가) (나)

(1) (가)의 실험으로 알 수 있는 쇠구슬이 가지는 중력에 의한 위치 에너지와 쇠구슬의 질량의 관계를 설명하시오.

Keyword 높이, 위치 에너지, 질량

(2) (나)의 실험으로 알 수 있는 쇠구슬이 가지는 중력에 의한 위치 에너지와 쇠구슬의 높이의 관계를 설명하시오.

Keyword 질량, 위치 에너지, 높이

5 **그림과 같이 질량이 각각 1 kg, 2 kg, 3 kg인 세 수레를 같은 속력으로 나무 도막에 부딪치게 한 후 나무 도막의 이동 거리를 측정하여 표와 같은 결과를 얻었다. (단, 세 나무 도막의 재질과 질량은 모두 같고, 수레와 바닥 사이의 마찰은 무시한다.)**

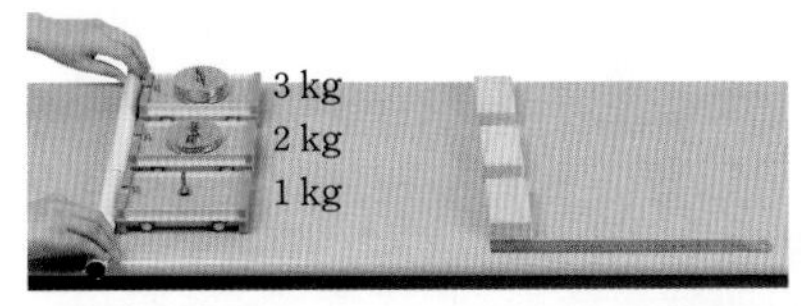

수레의 질량(kg)	1	2	3
나무 도막의 이동 거리(cm)	4	8	12

위 실험의 결과로 알 수 있는 나무 도막의 이동 거리와 수레의 질량의 관계를 설명하시오.

Keyword 속력, 이동 거리, 질량

6 **그림과 같이 지면에 있던 질량이 0.5 kg인 화분을 서서히 1 m 들어 올렸다. (단, 중력 가속도 상수는 9.8이고, 공기와의 마찰은 무시한다.)**

(1) 화분을 들어 올린 힘의 크기는 몇 N인지 쓰시오.

(2) 화분을 들어 올린 힘이 화분에 중력에 대하여 한 일의 양은 몇 J인지 풀이 과정과 함께 설명하시오.

Keyword 한 일의 양, 무게, 높이

7 **그림과 같이 말뚝으로부터 1 m 높이에서 질량이 10 kg인 추를 떨어뜨렸더니 말뚝이 10 cm 박혔다.**

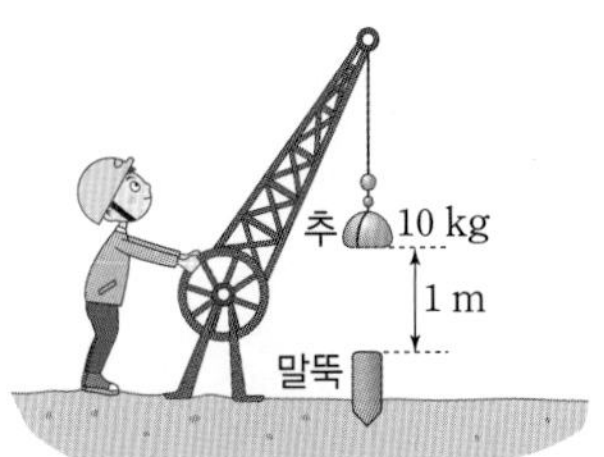

말뚝을 40 cm 박히게 할 수 있는 방법을 2가지 설명하시오. (단, 말뚝에 작용하는 마찰력의 크기는 일정하고, 줄의 질량 및 추가 낙하하는 동안의 모든 마찰은 무시한다.)

Keyword 질량, 높이

8 **오른쪽 그림과 같이 추의 낙하 높이를 달리하면서 가만히 떨어뜨려 속력 측정기로 추의 속력을 측정하였다. (단, 실의 질량, 공기와의 마찰은 무시한다.)**

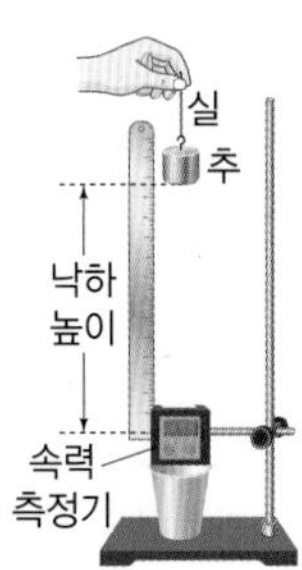

(1) 추가 낙하함에 따라 추의 운동 에너지가 증가하는 까닭을 일과 관련지어 설명하시오.

Keyword 중력, 일, 운동 에너지

(2) 추의 낙하 높이와 속력 측정기로 측정한 추의 속력의 관계를 설명하시오.

Keyword 속력, 낙하 높이, 비례

최상위권 도전 문제

☞ 제시된 Tip을 이용하여 문제를 해결해 보자.

1 **그림은 직선 경로를 따라 A 지점에서 D 지점까지 자전거를 타고 이동한 사람의 각 구간별 이동 거리와 걸린 시간을 나타낸 것이다.**

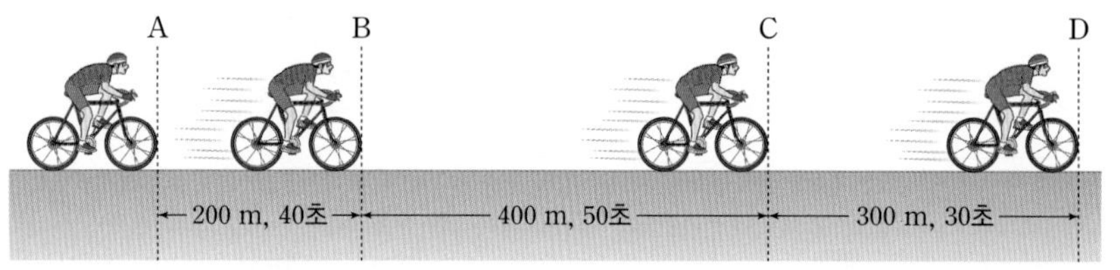

이에 대한 설명으로 옳은 것을 보기에서 모두 고른 것은?

보기

ㄱ. A~D 구간의 평균 속력은 15 m/s이다.
ㄴ. A~D 구간을 7.5 m/s의 속력으로 등속 운동을 하면 전체 걸리는 시간은 같다.
ㄷ. 평균 속력은 운동 도중에서의 속력 변화는 생각하지 않고 전체 이동 거리를 걸린 시간으로 나누어 구한다.

① ㄱ ② ㄴ ③ ㄱ, ㄷ
④ ㄴ, ㄷ ⑤ ㄱ, ㄴ, ㄷ

Tip 각 구간에서의 평균 속력은 각 구간에서의 이동 거리를 걸린 시간으로 나누어서 구한다.

2 **표는 직선 경로를 따라 운동하는 어떤 물체가 이동한 거리를 0.1초 간격의 시간 구간마다 나타낸 것이다. (단, 공기와의 마찰은 무시한다.)**

시간 구간	0초~0.1초 구간	0.1초~0.2초 구간	0.2초~0.3초 구간	0.3초~0.4초 구간
각 시간 구간에서의 이동 거리(cm)	4.9	14.7	24.5	34.3
각 시간 구간에서의 평균 속력(m/s)	(㉠)	(㉡)	(㉢)	(㉣)

각 시간 구간에서의 평균 속력 ㉠~㉣을 구하고, 시간에 따른 이동 거리 그래프와 속력 그래프를 각각 그리시오.

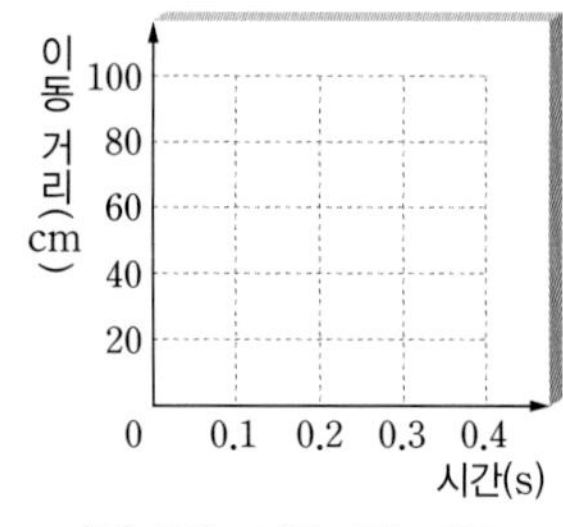

(가) 시간－이동 거리 그래프

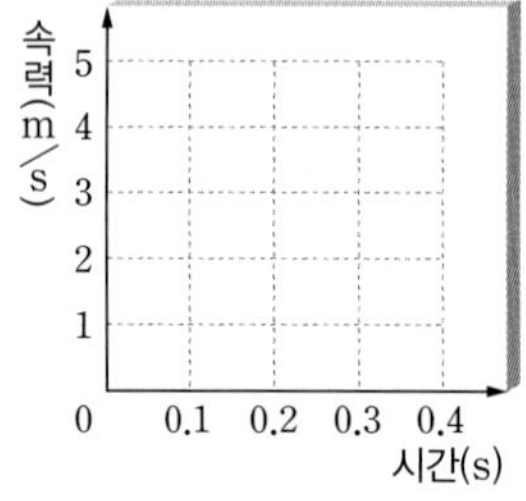

(나) 시간－속력 그래프

Tip 시간에 따른 이동 거리 그래프를 그릴 때 해당하는 시간까지의 각 시간 구간에서의 이동 거리를 모두 더해 구한다. 예를 들어 0.3초일 때 이동 거리는 $4.9+14.7+24.5=44.1$(cm)이다. 또 시간에 따른 속력 그래프를 그릴 때 각 시간 구간에서의 평균 속력이므로 각 시간 구간의 가운데에 속력 값을 표시한다.

3 표는 여러 천체 표면에서 측정한 중력 가속도 상수 값이다.

천체	지구	달	화성	목성
중력 가속도 상수	9.8	1.6	3.7	24.8

이에 대한 설명으로 옳은 것을 보기에서 모두 고른 것은?

보기

ㄱ. 화성 표면에서 질량이 10 kg인 물체의 무게는 3.7 N이다.
ㄴ. 지구 표면에서보다 목성 표면에서 물체에 작용하는 중력의 크기가 크다.
ㄷ. 달 표면에서 자유 낙하 운동을 하는 물체는 1초마다 속력이 9.8 m/s씩 증가한다.

① ㄱ ② ㄴ ③ ㄱ, ㄴ
④ ㄱ, ㄷ ⑤ ㄴ, ㄷ

Tip

각 천체에서 물체의 무게는 각 천체가 물체에 작용하는 중력의 크기를 나타내며, 각 천체의 중력 가속도 상수와 물체의 질량의 곱과 같다.

중력 가속도
물체가 자유 낙하 운동을 할 때 천체가 물체에 작용하는 중력에 의해 생기는 가속도

중력 가속도 상수
장소에 따라 다르며, 천체 표면에서 높이 올라갈수록 작아진다. 지구의 중력에 의한 중력 가속도 상수는 지구 표면에서 평균적으로 9.8이며, 이 값은 공기와의 마찰을 무시하면 물체의 속력이 1초마다 9.8 m/s씩 증가한다는 것을 뜻한다.

4 그림 (가)~(바)는 여러 가지 물체의 운동을 일정한 시간 간격으로 나타낸 것이다.

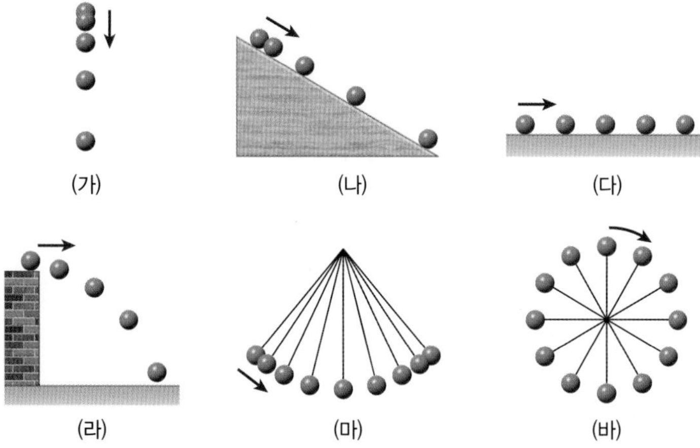

이에 대한 설명으로 옳은 것을 보기에서 모두 고른 것은? (단, 모든 마찰은 무시한다.)

보기

ㄱ. (가)의 물체에는 중력만 작용한다.
ㄴ. (나)와 (다)의 물체에는 일정한 크기의 힘이 작용한다.
ㄷ. (라)와 (마)의 물체는 속력과 운동 방향이 모두 변한다.
ㄹ. (바)에서 힘이 물체에 한 일의 양은 힘의 크기와 원둘레의 곱과 같다.

① ㄱ, ㄷ ② ㄱ, ㄹ ③ ㄴ, ㄹ
④ ㄱ, ㄴ, ㄷ ⑤ ㄴ, ㄷ, ㄹ

Tip

등속 원운동은 물체가 반지름이 일정한 원둘레 위를 일정한 속력으로 도는 운동으로, 원의 중심 방향으로 구심력이 작용하여 물체의 속력은 일정하지만, 운동 방향이 계속 변한다.

수평 방향으로 던진 물체의 운동
수평 방향으로는 힘이 작용하지 않고, 연직 아래 방향으로는 중력이 작용한다.

진자(단진자) 운동
실이나 줄에 매달린 진자가 일정한 시간 간격으로 같은 경로를 왕복하는 운동이다. 진자에 실이나 줄의 장력과 중력이 동시에 작용하여 진자의 속력과 운동 방향이 모두 변한다.

5 그림과 같이 우재는 지면에 놓인 질량이 5 kg인 상자에 수평 방향으로 10 N의 힘을 주어 등속으로 상자를 힘의 방향으로 4 m 밀고 간 후, 상자를 등속으로 1 m 들어 올렸다.

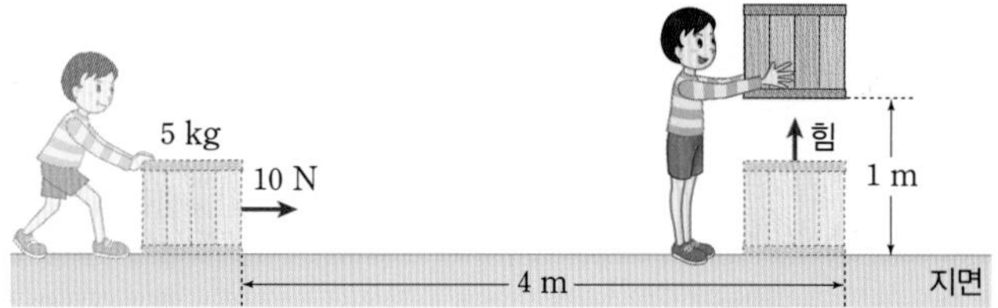

이에 대한 설명으로 옳은 것을 보기에서 모두 고른 것은? (단, 중력 가속도 상수는 9.8이고, 공기와의 마찰은 무시한다.)

보기
ㄱ. 우재가 상자에 중력에 대하여 한 일의 양은 5 J이다.
ㄴ. 우재가 상자에 마찰력에 대하여 한 일의 양은 196 J이다.
ㄷ. 1 m 높이에 있는 상자가 가지는 중력에 의한 위치 에너지는 지면을 기준으로 49 J이다.

① ㄱ ② ㄴ ③ ㄷ
④ ㄱ, ㄷ ⑤ ㄴ, ㄷ

Tip
상자에 마찰력에 대하여 한 일의 양은 힘의 크기와 이동 거리의 곱과 같고, 상자에 중력에 대하여 한 일의 양은 상자의 무게와 들어 올린 높이의 곱과 같다.

마찰력에 대하여 한 일의 양
마찰력이 작용하는 수평면에서 물체를 등속으로 이동시킬 때는 마찰력과 같은 크기의 힘을 작용해야 하므로 마찰력에 대하여 한 일의 양=힘의 크기×이동 거리=마찰력의 크기×이동 거리이다.

6 오른쪽 그림과 같이 쇠구슬이 레일을 따라 내려와 나무 도막에 부딪치게 한 후 나무 도막의 이동 거리를 측정하여 표와 같은 결과를 얻었다.

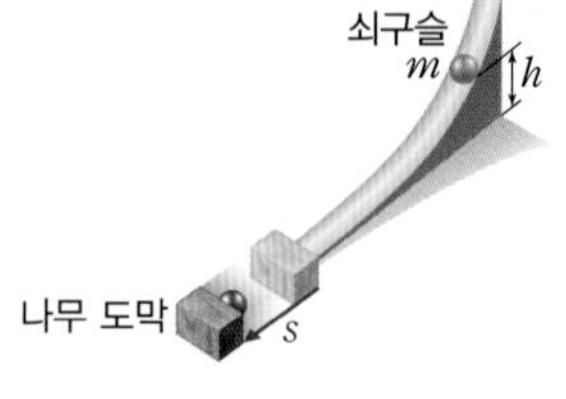

실험	(가)	(나)	(다)	(라)
쇠구슬의 질량(g)	50	50	100	100
쇠구슬의 높이(cm)	10	20	10	20
나무 도막의 이동 거리(cm)	3	6	6	(㉠)

위 실험에 대한 설명으로 옳은 것은? (단, 중력 가속도 상수는 9.8이고, 빗면에서의 마찰 및 공기와의 마찰은 무시한다.)

① ㉠은 9이다.
② 쇠구슬이 가지는 중력에 의한 위치 에너지가 나무 도막을 미는 일로 전환된다.
③ (나)의 쇠구슬이 가지는 중력에 의한 위치 에너지는 9.8 J이다.
④ (가)와 (다)를 비교하면 쇠구슬의 질량이 일정할 때 쇠구슬이 가지는 중력에 의한 위치 에너지와 쇠구슬의 높이의 관계를 알 수 있다.
⑤ (가)와 (라)를 비교하면 쇠구슬의 높이가 일정할 때 쇠구슬이 가지는 중력에 의한 위치 에너지는 쇠구슬의 질량에 비례한다는 사실을 알 수 있다.

Tip
중력에 의한 위치 에너지=9.8×질량×높이이다. 즉, 질량이 1 kg인 물체가 1 m 높이에 있을 때 물체의 중력에 의한 위치 에너지는 9.8 J이다.

7 **그림은 (가)와 같이 처음 길이가 10 cm인 용수철을, (나)와 같이 나무 도막을 밀어서 2 cm 압축시켰을 때와 (다)와 같이 손으로 잡아당겨 4 cm 늘였을 때의 모습을 나타낸 것이다.**

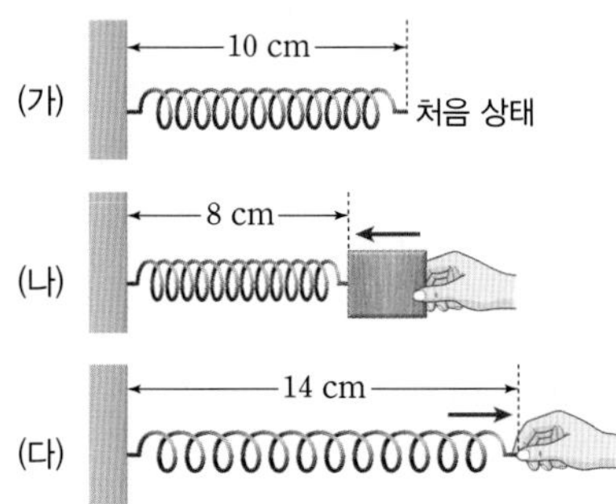

이에 대한 설명으로 옳은 것은? (단, 모든 마찰은 무시한다.)

① (나)에서 나무 도막을 미는 일은 열에너지로 전환된다.

② 탄성력의 크기는 용수철이 변형된 길이에 반비례한다.

③ 용수철이 가지는 탄성력에 의한 위치 에너지는 (가)에서가 최대이다.

④ 용수철이 가지는 탄성력에 의한 위치 에너지는 (다)에서보다 (나)에서가 크다.

⑤ 용수철이 가지는 탄성력에 의한 위치 에너지는 용수철이 변형된 길이의 제곱에 비례한다.

Tip

탄성력의 크기는 용수철이 변형된 길이에 비례하고, 용수철이 가지는 탄성력에 의한 위치 에너지는 용수철이 변형된 길이의 제곱에 비례한다.

물체가 가지는 탄성력에 의한 위치 에너지

용수철이나 고무줄과 같은 탄성체가 변형되었을 때 가지는 위치 에너지이다. 용수철 상수가 k, 탄성체가 변형된 길이가 x일 때 탄성력에 의한 위치 에너지는 $\frac{1}{2}kx^2$이다.

8 **오른쪽 그림과 같이 질량이 100 g인 추의 낙하 높이를 달리하면서 가만히 떨어뜨린 후 속력 측정기로 추의 속력을 측정하여 표와 같은 결과를 얻었다.**

실험	(가)	(나)	(다)
추의 낙하 높이(cm)	10	20	30
추의 속력(m/s)	1.40	1.98	2.42

위 실험에 대한 설명으로 옳은 것은? (단, 중력 가속도 상수는 9.8이고, 실의 질량, 공기와의 마찰은 무시한다.)

① 추의 속력은 추의 낙하 높이에 비례한다.

② (다)에서 추의 운동 에너지는 0.098 J이다.

③ (나)에서 중력이 추에 한 일의 양은 0.196 J이다.

④ 추에 중력에 대하여 한 일이 추의 운동 에너지로 전환된다.

⑤ 추의 낙하 높이를 40 cm로 하면 추의 속력은 (가)에서의 4배가 된다.

Tip

추가 자유 낙하 운동을 할 때 추에 중력이 일을 하며, 중력이 한 일의 양은 추의 운동 에너지로 전환된다.

창의·사고력 향상 문제

예제

다음은 비의 형성 과정을 설명한 글이다.

대기 중의 수증기가 지름 0.2 mm 이상의 물방울이 되어 지상으로 떨어지는 현상을 비라고 한다. 약 10만~100만 개의 구름 방울이 뭉쳐야 1개의 빗방울이 된다. 열대 지방에서 관측된 지름 7 mm, 질량 0.3 g인 빗방울은 가장 큰 빗방울 중 하나이다.

비의 형성 과정

(1) 지면으로부터 2 km 높이에서 질량이 0.3 g인 빗방울이 가지는 중력에 의한 위치 에너지의 크기를 구하시오. (단, 중력 가속도 상수는 10으로 일정하다고 가정한다.)

(2) 공기와의 마찰을 무시할 때 (1)의 빗방울이 자유 낙하 운동을 하여 지면에 도달하는 순간의 속력을 구하고, 공기와의 마찰을 고려하면 빗방울의 속력이 어떻게 달라지는지 설명하시오.

출제 의도
물체가 가지는 중력에 의한 위치 에너지와 운동 에너지의 크기를 구할 수 있는가?

문제 해결을 위한 배경 지식
- **중력에 의한 위치 에너지**: 높은 곳에 있는 물체가 가지는 에너지 $E_{위치}=9.8mh$
- **운동 에너지**: 운동하는 물체가 가지는 에너지 $E_{운동}=\frac{1}{2}mv^2$

▶▶ 해결 전략 클리닉 ◀◀

공기와의 마찰을 무시할 때 자유 낙하 운동을 하는 빗방울에 중력이 한 일은 모두 빗방울의 운동 에너지로 전환되므로 다음과 같은 답안 요령으로 접근해 보자.

❶ 빗방울이 가지는 중력에 의한 위치 에너지=중력 가속도 상수×질량×높이=10×질량×높이

❷ 자유 낙하 운동을 하는 빗방울에 중력이 한 일의 양=무게×높이=10×질량×높이

❸ 빗방울에 중력이 한 일이 운동 에너지로 전환되므로 10×질량×높이=$\frac{1}{2}$×질량×(속력)^2

❹ 지면에서 빗방울의 (속력)^2=2×10×높이이므로, 속력=$\sqrt{2\times10\times높이}$이다.

Keyword
(1) 중력 가속도 상수, 질량, 높이
(2) 공기, 속력, 마찰, 열에너지

▶ 모범 답안 ◀

(1) 빗방울이 가지는 중력에 의한 위치 에너지의 크기는 중력 가속도 상수와 빗방울의 질량과 지면으로부터의 높이의 곱과 같으므로 (10×0.0003) N×2000 m=6 J이다.

(2) 공기와의 마찰을 무시하면 $v^2=2\times10\times2000=40000$이므로 지면에서 빗방울의 속력 v=200 m/s이다. 공기와의 마찰을 고려하면 빗방울에 중력이 한 일의 대부분이 열에너지 등으로 전환되기 때문에 지면에서 빗방울의 속력은 이에 비해 매우 느려질 것이다.

완벽한 답안 작성을 위한 tip
(1) 빗방울의 질량을 kg으로 환산하고, 중력 가속도 상수를 10으로 대입하여 빗방울이 가지는 중력에 의한 위치 에너지의 크기를 구해야 완벽한 답안이 될 수 있다.
(2) 빗방울에 중력이 한 일의 양과 지면에서 빗방울의 운동 에너지가 같다는 식을 세워서 빗방울의 속력을 구해야 완벽한 답안이 될 수 있다.

정답과 해설 044쪽

1 단계적 문제 해결형

그림은 빗면을 따라 굴러 내려가는 공의 위치를 0.2초 간격으로 나타낸 것이다.

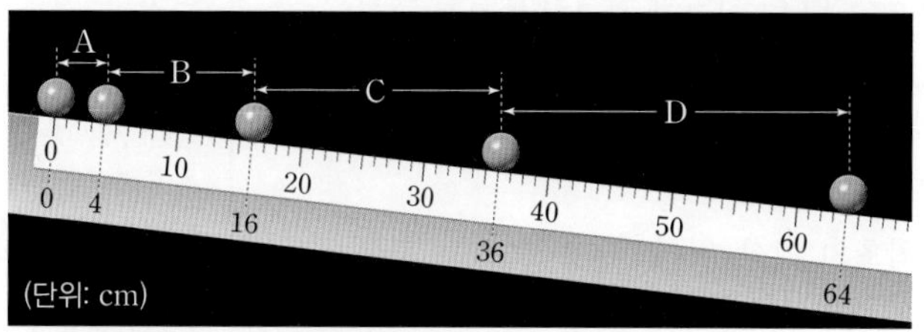

(1) A~D 각 구간별 공의 이동 거리와 평균 속력을 표에 쓰시오.

구간	A	B	C	D
걸린 시간(초)	0.2	0.2	0.2	0.2
이동 거리(cm)	(　　)	(　　)	(　　)	(　　)
평균 속력(cm/s)	(　　)	(　　)	(　　)	(　　)

(2) 공의 시간에 따른 속력 그래프를 오른쪽에 나타내고, 공의 속력 변화를 공에 작용하는 힘과 관련지어 설명하시오.

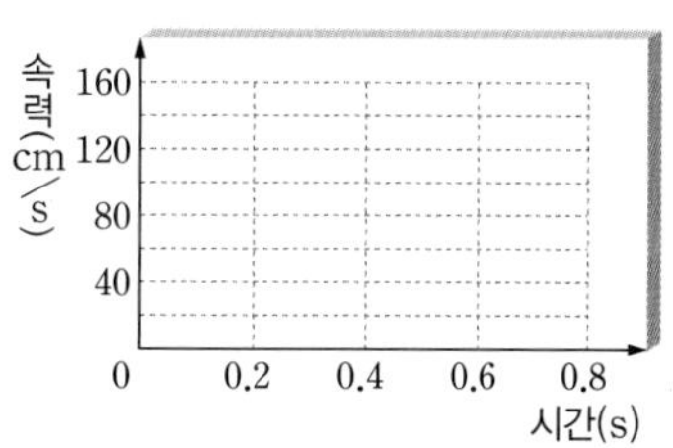

Tip
공의 운동 방향과 같은 방향으로 일정한 크기의 힘이 작용할 때 공의 속력 변화가 일정함을 생각한다.

Keyword
(2) 운동 방향, 힘, 속력 변화

2 단계적 문제 해결형

그림 (가)는 연직 위로 v_0의 속력으로 던져 올린 공의 운동을 0.1초 간격으로 나타낸 것이다. 공을 던져 올린 순간부터 다시 처음 위치로 되돌아올 때까지 1초가 걸렸다.

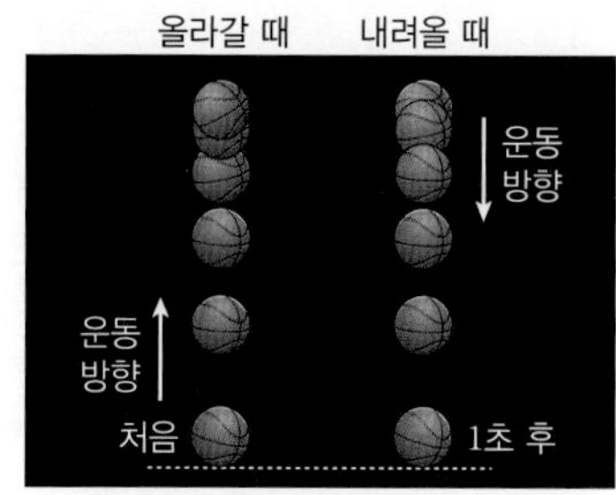

(가) 공의 운동 모습

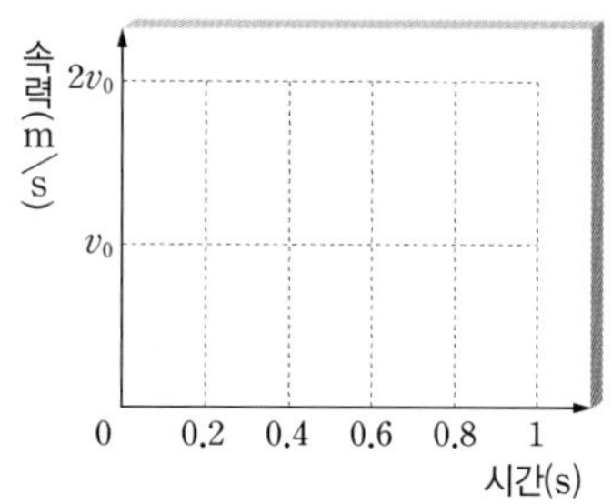

(나) 시간 – 속력 그래프

그림 (나)에 공의 시간에 따른 속력 변화를 그래프로 나타내고, 공의 속력 변화를 공에 작용하는 힘과 관련지어 설명하시오. (단, 공기와의 마찰은 무시한다.)

Tip
공의 운동 방향과 반대 방향으로 중력이 작용하면 공의 속력이 일정하게 감소하고, 공의 운동 방향과 같은 방향으로 중력이 작용하면 공의 속력이 일정하게 증가한다.

Keyword
중력, 운동 방향, 속력 변화

3 논리적 서술형

다음은 지구 둘레를 도는 인공위성에 대한 글이다.

> 극궤도 위성(polar - orbiting satellite)은 지구의 남극과 북극의 상공을 통과하는 궤도를 도는 인공위성이다. 극궤도 위성이 지구 둘레를 한 바퀴 돌 때 지구도 자전하므로 지구의 모든 곳을 볼 수 있으며, 같은 지역을 하루에 두 번 지나므로 자주 관측할 수 있다는 장점이 있다.
> 미국항공우주국(NASA)에서 개발한 최초의 기상 위성인 타이로스는 고도 850 km에서 지구 둘레를 돌며 세계 전역을 촬영하였다.

(1) 질량이 120 kg인 인공위성이 고도 850 km에서 지구 둘레를 등속 원운동을 하고 있을 때 지구가 인공위성에 작용하는 중력의 크기는 몇 N인지 쓰시오. (단, 고도 850 km에서 지구의 중력 가속도 상수는 약 7.6이다.)

(2) 인공위성이 지구 주위를 한 바퀴 돌 때 지구가 작용하는 중력이 인공위성에 한 일의 양은 몇 J인지 쓰고, 그렇게 생각한 까닭을 설명하시오.

Tip

인공위성의 무게는 인공위성에 작용하는 중력의 크기이며, 중력 가속도 상수와 인공위성의 질량의 곱과 같다. 중력이 인공위성에 한 일의 양을 구할 때는 인공위성에 작용하는 중력의 방향과 인공위성의 이동 방향을 생각해 보아야 한다.

Keyword

(2) 중력의 방향, 이동 방향, 수직

4 단계적 문제 해결형

그림과 같이 양궁 선수가 화살을 50 m/s의 속력으로 수평 방향으로 25 m 떨어진 곳에 위치한 표적의 중심을 향해 쏘았다.

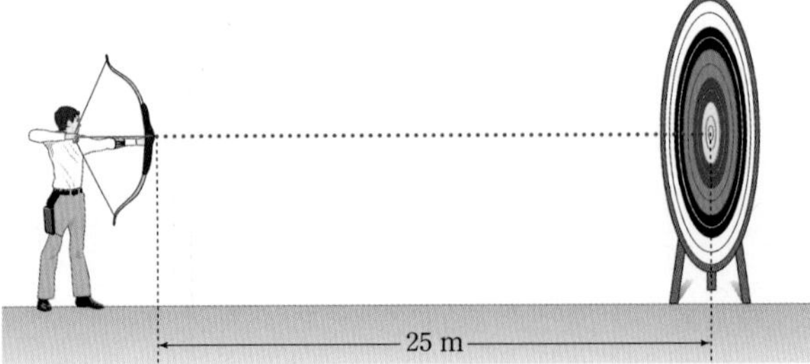

화살은 표적의 중심에서 얼마나 떨어진 곳에 맞는지 그 까닭과 함께 설명하시오. (단, 중력 가속도 상수는 9.8이고, 공기와의 마찰은 무시하며 화살의 수평 방향의 속력은 일정하다.)

Tip

수평 방향으로 운동하는 물체가 연직 아래 방향으로 중력을 받으면 물체는 운동한 시간만큼 연직 아래 방향으로도 이동하므로 물체는 아래쪽으로 기울어져 운동한다.
물체의 속력이 일정하게 증가한다면 물체가 운동하는 동안의 평균 속력은 물체의 처음 속력과 나중 속력의 평균과 같다.

Keyword

수평 방향, 연직 아래 방향

5 논리적 서술형

그림과 같이 A 지점에서 출발한 쇠구슬이 빗면을 따라 B 지점까지 내려온 후 수평면인 BC 구간을 운동하였다.

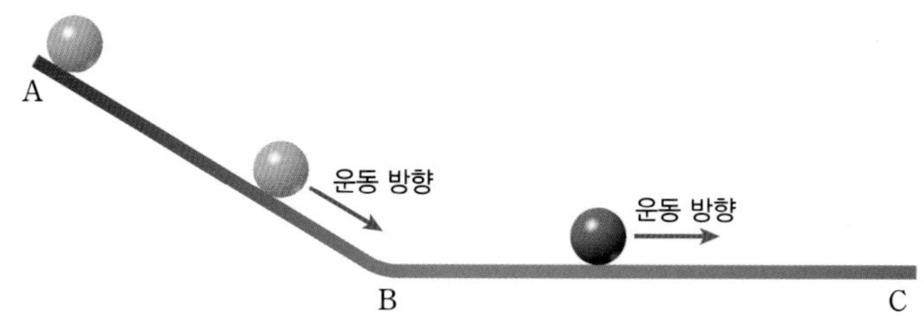

AB 구간과 BC 구간에서 쇠구슬이 각각 어떤 운동을 하는지 그 까닭과 함께 설명하시오. (단, 모든 마찰은 무시한다.)

Tip
쇠구슬의 운동 방향과 같은 방향으로 일정한 크기의 힘이 작용할 때와 쇠구슬에 힘이 작용하지 않을 때로 나누어 생각한다.

Keyword
중력, 힘, 운동

6 단계적 문제 해결형

주행 중인 자동차가 브레이크 페달을 밟은 후부터 완전히 정지할 때까지 진행한 거리를 제동 거리라고 한다.

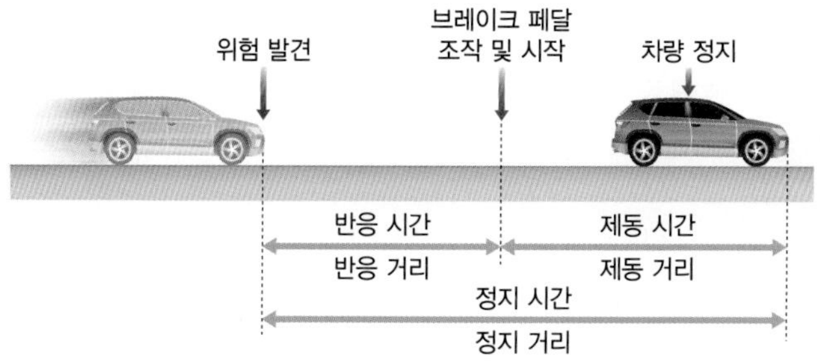

자동차의 속력이 2배, 3배가 되면 제동 거리는 각각 몇 배가 되는지 쓰고, 자동차의 속력이 빠를수록 앞차와의 안전거리를 더 많이 확보해야 하는 까닭을 설명하시오. (단, 지면과의 마찰력은 일정하다.)

Tip
자동차의 제동 거리와 운동 에너지, 운동 에너지와 자동차의 $(속력)^2$의 관계를 이용하여 설명할 수 있다.

Keyword
제동 거리, $(속력)^2$, 비례

Sc!ence Talk

자동차의 과속을 예방하기 위한

과속 단속 장비

자동차의 운동 에너지는 자동차의 질량과 (속력)^{2}에 각각 비례한다. 따라서 자동차의 질량이 일정할 때 자동차의 속력이 2배, 3배, …가 되면 자동차의 운동 에너지는 2^2배, 3^2배, …가 되어 다른 물체에 일을 할 수 있는 능력이 커진다.

우리나라 고속도로의 경우 자동차의 속력을 100 km/h~110 km/h로 제한하고 있고, 일반도로의 경우에는 이보다 더 느린 속력으로 제한하고 있다. 이것은 자동차의 운동 에너지가 커질수록 더 심각한 교통사고를 유발할 수 있기 때문이다. 이 때문에 도로에는 과속 단속 장비가 곳곳에 설치되어 있어서 자동차의 과속을 예방하고 있다.

■ 고정식 과속 단속 카메라

고정식 과속 단속 카메라가 설치된 도로는 카메라 앞에 두 개의 센서가 바닥에 설치되어 있다. 첫 번째 센서는 보통 카메라 앞 약 40 m~60 m 지점에, 두 번째 센서는 카메라 앞 약 20 m~30 m 지점에 설치되어 있으며, 자동차가 이 두 개의 센서를 통과하는 데 걸리는 시간을 통해 자동차의 속력을 측정한다.

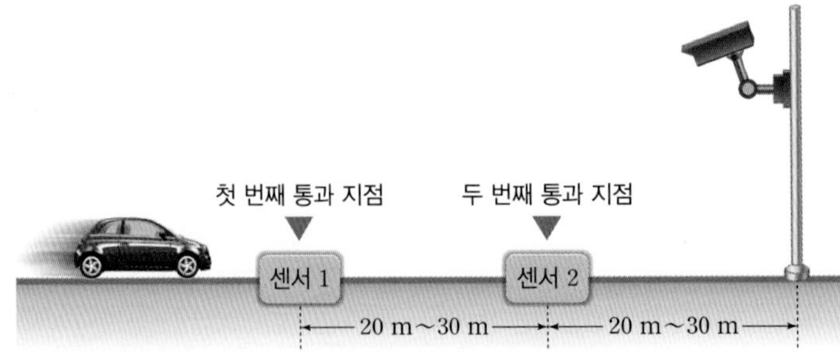

고정식 과속 단속 카메라

■ 이동식 과속 단속 카메라와 스피드 건

이동식 과속 단속 카메라는 달려오는 자동차에 레이저를 쏘아 레이저 빛이 자동차와 카메라 사이를 수백 번 왔다 갔다 하면서 거리와 시간차를 계산하여 자동차의 평균 속력을 측정한다. 이동식 과속 단속 카메라는 레이저 빛을 이용하므로 먼 거리에 떨어진 자동차의 과속도 쉽게 판단할 수 있다.

스피드 건(speed gun)은 경찰이 직접 카메라를 들고 과속 단속을 하는 데 도플러 효과를 이용하여 물체의 속력을 측정하는 기구이다. 야구 선수가 던진 공의 속력을 측정하거나 달리는 자동차의 속력을 측정하려면 초음파를 연속적으로 공이나 자동차에 발사하고 반사되어 돌아오는 초음파의 파장이나 진동수를 측정한다. 다가오는 물체에서 반사되어 돌아오는 초음파는 원래보다 더 짧은 파장, 더 높은 진동수를 가지므로 원래의 진동수와 반사파의 진동수의 차이를 이용하면 물체의 속력을 구할 수 있다.

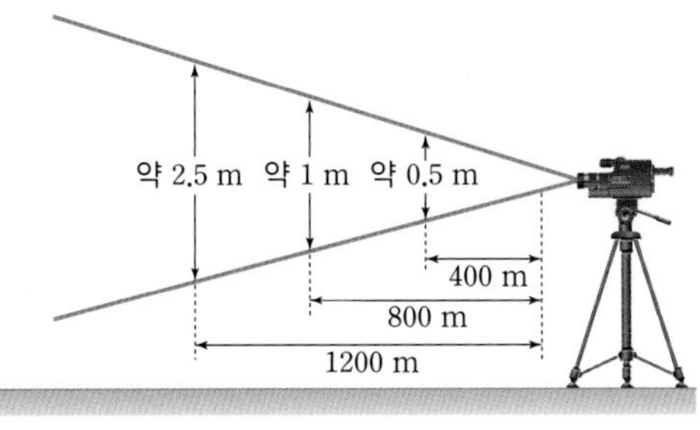

이동식 과속 단속 카메라

스피드 건

■ 구간 과속 단속

과속 단속을 피하기 위해 단속 카메라가 있는 곳에서만 순간적으로 자동차의 속력을 줄였다가 단속 카메라를 지나자마자 자동차의 속력을 올리는 운전자들의 행태를 캥거루 효과(kangaroo effect)라고 한다. 정지와 점프를 반복하며 뛰는 모습이 캥거루를 닮았다고 하여 이런 명칭이 붙었다. 캥거루 효과로 인한 교통사고의 위험을 방지하기 위해 설치한 과속 단속 카메라의 실효성이 떨어지자 대안으로 구간 과속 단속 방안이 등장했다.

구간 과속 단속은 위험 구간이 시작되는 지점과 끝나는 지점에 각각 카메라를 설치하여 지나가는 자동차의 구간 평균 속력을 측정하여 단속하는 방식이다. 구간 거리를 통과하는 데 걸린 시간으로 나눈 값, 즉 평균 속력을 단속의 기준으로 삼아 과속을 판단하는 것이다.

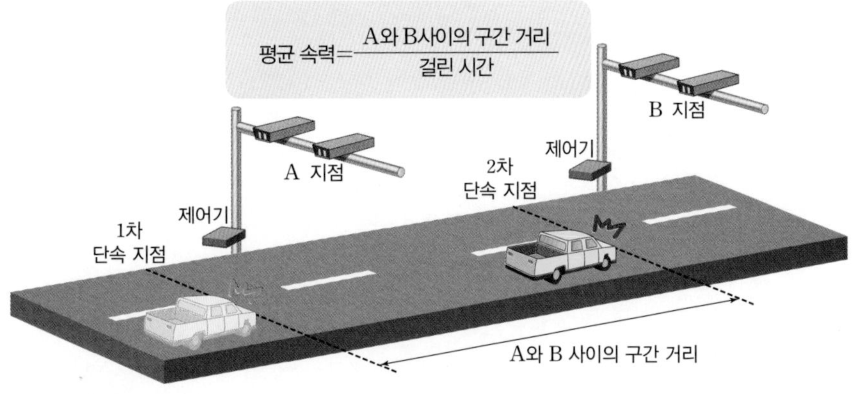

구간 과속 단속

IV
자극과 반응

01 감각 기관

02 신경계

03 항상성

우리 몸은 외부의 다양한 자극을 받아들이고 자극에 대해 적절하게 반응한다. 우리 몸이 감각 기관과 신경계의 작용으로 자극에 대해 반응하는 과정을 이해하고, 외부 환경의 변화에도 체내 상태를 일정하게 유지하는 조절 작용에 대해 알아보자.

01 감각 기관

우리가 풍경을 보고, 소리를 듣고, 음식의 맛과 냄새를 느낄 수 있는 것은 우리 몸의 여러 감각 기관이 환경 변화를 자극으로 받아들여 감지하기 때문이다. 우리 몸의 감각 기관에는 어떤 것이 있으며, 어떤 과정을 통해 감각하게 될까?

1 눈

1. 눈의 구조와 기능

(1) **공막**: 눈의 가장 바깥쪽에 있는 막으로, 눈의 형태를 유지하고 내부를 보호한다.
 └ 눈의 흰자위 부분이다.

(2) **맥락막**: 공막 안쪽에 있는 막으로, 검은색 색소가 있어 눈 속을 어둡게 한다.

(3) **망막**: 눈의 가장 안쪽에 있는 막으로, 물체의 상이 맺히는 곳이다. 시각 세포가 있어 빛 자극을 받아들인다.

① 황반: 시각 세포가 많이 분포하여 이곳에 상이 맺히면 가장 뚜렷하게 보인다.

② 맹점: 시각 신경이 모여 나가는 부위로, 시각 세포가 없어 상이 맺혀도 볼 수 없다.

(4) **각막**: 눈의 앞쪽에 있는 투명한 막으로, 빛이 통과한다.
 └ 각막은 공막의 일부가 변형된 것이다.

(5) **수정체**: 볼록 렌즈 모양이며, 빛을 굴절시켜 망막에 상이 맺히도록 한다.

(6) **섬모체**: 수정체의 두께를 조절하는 근육이다.

(7) **홍채**: 동공의 크기를 조절하여 눈으로 들어오는 빛의 양을 조절한다.

(8) **동공**: 홍채에 덮이지 않은 부분으로, 눈 속으로 빛이 들어가는 통로이다.

(9) **유리체**: 눈 속을 채우고 있는 투명한 물질로, 눈의 형태를 유지한다.

(10) **시각 신경**: 시각 세포에서 받아들인 자극을 뇌로 전달하는 신경이다.

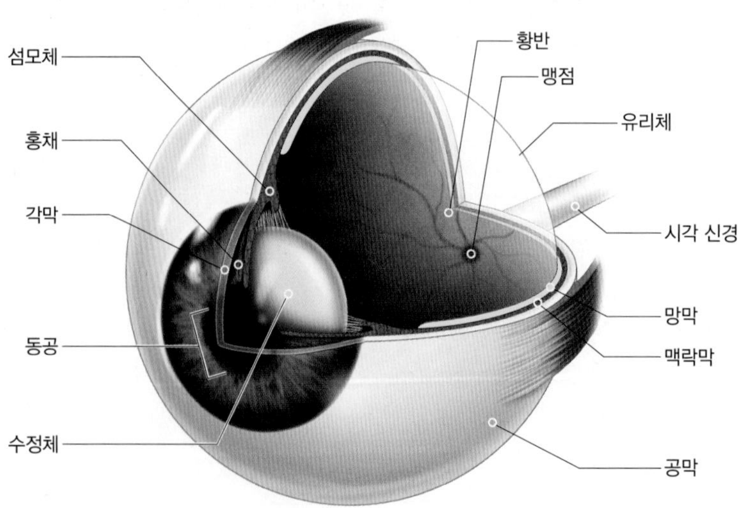

눈의 구조

자극과 감각 기관 과학 용어 사전 244쪽

자극은 생물에 작용하여 특정한 반응을 일으키는 환경 요인이며, 감각 기관은 자극을 받아들이는 기관이다. 각 감각 기관마다 특정한 종류의 자극을 받아들인다.

감각 기관	자극	감각
눈	빛	시각
귀	소리	청각
	몸의 기울기와 회전	평형 감각
코	기체 상태의 물질	후각
혀	액체 상태의 물질	미각
피부	접촉, 온도 변화, 압력 등	피부 감각

맹점

맹점은 망막의 중심 아래쪽에 위치한다.

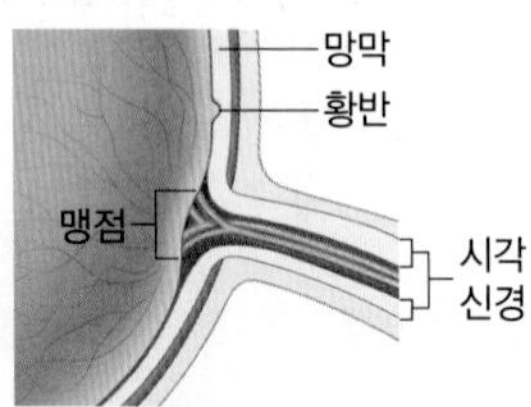

2. 물체를 보는 과정 물체에서 나온 빛이 각막과 수정체를 지나 굴절되어 망막에 상이 맺히면 망막에 있는 시각 세포가 자극으로 받아들이고, 이 자극은 시각 신경을 통해 뇌로 전달되어 물체를 볼 수 있게 된다.

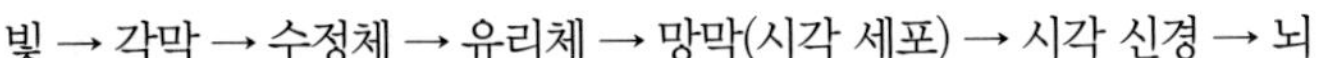
빛 → 각막 → 수정체 → 유리체 → 망막(시각 세포) → 시각 신경 → 뇌

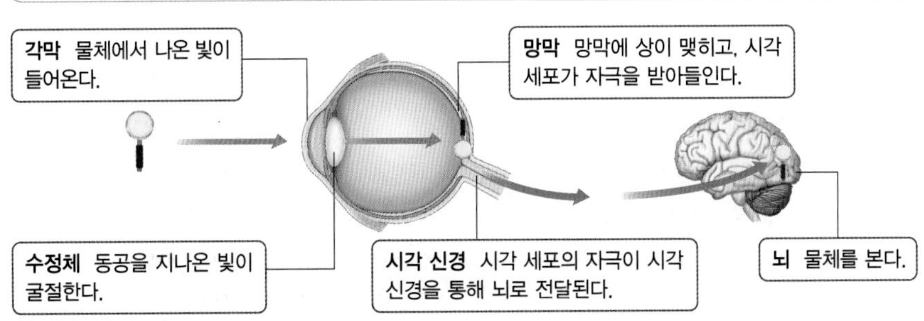

각막 물체에서 나온 빛이 들어온다.
망막 망막에 상이 맺히고, 시각 세포가 자극을 받아들인다.
수정체 동공을 지나온 빛이 굴절한다.
시각 신경 시각 세포의 자극이 시각 신경을 통해 뇌로 전달된다.
뇌 물체를 본다.

3. 눈의 조절 작용 (탐구 184쪽)

(1) **명암 조절(빛의 양 조절)**: 주변의 밝고 어두움에 따라 홍채가 확장 또는 축소하여 동공의 크기가 변함으로써 눈으로 들어오는 빛의 양이 조절된다.

① 밝은 곳: 홍채가 확장하여 동공이 작아져 눈으로 들어오는 빛의 양이 감소한다.

② 어두운 곳: 홍채가 축소하여 동공이 커져 눈으로 들어오는 빛의 양이 증가한다.

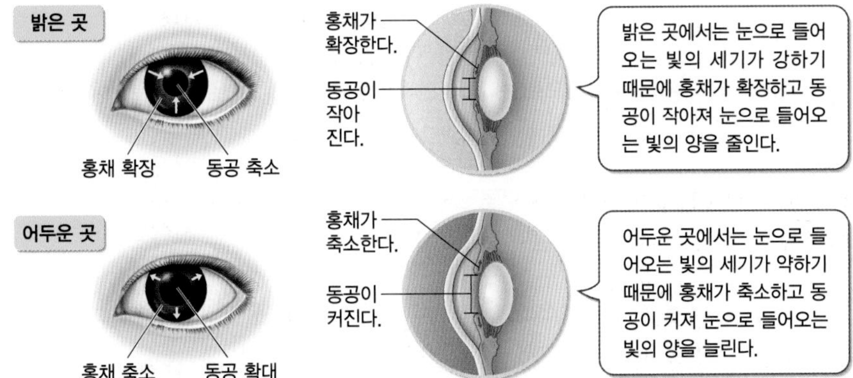

밝은 곳
홍채 확장
동공 축소
홍채가 확장한다.
동공이 작아진다.
밝은 곳에서는 눈으로 들어오는 빛의 세기가 강하기 때문에 홍채가 확장하고 동공이 작아져 눈으로 들어오는 빛의 양을 줄인다.
어두운 곳
홍채 축소
동공 확대
홍채가 축소한다.
동공이 커진다.
어두운 곳에서는 눈으로 들어오는 빛의 세기가 약하기 때문에 홍채가 축소하고 동공이 커져 눈으로 들어오는 빛의 양을 늘린다.

(2) **원근 조절(거리 조절)**: 눈과 물체 사이의 거리에 따라 섬모체가 수축 또는 이완하여 수정체의 두께가 변함으로써 망막에 뚜렷한 상이 맺히도록 조절된다.

① 가까운 곳의 물체를 볼 때: 섬모체가 수축하여 수정체가 두꺼워진다.

② 먼 곳의 물체를 볼 때: 섬모체가 이완하여 수정체가 얇아진다.

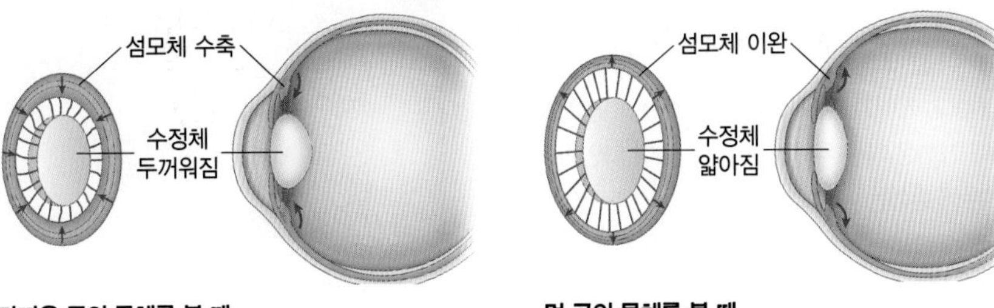

섬모체 수축
수정체 두꺼워짐
섬모체 이완
수정체 얇아짐

가까운 곳의 물체를 볼 때 **먼 곳의 물체를 볼 때**

용어 시각
눈이 빛 자극을 받아들여 물체의 모양, 크기, 색깔, 물체와의 거리 등을 인식하는 감각을 시각이라고 한다.

수정체의 두께와 빛의 굴절
수정체가 두꺼우면 빛의 굴절률이 커 상이 앞쪽에 맺히고, 수정체가 얇으면 빛의 굴절률이 작아 상이 뒤쪽에 맺힌다.

가까운 곳을 볼 때

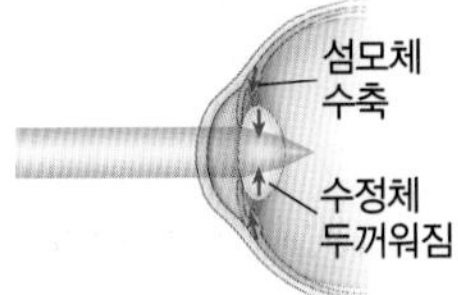

섬모체 수축
수정체 두꺼워짐

먼 곳을 볼 때

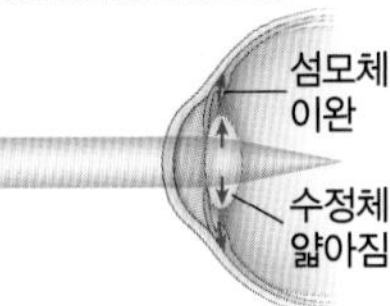

섬모체 이완
수정체 얇아짐

눈의 이상
- 근시: 먼 곳의 물체를 볼 때 상이 망막의 앞에 맺혀 물체가 잘 보이지 않는다. 오목 렌즈로 교정한다.
- 원시: 가까운 곳의 물체를 볼 때 상이 망막의 뒤에 맺혀 물체가 잘 보이지 않는다. 볼록 렌즈로 교정한다.

탐구 더하기 맹점 확인하기

책에서 50 cm 정도 떨어진 곳에서 왼쪽 눈을 감고 오른쪽 눈으로 아래 그림의 닭을 바라본다. 오른쪽 눈동자를 움직이지 않고 닭을 계속 주시하며 천천히 책을 가까이하면서 병아리가 보이지 않는 순간을 찾는다.

일상생활에서 맹점의 존재를 느끼지 못하는 까닭
두 눈에 모두 맹점이 있지만 맹점의 위치가 서로 달라 서로의 맹점을 보완해 주기 때문이다. 한쪽 눈으로만 보면 맹점에 상이 맺혀 사물이 보이지 않을 때가 있지만 두 눈으로 보면 한쪽 눈의 맹점에 상이 맺혀도 다른 쪽 눈에서는 이를 볼 수 있다.

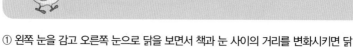

① 왼쪽 눈을 감고 오른쪽 눈으로 닭을 보면서 책과 눈 사이의 거리를 변화시키면 닭의 상은 황반에 맺혀 계속 잘 보이지만, 병아리가 보이지 않을 때가 있다.
② 책과 눈 사이의 거리를 변화시키면 병아리의 상이 망막에 맺히는 위치가 변하다가 상이 맹점에 맺히게 되는 때가 있다. 맹점에는 시각 세포가 없기 때문에 상이 맺혀도 볼 수 없으므로 병아리가 보이지 않는다.

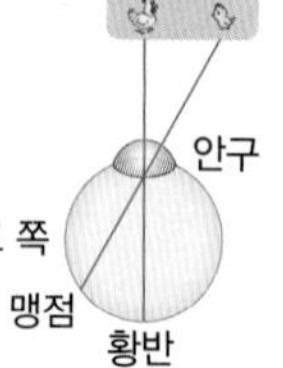

학습 내용 Check

정답과 해설 045쪽

1. 볼록 렌즈 모양이며, 빛을 굴절시키는 부분은 ________이다.
2. 동공의 크기를 조절하여 눈으로 들어오는 빛의 양을 조절하는 부분은 ________이다.
3. ________은 눈의 가장 안쪽에 있는 막으로, 시각 세포가 있다.
4. 물체를 보는 경로는 빛 → ________ → 수정체 → 유리체 → 망막의 시각 세포 → 시각 신경 → ________이다.
5. 어두운 곳에서는 동공이 (커, 작아)지고, 밝은 곳에서는 동공이 (커, 작아)진다.
6. 먼 곳의 물체를 볼 때는 수정체가 (얇아, 두꺼워)지고, 가까운 곳의 물체를 볼 때는 수정체가 (얇아, 두꺼워)진다.

알고 보면 재미있는 과학 우리 몸의 열쇠, 홍채

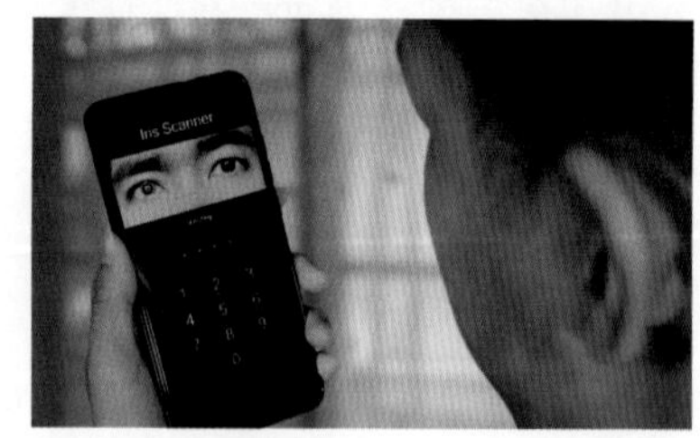

개인마다 다른 신체의 특징이나 행동의 특징을 통해 특정인을 인식하는 방식을 생체 인식이라고 하며, 지문, 홍채, 목소리 등이 생체 인식에 쓰이고 있다. 이 중에서 홍채는 어떻게 특정인을 인식하는 열쇠가 되는 것일까? 홍채의 색과 무늬는 사람마다 다르며, 홍채의 무늬는 200가지 이상의 요소로 이루어지고, 평생 변하지 않는다. 게다가 왼쪽 눈과 오른쪽 눈의 홍채 무늬가 다르기 때문에 조합에 따라서 거의 무한대에 가까운 다른 무늬를 만들 수 있어 타인과 홍채가 같을 확률은 10억분의 1에 불과하다. 이 때문에 홍채는 사람의 몸에서 개인 간의 차이를 가장 잘 드러내는 부위이다. 또한, 인식 오류가 생길 확률이 한쪽 눈만일 경우 100만분의 1, 양쪽 눈일 경우 1조분의 1 정도밖에 되지 않아 철저한 보안이 필요한 곳일수록 홍채 인식을 사용하는 경우가 점차 증가하고 있다.

2 귀

1. 귀의 구조와 기능

(1) **귓바퀴**: 외부에서 보이는 귀 부분으로, 소리(음파)를 모은다.

(2) **외이도**: 귓바퀴에서 고막까지 소리가 지나가는 통로이다.

(3) **고막**: 얇은 막으로, 소리에 의해 진동한다.

(4) **귓속뼈**: 세 개의 작은 뼈로 이루어져 있으며, 고막의 진동을 증폭시켜 달팽이관으로 전달한다. (증폭: 소리를 약 20배까지 증폭시킨다.)

(5) **귀인두관**: 귀와 목구멍을 연결하는 관으로, 고막 안쪽과 바깥쪽의 압력을 같게 조절한다.

(6) **달팽이관**: 달팽이집처럼 말려 있는 관으로, 청각 세포가 분포되어 있어 소리 자극을 받아들인다.

(7) **전정 기관**: 몸이 기울어지는 자극을 받아들인다.

(8) **반고리관**: 세 개의 반원형 관으로, 몸이 회전하는 자극을 받아들인다.

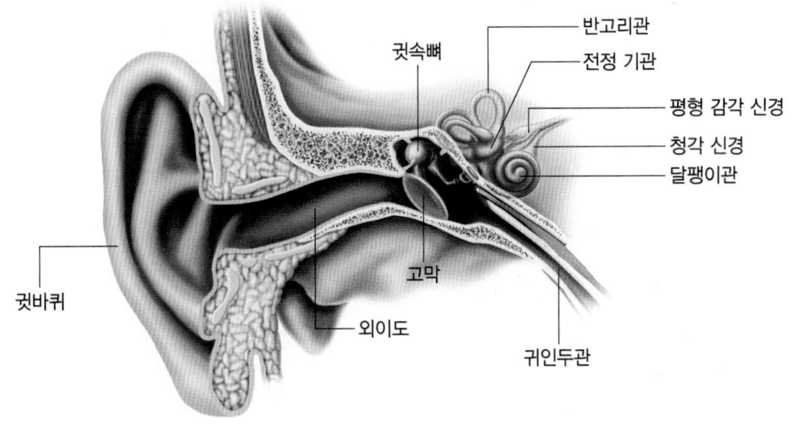

귀의 구조

2. 소리를 듣는 과정

소리가 고막을 진동시키고, 이 진동이 귓속뼈에서 증폭되어 달팽이관에 전달된다. 달팽이관의 청각 세포가 진동을 자극으로 받아들인 후 이 자극이 청각 신경을 통해 뇌로 전달되어 소리를 들을 수 있게 된다.

> 소리(음파) → 귓바퀴 → 외이도 → 고막 → 귓속뼈 → 달팽이관(청각 세포)
> → 청각 신경 → 뇌

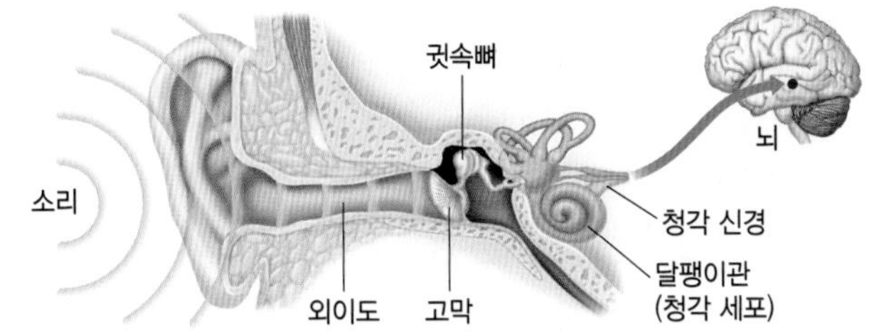

귀인두관의 작용

귀인두관을 통해 외부 공기가 귓속으로 드나들어 고막 안쪽과 바깥쪽의 압력이 같아진다. 높은 곳에 올라가면 대기압이 낮아져 고막이 바깥으로 부풀어서 귀가 먹먹해지고 소리가 잘 들리지 않는다. 이때 침을 삼키거나 하품을 하면 귀인두관을 통해 기체 일부가 빠져나가 고막 안쪽의 압력이 바깥쪽과 같이 낮아져서 고막이 원래의 상태로 회복되고 다시 소리가 잘 들리게 된다.

용어 청각

귀가 공기 등을 통해 전달된 소리를 자극으로 받아들여 소리를 듣게 되는 감각을 청각이라고 한다.

진공 상태에서도 소리가 전달될까?

소리는 물체의 진동에 의해 생긴 음파가 공기를 통해서 전달된 것이다. 물체의 진동은 주위의 공기를 진동시키며, 연속적으로 공기 속으로 전달되어 고막을 떨리게 한다. 따라서 공기가 없는 진공 상태에서는 소리가 전달되지 않는다. 소리를 전달하는 물질은 공기뿐 아니라 물, 실, 유리 등 다양하다.

3. **귀와 평형 감각** 귀의 전정 기관과 반고리관은 몸의 기울어짐이나 회전을 감지하는 평형 감각을 담당한다.

(1) **전정 기관**: 중력 자극에 대한 몸의 기울어짐을 감지하여 자세를 바로잡을 수 있게 한다. – 위치 감각

예 경사진 언덕을 올라갈 때 몸을 앞으로 기울인다.

(2) **반고리관**: 몸이 회전하거나, 이동 방향 또는 속력이 변할 경우 이를 감지한다. – 회전 감각

예 제자리에서 돌다가 멈추면 한동안 어지럽다.

반고리관과 회전 감각
세 개의 고리가 서로 직각을 이루고 있어 몸이 어느 방향으로 회전해도 그 방향을 알 수 있다.

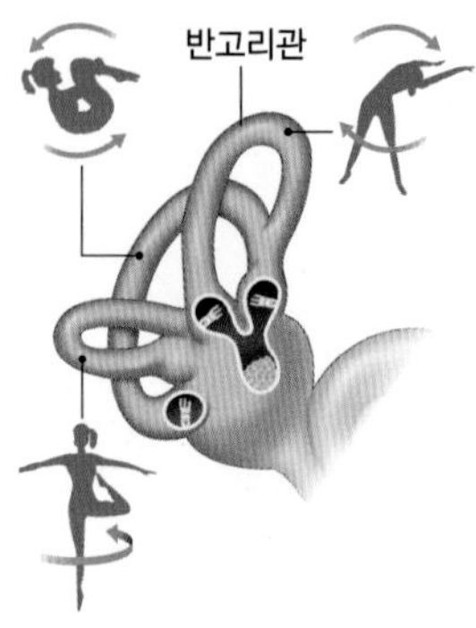

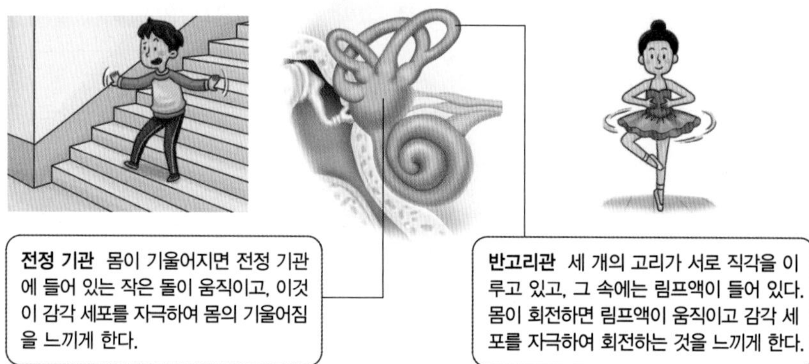

전정 기관 몸이 기울어지면 전정 기관에 들어 있는 작은 돌이 움직이고, 이것이 감각 세포를 자극하여 몸의 기울어짐을 느끼게 한다.

반고리관 세 개의 고리가 서로 직각을 이루고 있고, 그 속에는 림프액이 들어 있다. 몸이 회전하면 림프액이 움직이고 감각 세포를 자극하여 회전하는 것을 느끼게 한다.

평형 감각 기관

시각과 평형 감각
눈을 가리지 않고 한 발로 서서 몸의 균형을 잡으면 눈을 가렸을 때보다 더 오래 서 있을 수 있다. 이것은 귀의 전정 기관과 반고리관을 통해 감지하는 감각뿐 아니라 시각도 평형 감각에 관여하기 때문이다.

탐구+ 더하기 평형 감각 확인하기

눈을 안대로 가리고 한 발로 서서 몸의 균형을 잡아 본다. 또, 눈을 안대로 가리고 발이 바닥에 닿지 않도록 하여 회전의자에 앉은 다음, 다른 사람이 회전의자를 돌릴 때 느껴지는 회전 방향을 말한다.

① 눈을 가려 볼 수 없어도 몸이 기울어지는 것을 느낄 수 있다. 이것은 귀의 전정 기관에서 몸의 기울어짐을 감지하기 때문이다.

② 눈을 가리더라도 회전의자를 돌리면 몸의 회전 방향을 말할 수 있다. 이것은 귀의 반고리관에서 몸의 회전을 감지하기 때문이다.

③ 몸의 기울어짐을 감지하는 전정 기관과 회전을 감지하는 반고리관은 평형 감각에 관여한다.

평형 감각과 멀미
뇌는 귀에서 오는 정보와 눈을 통해 들어온 정보를 종합하여 평형 감각을 느낀다. 그런데 귀와 눈에서 오는 정보가 서로 일치하지 않으면 멀미를 하게 된다. 버스나 배를 탔을 때 멀미를 하면 눈을 감거나 바깥의 멀리 있는 물체를 보는 것이 멀미 증상을 완화시키는 데 도움이 된다.

학습 내용 Check

정답과 해설 045쪽

1. 소리가 전달되는 경로는 소리 → 귓바퀴 → 외이도 → ________ → 귓속뼈 → ________의 청각 세포 → 청각 신경 → 뇌이다.
2. 귀의 구조 중 몸의 기울어짐을 감지하는 곳은 ________이다.
3. 귀의 구조 중 몸의 회전을 감지하는 곳은 ________이다.

코와 혀

1. 코

(1) **코의 구조와 기능:** 콧속 윗부분에 후각 상피가 있고, 후각 상피에는 냄새 자극을 받아들이는 후각 세포가 있다.

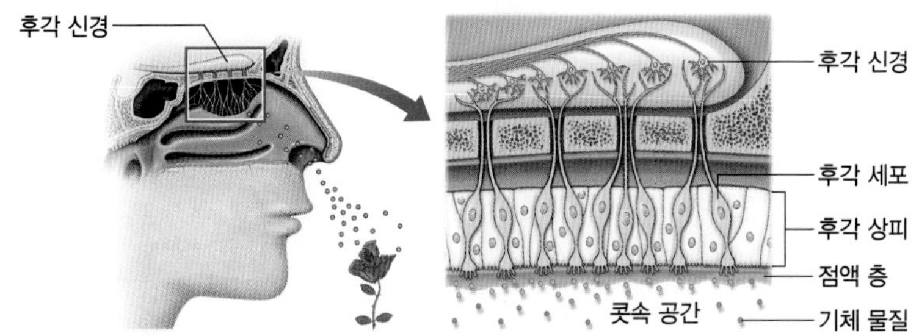

(2) **냄새를 맡는 과정:** 기체 상태의 화학 물질이 콧속으로 들어와 후각 상피에 있는 후각 세포를 자극하면, 이 자극이 후각 신경을 통해 뇌로 전달되어 냄새를 맡게 된다.

> 기체 상태의 화학 물질 → 후각 상피의 후각 세포 → 후각 신경 → 뇌

(3) **후각의 특징:** 후각은 공기 중에 있는 아주 적은 양의 냄새 자극을 느낄 정도로 민감하다. 하지만 후각 세포는 쉽게 피로해지기 때문에 같은 냄새를 계속 맡으면 나중에는 그 냄새를 잘 느끼지 못한다.

같은 냄새를 계속 맡으면 그 냄새를 느끼지 못하지만 새로운 냄새는 맡을 수 있다.

2. 혀

(1) **혀의 구조와 기능:** 혀의 표면에 있는 작은 돌기를 유두라고 하며 유두의 옆부분에는 맛봉오리가 있다. 맛봉오리에는 맛 자극을 받아들이는 맛세포가 있다.

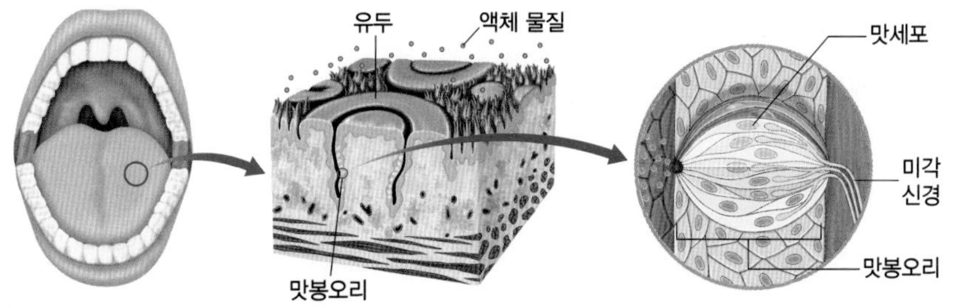

(2) **맛을 느끼는 과정:** 액체 상태의 화학 물질이 맛봉오리의 맛세포를 자극하면, 이 자극이 맛세포에 연결된 미각 신경을 통해 뇌로 전달되어 맛을 느낀다.

> 액체 상태의 화학 물질 → 맛봉오리의 맛세포 → 미각 신경 → 뇌

(3) **미각의 특징:** 혀를 통해 느끼는 기본 맛에는 단맛, 짠맛, 신맛, 쓴맛, 감칠맛의 5가지가 있다. 혀는 맛봉오리가 분포한 모든 곳에서 기본 맛을 감지할 수 있지만, 혀의 부위에 따라 맛을 느끼는 정도는 다를 수 있다.

후각

코가 기체 상태의 화학 물질을 자극으로 받아들여 냄새를 맡는 것을 후각이라고 한다.

후각 상피

코 안쪽의 빈 공간을 비강이라고 한다. 후각 상피는 비강의 천장 부분에 있는 조직으로, 끈적끈적한 액체(점액)로 덮여 있다. 기체 물질은 후각 상피의 점액에 흡착되어 후각 세포를 자극한다.

후각 세포의 수

사람은 콧속 천장에 후각 세포가 약 500만 개 정도 있으며, 2000~4000가지 정도의 냄새를 구별할 수 있다. 개는 후각 세포가 약 2억 5000만 개 정도 있어 사람보다 훨씬 냄새에 민감하다.

미각

혀가 액체 상태의 화학 물질을 자극으로 받아들여 맛을 느끼는 것을 미각이라고 한다.

고체인 사탕을 먹어도 단맛이 느껴지는 까닭

사탕은 고체 상태이지만 입에 넣으면 설탕이 침에 녹으므로 맛봉오리의 맛세포를 자극하여 단맛을 느낄 수 있다.

감칠맛

감칠맛은 아미노산의 일종인 글루탐산과 아스파르트산의 맛으로, 고기, 생선 등에서 느낄 수 있다.

탐구 더하기 **후각과 미각 알아보기**

눈을 안대로 가린 상태에서 사과주스와 포도주스의 맛을 구분해 본다. 그 다음, 눈을 안대로 가린 상태에서 손으로 코를 막고 사과주스와 포도주스의 맛을 구분해 본다.

코를 막지 않았을 때

코를 막았을 때

① 코를 막지 않았을 때는 사과주스와 포도주스의 맛을 제대로 구분하지만, 코를 막았을 때는 사과주스와 포도주스의 맛을 정확히 구분하지 못할 수 있다.

② 뇌는 미각과 후각을 종합하여 음식물의 맛을 느낀다. 그런데 코를 막으면 주스에 첨가한 사과 향과 포도 향을 맡지 못하기 때문에 주스의 종류를 정확히 구분하지 못하게 된다.

코감기와 후각
코감기에 걸려 코가 막히면 냄새를 잘 맡지 못하게 된다. 이것은 냄새 입자가 콧물에 가로막혀 콧속 천장 부분에 있는 후각 상피에 도달하지 못하게 되므로 후각 세포를 자극하지 못하기 때문이다.

학습 내용 Check

정답과 해설 045쪽

1. 코에서 후각 세포는 ________에 분포하고 있다.
2. 코에서는 ________ 상태의 화학 물질을 자극으로 받아들인 후 이 자극이 ________을 통해 뇌로 전달되어 냄새를 맡게 된다.
3. 혀에서 유두 옆부분에는 맛세포가 모여 있는 ________가 있다.
4. 혀에서는 ________ 상태의 화학 물질을 자극으로 받아들인 후 이 자극이 ________을 통해 뇌로 전달되어 맛을 느끼게 된다.
5. 혀에서 감지하는 기본 맛에는 단맛, 짠맛, 신맛, 쓴맛, ________이 있다.

알고 보면 재미있는 과학 **예술이 된 설탕 공예**

설탕 공예(Sugarcraft)는 설탕에 열을 가해 가공하여 장식을 만드는 것으로, 처음에는 케이크를 돋보이게 하기 위한 장식으로 사용되었지만 최근에는 그 자체가 예술품으로 인정받고 있다. 설탕 공예 작품은 설탕에 적당한 열과 수분을 첨가해서 만드는데 자신이 원하는 색이나 모양을 만들기 위해 다른 재료를 첨가하기도 한다. 설탕 반죽을 끓이면 점성이 생기는데, 이것을 틀에 부어 굳히거나 굳기 직전에 힘을 가해 늘이거나 뭉치기도 하고, 바람을 불어넣어 부풀리는 등의 방법으로 다양한 모양을 만들 수 있다. 이렇게 만든 설탕 공예 작품은 온도가 내려가 굳으면 오래 보존할 수 있다는 장점도 있다.

설탕 공예 작품

피부 탐구 185쪽

1. 피부의 구조와 기능 사람의 피부에는 신경 말단이 특수하게 분화하여 만들어진 감각점이 있어 물체가 닿는 접촉(촉각), 누르는 압력(압각), 차가워지고 따뜻해지는 온도 변화(냉각, 온각), 여러 가지 강한 자극에 의한 통증(통각) 등을 감각한다.

(1) **촉점**: 깃털이 닿거나 옷깃이 스치는 것과 같은 접촉 자극을 받아들인다.

(2) **압점**: 손으로 누르거나 압박을 가하는 것과 같은 압력을 받아들인다.

(3) **냉점**: 이전보다 온도가 낮아진 것을 자극으로 받아들여 차가워짐을 느끼게 한다.

(4) **온점**: 이전보다 온도가 높아진 것을 자극으로 받아들여 따뜻함을 느끼게 한다.

(5) **통점**: 매우 강한 자극을 받아들여 통증을 느끼게 한다.

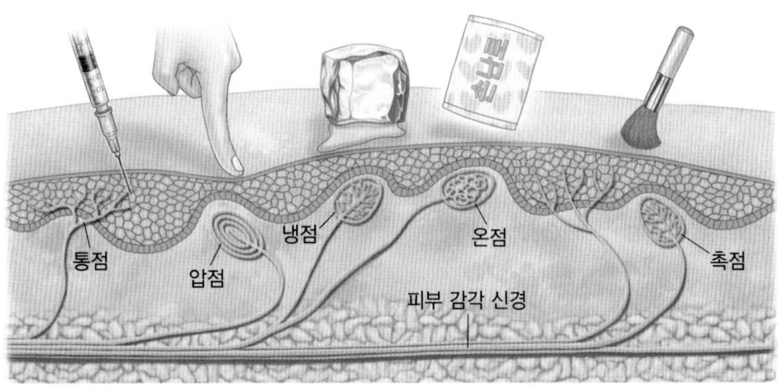

피부의 감각점

2. 피부 감각을 느끼는 과정 피부에 분포하는 각 감각점이 받아들인 자극은 감각점에 연결된 피부 감각 신경을 통해 뇌로 전달되어 피부 감각을 느끼게 된다.

자극 → 피부의 감각점 → 피부 감각 신경 → 뇌

3. 피부 감각의 특징

(1) 각 감각점은 한 가지 자극을 받아들인다.

(2) 온점과 냉점은 상대적인 온도 변화를 감각한다.

(3) 감각점은 피부 전체에 분포되어 있으나 신체 부위에 따라 감각점이 분포하는 밀도(일반적으로 통점이 가장 많고 온점이 가장 적다.)가 달라 신체 부위에 따라 피부 감각에 대한 예민한 정도가 다르다.

(4) 강한 압력, 매우 높은 온도와 같은 강한 자극은 통점에서 받아들인다.

학습 내용 Check

정답과 해설 045 쪽

1. 피부에는 접촉, 압력, 차가움, 따뜻함 등을 받아들이는 ________이 있다.
2. 피부에서 누르는 자극은 ________에서 받아들이고, 강한 자극은 ________에서 받아들인다.
3. 피부에서 받아들인 자극은 피부 감각 신경을 통해 ________로 전달되어 피부 감각을 느낀다.

감각점
피부에서 특정 자극을 받아들이는 감각 수용기이다. 촉점, 압점, 냉점, 온점은 분화되어 특별한 형태를 나타내지만, 통점은 다른 감각점과는 달리 신경의 말단이 감각점으로 작용한다.

매운맛과 떫은맛
매운맛과 떫은맛은 혀의 맛세포에서 받아들이는 미각이 아니라 피부 감각의 일종이다. 매운맛은 통각, 떫은맛은 압각의 일종이다.

내장 기관과 감각점
감각점은 겉 부분의 피부뿐만 아니라 내장 기관에도 분포한다. 이 때문에 매운 것을 먹으면 내장 기관에 분포한 통점이 자극을 받아 속이 아프고 찬물을 마시면 속이 시원해진다.

피부 감각
피부를 통해 부드러움, 딱딱함, 차가움, 따뜻함, 아픔 등을 느끼는 것이다.

감각점의 분포 밀도
피부 부위에 관계없이 일반적으로 감각점 가운데 통점의 분포 밀도가 가장 높다. 이는 몸을 손상시킬 수 있는 강한 자극을 빨리 알아차려 몸을 보호하기 위해서이다. 또한, 피부 부위에 따라 감각점의 분포 밀도가 다른데, 감각점이 많이 분포하는 부위일수록 피부 감각이 예민하다. 예를 들어 손가락 끝에는 다른 부위에 비해 통점이 많이 분포하므로 이 부분이 다치면 다른 부위보다 아픔을 더 예민하게 느낀다.

탐구 빛의 밝기에 따른 눈의 변화 관찰하기

주변의 밝기가 변할 때 눈의 홍채와 동공의 크기 변화를 관찰하여 눈의 조절 작용을 설명할 수 있다.

과정

빛이 너무 강하지 않게 하기 위해서이다.

❶ 두 명이 모둠을 구성한 후, 손전등의 앞부분에 흰 종이를 붙인다.

❷ 한 사람은 눈을 1분 동안 감고 있다가 뜨고 이때 다른 사람이 홍채와 동공을 관찰한다. 그 다음, 손전등 불빛으로 눈을 비추고 홍채와 동공의 변화를 관찰한다.

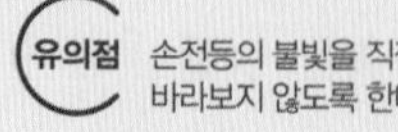

유의점 손전등의 불빛을 직접 바라보지 않도록 한다.

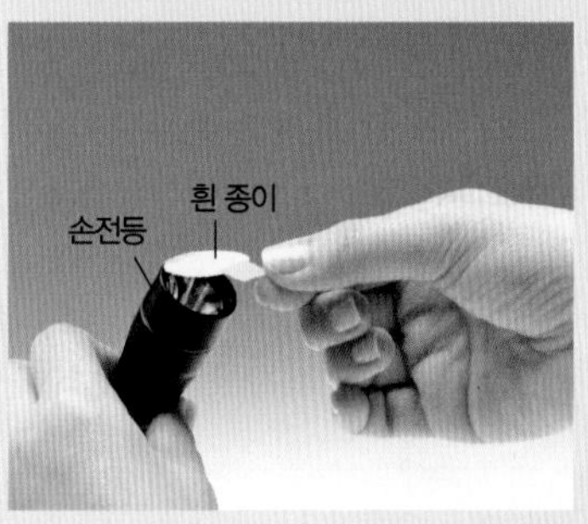

Tip 어두운 곳에서 실험하면 홍채와 동공의 변화를 더욱 뚜렷하게 관찰할 수 있다.

❸ 감은 눈을 떴을 때와 손전등을 비추었을 때의 홍채와 동공의 상대적인 크기 변화를 그림으로 그린다.

결과 및 정리

1. 눈을 감고 있다가 떴을 때는 홍채가 축소하여 동공이 커져 있는 상태이다. 이때 손전등으로 빛을 비추면 홍채가 확장하면서 동공의 크기가 작아져 눈 속으로 들어가는 빛의 양이 줄어든다.
2. 주변의 밝기에 따라 홍채가 축소 또는 확장하여 동공의 크기를 변화시켜서 눈으로 들어오는 빛의 양을 조절한다.

감은 눈을 떴을 때

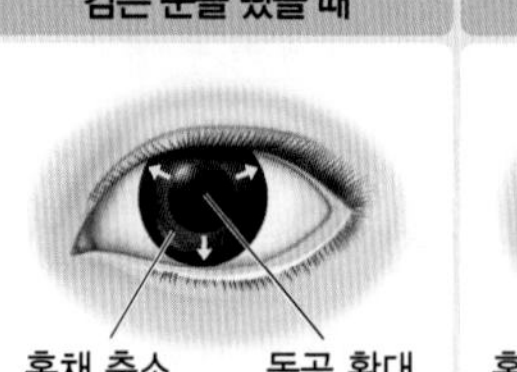

손전등을 비추었을 때

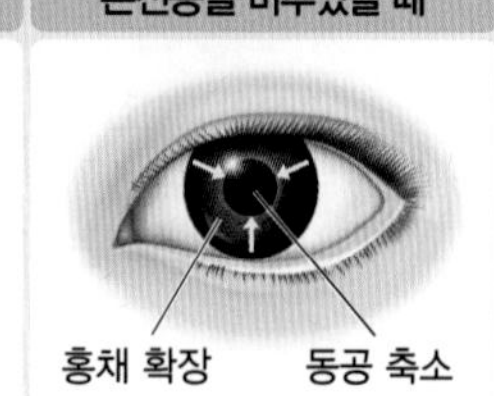

탐구 확인 문제

정답과 해설 045쪽

1 위 탐구에 대한 설명으로 옳은 것은 ○, 옳지 않은 것은 ×로 표시하시오.

(1) 손전등에 종이를 붙이는 것은 손전등의 불빛을 밝게 하기 위한 것이다. ( )

(2) 1분 동안 눈을 감고 있을 때는 홍채가 축소한다. ( )

(3) 밝은 곳에서 실험하는 것이 눈의 변화를 관찰하는 데 효과적이다. ( )

(4) 손전등 불빛을 눈에 비추면 홍채가 확장하는 것을 관찰할 수 있다. ( )

(5) 손전등 불빛을 눈에 비추면 동공의 크기가 커지는 것을 관찰할 수 있다. ( )

2 적용 그림은 밝은 곳에 있다가 어두운 곳으로 이동하였을 때 눈의 변화를 나타낸 것이다.

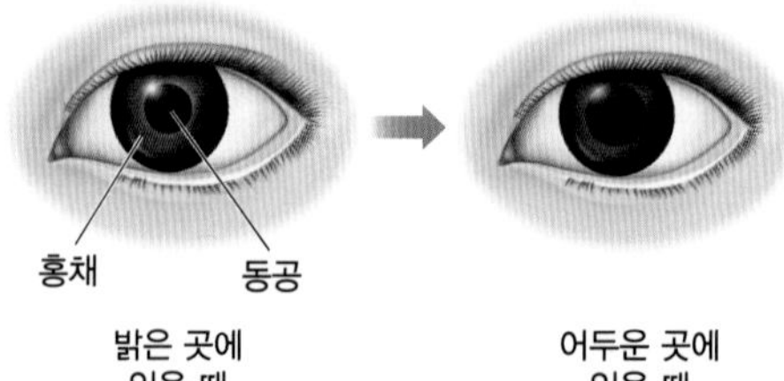

이때 동공의 크기를 변하게 하는 눈의 구조를 쓰고, 그 조절 과정과 결과를 설명하시오.

탐구 피부 감각 알아보기

피부 부위에 따른 감각점의 분포를 설명할 수 있다.

과정

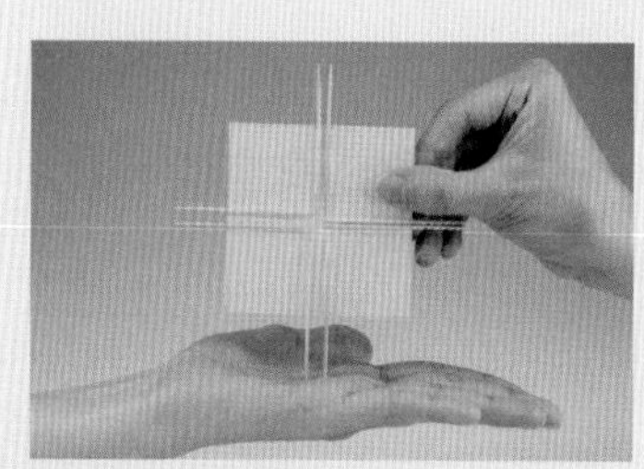

❶ 정사각형 하드보드지의 네 변에 이쑤시개를 2개씩 각각 8 mm, 6 mm, 4 mm, 2 mm 간격으로 붙인다.

❷ 눈을 감은 사람의 손바닥에 8 mm, 6 mm, 4 mm, 2 mm 간격의 순서로 두 이쑤시개의 뾰족한 끝이 동시에 닿도록 살짝 대고 몇 개의 점으로 느껴지는지 말하게 한다.

❸ 같은 과정을 손등에도 실시하고 두 개의 점으로 느껴지는 최소 거리를 기록한다.

결과 및 정리

구분	손바닥	손등
두 점으로 느낀 최소 거리(mm)	4	8

1. 두 개의 이쑤시개가 각기 다른 두 개의 촉점을 자극하면 두 점으로 느끼지만, 두 개 중 한 개만 촉점을 자극하면 한 점으로 느끼게 된다.
2. 두 점으로 느끼는 거리가 짧을수록 촉점이 가깝게 많이 분포하는 것이므로 일정한 면적에 분포하는 촉점의 수는 손바닥이 손등보다 많다. — 손바닥이 손등보다 접촉 자극에 더 예민하다.

같은 주제 다른 탐구

온점과 냉점의 특징을 설명할 수 있다.

과정

❶ 오른손은 15 ℃의 물에, 왼손은 35 ℃의 물에 담근다.

❷ 10초 후에 두 손을 동시에 25 ℃의 물에 담근다.

결과 및 정리 두 손을 동시에 25 ℃의 물에 담그면 오른손은 따뜻하다고 느끼고, 왼손은 차갑다고 느낀다. 처음보다 온도가 높아지면 온점이 감지하여 따뜻함을 느끼고, 처음보다 온도가 낮아지면 냉점이 감지하여 차가움을 느끼기 때문이다. 즉, 온점과 냉점은 온도의 변화를 감각한다.

탐구 확인 문제

정답과 해설 045쪽

1 피부 감각에 대한 설명으로 옳은 것은 ○, 옳지 않은 것은 × 로 표시하시오.

(1) 촉점은 몸의 부위에 따라 분포하는 수가 다르다. ············ ( )

(2) 촉점이 많을수록 촉각이 둔감하다. ··············· ( )

(3) 온점과 냉점은 절대 온도를 감각한다. ············ ( )

(4) 온도가 낮아지면 온점이, 온도가 높아지면 냉점이 자극을 받는다. ··············· ( )

2 적용 표는 두 개의 핀을 피부에 동시에 대는 실험을 하였을 때 몸의 부위에 따라 두 점으로 느끼는 최소 거리를 측정한 결과이다.

구분	손바닥	팔뚝	등	손가락 끝	이마
거리(mm)	10.3	38.4	39.5	2.7	17.0

조사한 몸의 부위 중 접촉 자극에 대해 가장 예민한 곳은 어디인지 쓰고, 그렇게 판단한 근거를 설명하시오.

눈의 시력 이상과 교정

눈은 물체와의 거리에 따라 수정체의 두께를 변화시켜 망막에 뚜렷한 상이 맺히도록 조절한다. 그러나 이러한 조절이 제대로 이루어지지 않는 시력 이상 때문에 안경을 쓰는 사람들도 있다. 시력 이상에는 어떤 것이 있으며 안경으로 교정하는 원리는 무엇인지 알아보자.

1 시력 이상의 종류

눈으로 들어온 빛은 각막과 수정체를 통과하면서 굴절되어 망막에 상을 맺는다. 망막 위에 선명한 상이 맺힐 때 우리는 물체를 선명하게 볼 수 있다. 그러나 수정체와 망막 사이의 길이가 정상적이지 않거나, 수정체의 두께 조절이 되지 않거나, 각막 표면이 매끄럽지 않거나, 수정체가 탄력성을 잃은 경우 상이 망막에 맺히지 않아 물체를 선명하게 볼 수 없게 된다. 이러한 시력 이상에는 근시, 원시, 난시, 노안이 있다.

2 시력 이상의 원인과 교정

- 근시: 수정체가 얇아지지 않아 빛이 많이 굴절되거나 수정체와 망막 사이의 거리가 멀어 먼 곳의 물체를 볼 때 물체의 상이 망막보다 앞에 맺히는 눈의 이상이다. 가까운 곳의 물체는 선명하게 볼 수 있지만, 먼 곳의 물체는 잘 보이지 않는다. 근시는 오목 렌즈를 이용하여 수정체 앞에서 빛을 바깥쪽으로 굴절시켜 망막에 상이 맺히게 교정한다.

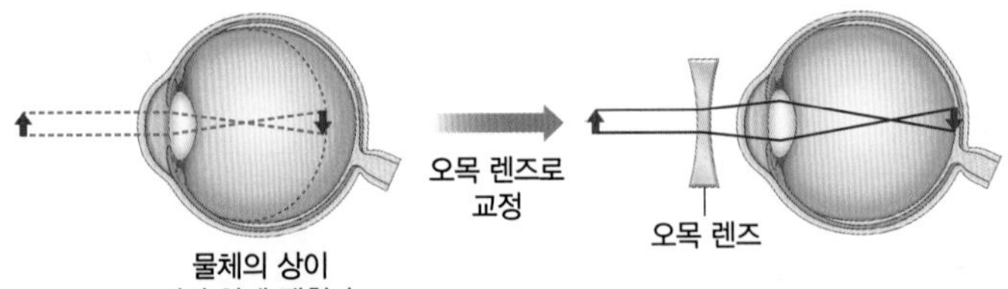

- 원시: 수정체가 두꺼워지지 않아 빛이 조금 굴절되거나 수정체와 망막 사이의 거리가 가까워 가까운 곳의 물체를 볼 때 상이 망막보다 뒤에 맺히는 눈의 이상이다. 먼 곳의 물체는 선명하게 볼 수 있지만, 가까운 곳의 물체는 잘 보이지 않는다. 원시는 볼록 렌즈를 이용하여 수정체 앞에서 빛을 안쪽으로 굴절시켜 망막에 상이 맺히게 교정한다.

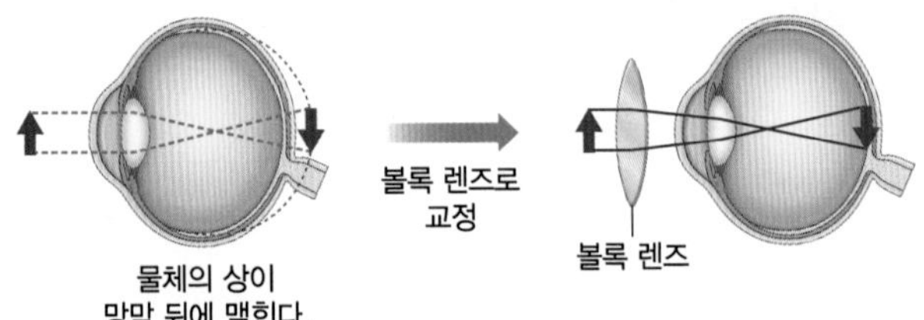

- 난시: 정상적인 각막은 표면이 매끄럽지만, 난시는 곡면의 경사가 달라서 빛이 모든 방향에서 동일하게 굴절하지 않기 때문에 발생한다. 그 결과 모든 빛이 망막에 초점을 맺지 못해서 상이 부분적으로 흐리게 보인다. 난시의 경우 빛의 굴절이 균등하게 이루어지도록 특수 렌즈를 사용하여 교정한다.
- 노안: 수정체가 탄력성을 잃어 먼 곳을 보다가 가까운 곳을 볼 때 초점을 맞추기 어려운 경우로 주로 노화에 의해 발생한다. 가까운 곳의 물체가 잘 보이지 않아 물건을 멀리 놓고 보려고 하는 증상이 나타나며, 볼록 렌즈로 교정할 수 있다.

중단원 핵심 정리

01. 감각 기관

-1 눈

① 눈의 구조와 기능

구조	기능	구조	기능
각막	눈 앞쪽의 투명한 막	**섬모체**	수정체의 두께 조절
홍채	동공의 크기 조절	**유리체**	눈의 형태를 유지
수정체	빛을 굴절시킴	**망막**	시각 세포 분포

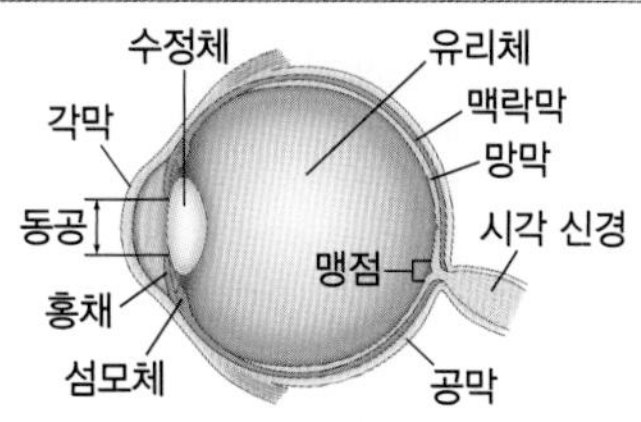

② 물체를 보는 과정: 빛 → 각막 → 수정체 → 유리체 → 망막의 시각 세포 → 시각 신경 → 뇌

1-2 눈의 조절 작용

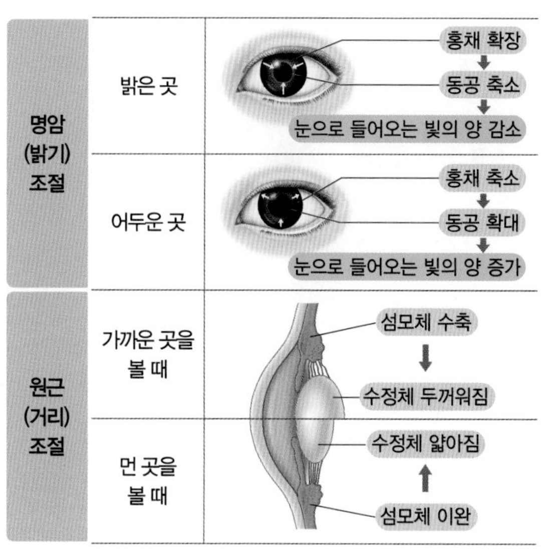

구분	상황	변화
명암(밝기) 조절	밝은 곳	홍채 확장 → 동공 축소 → 눈으로 들어오는 빛의 양 감소
	어두운 곳	홍채 축소 → 동공 확대 → 눈으로 들어오는 빛의 양 증가
원근(거리) 조절	가까운 곳을 볼 때	섬모체 수축 → 수정체 두꺼워짐
	먼 곳을 볼 때	섬모체 이완 → 수정체 얇아짐

 귀

① 귀의 구조와 기능

구조	기능	
고막	소리에 의해 진동하는 얇은 막이다.	
귓속뼈	고막의 진동을 증폭시킨다.	
달팽이관	청각 세포가 있어 소리 자극을 받아들인다.	
전정 기관	몸의 기울어짐을 감지한다.	평형 감각
반고리관	몸의 회전을 감지한다.	평형 감각

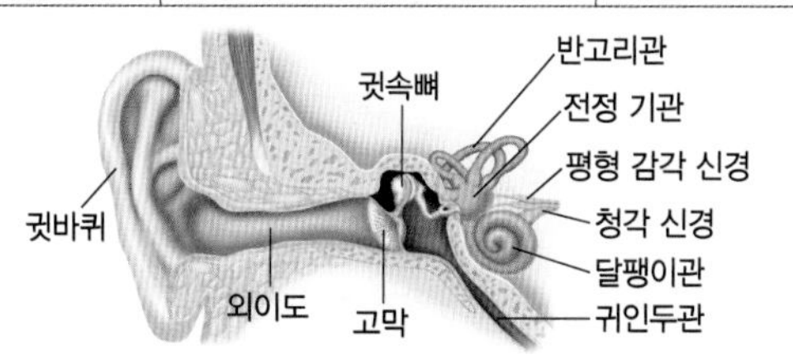

② 소리를 듣는 과정: 소리(음파) → 귓바퀴 → 외이도 → 고막 → 귓속뼈 → 달팽이관의 청각 세포 → 청각 신경 → 뇌

 코와 혀

구분	코(후각)	혀(미각)
자극원	기체 물질	액체 물질
자극이 전달되는 경로	기체 물질 → 후각 상피의 후각 세포 → 후각 신경 → 뇌	액체 물질 → 맛봉오리의 맛세포 → 미각 신경 → 뇌
특징	매우 예민하며 쉽게 피로해진다.	기본 맛은 단맛, 쓴맛, 신맛, 짠맛, 감칠맛이다.

 피부

① 감각점: 촉점(접촉), 압점(압력), 냉점(상대적 차가움), 온점(상대적 따뜻함), 통점(통증)이 있으며, 신체 부위에 따라 분포 정도가 다르다.

② 피부 감각을 느끼는 과정: 자극 → 피부의 감각점 → 피부 감각 신경 → 뇌

개념 확인 문제

01. 감각 기관

[01~02] 그림은 눈의 구조를 나타낸 것이다.

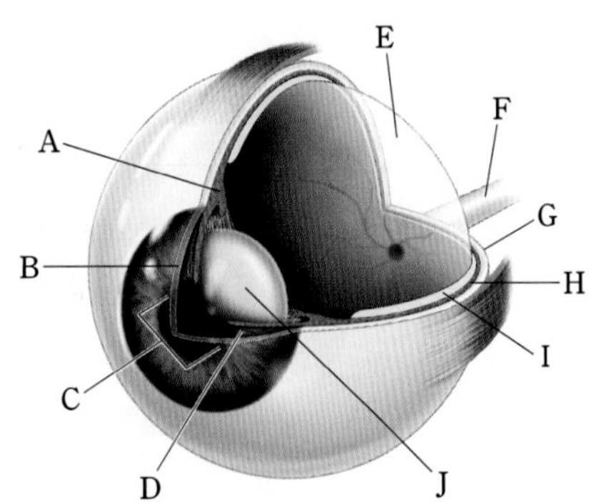

01 (중요) **이에 대한 설명으로 옳지 <u>않은</u> 것은?**

① A는 수정체의 두께를 조절한다.
② B와 C는 빛이 통과하는 통로이다.
③ D에는 시각 세포가 있다.
④ E와 G는 눈의 형태를 유지한다.
⑤ J는 빛을 굴절시켜 I에 상이 맺히도록 한다.

02 **다음은 눈의 조절 작용에 대한 설명이다. 각 설명에 해당하는 눈의 구조를 위 그림에서 찾아 각각 기호와 이름을 쓰시오.**

(1) 주변의 밝기에 따라 동공의 크기를 조절한다.

(2) 물체와의 거리에 따라 두께가 변하여 물체의 상이 망막에 정확하게 맺히도록 조절한다.

(3) 검은색 색소가 있어 눈의 내부를 어둡게 한다.

(4) 시각 세포에서 받아들인 자극을 뇌로 전달한다.

03 **다음은 빛 자극이 전달되는 경로를 나타낸 것이다.**

> 빛 → 각막 → (가) → (나) → (다)의 시각 세포 → 시각 신경 → 뇌

(가)~(다)를 옳게 짝 지은 것은?

	(가)	(나)	(다)
①	맥락막	홍채	망막
②	맥락막	홍채	공막
③	수정체	홍채	망막
④	수정체	유리체	공막
⑤	수정체	유리체	망막

04 (중요) **다음은 시각과 관련된 실험이다.**

> 왼쪽 눈을 감고 오른쪽 눈으로 아래 그림의 닭을 계속 주시하면서 책을 앞뒤로 움직이면 (가) <u>병아리가 보이지 않을 때</u>가 있다.
>
>  

이에 대한 설명으로 옳은 것을 보기에서 모두 고른 것은?

보기
ㄱ. 오른쪽 눈의 망막에 닭의 상이 맺힌다.
ㄴ. (가)에서 병아리의 상은 맹점에 맺힌다.
ㄷ. (가)에서 병아리와 함께 닭도 보이지 않는다.

① ㄱ ② ㄴ ③ ㄱ, ㄴ
④ ㄴ, ㄷ ⑤ ㄱ, ㄴ, ㄷ

05 중요 **그림은 어떤 사람의 눈의 변화를 나타낸 것이다.**

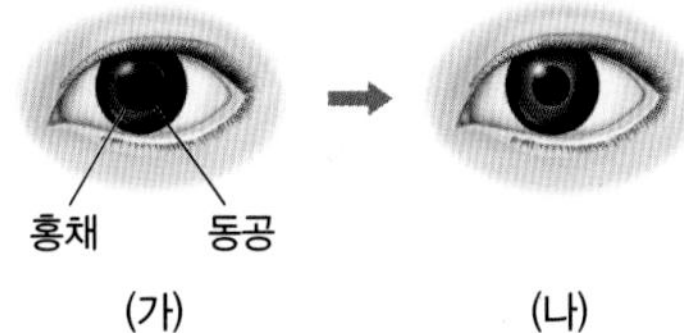

눈의 상태가 (가)에서 (나)로 변할 때에 대한 설명으로 옳은 것은?

① 홍채가 축소되었다.
② 동공의 크기가 커졌다.
③ 처음보다 주변이 밝아졌다.
④ 물체의 상이 맹점에 맺히게 되었다.
⑤ 가까운 곳의 물체를 더 잘 볼 수 있게 되었다.

06 그림은 어떤 사람의 눈의 변화를 나타낸 것이다.

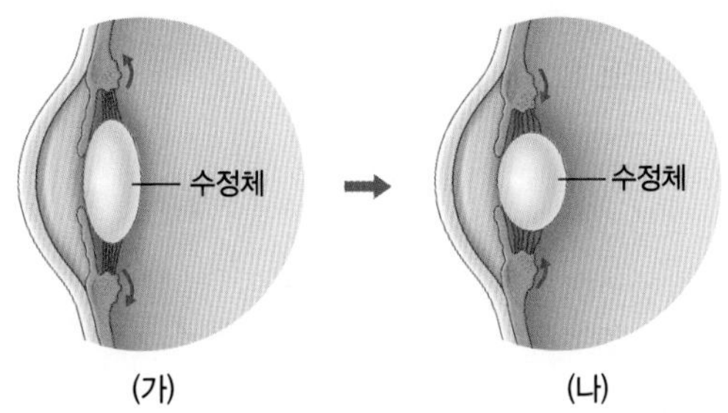

이 사람의 눈이 (가)에서 (나)로 변한 까닭으로 옳은 것을 보기에서 모두 고른 것은?

보기
ㄱ. 섬모체가 이완하였다.
ㄴ. 먼 곳을 보다가 가까운 곳을 보았다.
ㄷ. 어두운 곳에서 밝은 곳으로 이동하였다.

① ㄱ ② ㄴ ③ ㄷ
④ ㄱ, ㄴ ⑤ ㄴ, ㄷ

07 중요 **다음은 영희의 행동을 설명한 것이다.**

영희는 밤에 (가) 밝은 실내에서 책을 읽고 있다가 바깥으로 나가 (나) 깜깜한 마당에서 밤하늘의 별을 보았다.

(가)와 (나)에서 영희의 눈의 상태를 비교한 것으로 옳은 것을 보기에서 모두 고른 것은?

보기
ㄱ. 홍채는 (가)일 때보다 (나)일 때 더 넓다.
ㄴ. 동공의 크기는 (가)일 때보다 (나)일 때 더 크다.
ㄷ. 수정체의 두께는 (가)일 때보다 (나)일 때 더 얇다.

① ㄱ ② ㄴ ③ ㄷ
④ ㄱ, ㄷ ⑤ ㄴ, ㄷ

08 그림은 눈 구조의 일부를 나타낸 것이다.

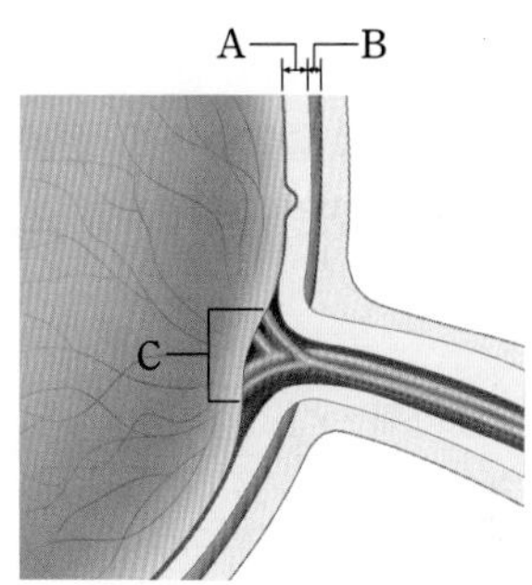

이에 대한 설명으로 옳은 것은?

① A는 검은색 색소를 함유하는 막이다.
② A에는 빛을 감지하는 세포가 분포한다.
③ B는 뇌로 연결된다.
④ B는 눈에서 받아들인 자극을 전달한다.
⑤ C에 상이 맺히면 가장 뚜렷하게 볼 수 있다.

09 귀에서 받아들일 수 있는 특정한 종류의 자극을 보기에서 모두 골라 기호를 쓰시오.

보기
ㄱ. 빛 ㄴ. 소리 ㄷ. 온도 변화
ㄹ. 몸의 회전 ㅁ. 기체 물질 ㅂ. 몸의 기울어짐

[10~13] 그림은 사람 귀의 구조를 나타낸 것이다.

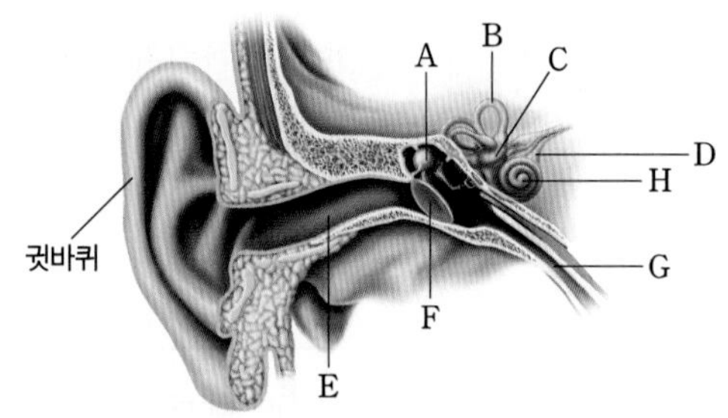

중요
10 이에 대한 설명으로 옳은 것은?

① A는 소리에 의해 최초로 진동한다.
② B는 소리를 증폭시킨다.
③ D는 몸의 기울기를 감지한다.
④ H에는 청각 세포가 있다.
⑤ G는 소리를 전달한다.

11 다음은 소리가 귀로 들어와 뇌로 전달되는 과정을 나타낸 것이다. 빈칸에 알맞은 귀의 구조를 위 그림에서 찾아 기호로 쓰시오.

> 소리 → 귓바퀴 → (㉠) → (㉡) → (㉢) → (㉣) → (㉤) → 뇌

12 소리를 듣는 것과는 직접 관계가 없으며 감각 세포가 있어 평형 감각과 관련된 자극을 받아들이는 귀의 구조를 위 그림에서 모두 골라 기호와 이름을 쓰시오.

13 다음 현상과 가장 관련 깊은 귀의 구조를 위 그림에서 찾아 기호와 이름을 쓰시오.

> 높은 산에 올라갔을 때 귀가 먹먹하였지만 하품을 하고 침을 삼켰더니 먹먹하던 증상이 사라졌다.

14 오른쪽 그림은 사람 귀의 일부를 나타낸 것이고, 다음은 몸의 평형 감각과 관련된 두 가지 실험과 그 결과에 대한 설명이다.

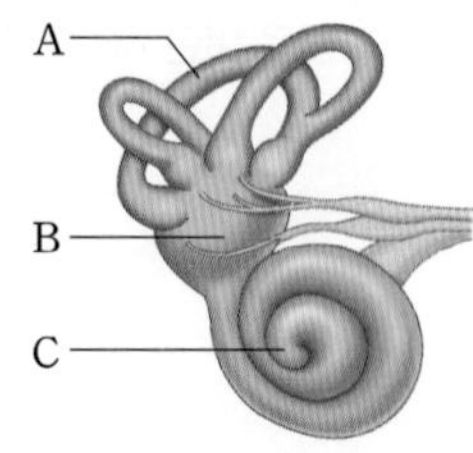

> (가) 눈을 감고 한 발로 몸의 균형을 잡으려 할 때 몸이 기울어지는 것을 느낀다.
> (나) 눈을 감고 회전의자에 앉아 있을 때 다른 사람이 의자를 돌리면 몸이 어떤 방향으로 회전하는지를 느낀다.

(가), (나)의 현상과 가장 관련이 있는 부분을 위 그림에서 찾아 옳게 짝 지은 것은?

	(가)	(나)		(가)	(나)
①	A	B	②	A	C
③	B	A	④	B	C
⑤	C	B			

15 다음은 영희와 철수의 대화이다.

> 영희: 철수야, 귤 먹었니?
> 철수: 응, 어떻게 알았어?
> 영희: ㉠ 냄새가 나잖아.
> 철수: 난 ㉡ 냄새를 못 느끼겠는데…….

이에 대한 설명으로 옳은 것을 보기에서 모두 고른 것은?

보기
ㄱ. ㉠은 기체 물질이다.
ㄴ. 영희가 귤 냄새를 알아내는 데 뇌가 관여한다.
ㄷ. ㉡은 같은 냄새에 후각이 피로해져 나타나는 현상이다.

① ㄴ　② ㄱ, ㄴ　③ ㄱ, ㄷ
④ ㄴ, ㄷ　⑤ ㄱ, ㄴ, ㄷ

16 그림은 사람의 콧속 천장 부분을 확대하여 나타낸 것이다.

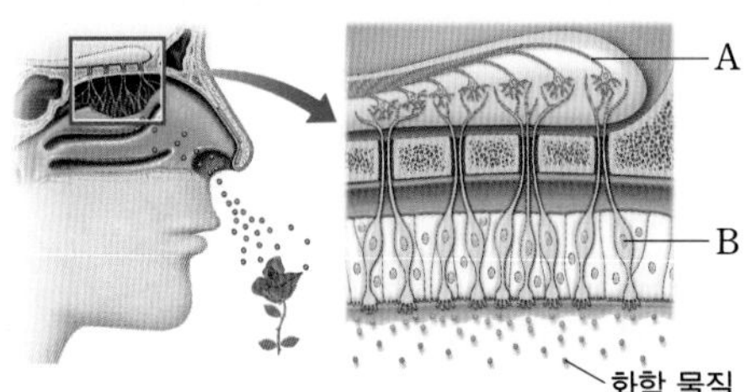

이에 대한 설명으로 옳은 것은?

① A는 후각 세포이다.
② B는 후각 신경이다.
③ B가 느끼는 냄새의 종류는 5가지이다.
④ 기체 상태의 화학 물질이 B를 자극한다.
⑤ A가 받아들인 자극은 B를 거쳐 뇌로 전달된다.

17 그림은 사람의 혀를 확대하여 나타낸 것이다.

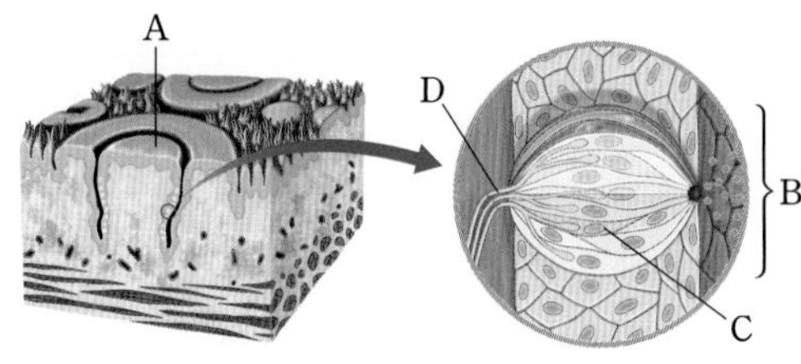

이에 대한 설명으로 옳지 않은 것은?

① A는 혀의 표면에 있는 돌기이다.
② B는 유두이다.
③ C는 액체 물질을 자극으로 받아들인다.
④ D는 맛을 느끼는 데 관여하는 신경이다.
⑤ 자극의 전달은 C에서 D로 일어난다.

18 혀의 맛세포에서 감각하는 기본 맛이 아닌 것은?

① 단맛 ② 쓴맛 ③ 짠맛
④ 감칠맛 ⑤ 매운맛

19 (중요) 후각과 미각에 대한 설명으로 옳지 않은 것은?

① 콧속 천장에 후각 세포가 있다.
② 미각은 후각에 비해 쉽게 피로해진다.
③ 혀에는 맛세포가 모인 맛봉오리가 있다.
④ 후각과 미각의 자극원은 모두 화학 물질이다.
⑤ 후각과 미각에는 감각 세포, 감각 신경, 뇌가 관여한다.

20 (중요) 피부 감각에 대한 설명으로 옳은 것은?

① 감각점은 상피 세포가 분화한 것이다.
② 통점은 촉점보다 강한 자극을 받아들인다.
③ 감각점은 피부의 모든 부위에 고르게 분포한다.
④ 온도 변화를 받아들이는 감각점은 한 종류이다.
⑤ 우리 몸에 가장 많이 분포하는 감각점은 압점이다.

21 사람의 피부에서 몸의 부위에 따라 자극에 대해 민감한 정도가 다른 까닭으로 옳은 것은?

① 감각점의 분포 수가 다르기 때문이다.
② 감각점의 구조가 다르기 때문이다.
③ 감각점의 모양이 다르기 때문이다.
④ 감각 신경의 모양이 다르기 때문이다.
⑤ 감각점이 분포하는 몸의 부위가 정해져 있기 때문이다.

실력 강화 문제

01. 감각 기관

01 사람의 감각 기관에 대한 설명으로 옳은 것을 모두 고르면? (정답 2개)

① 눈의 맥락막에는 시각 세포가 분포한다.
② 귀의 달팽이관에서 평형 감각을 담당한다.
③ 귀의 반고리관 내부에는 감각 세포가 분포한다.
④ 혀와 코에는 화학 물질을 자극으로 받아들이는 감각 세포가 있다.
⑤ 피부 감각은 몸의 부위에 관계없이 자극을 민감하게 받아들이는 정도가 같다.

[02~03] 그림은 사람 눈의 구조를 나타낸 것이다.

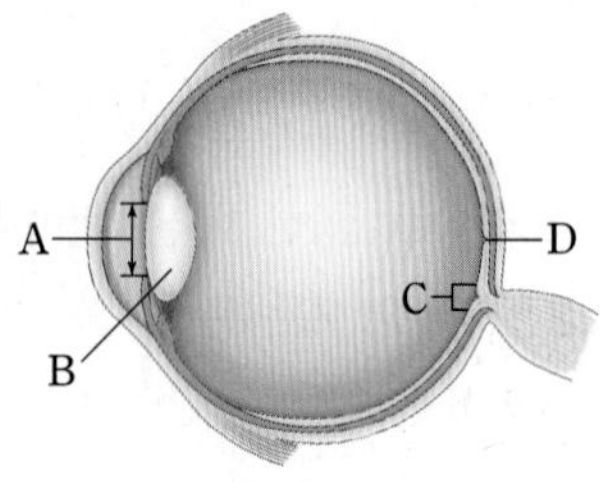

02 주변이 어두워질 경우에 나타나는 눈의 변화를 설명한 것으로 옳은 것을 보기에서 모두 고른 것은?

> 보기
> ㄱ. 홍채가 축소하여 A가 커진다.
> ㄴ. 섬모체가 이완하고 B의 두께가 얇아진다.
> ㄷ. A의 크기 변화로 눈으로 들어오는 빛의 양이 감소한다.

① ㄱ ② ㄴ ③ ㄷ ④ ㄱ, ㄷ ⑤ ㄴ, ㄷ

03 C와 D에 대한 설명으로 옳은 것은?

① C는 황반이다.
② C와 D는 공막에 있다.
③ C에 상이 맺힐 때 가장 선명하게 보인다.
④ D에는 물체의 상이 맺히지 않는다.
⑤ D에는 시각 세포가 많이 분포하고 있다.

[04~05] 오른쪽 그림은 철수가 8초 동안 어떤 물체를 바라볼 때 일어난 수정체의 두께 변화를 나타낸 것이다.

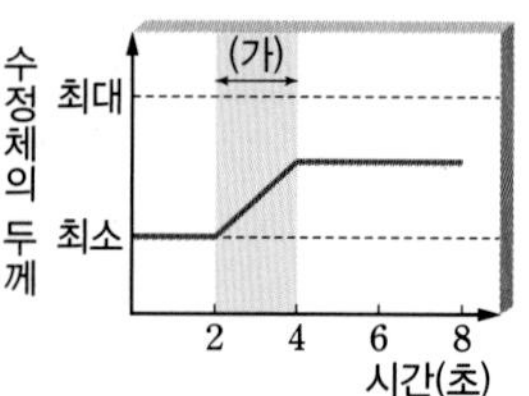

04 다음은 (가) 구간에서 일어나는 섬모체의 변화를 설명한 것이다. 빈칸에 알맞은 단어를 쓰시오.

> (가) 구간에서 섬모체가 (　　)하여 수정체의 두께가 두꺼워진다.

05 위 그림에 대한 설명으로 옳은 것을 보기에서 모두 고른 것은?

> 보기
> ㄱ. 2~4초 동안 물체와 철수 사이의 거리가 가까워지고 있다.
> ㄴ. 4~8초 동안 물체의 상이 맺히는 위치는 맹점에 가까워진다.
> ㄷ. 물체의 크기는 2초일 때보다 8초일 때가 더 크게 보인다.

① ㄱ ② ㄴ ③ ㄷ ④ ㄱ, ㄷ ⑤ ㄴ, ㄷ

06 시각 신경이 손상될 경우 나타날 수 있는 현상을 보기에서 모두 골라 기호를 쓰시오.

> 보기
> ㄱ. 물체의 상이 망막의 뒤에 맺힌다.
> ㄴ. 수정체에서 빛이 굴절되지 않는다.
> ㄷ. 망막에 상이 맺히더라도 물체를 볼 수 없다.

07 그림은 귀의 구조를 나타낸 것이다.

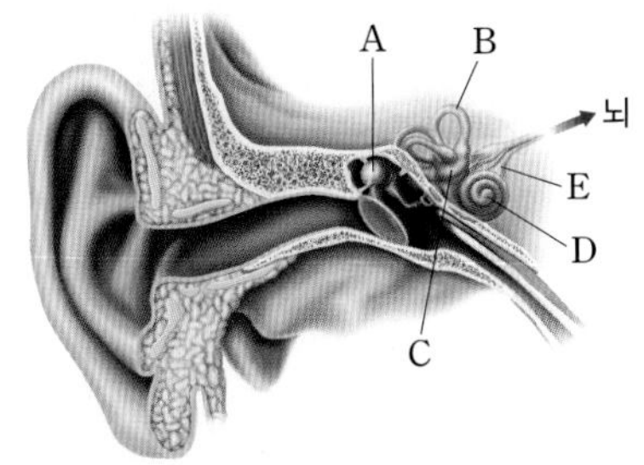

A~E에 대한 설명으로 옳은 것을 모두 고르면? (정답 2개)

① A는 고막의 진동을 증폭시킨다.
② B는 몸이 기울어지는 자극을 받아들인다.
③ B와 C에는 감각 세포가 있다.
④ D는 청각과 평형 감각을 모두 담당한다.
⑤ E는 C에서 받아들인 자극을 뇌로 전달한다.

08 다음은 사람의 감각에 대한 실험과 그 결과이다.

(가) 스마트폰을 실로 스탠드에 매단 후 음악을 틀어 놓는다.
(나) 스마트폰에 손바닥을 대면 진동이 느껴지지만, 손바닥을 떼면 진동이 느껴지지 않는다.
(다) 귀마개로 귀를 막으면 소리가 들리지 않는다.

이에 대한 설명으로 옳은 것을 보기에서 모두 고른 것은?

보기
ㄱ. (가)의 스마트폰에서는 진동이 발생한다.
ㄴ. (나)에서 손바닥에 느껴지는 진동은 감각점을 통한 피부 감각이다.
ㄷ. (다)에서 귀마개는 소리에 의해 고막이 진동하는 것을 막는다.

① ㄱ ② ㄷ ③ ㄱ, ㄴ
④ ㄴ, ㄷ ⑤ ㄱ, ㄴ, ㄷ

09 다음은 음식의 맛을 구별하는 감각에 대한 실험과 그 결과이다.

(가) (나)

(가) 눈을 가리고 사과주스와 포도주스를 각각 맛보면 사과주스와 포도주스의 맛을 잘 구분한다.
(나) 눈을 가린 채 코를 막은 후 사과주스와 포도주스를 각각 맛보면 사과주스와 포도주스의 맛을 잘 구분하지 못한다.

이에 대한 설명으로 옳은 것을 보기에서 모두 고른 것은?

보기
ㄱ. (가)에서 사과주스와 포도주스의 맛을 구분할 때 미각만 관여한다.
ㄴ. (나)에서 사과주스와 포도주스를 맛볼 때 신경 세포를 통한 자극 전달이 일어난다.
ㄷ. 이 실험을 통해 음식의 맛을 구별하는 데는 미각과 시각이 중요한 역할을 한다는 것을 알 수 있다.

① ㄱ ② ㄴ ③ ㄱ, ㄴ
④ ㄴ, ㄷ ⑤ ㄱ, ㄴ, ㄷ

10 미각, 후각, 피부 감각에 대한 설명으로 옳은 것을 모두 고르면? (정답 2개)

① 뇌에서 구별하는 음식의 맛은 5가지이다.
② 혀는 미각뿐 아니라 피부 감각도 감지한다.
③ 콧속 천장에 있는 후각 세포는 액체 물질을 자극으로 받아들인다.
④ 피부의 감각점은 감각 신경과 연결되어 있어 자극이 뇌로 전달된다.
⑤ 맛세포와 후각 세포에서 받아들인 자극은 같은 신경을 통해 뇌로 전달된다.

01. 감각 기관

☞ 제시된 Keyword를 이용하여 문제를 해결해 보자.

1 그림은 주변의 밝기에 따라 사람의 눈에서 동공의 크기가 변하는 과정을 나타낸 것이다.

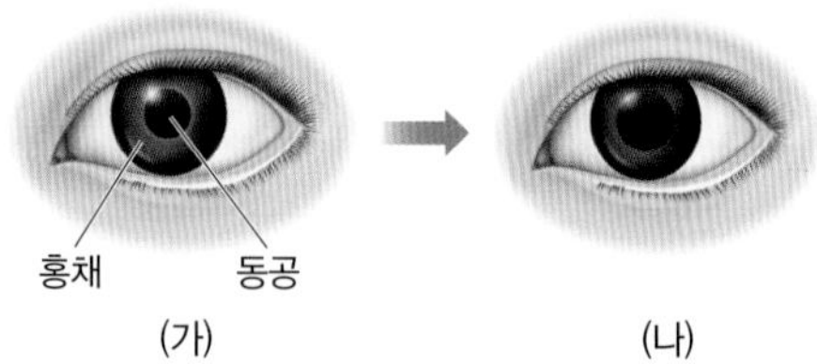

(가)에서 (나)로 변하는 까닭을 주변 밝기와 관련지어 설명하고, 이때 일어나는 눈의 조절 작용을 설명하시오.

Keyword 밝은 곳, 어두운 곳, 홍채, 동공, 빛의 양

2 영희는 가까운 곳의 물체는 잘 보이지만 먼 곳의 물체가 잘 보이지 않아 안과에 갔다. 의사는 먼 곳의 물체를 볼 때 상이 망막의 앞에 맺히기 때문에 이와 같은 증상이 나타나는 것이며, 안경으로 교정해야 한다고 설명하였다. 그림은 영희 눈의 이상을 나타낸 것이다.

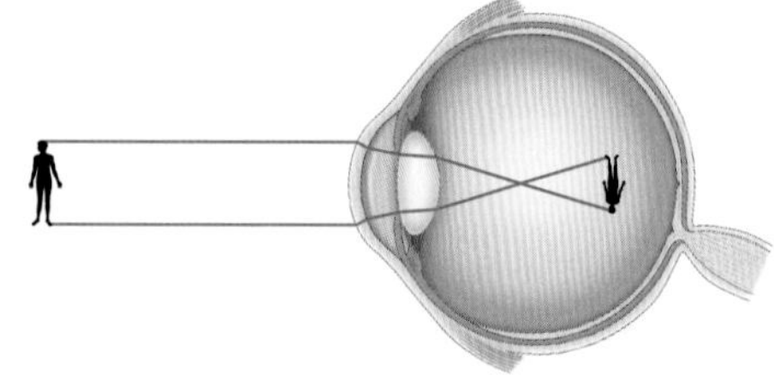

영희의 시력 교정을 위해서는 볼록 렌즈와 오목 렌즈 중 어떤 것을 사용해야 할지 쓰고, 그렇게 판단한 까닭을 물체를 보는 과정과 관련지어 설명하시오.

Keyword 상, 망막, 시각 세포, 시각 신경, 뇌

[3~4] 그림은 사람 눈의 구조를 나타낸 것이다.

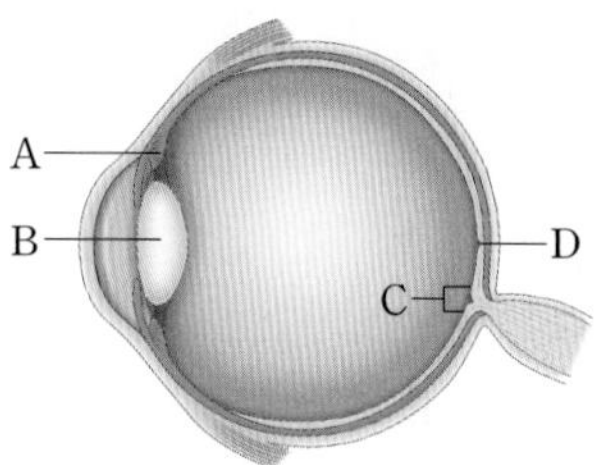

3 먼 곳을 보다가 가까운 곳을 볼 때 일어나는 눈의 조절 작용을 기호와 이름을 써서 설명하시오.

Keyword 섬모체, 수정체

4 다음은 눈과 관련된 실험을 나타낸 것이다.

책을 30 cm 정도 떨어지도록 든 다음 왼쪽 눈을 감고 오른쪽 눈으로 아래 그림의 닭을 주시하면서 책을 가까이 또는 멀리 천천히 움직이다 보면 (가) 병아리가 보이지 않을 때가 있다.

(가)와 같은 현상과 관련 있는 구조의 기호와 이름을 쓰고, (가)와 같은 현상이 나타나는 까닭을 설명하시오.

Keyword 상, 맹점, 시각 세포, 시각 신경

[5~6] 그림은 귀의 구조를 나타낸 것이다.

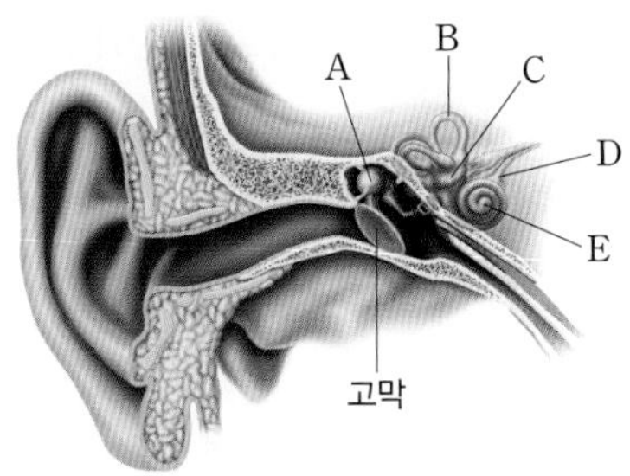

5 **소리가 고막을 진동하고 뇌로 전달되어 소리를 듣게 되는 과정을 기호와 이름을 써서 설명하시오.**

Keyword 소리, 고막, 진동, 증폭, 청각 세포, 청각 신경, 뇌

6 **제자리에서 돌기를 할 때 몸이 빙글빙글 도는 것을 느끼는 것과 관련 깊은 부분의 기호와 이름을 쓰고, 그 부분의 기능을 설명하시오.**

Keyword 반고리관, 회전 감각

7 **혀의 맛세포를 통해 감각하는 기본 맛은 5가지이지만, 우리가 느끼는 음식의 맛은 이보다 훨씬 다양하다. 5가지 기본 맛을 쓰고, 이보다 다양한 맛을 느끼는 까닭을 설명하시오.**

Keyword 기본 맛, 뇌, 미각, 후각

8 **다음은 철수가 음식을 먹었을 때의 느낌을 나타낸 것이다.**

혀가 얼얼할 정도로 ㉠ 매운맛의 떡볶이를 먹고 난 후 아이스크림을 먹었더니 차갑고 ㉡ 달콤했다.

(1) ㉠이 느껴지는 과정을 설명하시오.

Keyword 매운맛, 피부 감각 신경, 뇌

(2) ㉡이 느껴지는 과정을 설명하시오.

Keyword 맛봉오리, 맛세포, 미각 신경, 뇌

9 **그림과 같이 오른손은 35 ℃의 물에, 왼손은 25 ℃의 물에 10초 동안 담갔다가 두 손을 동시에 30 ℃의 물에 담그면 오른손은 시원해졌다고 느끼고, 왼손은 따뜻해졌다고 느낀다.**

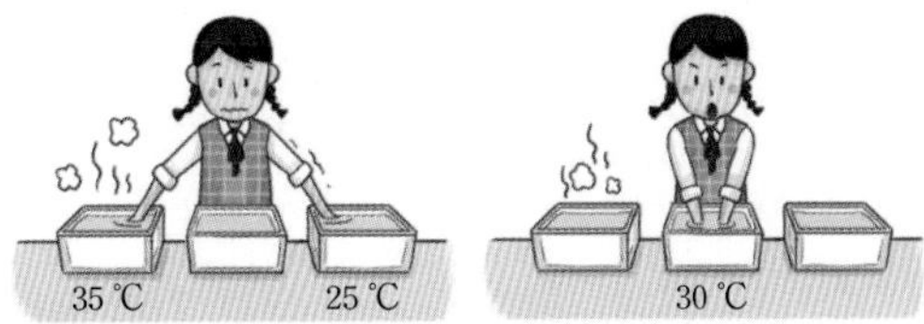

이를 통해 알 수 있는 피부 감각의 특징을 설명하시오.

Keyword 온점, 냉점, 온도 변화

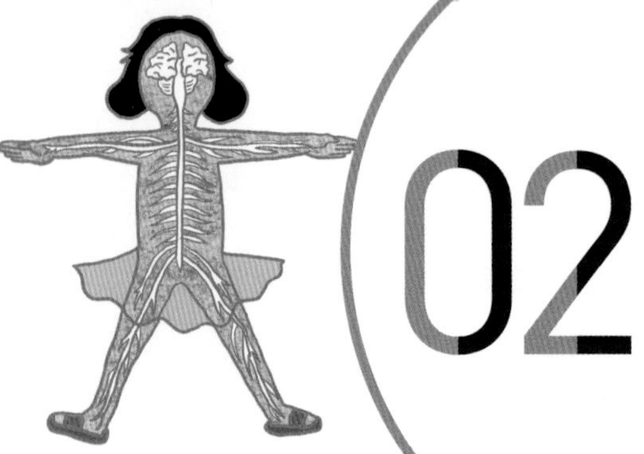

02 신경계

우리 몸에는 감각 기관에서 받아들인 자극을 전달하고 해석하여 적절한 반응을 하도록 신호를 전달하는 체계가 있는데, 이를 신경계라고 한다. 신호를 전달하는 세포인 뉴런의 구조와 기능을 이해하고, 신경계에서 자극이 전달되는 과정을 알아보자.

1 뉴런

과학 용어 사전 244쪽

1. 신경계와 뉴런

(1) **신경계**: 자극을 전달하거나, 자극을 판단하여 적절한 반응이 일어나도록 신호를 전달하는 체계로, 수많은 신경 세포가 모여 이루어진다.

(2) **뉴런**: 신경계를 구성하는 단위가 되는 하나의 신경 세포로, 신호를 전달한다.

└ 구조적·기능적 단위

2. 뉴런의 구조

뉴런은 돌기가 길게 발달되어 있어 신호를 전달하기에 적합하다.

(1) **신경 세포체**: 핵과 대부분의 세포질이 있어 여러 가지 생명 활동이 일어난다.

(2) **가지 돌기**: 신경 세포체에서 뻗어 나온 여러 개의 짧은 돌기로, 다른 뉴런이나 감각 기관으로부터 자극을 받아들인다.

(3) **축삭 돌기**: 신경 세포체에서 길게 뻗어 나온 돌기로, 가지 돌기에서 받아들인 자극을 다른 뉴런이나 기관으로 전달한다.

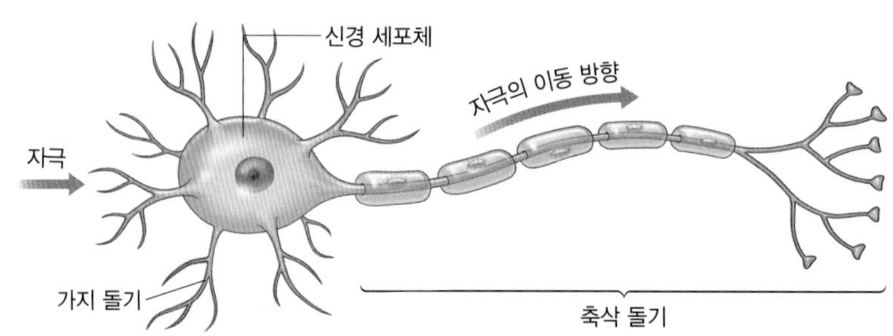

뉴런의 구조

3. 뉴런의 종류와 자극의 전달

(1) **뉴런의 종류**: 뉴런은 기능에 따라 감각 뉴런, 연합 뉴런, 운동 뉴런으로 구분한다.

① 감각 뉴런: 감각 신경을 구성하는 뉴런으로, 감각 기관에서 받아들인 자극을 연합 뉴런으로 전달한다.

② 연합 뉴런: 뇌와 척수 같은 중추 신경을 구성하는 뉴런으로, 감각 뉴런을 통해 전달받은 자극을 판단하고, 적절한 명령을 내린다.

③ 운동 뉴런: 운동 신경을 구성하는 뉴런으로, 연합 뉴런의 명령을 반응 기관으로 전달한다.

뉴런과 신경

뉴런은 신호를 전달하는 한 개의 신경 세포이고, 신경은 여러 개의 뉴런이 모여 다발을 이룬 것이다. 일반적으로 감각 신경과 운동 신경은 많은 수의 감각 뉴런과 운동 뉴런이 모여 이루어진다.

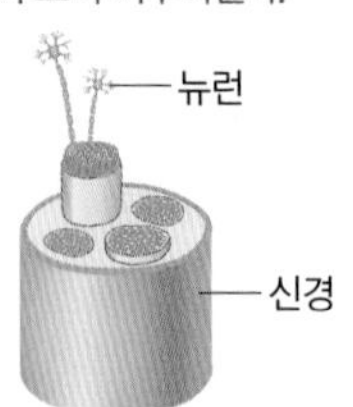

시냅스와 신경 전달 물질

뉴런과 뉴런은 매우 작은 틈을 두고 가깝게 접해 있는데, 이를 시냅스라고 한다. 시냅스에서는 신경 전달 물질에 의해 신호가 전달되며 시냅스에서 신호를 전달하는 신경 전달 물질은 축삭 돌기 말단에서 분비된다. 이 때문에 시냅스에서는 항상 시냅스 전 뉴런의 축삭 돌기에서 시냅스 후 뉴런 쪽으로만 신호가 전달된다.

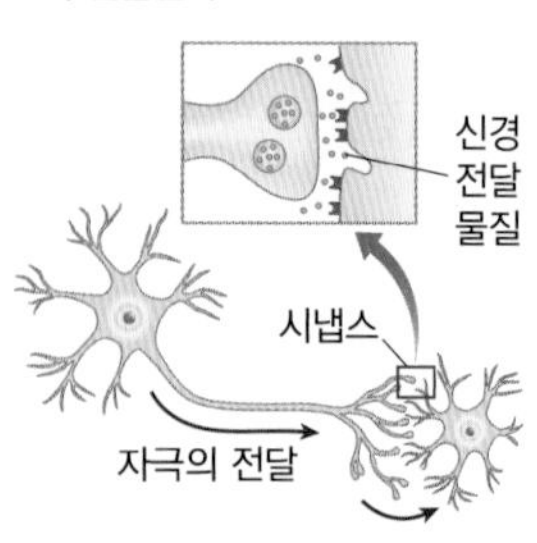

(2) **자극의 전달**: 감각 뉴런은 감각 기관에서 받아들인 자극을 연합 뉴런에 전달하고 연합 뉴런은 이를 판단하여 운동 뉴런에 적절한 명령을 내리며, 운동 뉴런은 연합 뉴런의 명령을 반응 기관으로 전달한다.

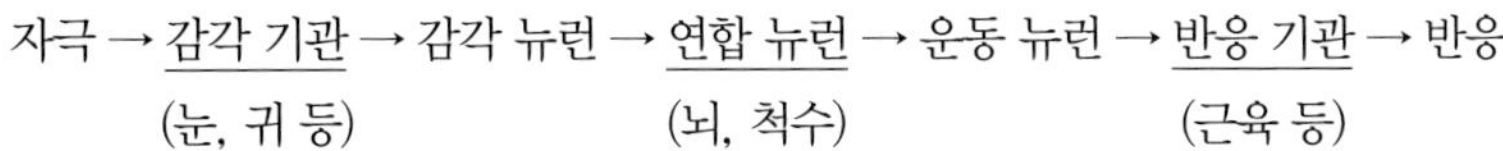

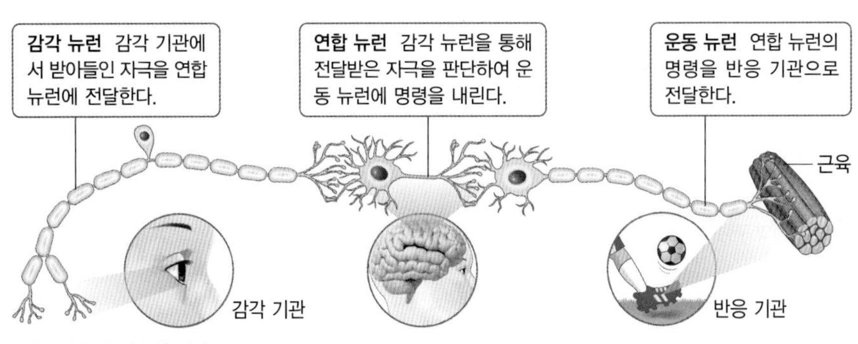

뉴런의 종류와 자극의 전달

자극의 전달
자극은 감각 뉴런 → 연합 뉴런 → 운동 뉴런 방향으로 전달되며 반대 방향으로는 전달되지 않는다.

탐구+ 더하기 뉴런 모형 만들기

감각 뉴런, 연합 뉴런, 운동 뉴런의 구조적인 특징을 조사한 후, 여러 가지 재료로 뉴런 모형을 만들고, 뉴런 모형을 자극이 전달되는 순서대로 배열해 보자.

① 감각 뉴런은 둥글고 작은 신경 세포체가 축삭 돌기의 중간에 위치하고, 연합 뉴런은 가지 돌기가 발달되어 있으며, 운동 뉴런은 축삭 돌기가 길게 발달되어 있다.

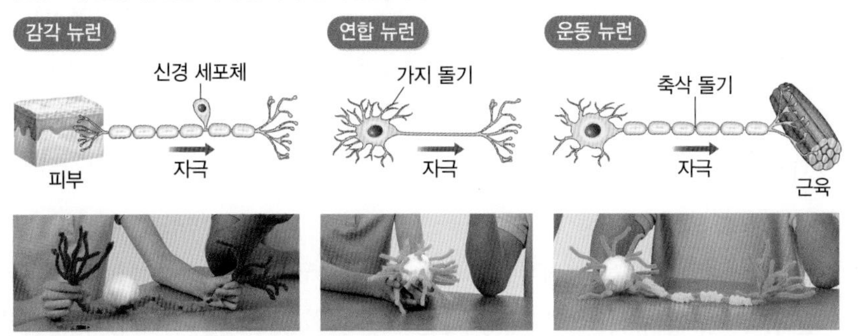

② 자극은 감각 뉴런 → 연합 뉴런 → 운동 뉴런의 순서로 전달된다.

축삭 돌기와 말이집
일부 뉴런은 축삭 돌기가 둥근 구조물로 싸여 있는데, 이 둥근 구조물을 말이집이라고 한다. 일반적으로 말이집이 있는 뉴런은 말이집이 없는 뉴런보다 자극 전달 속도가 빠르다. 연합 뉴런에는 말이집이 없다.

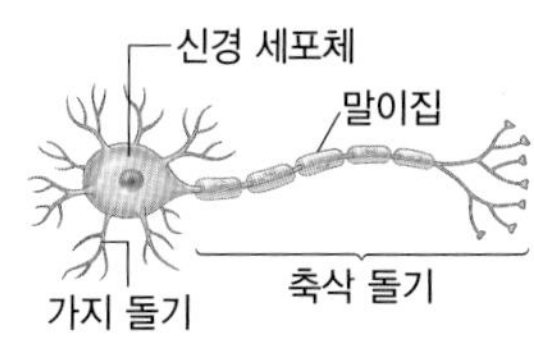

학습 내용 Check

정답과 해설 050 쪽

1. 신경계를 구성하는 신경 세포를 ________이라고 한다.

2. 뉴런에서 ________ 돌기는 자극을 받아들이고, ________ 돌기는 다른 뉴런으로 신호를 전달한다.

3. ________ 뉴런은 뇌와 척수를 구성하며, 자극을 판단하여 ________ 뉴런으로 신호를 보낸다.

4. 뉴런의 종류에 따른 자극의 전달 방향은 ________ 뉴런 → ________ 뉴런 → ________ 뉴런이다.

2 신경계

과학 용어 사전 245쪽

1. 신경계의 구성 중추 신경계와 말초 신경계로 구분한다. 중추 신경계는 뇌와 척수로 구성되어 자극을 판단하고 적절한 명령을 내린다. 말초 신경계는 감각 신경과 운동 신경으로 구성되어 자극을 전달하거나 중추 신경계의 명령을 전달한다.

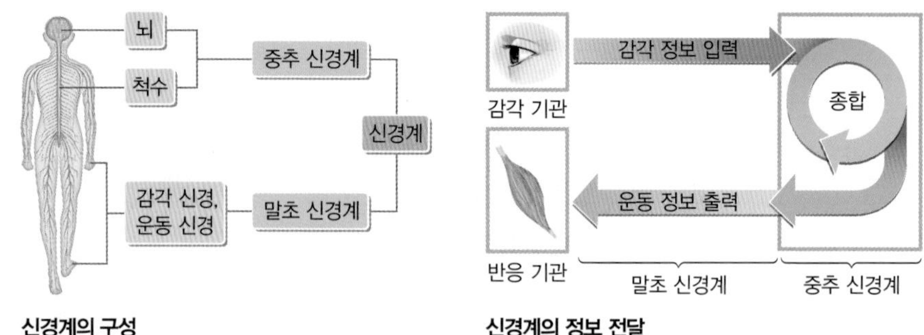

신경계의 구성 / 신경계의 정보 전달

2. 중추 신경계 뇌와 척수가 있으며, 정보를 판단하고 반응 기관에 명령을 내린다.
연합 뉴런이 있다.

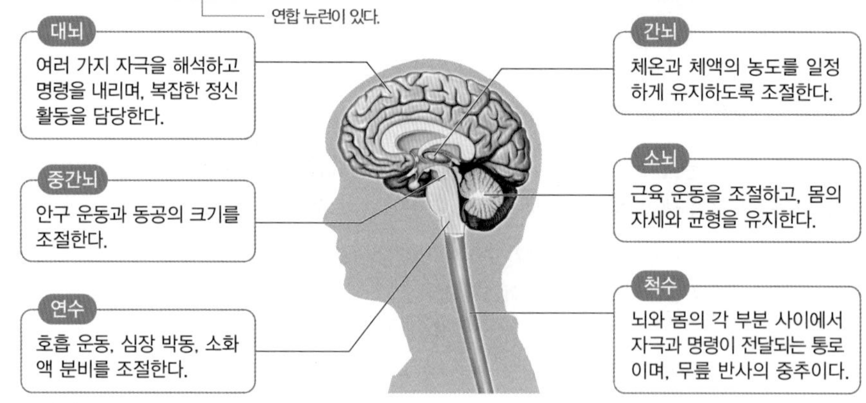

중추 신경계의 구조와 기능

(1) 뇌: 대뇌, 소뇌, 간뇌, 중간뇌, 연수로 구분되며, 두개골로 싸여 있어 외부 충격으로부터 보호된다.

① 대뇌: 뇌의 대부분을 차지하며, 표면에 주름이 많고 좌우 두 개의 반구로 구분된다. 판단, 기억, 추리, 언어 등 복잡한 정신 활동의 중추이며, 감각 기관에서 받아들인 자극을 느끼고, 골격근의 운동을 조절한다.

② 소뇌: 대뇌와 함께 몸의 여러 부위의 근육 운동이 정확하게 일어나도록 조절한다. 몸의 자세를 바로잡고 균형을 유지하도록 조절하는 중추이다.

③ 간뇌: 대뇌의 안쪽 아랫부분에 있으며, 자율 신경과 호르몬의 분비를 조절하여 체온과 체액의 농도 등을 일정하게 유지한다.

④ 중간뇌: 간뇌의 아래쪽에 있으며, 빛의 세기에 따라 동공의 크기를 조절하고 물체와의 거리에 따라 수정체의 두께를 조절하는 안구 운동의 중추이다.

⑤ 연수: 중간뇌와 척수 사이에 있으며, 심장 박동, 호흡 운동, 소화 운동 등과 같은 생명 활동의 중추이다. 침 분비, 재채기, 하품 등의 반사 중추이기도 하다.

컴퓨터와 신경계의 비교

컴퓨터	신경계
키보드	감각 기관
키보드와 본체 연결선	감각 신경
본체(CPU)	중추 신경
본체와 모니터 연결선	운동 신경
모니터	반응 기관

체액
몸 안에 있는 모든 액체를 뜻하는 것으로, 대표적으로 혈액이 있다.

뇌의 구조

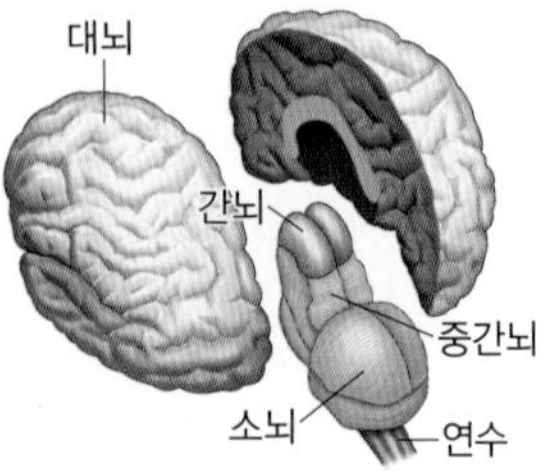

대뇌와 소뇌의 기능
대뇌와 소뇌는 좌우 두 개의 반구로 이루어져 있으며, 주름이 많아 표면적이 넓다. 또한 둘 다 골격근의 운동 조절에 관여하는데, 대뇌는 팔다리의 운동이 일어나도록 명령하고, 소뇌는 이러한 운동이 정확하게 일어나게 조절한다.

신경의 교차
연수에서는 대뇌와 연결되는 대부분 신경의 좌우 교차가 일어나 대뇌 우반구는 몸의 왼쪽을, 대뇌 좌반구는 몸의 오른쪽을 지배한다. 따라서 대뇌 우반구의 운동 중추가 손상되면 몸의 왼쪽을 움직일 수 없게 된다. 일부 신경은 척수에서 좌우가 교차된다.

(2) 척수

① 연수 아래쪽으로 뻗어 있으며, 척추에 싸여 보호된다.

② 뇌와 말초 신경 사이의 신호 전달 통로로, 감각 기관에서 받아들인 자극을 뇌로 전달하고, 뇌의 명령을 반응 기관으로 전달하는 통로이다.

③ 무릎 반사, 갑자기 뜨거운 것에 닿았을 때 무의식적으로 피하는 반사(회피 반사) 등 자신의 의지와 관계없이 일어나는 반응을 조절하는 중추이다. – 척수 반사의 중추

척추

척수를 둘러싸며 보호하는 뼈로, 총 33~34개의 뼈로 이루어져 있다.

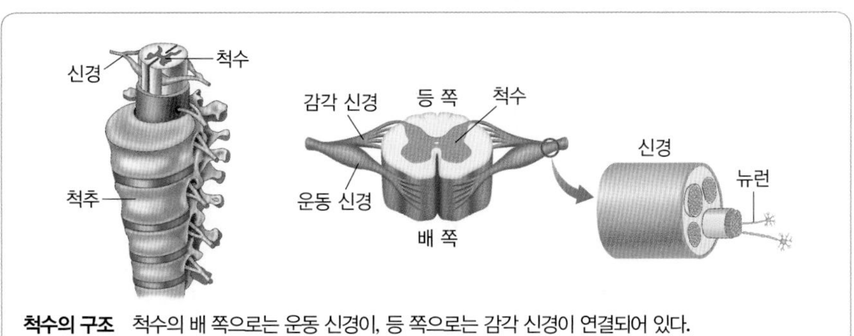

척수의 구조 척수의 배 쪽으로는 운동 신경이, 등 쪽으로는 감각 신경이 연결되어 있다.

회색질과 백색질

대뇌와 척수에서 회색질은 신경 세포체가 모여 있어 회색을 띠는 부분이고, 백색질은 축삭 돌기가 모여 있어 백색을 띠는 부분이다. 대뇌는 겉 부분이 회색질이고 속 부분이 백색질이며, 척수는 이와는 반대로 겉 부분이 백색질이고 속 부분이 회색질이다. 대뇌와 척수의 주된 기능은 회색질에서 일어나고 백색질은 자극 전달 통로이다.

탐구 더하기 뇌 모형 만들기

조립식 뇌 모형을 이용하여 뇌 모형을 만들고, 각 부분의 이름을 쓴다. 척수와 직접 연결된 부분을 찾고 여러 가지 신체 활동이 뇌의 어떤 부분과 관련이 있는지 설명한다.

① 척수와 직접 연결된 부분은 연수이다.

② 몇 가지 신체 활동을 조절하는 뇌 부위는 다음과 같다.

신체 활동	조절 중추
운동을 할 때 심장이 빨리 뛴다.	연수
한 발로 서서 몸의 균형을 유지한다.	소뇌
구구단을 외운다.	대뇌
어두운 곳으로 가면 동공이 커진다.	중간뇌
더울 때 땀을 많이 흘린다.	간뇌

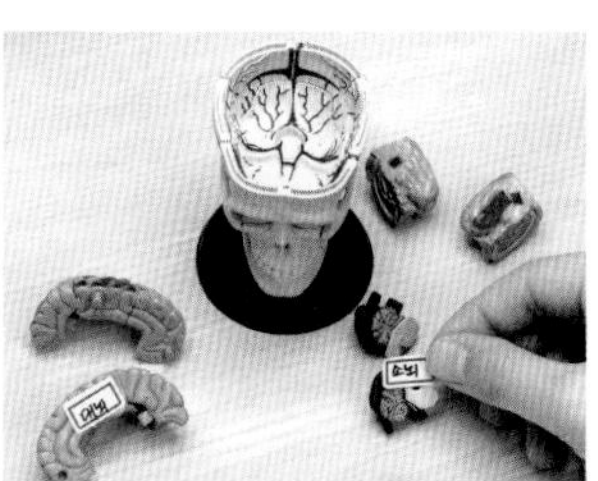

3. 말초 신경계

3. 말초 신경계 감각 신경과 운동 신경으로 이루어지며, 온몸에 퍼져 있어 중추 신경계와 몸의 각 부분을 연결한다.

(1) 감각 신경: 감각 기관으로부터 받아들인 자극을 중추 신경계로 전달한다.
└ 중추로 자극을 전달하기 때문에 구심성 신경이라고 한다.

(2) 운동 신경: 중추 신경계의 명령을 반응 기관으로 전달한다. 체성 신경과 자율 신경으로 구분된다.
└ 중추로부터 멀어지는 쪽으로 명령을 전달하기 때문에 원심성 신경이라고 한다.

① 체성 신경: 대뇌의 명령을 얼굴, 팔, 다리 등의 골격에 붙어 있는 근육으로 전달하여 운동이 일어나도록 하는 신경이다.

② 자율 신경: 심장 박동처럼 대뇌의 명령을 받지 않고 의지와는 관계없이 몸의 기능을 자율적으로 조절하는 신경이다. 교감 신경과 부교감 신경으로 구분된다.

뇌 신경과 척수 신경

말초 신경계는 해부학적으로 뇌에서 뻗어 나와 얼굴에 분포하는 뇌 신경 12쌍과 척수에서 뻗어 나와 팔다리와 온몸에 분포하는 척수 신경 31쌍으로 구분하기도 한다.

길항 작용
두 요인이 서로 반대되는 기능을 하여 어떤 작용을 조절하는 것이다. 교감 신경이 심장 박동을 빠르게 하고 부교감 신경이 심장 박동을 느리게 하여 심장 박동을 조절하는 것, 인슐린이 혈당량을 낮추고 글루카곤이 혈당량을 높여 혈당량을 조절하는 것 등이 길항 작용의 예이다.

자료 더하기 자율 신경계

과학 용어 사전 245쪽

① 자율 신경계는 대뇌의 직접적인 조절을 받지 않으며, 내장 기관과 혈관에 분포되어 주로 소화, 순환, 호흡, 호르몬 분비 등 생명 유지와 관련된 기능을 조절한다.

② 자율 신경계에는 교감 신경과 부교감 신경이 있으며, 교감 신경과 부교감 신경은 같은 내장 기관에 분포하여 서로 반대되는 작용(길항 작용)을 하면서 내장 기관의 작용을 조절한다.

③ 일반적으로 교감 신경은 우리 몸을 위기 상황에 대처할 수 있는 상태로 만들어 주고, 부교감 신경은 안정된 상태로 되돌아오게 하는 작용을 한다. 긴장하거나 흥분하였을 때, 놀랐을 때, 심한 운동으로 에너지가 필요할 때 교감 신경이 작용한다.

구분	심장 박동	호흡 운동	소화 효소가 포함된 침 분비	소화 운동	동공	방광
교감 신경	촉진	촉진	억제	억제	확대	확장
부교감 신경	억제	억제	촉진	촉진	축소	수축

교감 신경의 작용 긴장 상태에서 심장 박동과 호흡이 빨라지게 한다.

부교감 신경의 작용 심장 박동과 호흡이 원래대로 돌아오게 한다.

학습 내용 Check

정답과 해설 050쪽

1. 중추 신경계는 뇌와 ________로 이루어져 있다.
2. 복잡한 정신 활동의 중추는 ________이고, 몸의 균형 유지의 중추는 ________이다.
3. 심장 박동, 호흡 운동, 소화 운동의 조절 중추는 ________이다.
4. 말초 신경계 중 ________는 우리의 의지와 관계없이 심장 박동과 호흡 운동 등을 조절하는 데 관여한다.

알고 보면 재미있는 과학 인공 지능(artificial intelligence, AI)

지능이란, 문제를 해결하고 학습을 하는 등 한 개인의 총체적인 능력이다. 인공 지능은 기계로부터 만들어진 지능으로, 학습, 추론 등과 같은 인간의 지능적인 행동을 컴퓨터 프로그램으로 실현한 컴퓨터 공학 및 정보 기술의 한 분야이다. 인공 지능은 인간의 언어를 자동으로 번역하여 사람과 컴퓨터의 대화와 정보 교환이 가능하게 하고 영상이나 음성을 인식하여 보안에 활용되기도 하며, 많은 양의 자료를 분석하여 소비자의 행동 양식을 파악함으로써 마케팅에 이용되기도 한다. 또한 인간의 뇌에서 일어나는 의사 결정 과정을 모방하여 심층 학습을 하고 자기 계발을 하기도 한다. 앞으로도 인공 지능은 다양한 방면에 걸쳐 널리 활용될 전망이며, 그에 따라 사람의 생활, 일자리, 업무 등에 큰 영향을 미칠 것으로 여겨진다.

3 자극의 전달과 반응

1. 자극과 반응 우리 몸에서 자극을 감각하고 반응을 하기까지의 과정에는 감각 기관, 신경계, 반응 기관(운동 기관)이 함께 작용한다.

2. 의식적인 반응 감각 기관에서 받아들인 자극이 대뇌에 전달된 후 대뇌의 명령이 반응 기관으로 전달되어 나타나는 반응이다. 탐구 202쪽

대뇌에서 판단 과정이 복잡할수록 반응이 나타나는 데 시간이 걸린다.

예 주전자를 들어 컵에 물을 따른다. 육상 선수가 출발 신호를 듣고 출발한다.

> 자극 → 감각 기관 → 감각 신경 → (척수 →) 대뇌 (→ 척수)
> → 운동 신경 → 반응 기관 → 반응

3. 무조건 반사 자극이 대뇌에 도달하기 전에 일어나는 반응으로, 척수, 연수, 중간뇌의 명령이 반응 기관에 전달되어 나타나는 무의식적인 반응이다. 대뇌와 관계없이 일어나므로 외부 자극에 대해 매우 빠르게 반응한다. 탐구 203쪽

> 자극 → 감각 기관 → 감각 신경 → 중추 → 운동 신경 → 반응 기관 → 반응
> (척수, 연수, 중간뇌)

(1) **척수 반사**: 무릎 반사, 뜨거운 물체에 손이 닿았을 때 자신도 모르게 움츠리는 것과 같은 회피 반사, 어린아이의 배변과 배뇨 등은 척수가 조절한다.

(2) **연수 반사**: 하품, 재채기, 침 분비, 딸꾹질, 구토 등은 연수가 조절한다.

(3) **중간뇌 반사**: 동공 반사는 중간뇌가 조절한다.

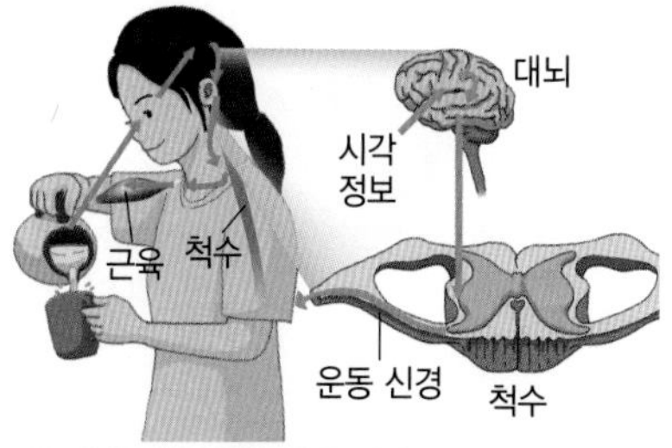

자극 → 감각 기관(눈) → 감각 신경 → 대뇌 → 척수 → 운동 신경 → 반응 기관(근육)

의식적인 반응 자극이 감각 신경을 통해 대뇌로 전달되며, 대뇌의 명령이 척수와 운동 신경을 거쳐 근육으로 전달된다.

자극 → 감각 기관(피부) → 감각 신경 → 척수 → 운동 신경 → 반응 기관(근육)

무조건 반사 자극이 감각 신경을 통해 척수로 전달되며, 척수의 명령이 운동 신경을 통해 근육으로 전달된다.

자극의 전달과 반응 경로

얼굴 부분의 감각 신경과 운동 신경은 뇌와 직접 연결되지만, 목 아래의 몸통과 팔다리 등은 척수를 거쳐 뇌로 연결된다. 따라서 달리기를 할 때 소리를 듣고 출발할 때는 '소리(자극) → 귀(감각 기관) → 청각 신경(감각 신경) → 대뇌 → 척수 → 운동 신경 → 다리(반응 기관) → 달리기(반응)'의 경로를 거친다.

무릎 반사

무릎뼈 아랫부분을 가볍게 치면 자신도 모르게 다리가 올라갔다가 내려가는 반응이 나타나는데, 이를 무릎 반사라고 한다.

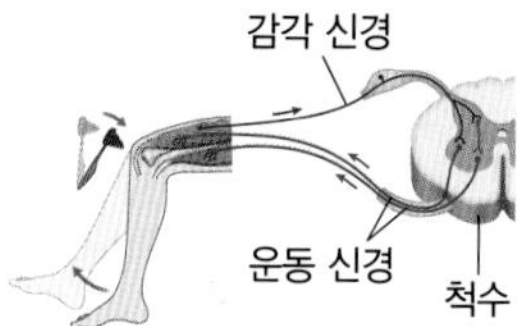

회피 반사

두 팔과 다리의 피부가 강한 자극을 받았을 때 몸을 향하여 오므리는 반사이다. 회피 반사는 대뇌의 조절에 의한 의식적인 반응에 비해 반응이 매우 빠르게 일어나 위험으로부터 몸을 보호하는 데 도움이 된다.

학습 내용 Check

정답과 해설 050 쪽

1. 의식적인 반응의 중추는 ________이다.
2. 자신의 의지와 관계없이 대뇌의 판단 과정을 거치지 않고 일어나는 반응은 ________이다.
3. 무릎 반사의 중추는 ________이고, 재채기와 침 분비의 중추는 ________이며, 주변의 밝기에 따라 홍채가 수축, 이완하는 동공 반사의 중추는 ________이다.

탐구 자극에 대한 반응 실험하기

의식적인 반응의 경로를 알고, 자극의 종류에 따라 반응 시간이 다르다는 것을 설명할 수 있다.

과정 및 결과

❶ 두 명이 모둠이 되어 한 사람(A)은 자를 떨어뜨릴 준비를 하고, 다른 한 사람(B)은 자를 잡을 준비를 한다. A는 예고 없이 자를 떨어뜨리고, B는 떨어지는 자를 보고 재빨리 잡아 자가 떨어진 거리를 측정한다. → 시각 자극에 의해 자를 잡는 반응이다.

❷ B는 안대로 눈을 가리고 자를 잡을 준비를 한다. A가 '땅'이라고 말함과 동시에 자를 떨어뜨리면 B가 재빨리 자를 잡아 자가 떨어진 거리를 측정한다. → 청각 자극에 의해 자를 잡는 반응이다.

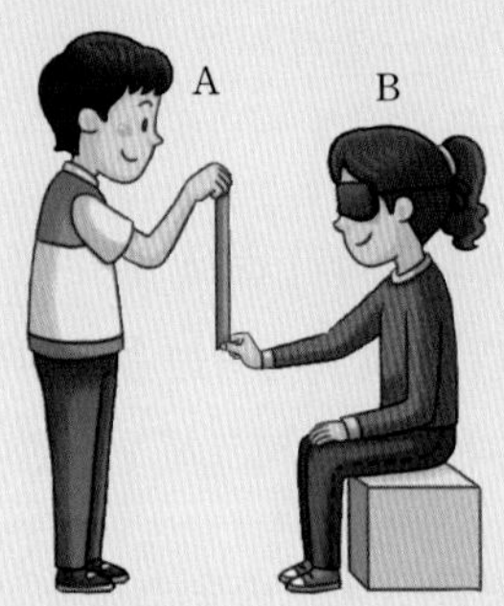

유의점 자를 떨어뜨리기 전 B의 손가락 사이에 자의 눈금 0이 위치하게 한다.

❸ 과정 ❶, ❷를 각각 5회 실시하여 자가 떨어진 거리의 평균값을 구한다.

구분	1회	2회	3회	4회	5회	평균값
눈으로 볼 때(cm)	24	21	19	19	17	20
소리를 들을 때(cm)	32	31	32	28	27	30

결과 해석 및 정리

1. 떨어지는 자를 보고 자를 잡기까지의 반응 경로는 '자극(떨어지는 자) → 눈 → 감각 신경(시각 신경) → 대뇌 → 척수 → 운동 신경 → 손의 근육 → 반응(자를 잡음)'이다.
2. 소리를 듣고 자를 잡기까지의 반응 경로는 '자극(소리) → 귀 → 감각 신경(청각 신경) → 대뇌 → 척수 → 운동 신경 → 손의 근육 → 반응(자를 잡음)'이다.
3. 자극을 받아들여 반응하기까지 걸린 시간은 자가 떨어진 거리에 비례한다. 따라서 시각에 의한 반응이 청각에 의한 반응보다 빠르다.

탐구 확인 문제

정답과 해설 050쪽

1 위 탐구에 대한 설명으로 옳은 것은 ○, 옳지 않은 것은 ×로 표시하시오.

(1) 자를 잡는 반응의 중추는 대뇌이다. ( )

(2) 자가 떨어진 거리가 길수록 반응 속도가 빠른 것이다. ( )

(3) 과정 ❶에서 B는 A의 손을 보면서 자를 떨어뜨리는 것을 예측하여 자를 잡는다. ( )

(4) 과정 ❶과 ❷에서 반응이 일어나기까지 감각 신경과 운동 신경이 관여한다. ( )

2 적용 위 탐구에 대한 설명으로 옳은 것은?

① 척수가 중추인 무조건 반사이다.
② 자극이 전달되는 거리는 청각이 시각보다 짧다.
③ 시각을 통한 반응과 청각을 통한 반응의 중추는 서로 다르다.
④ 청각을 통한 반응이 시각을 통한 반응보다 시간이 오래 걸린다.
⑤ 시각을 통한 반응은 척수를 거치지 않고, 청각을 통한 반응은 척수를 거친다.

탐구 무조건 반사와 의식적인 반응 비교하기

무조건 반사와 의식적인 반응의 경로 차이를 설명할 수 있다.

과정 및 결과

❶ 세 사람이 모둠을 이루고, 한 사람(A)은 발이 바닥에 닿지 않도록 의자에 앉은 후, 눈을 감고 다리의 힘을 뺀다. 다른 한 사람(B)은 고무망치를 들고, 또 다른 한 사람(C)은 스마트 기기로 실험 과정을 촬영할 준비를 한다.

❷ B가 A의 무릎뼈 바로 아래를 고무망치로 가볍게 치고, A는 다리에 고무망치가 닿는 것을 느끼는 즉시 오른팔을 들며, C는 실험 과정을 촬영한다.

❸ 촬영된 영상을 보고 다리가 들리는 반응과 팔을 드는 반응 중 더 빠르게 일어난 반응이 무엇인지 알아본다.

→ 다리가 들리는 반응이 팔을 드는 반응보다 빠르게 나타난다.

결과 해석 및 정리

1. 다리가 들리는 반응은 자신의 의지와 관계없이 나타나는 무조건 반사(무릎 반사)이며, 반응의 중추는 척수이다. 팔을 드는 반응은 자신의 의지에 따라 나타나는 의식적인 반응이며, 반응의 중추는 대뇌이다.

2. • 다리가 들리는 반응의 반응 경로

자극 → 감각 기관 → 감각 신경 → 척수 → 운동 신경 → 반응 기관 → 반응

• 팔을 드는 반응의 반응 경로

자극 → 감각 기관 → 감각 신경 → 척수 → 대뇌 → 척수 → 운동 신경 → 반응 기관 → 반응

3. 무조건 반사는 대뇌의 조절을 받는 의식적인 반응보다 외부 자극에 대해 반응이 빠르게 나타나 우리 몸의 움직임을 적절하게 조절하고 위험으로부터 몸을 보호하는 데 도움이 된다.

탐구 확인 문제

정답과 해설 050쪽

1 위 탐구에 대한 설명으로 옳은 것은 ○, 옳지 않은 것은 ×로 표시하시오.

(1) A가 눈을 감는 것은 B가 고무망치로 치는 것을 보지 않기 위해서이다. ( )

(2) 과정 ❷에서 B가 고무망치로 치는 자극은 A의 피부를 통해 감지된다. ( )

(3) 의식적인 반응이 무조건 반사보다 빠르게 나타난다는 것을 알 수 있다. ( )

(4) 다리가 들리는 반응의 중추는 척수이고, 팔을 드는 반응의 중추는 대뇌이다. ( )

(5) 다리가 들리는 반응의 중추는 밝은 곳에서 동공이 작아지는 반응의 중추와 같다. ( )

2 적용 그림은 무릎뼈 아래를 고무망치로 칠 때의 자극 전달 경로를 나타낸 것이다.

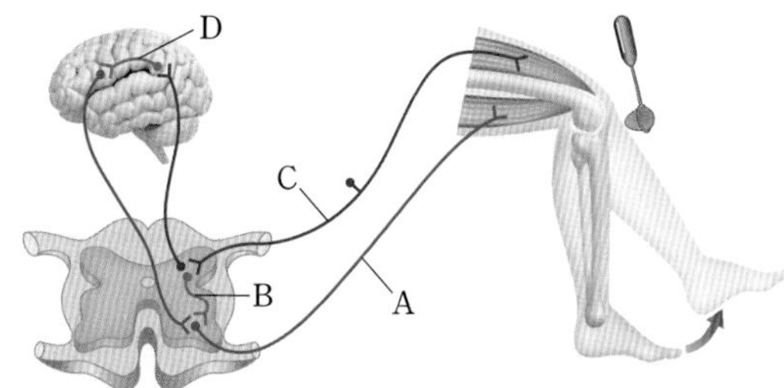

무릎 반사가 일어나는 경로를 기호와 화살표(→)를 사용하여 나타내시오.

신경계의 이모저모

사람의 신경계는 매우 복잡하며 아직까지 알려지지 않은 사실도 많다. 그렇지만 신경계에 의해 우리 몸이 통제되고 조절되고 있는 것은 분명하다. 우리 몸을 조절하는 신경계에 대해 알아보자.

1 대뇌

대뇌의 겉 부분(겉질)은 위치에 따라 전두엽, 후두엽, 측두엽, 두정엽으로 구분되는데, 각 위치에 따라 사고, 감정, 감각, 운동 등 특정한 기능을 담당한다.

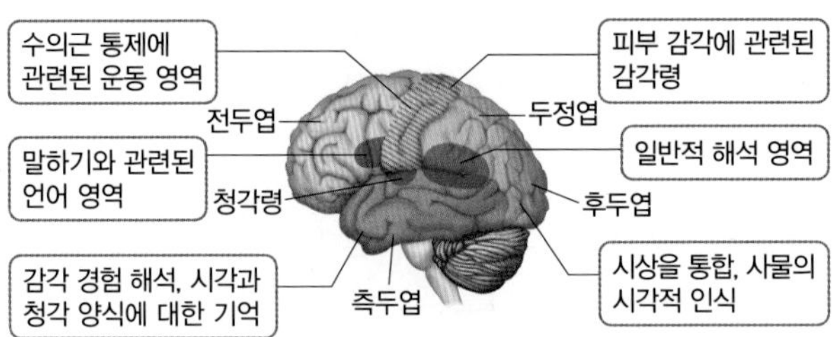

대뇌의 구조와 기능 영역 대뇌 겉질의 앞부분은 전두엽, 뒷부분은 후두엽, 양 옆은 측두엽, 윗부분은 두정엽으로 구분된다.

대뇌는 감각, 정신 활동뿐 아니라 중독과도 관련이 있다. 뉴런과 뉴런 사이의 시냅스에서는 신경 전달 물질에 의해 신호가 전달되며, 신경 전달 물질의 종류에 따라 다양한 감정을 느끼게 된다. 도파민이라는 신경 전달 물질은 쾌감을 느끼게 하는데, 도파민이 뇌 속에 적정량이 있을 때는 만족감을 느끼지만, 그 양이 많아지면 환각이 일어나고 적어지면 우울감을 느낀다. 니코틴, 환각제, 게임과 같은 자극은 뇌 속의 도파민의 양에 영향을 주고, 자극을 계속 갈망하도록 하여 중독을 일으킨다. 따라서 중독을 유발할 수 있는 자극에 지속적으로 노출되는 것을 삼가고 이미 중독이 되었을 경우에는 약물 중독과 동일하게 치료를 해야 한다.

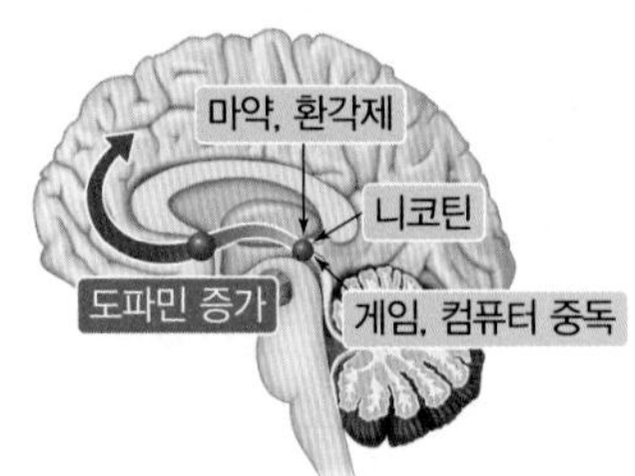

쾌감 회로 도파민이라는 신경 전달 물질이 작용한다.

2 체성 신경과 자율 신경

체성 신경과 자율 신경은 모두 중추의 명령을 반응 기관으로 전달한다는 공통점이 있다. 그러나 체성 신경은 운동 뉴런 한 개가 중추로부터 반응 기관까지 직접 연결되고, 자율 신경은 2개의 뉴런이 신경절을 거쳐 반응 기관으로 연결된다. 자율 신경의 교감 신경은 신경절 이전 뉴런이 짧은 데 비해 부교감 신경은 신경절 이후 뉴런이 짧다. 교감 신경과 부교감 신경은 신경절 이후 뉴런에서 반응 기관으로 분비되는 신경 전달 물질이 서로 달라서 기관에 미치는 효과가 서로 반대로 나타난다.

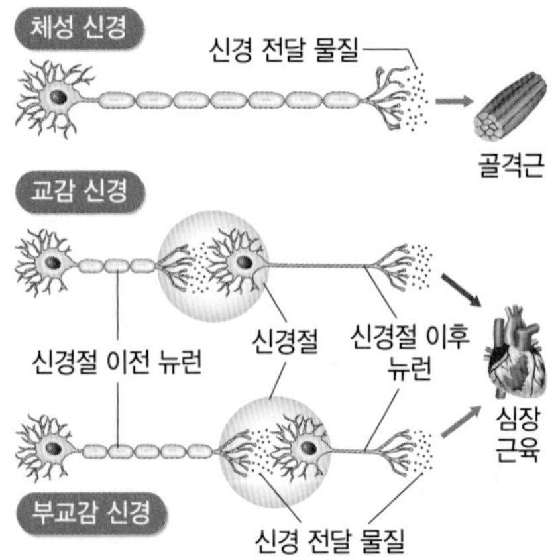

체성 신경과 자율 신경

한눈에 보는

중단원 핵심 정리

1 뉴런

① **신경계:** 신경계는 자극의 전달, 판단, 운동 명령 등과 같은 신호를 전달하는 체계이다.

② **뉴런:** 신경계를 구성하는 단위가 되는 하나의 세포이다.

③ **자극의 전달 과정:** 자극 → 감각 기관 → 감각 뉴런 → 연합 뉴런 → 운동 뉴런 → 반응 기관 → 반응의 순서로 자극이 전달된다.

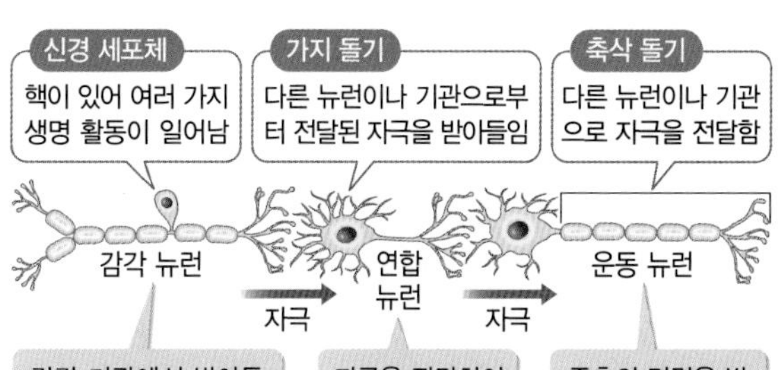
신경 세포체
핵이 있어 여러 가지 생명 활동이 일어남
가지 돌기
다른 뉴런이나 기관으로부터 전달된 자극을 받아들임
축삭 돌기
다른 뉴런이나 기관으로 자극을 전달함
감각 뉴런
연합 뉴런
운동 뉴런
자극
자극
감각 기관에서 받아들인 자극을 중추로 전달
자극을 판단하여 명령을 내림
중추의 명령을 반응 기관으로 전달

2-1 중추 신경계

- **중추 신경계:** 뇌와 척수로 구성된다.

대뇌: 감각, 운동, 정신 활동 담당

중간뇌: 눈의 운동 조절

연수: 소화·호흡 운동, 심장 박동 조절

간뇌: 체온과 체액의 농도 조절

소뇌: 몸의 자세와 균형 유지

척수: 신호의 전달 통로

2-2 말초 신경계

- **말초 신경계:** 중추 신경계로부터 뻗어 나와 온몸에 분포한다.

감각 신경	감각 기관에서 받아들인 자극을 중추 신경으로 전달하는 신경	
운동 신경	중추의 명령을 반응 기관으로 전달하는 신경	
	체성 신경	주로 대뇌의 조절을 받으며, 골격근에 연결된 운동 뉴런으로 구성
	자율 신경	대뇌의 직접적인 조절을 받지 않으며, 내장 기관의 작용과 호르몬의 분비 조절

3 자극의 전달과 반응

구분	의식적인 반응	무조건 반사
중추와 반응의 예	• 대뇌: 예 물컵에 물을 따르는 반응 등	• 척수: 예 무릎 반사 등 • 중간뇌: 예 동공 반사 등 • 연수: 예 재채기, 하품, 침 분비, 구토 등
반응 경로	자극 → 감각 기관 → 감각 신경(→ 척수) → 대뇌 → (척수 →) 운동 신경 → 반응 기관 → 반응	무릎 반사: 자극 → 감각 기관 → 감각 신경 → 척수 → 운동 신경 → 반응 기관 → 반응
	연합 뉴런, 대뇌, 연합 뉴런, 감각 신경, 자극, 감각 기관, 척수, 운동 신경, 반응, 반응 기관	감각 신경, 자극, 연합 뉴런, 감각 기관, 척수, 운동 신경, 반응, 반응 기관

개념 확인 문제

02. 신경계

[01~02] 그림은 뉴런의 구조를 나타낸 것이다.

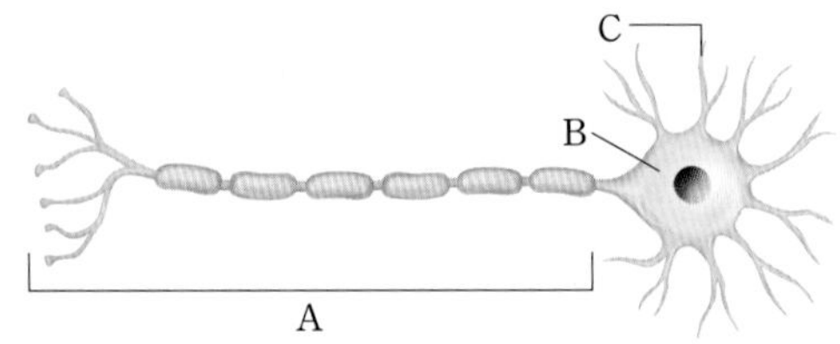

중요
01 이에 대한 설명으로 옳은 것을 모두 고르면? (정답 2개)

① A는 뉴런의 핵을 포함하고 있다.
② B는 뉴런의 생장과 생명 활동을 조절한다.
③ C는 다른 뉴런으로 자극을 전달한다.
④ 신경계를 이루는 하나의 세포이다.
⑤ 뉴런에서 자극은 A → B → C 방향으로 전달된다.

02 자극을 받아들이는 부분의 기호와 이름을 옳게 짝 지은 것은?

① A – 핵 ② B – 가지 돌기
③ B – 축삭 돌기 ④ C – 가지 돌기
⑤ C – 축삭 돌기

중요
03 그림은 세 종류의 뉴런이 연결된 것을 나타낸 것이다.

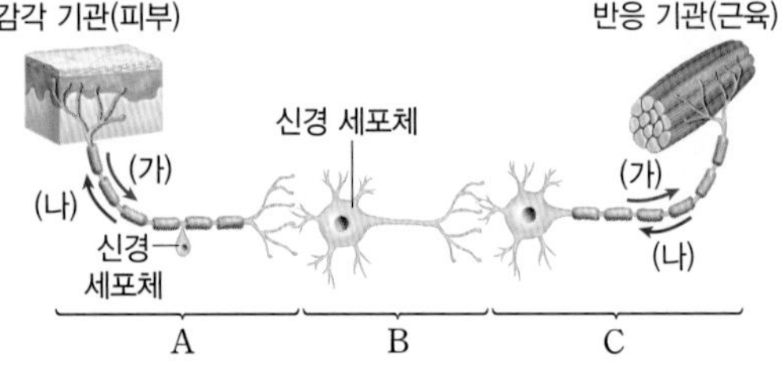

이에 대한 설명으로 옳지 않은 것은?

① A는 중추의 명령을 전달한다.
② B는 뇌와 척수에서 발견된다.
③ C는 운동 신경을 이루는 뉴런이다.
④ A와 C는 말초 신경이다.
⑤ 자극의 전달 방향은 (가)이다.

04 그림은 컴퓨터에서 신호가 전달되는 과정을 나타낸 것이다.

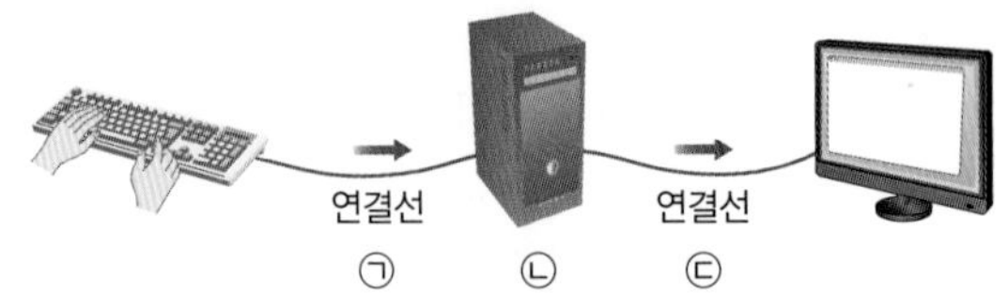

이를 우리 몸에서 자극이 전달되는 과정에 비유할 때, ㉠~㉢은 각각 중추 신경, 감각 신경, 운동 신경 중 무엇에 해당하는지 쓰시오.

05 신경계에 대한 설명으로 옳은 것을 보기에서 모두 고른 것은?

보기
ㄱ. 자율 신경계는 말초 신경계에 속한다.
ㄴ. 신경계를 구성하는 기본 단위는 뉴런이다.
ㄷ. 뇌에 연결된 감각 신경과 운동 신경은 중추 신경계에 속한다.

① ㄱ ② ㄱ, ㄴ ③ ㄱ, ㄷ
④ ㄴ, ㄷ ⑤ ㄱ, ㄴ, ㄷ

06 오른쪽 그림은 사람의 신경계를 나타낸 것이다. 이에 대한 설명으로 옳은 것을 모두 고르면? (정답 2개)

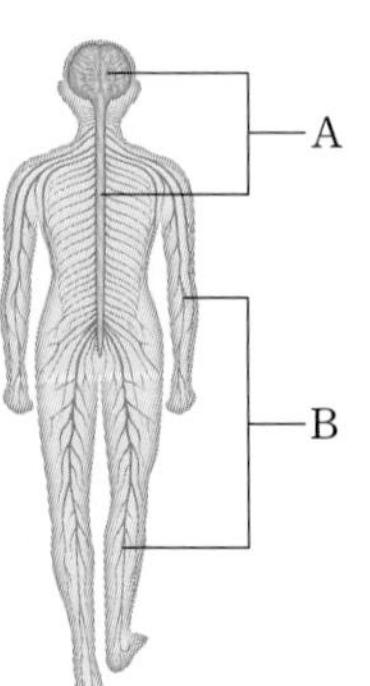

① A는 말초 신경계이다.
② A는 온몸에 분포한다.
③ A는 자극을 통합하고 판단하여 명령을 내린다.
④ B는 연합 뉴런으로 구성된다.
⑤ 시각 신경과 후각 신경은 B에 포함된다.

[07~08] 그림은 사람 뇌의 구조를 나타낸 것이다.

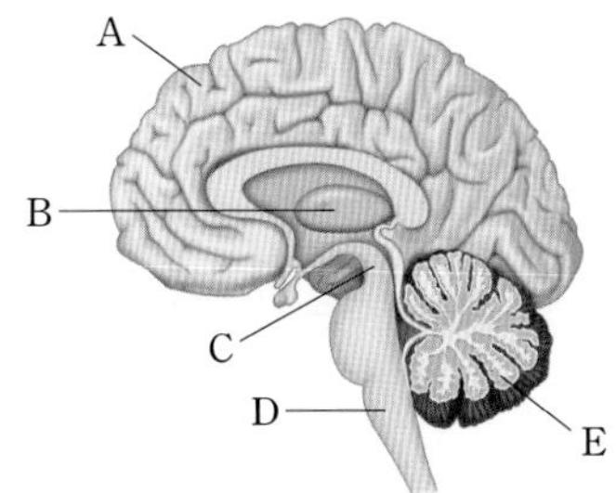

07 중요 **이에 대한 설명으로 옳은 것은?**

① A는 체온을 조절하는 중추이다.
② B는 판단, 기억 등 고등 정신 활동의 중추이다.
③ C는 동공의 크기를 조절한다.
④ D는 몸의 자세와 균형을 유지한다.
⑤ E는 체액의 농도를 조절한다.

08 중요 **다음과 같은 반응의 중추는 어디인지 기호와 이름을 쓰시오.**

- 운동을 할 때 심장 박동이 빨라진다.
- 음식물을 입에 넣으면 침 분비가 촉진된다.

09 대뇌의 구조와 기능에 대한 설명으로 옳지 않은 것은?

① 표면에 주름이 많다.
② 뇌의 대부분을 차지한다.
③ 복잡한 정신 활동의 중추이다.
④ 눈에서 받아들인 자극을 판단한다.
⑤ 주로 내장 기관의 움직임을 조절한다.

10 그림은 두 환자 (가)와 (나)의 뇌에서 기능이 손상된 부위를 나타낸 것이다.

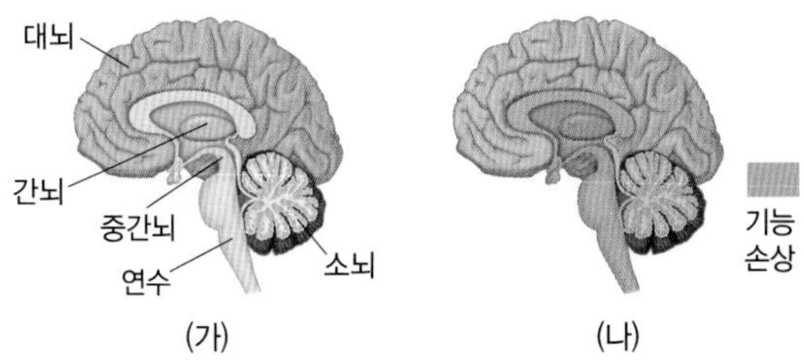

(가)와 (나)의 상태를 설명한 것으로 옳은 것은?

① (가)는 체온 조절 기능은 정상이다.
② (가)는 호흡 운동 조절이 일어나지 않는다.
③ (가)는 말을 할 수는 없지만 보고 들을 수는 있다.
④ (나)는 심장 박동 조절 기능은 정상이다.
⑤ (나)는 눈에 빛을 비추면 동공의 크기가 변하는 반응이 나타난다.

11 그림은 척수의 구조를 나타낸 것이다.

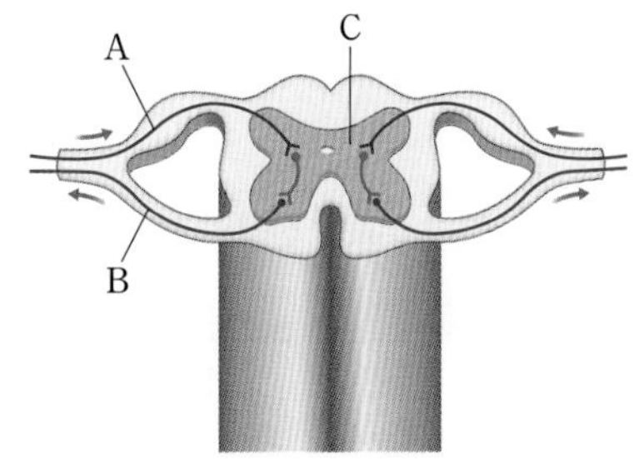

이에 대한 설명으로 옳은 것을 보기에서 모두 고른 것은?

보기
ㄱ. A는 연합 뉴런으로 구성된다.
ㄴ. B는 운동 신경이다.
ㄷ. C는 의식적인 반응의 중추이다.

① ㄱ ② ㄴ ③ ㄷ
④ ㄱ, ㄴ ⑤ ㄴ, ㄷ

12 말초 신경계에 대한 설명으로 옳은 것을 보기에서 모두 고른 것은?

보기
ㄱ. 자극을 판단하여 명령을 내린다.
ㄴ. 감각 신경과 운동 신경으로 구성된다.
ㄷ. 몸의 각 부분과 중추 신경계를 연결한다.

① ㄱ ② ㄱ, ㄴ ③ ㄱ, ㄷ
④ ㄴ, ㄷ ⑤ ㄱ, ㄴ, ㄷ

13 다음은 심장 박동 조절에 대한 설명이다.

- 심장 박동 조절의 중추는 (㉠)이다.
- ㉠의 조절에 따라 ㉡ 부교감 신경이 작용하여 심장 박동이 억제된다.

이에 대한 설명으로 옳은 것을 보기에서 모두 고른 것은?

보기
ㄱ. ㉠은 연수이다.
ㄴ. ㉡은 자율 신경계이다.
ㄷ. ㉡은 말초 신경계에 속한다.

① ㄴ ② ㄱ, ㄴ ③ ㄱ, ㄷ
④ ㄴ, ㄷ ⑤ ㄱ, ㄴ, ㄷ

14 표는 교감 신경과 부교감 신경의 작용을 나타낸 것이다.

구분	심장 박동	호흡 운동	소화 운동	동공
교감 신경	촉진	촉진	억제	확대
부교감 신경	억제	억제	촉진	축소

이에 대한 설명으로 옳지 않은 것은?
① 긴장하거나 놀랐을 때 교감 신경이 작용한다.
② 교감 신경이 작용하면 소화가 잘되지 않는다.
③ 교감 신경이 작용하면 눈으로 들어오는 빛의 양이 증가한다.
④ 부교감 신경이 작용하면 호흡이 가빠진다.
⑤ 부교감 신경이 작용하면 심장 박동이 느려진다.

[15~16] 다음은 자극에 대한 두 가지 반응을 나타낸 것이다.

(가) 갑자기 재채기를 하였다.
(나) 수영 선수가 출발 신호를 듣고 출발하였다.

15 반응 (가)와 (나)의 중추는 각각 무엇인지 쓰시오.

16 반응의 중추가 (가)와 같은 것을 모두 고르면? (정답 2개)
① 어두운 극장 안에서 동공이 커졌다.
② 밥을 입에 넣고 씹으면 침이 나온다.
③ 더운 방에 오래 있으면 하품이 난다.
④ 어두운 곳에서 벽을 더듬어 스위치를 켰다.
⑤ 가시에 손이 찔리자 재빨리 손을 움츠렸다.

중요
17 그림은 무릎 반사와 관련된 반응 경로를 나타낸 것이다.

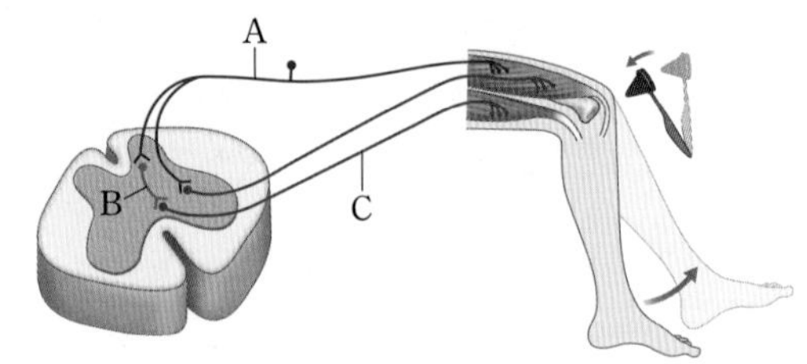

이에 대한 설명으로 옳은 것을 보기에서 모두 고른 것은?

보기
ㄱ. 대뇌가 중추인 의식적인 반응이다.
ㄴ. A는 다리의 근육으로 신호를 전달한다.
ㄷ. 무릎 반사의 경로는 A → B → C이다.

① ㄱ ② ㄴ ③ ㄷ
④ ㄱ, ㄴ ⑤ ㄴ, ㄷ

정답과 해설 052쪽

01 그림은 달리기를 할 때 총소리를 듣고 출발하기까지 자극의 전달 경로를 나타낸 것이다.

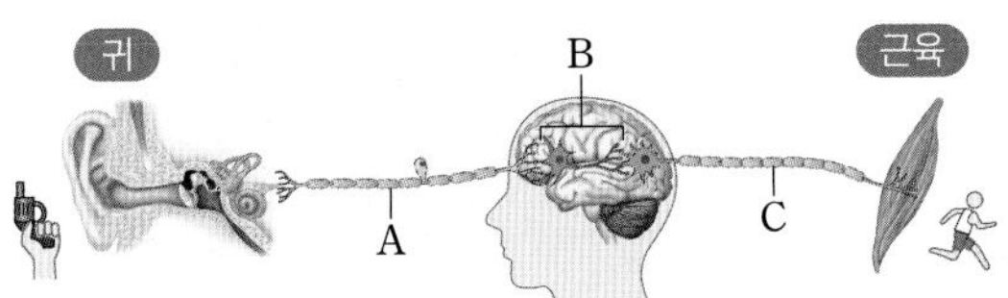

이에 대한 설명으로 옳은 것을 보기에서 모두 고른 것은?

보기
ㄱ. A는 귀의 달팽이관에 연결되어 있다.
ㄴ. B는 대뇌에 있다.
ㄷ. C의 가지 돌기는 근육 쪽에 뻗어 있다.

① ㄱ ② ㄴ ③ ㄱ, ㄴ
④ ㄱ, ㄷ ⑤ ㄴ, ㄷ

02 그림은 사람 뇌의 구조를 나타낸 것이다.

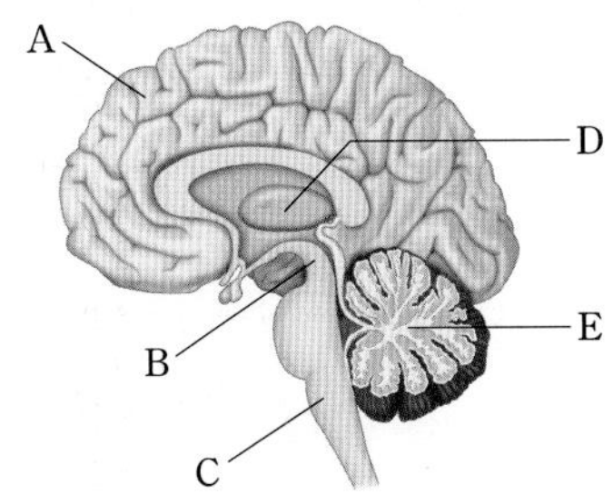

뇌의 각 부분이 손상되었을 때 나타날 수 있는 증상을 옳게 짝 지은 것은?

	손상 부위	증상
①	A	체온 조절 이상
②	B	언어 능력 이상
③	C	호르몬 분비 이상
④	D	동공 반사 이상
⑤	E	몸의 평형 조절 이상

03 다음은 동굴 체험을 한 현정이의 경험을 설명한 것이다.

동굴 밖으로 나오니 처음에는 눈이 부셔서 잘 보이지 않았고 그림과 같은 ㉠ 눈의 변화가 나타났다. 시간이 지나자 ㉡ 계단과 사람들이 보이기 시작하였다.

이에 대한 설명으로 옳은 것을 보기에서 모두 골라 기호를 쓰시오.

보기
ㄱ. ㉠은 중간뇌의 조절을 받아 나타난다.
ㄴ. ㉠에서 눈 속으로 들어오는 빛의 양이 증가하였다.
ㄷ. ㉡에는 시각 세포, 시각 신경, 대뇌가 관여한다.

04 그림은 무릎뼈 아래를 고무망치로 칠 때 나타나는 반응과 관련된 경로를 나타낸 것이다.

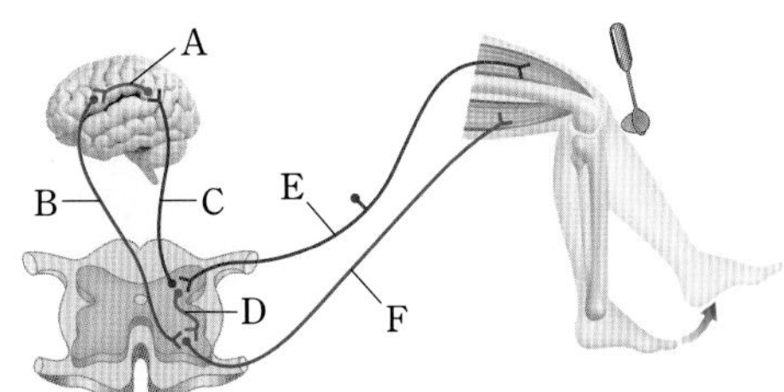

이에 대한 설명으로 옳은 것을 보기에서 모두 고른 것은?

보기
ㄱ. A와 D는 연합 뉴런이다.
ㄴ. B와 C가 손상되어도 무릎 반사는 일어난다.
ㄷ. E가 손상되면 고무망치의 자극을 느낄 수 없다.
ㄹ. F가 손상되더라도 의식적인 다리 운동은 일어난다.

① ㄱ, ㄴ ② ㄱ, ㄹ ③ ㄴ, ㄹ
④ ㄱ, ㄴ, ㄷ ⑤ ㄴ, ㄷ, ㄹ

☞ 제시된 Keyword를 이용하여 문제를 해결해 보자.

1 **그림은 신경계를 구성하는 기본 단위인 신경 세포를 나타낸 것이다.**

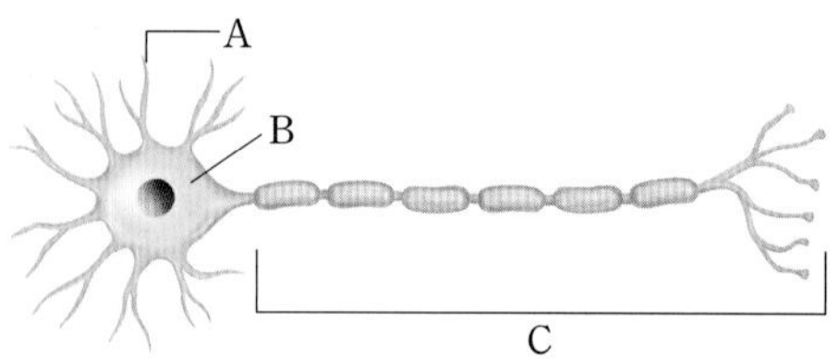

이러한 신경 세포를 무엇이라 하는지 쓰고, A~C의 이름과 기능을 각각 설명하시오.

Keyword 신경 세포체, 가지 돌기, 축삭 돌기

2 **그림은 세 종류의 뉴런이 연결된 모습을 나타낸 것이다.**

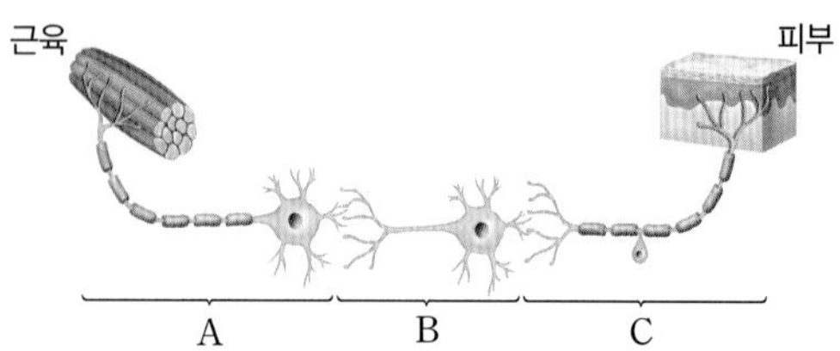

A~C의 이름을 각각 쓰고, 자극이 전달되는 방향을 A~C를 이용하여 설명하시오.

Keyword 연합 뉴런, 감각 뉴런, 운동 뉴런

3 **중추 신경계와 말초 신경계의 차이점을 각 신경계를 구성하는 뉴런의 종류와 기능을 포함하여 두 가지만 설명하시오.**

Keyword 연합 뉴런, 감각 뉴런, 운동 뉴런, 뇌, 척수, 온몸

[4~5] 그림은 사람 뇌의 구조를 나타낸 것이다.

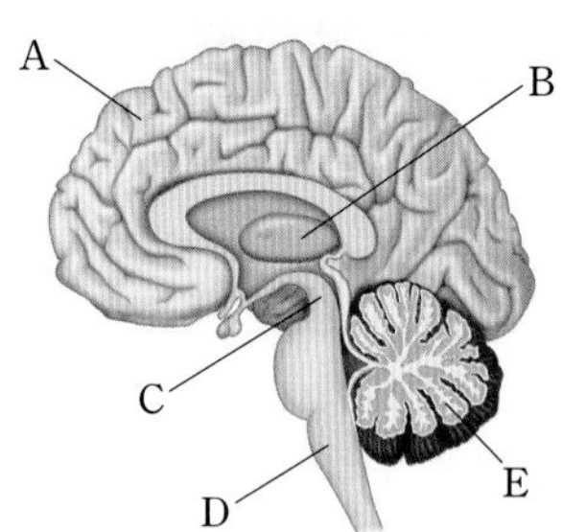

4 **술에 포함된 알코올은 뇌에 영향을 미쳐 행동에 변화를 일으킨다. 다음은 술을 마신 사람이 나타내는 행동이다.**

(가) 말을 할 때 발음이 정확하지 않으며 같은 이야기를 반복한다.
(나) 똑바로 걷지 못하고 비틀거린다.
(다) 호흡 곤란이 오거나 심장 박동에 이상이 생긴다.

(가)~(다)의 행동을 바탕으로 (가)~(다)에서 각각 알코올의 영향을 받은 뇌 부분을 기호와 이름을 써서 기능과 관련지어 설명하시오.

Keyword 대뇌, 소뇌, 연수

5 **다음은 영화관에 갔을 때 나타난 두 가지 반응이다.**

(가) 영화를 보다 무서운 장면이 나와서 눈을 질끈 감았다.
(나) 영화를 다 본 후에 불이 켜지자 동공의 크기가 작아졌다.

(가)와 (나) 반응의 중추의 기호와 이름을 각각 쓰고, 두 반응의 차이점을 설명하시오.

Keyword 대뇌, 중간뇌

6 자율 신경계는 교감 신경과 부교감 신경으로 구분된다. 다음은 심장에 연결된 교감 신경과 부교감 신경이 작용할 때의 심장 박동수를 비교한 것이다.

상태	평상시	교감 신경 작용	부교감 신경 작용
심장 박동수(회/분)	80	130	65

(1) 교감 신경과 부교감 신경이 심장 박동에 미치는 영향을 설명하시오.

Keyword 교감 신경, 부교감 신경, 심장 박동, 촉진, 억제

(2) 심장에 교감 신경과 부교감 신경이 함께 분포하는 것이 심장 박동을 조절하는 데 어떤 이점이 있을지 설명하시오.

Keyword 교감 신경, 부교감 신경, 반대, 심장 박동 조절

7 그림은 사람의 신경계를 나타낸 것이다.

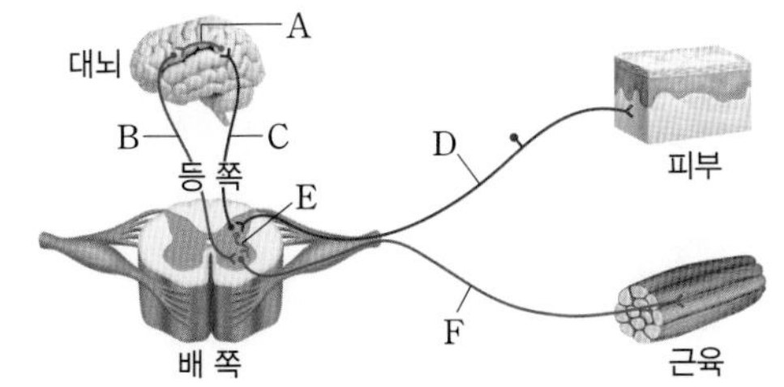

다음 반응의 경로를 기호로 나타내고, 그 까닭을 설명하시오.

> 손등에 모기가 앉은 것을 느끼고 팔을 휘저었다.

Keyword 대뇌, 의식적인 반응

8 다음은 일상에서 나타나는 몇 가지 반응이다.

> • 콧속에 먼지가 들어가면 재채기를 한다.
> • 갑자기 딸꾹질이 나서 잘 멈추지를 않는다.
> • 뜨거운 물체에 손이 닿으면 손을 재빨리 움츠린다.

위 반응의 공통점을 반응의 중추와 관련하여 설명하시오.

Keyword 대뇌, 반사

9 (가) 고무망치로 무릎 아래를 가볍게 쳤을 때 다리가 저절로 들리는 반응이 (나) 고무망치가 닿는 느낌이 들었을 때 손을 드는 반응보다 빠르게 일어나는데, 그 까닭을 반응 경로와 관련지어 설명하시오.

Keyword 의식적인 반응, 무조건 반사, 대뇌

10 그림은 중추 신경과 왼쪽 다리를 연결하는 말초 신경을 나타낸 것이다.

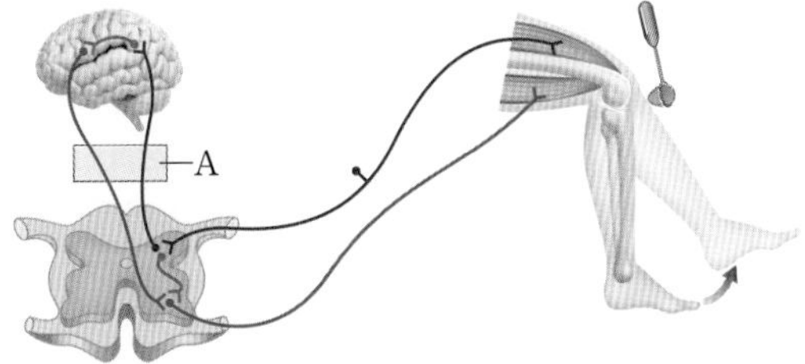

A 부위가 손상될 경우 왼쪽 다리는 어떻게 될 것인지 다음 ㉠~㉢의 관점에서 설명하시오.

> ㉠ 감각 ㉡ 의식적인 운동 ㉢ 무릎 반사

Keyword 감각 신경, 운동 신경, 자극

03 항상성

기온이 높을 때나 낮을 때나 우리 몸은 체온을 일정하게 유지한다. 이와 같이 몸 안팎의 환경이 변할 때 몸의 내부 환경을 일정하게 유지하는 성질을 항상성이라고 한다. 항상성은 신경과 호르몬의 작용으로 유지된다. 호르몬의 특성과 기능을 이해하고, 항상성이 유지되는 원리를 알아보자.

1 호르몬

1. 호르몬 과학 용어 사전 245쪽

(1) 호르몬: 내분비샘에서 분비되며 특정 세포나 기관으로 신호를 전달하여 몸의 기능을 조절하는 화학 물질이다. 예 인슐린, 티록신 등

(2) 내분비샘: 호르몬을 만들어 혈액으로 분비하는 조직이나 기관으로, 분비관이 따로 없다.
예 뇌하수체, 이자, 갑상샘, 부신 등

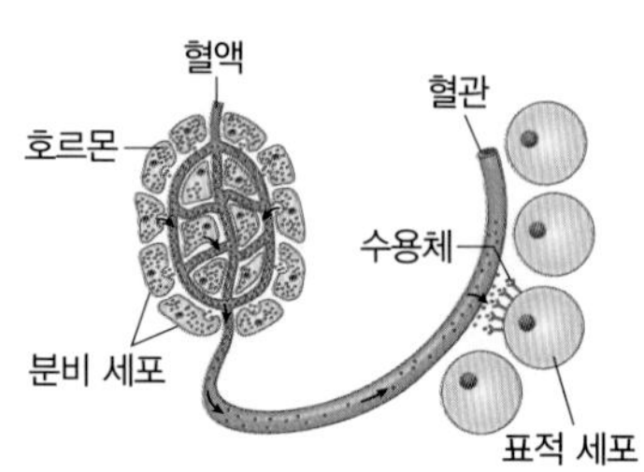

내분비샘

외분비샘
특정 화학 물질을 몸 밖이나 소화관으로 분비하는 기관으로, 분비 물질을 분비하는 관이 따로 있다.
예 침샘, 눈물샘, 소화샘, 땀샘 등

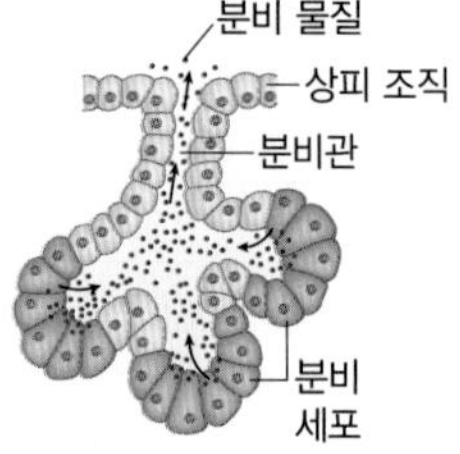

외분비샘

용어 표적 기관
호르몬이 작용하는 기관이다. 표적 기관을 구성하는 세포에는 호르몬 수용체가 있어 수용체에 맞는 호르몬만이 세포의 작용에 영향을 미칠 수 있다. 예를 들어 인슐린의 표적 기관인 간의 세포에는 인슐린 수용체가 있다.

2. 호르몬과 신경의 작용 비교

(1) 공통점: 호르몬과 신경은 우리 몸에서 신호를 전달하고 몸의 기능을 조절한다.

(2) 차이점

① 호르몬의 작용: 호르몬은 내분비샘에서 분비된 후 혈액에 의해 멀리 떨어져 있는 표적 세포(표적 기관)까지 운반되어 작용하므로 신경에 비해 신호 전달 속도는 느리지만 효과가 오래 지속되며 작용 범위가 넓다.

② 신경의 작용: 뉴런과 접하는 다른 뉴런이나 기관에 신호를 전달하므로 호르몬에 비해 신호 전달 속도가 빠르지만 효과가 일시적이고 작용 범위가 좁다.

호르몬과 신경의 작용 비교

구분	전달 매체	전달 속도	작용 범위	효과의 지속성
호르몬	혈액	느리다.	넓다.	오래 지속된다.
신경	뉴런(세포)	빠르다.	좁다.	일시적이다.

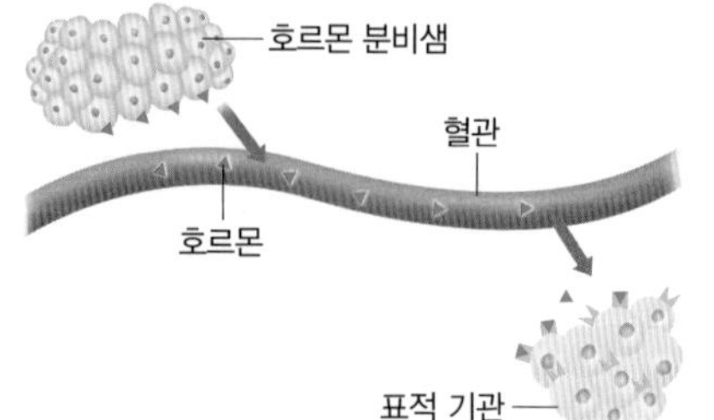

호르몬의 작용

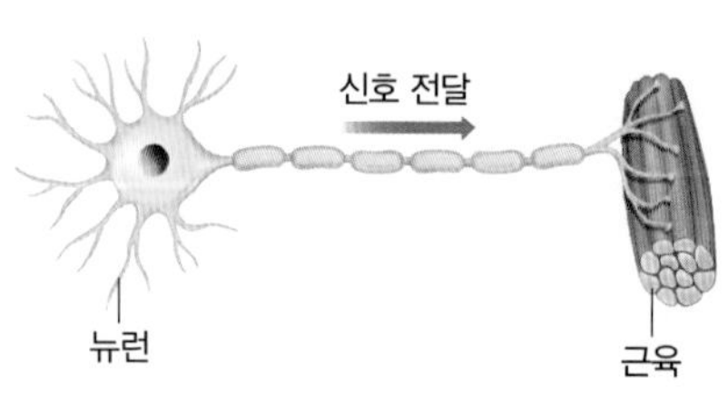

신경의 작용

호르몬과 신경의 조절
호르몬은 키가 자라는 것과 같이 비교적 지속적이고 느린 반응을 조절한다. 반면에 신경은 뜨거운 냄비에 손이 닿으면 자신도 모르게 손을 떼는 것과 같이 빠른 반응을 조절한다.

호르몬에 의한 생장

3. 호르몬의 특성

(1) 내분비샘에서 생성되어 혈액으로 분비된 후, 혈액에 의해 운반된다.

(2) 혈액에는 여러 내분비샘에서 분비된 다양한 호르몬이 섞여 있지만 특정 호르몬은 특정 기관(표적 기관)이나 세포(표적 세포)에만 작용한다.

(3) 매우 적은 양으로 체내 수분량 조절, 혈당량 유지 등과 같은 몸의 생리 기능을 조절한다.

(4) 분비된 호르몬의 양이 정상 범위보다 많으면 과다증, 정상 범위보다 부족하면 결핍증이 나타날 수 있다.

(5) 척추동물 사이에서는 호르몬의 종류가 같다면 다른 동물에서도 같은 효과를 나타낸다. 예 돼지의 인슐린을 사람에게 주사하면 사람의 인슐린과 마찬가지로 혈당량을 낮추는 작용을 한다. ─ 종 특이성이 없다.

4. 사람의 내분비샘과 호르몬

사람의 내분비샘으로는 뇌하수체, 갑상샘, 부신, 이자, 정소, 난소 등이 있다. 각각의 내분비샘에서는 서로 다른 종류의 호르몬이 분비된다.

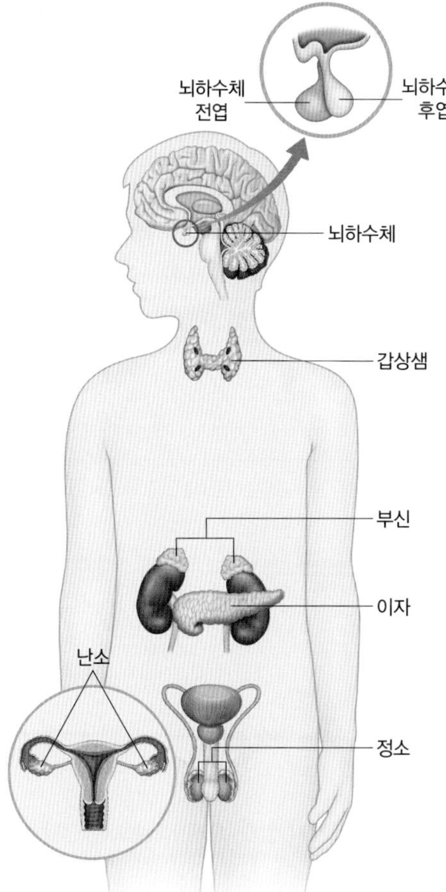

뇌하수체
간뇌 아래에 있는 내분비샘으로, 전엽과 후엽으로 이루어진다.
- 생장 호르몬: 뼈와 근육의 생장을 촉진한다.
- 갑상샘 자극 호르몬: 갑상샘에서 티록신 분비를 촉진한다.
- 생식샘 자극 호르몬: 난소, 정소와 같은 생식샘에서 성호르몬의 분비를 촉진한다.
- 항이뇨 호르몬: 콩팥에서 물의 재흡수를 촉진하여 체내 수분량을 조절한다.

갑상샘
- 티록신: 세포 호흡을 촉진하고, 체온을 유지한다.

부신
- 아드레날린: 심장 박동을 빠르게 하며, 혈당량과 혈압을 높인다.

이자
- 글루카곤: 혈당량을 높인다.
- 인슐린: 혈당량을 낮춘다.

정소
- 테스토스테론: 남자의 2차 성징이 나타나게 한다.

난소
- 에스트로젠: 여자의 2차 성징이 나타나게 한다.

사람의 내분비샘과 호르몬

 **뇌하수체**

간뇌의 아래에 있는 완두콩만한 크기의 내분비샘으로, 전엽과 후엽으로 구분된다. 생장 호르몬, 갑상샘 자극 호르몬, 생식샘 자극 호르몬은 전엽에서 분비되고, 항이뇨 호르몬은 후엽에서 분비된다.

1차 성징과 2차 성징

1차 성징은 생식 기관의 차이처럼 남녀가 태어날 때부터 가지는 차이를 말한다. 2차 성징은 사춘기가 되어 수염, 근육 발달, 변성, 가슴 발달, 월경 등과 같은 성숙한 남성과 여성의 신체적 특징이 나타나는 것을 말한다. 2차 성징은 성호르몬의 작용으로 나타난다.

5. 호르몬 관련 질병 호르몬은 적은 양으로도 큰 효과를 나타내기 때문에 너무 많이 분비되거나 적게 분비되면 몸에 여러 가지 이상 증상이 나타난다.

자료 더하기 호르몬과 관련된 여러 가지 질병

호르몬 분비 이상으로 나타나는 질병은 다음과 같다.

호르몬	질병	원인 및 증상	
생장 호르몬	말단 비대증	원인	성장기 이후에 뇌하수체 종양 등으로 생장 호르몬이 과다하게 분비되어 나타난다.
		증상	코, 손, 발 등의 말단부가 커져 얼굴이 변형되고, 심혈관계 이상으로 여러 가지 합병증이 나타난다.
	거인증	원인	성장기에 생장 호르몬이 과다하게 분비되어 나타난다.
		증상	키가 2 m 이상 자란다. 심혈관계 질환과 근골격계 질환 등을 앓을 수도 있다.
	소인증	원인	성장기에 뇌하수체 기능 저하 등으로 생장 호르몬 분비가 부족하여 나타난다.
		증상	신체 발육이 부진하여 키가 매우 작다.
티록신	갑상샘 기능 저하증	원인	티록신이 결핍되어 나타난다.
		증상	물질대사 저하나 정신적, 신체적 발육 부진이 나타난다. 신생아기부터 티록신이 결핍되는 크레틴병과 성인 시기에 나타나는 성인형 갑상샘 기능 저하증으로 구분한다.
	갑상샘 기능 항진증	원인	티록신이 과다하게 분비되어 나타난다.
		증상	눈이 돌출되고 체중이 감소한다.
인슐린	1형 당뇨병	원인	인슐린이 결핍되어 나타난다.
		증상	혈당량이 정상보다 높아 오줌으로 포도당이 배출된다.
항이뇨 호르몬	요붕증	원인	항이뇨 호르몬의 분비 부족이나 작용 저하가 원인이다.
		증상	비정상적으로 많은 양의 소변이 생성된다.

① 호르몬 과다증: 말단 비대증, 거인증, 갑상샘 기능 항진증 등

② 호르몬 결핍증: 소인증, 갑상샘 기능 저하증, 1형 당뇨병, 요붕증 등

거인증과 말단 비대증

뼈의 성장판이 닫히기 전에 생장 호르몬이 과다 분비되면 키가 크면서 거인증이 나타나지만, 성장기가 지나 뼈의 성장판이 닫힌 후 생장 호르몬이 과다 분비되면 말단 비대증이 나타난다.

용어 크레틴병

선천성 갑상샘 기능 저하로 티록신이 결핍되어 나타난다. 골격 성장이 지연되어 키가 작고, 지적 장애가 나타난다.

2형 당뇨병

1형 당뇨병은 인슐린 결핍이 원인이지만, 2형 당뇨병은 인슐린의 작용 효과 감소(인슐린 저항성 증가)가 원인이다. 흔히 나이가 들고 체지방이 증가하여 나타나는 당뇨병은 2형 당뇨병이다. 1형 당뇨병은 인슐린을 주사하여 치료하지만, 2형 당뇨병은 식이요법, 운동, 약물 등 상황에 따라 다양한 방법으로 치료한다.

학습 내용 Check

정답과 해설 054쪽

1. 내분비샘에서 분비되며, 세포나 기관으로 신호를 전달하는 화학 물질을 ________이라고 한다.
2. 호르몬은 ________을 통해 운반된다.
3. 호르몬은 신경에 비해 작용 범위가 (좁고, 넓고), 효과가 (짧게, 오래) 지속되며, 전달 속도가 (느리다, 빠르다).
4. 생장 호르몬은 ________에서 분비된다.
5. 갑상샘에서는 세포 호흡을 촉진하는 호르몬인 ________이 분비된다.

2 항상성 유지

1. 항상성 외부 환경이나 체내 상태가 변하더라도 우리 몸의 혈당량, 체온, 체액의 농도와 같은 체내 상태를 일정하게 유지하는 성질을 항상성이라고 한다. 과학 용어 사전 245쪽

2. 항상성 유지의 원리 항상성 유지의 중추는 간뇌의 시상 하부이며, 간뇌는 자율 신경과 호르몬 분비량을 조절하여 항상성을 유지한다.

(1) **자율 신경의 조절:** 자율 신경인 교감 신경과 부교감 신경은 같은 내장 기관에 서로 반대되는 작용(길항 작용)을 한다. 몸 안팎의 환경이 변하면 자율 신경의 작용을 촉진하거나 억제하여 내장 기관의 작용을 조절한다.

(2) **호르몬 분비량 조절:** 혈액 속의 호르몬 양이 정상보다 많거나 적으면 조절 중추가 내분비샘의 기능을 억제하거나 촉진하여 호르몬의 양이 조절된다.

3. 항상성 조절의 예

(1) **체온 조절:** 주변의 온도가 변하면 피부는 이 자극을 받아들여 간뇌로 전달하고, 신경과 호르몬의 작용으로 체내 열 발생량(몸에서 발생하는 열의 양)과 피부 표면을 통한 열 발산량(열 방출량)(몸 밖으로 빠져나가는 열의 양)을 변화시켜 체온이 36.5 ℃ 정도로 유지되도록 조절한다.

① 더울 때: 피부 근처의 혈관이 확장되어 피부로 흐르는 혈액의 양이 증가하고 땀 분비량이 증가(기화열로 체온을 낮춘다.)함으로써 열 발산량이 증가한다. 그 결과 체온이 낮아진다.

② 추울 때: 피부 근처의 혈관이 수축하여 피부로 흐르는 혈액의 양이 감소하므로 열 발산량이 감소한다. 또한 근육의 떨림(주로 유아에게서 나타난다.)이 증가하고, 갑상샘에서 티록신의 분비량이 증가하여 세포 호흡을 촉진함으로써 열 발생량이 증가한다. 그 결과 체온이 높아진다.

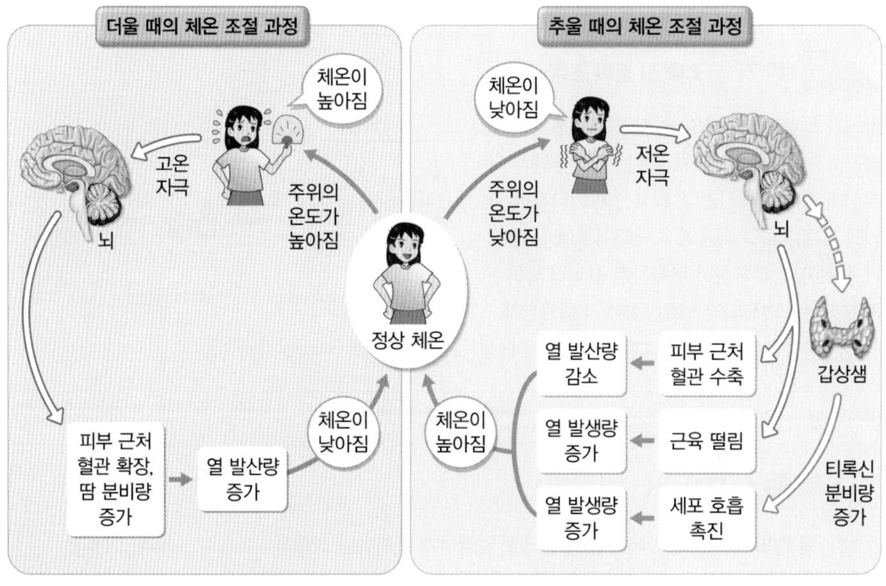

체온 조절 과정

용어 시상 하부
간뇌는 시상과 그 아래쪽에 있는 시상 하부로 구분된다. 시상 하부는 뇌하수체로 이어지는 부분이며, 항상성 유지의 중추이다.

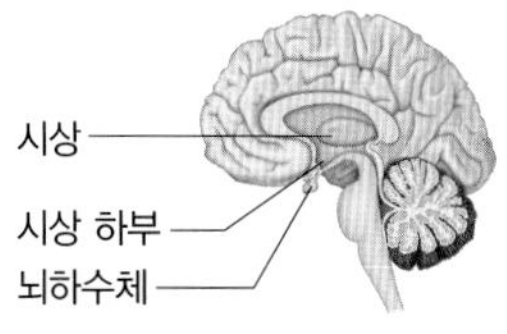

체온 조절 원리
- 더울 때: 열 발생량 감소, 열 발산량 증가
- 추울 때: 열 발생량 증가, 열 발산량 감소

더울 때와 추울 때 피부 근처 혈관의 변화
더울 때는 피부 근처의 혈관이 확장하여 피부를 통한 열 발산이 증가하고, 추울 때는 피부 근처의 혈관이 수축하여 피부를 통한 열 발산이 억제된다.

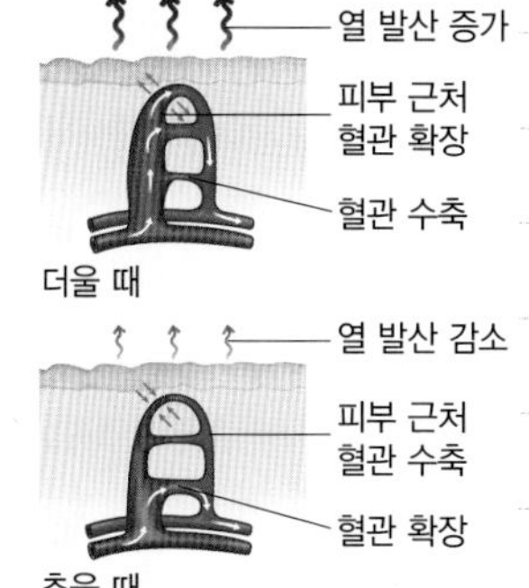

땀 분비와 기화열
액체가 기체로 될 때 흡수하는 열에너지가 기화열이다. 땀의 주성분인 물은 기화하면서 피부로부터 많은 열을 흡수하여 체온을 낮춘다.

혈당량

정상인의 경우 혈장 100 mL에 포도당 100 mg(0.1 %) 정도를 유지한다. 혈당량이 지나치게 낮으면 세포의 생명 활동에 필요한 에너지원을 공급할 수 없고, 지나치게 높으면 혈액이 원활하게 흐르지 못하여 신경 손상, 심장 질환, 콩팥 질환 등 다양한 합병증이 생길 수 있다.

글리코젠

수많은 포도당이 결합하여 만들어진 동물성 저장 탄수화물이다. 간과 근육에 저장되어 있다가 필요할 때 포도당으로 분해되어 부족한 포도당을 공급한다.

혈당량의 변화

식사를 하면 음식물 속의 탄수화물이 소화되어 소장에서 포도당 형태로 흡수되므로 혈당량이 높아지고, 운동을 하면 혈액 속의 포도당이 세포로 공급되어 운동에 필요한 에너지원으로 소모되므로 혈당량이 낮아진다.

갑상샘종

티록신의 구성 성분인 아이오딘(I)이 결핍되면 티록신의 양이 줄고 갑상샘 자극 호르몬의 분비가 촉진된다. 그러나 갑상샘에서는 아이오딘이 부족하여 티록신이 합성되지 않으므로 갑상샘 자극 호르몬의 분비량은 계속 많아지고 이 자극으로 갑상샘이 혹처럼 커지는 갑상샘종(갑상샘 비대증)이 나타난다.

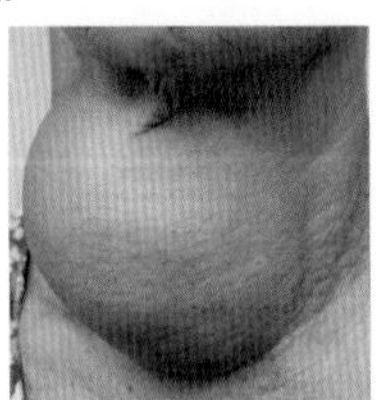
갑상샘종

(2) **혈당량 조절:** 포도당은 생명 활동에 필요한 에너지를 공급하는 주요 영양소이므로, 혈액 속 포도당의 양인 혈당량을 일정하게 유지하는 것이 중요하다. 혈당량은 이자에서 분비되는 호르몬인 인슐린과 글루카곤에 의해 조절된다. 집중 분석 217쪽

① **혈당량이 높을 때:** 이자에서 인슐린 분비가 증가한다. 인슐린은 세포가 혈액 속의 포도당을 흡수하도록 촉진하고, 간에서 포도당을 글리코젠으로 전환하여 저장하도록 함으로써 혈당량을 낮춘다.

② **혈당량이 낮을 때:** 이자에서 글루카곤 분비가 증가한다. 글루카곤은 간에서 글리코젠을 포도당으로 전환하여 포도당이 혈액으로 방출되게 함으로써 혈당량을 높인다.

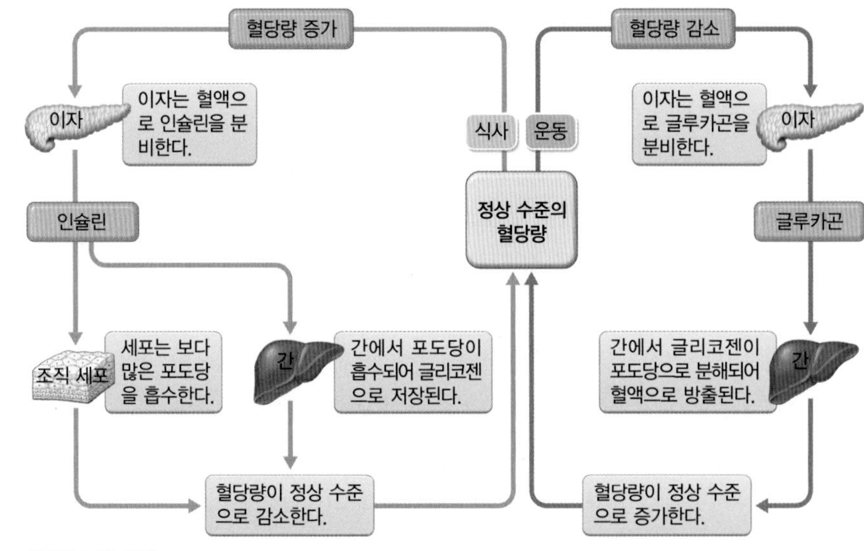

혈당량 조절 과정

자료 더하기 티록신 분비 조절

간뇌가 뇌하수체의 갑상샘 자극 호르몬 분비를 촉진하고, 갑상샘 자극 호르몬은 갑상샘에서 티록신의 분비를 촉진한다. 티록신이 과다하면 간뇌와 뇌하수체의 작용이 억제되어 티록신 분비가 감소하고, 티록신이 부족하면 간뇌와 뇌하수체의 작용이 촉진되어 티록신 분비가 증가한다.

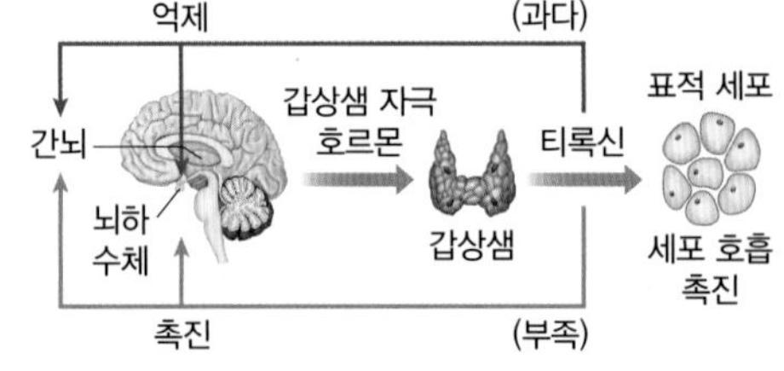

티록신 분비 조절이 정상적이지 않을 경우 갑상샘종과 같은 질병이 나타날 수 있다.

학습 내용 Check 정답과 해설 054 쪽

1. 몸 안팎의 환경 변화에도 몸의 상태를 일정하게 유지하는 성질을 ________이라고 한다.

2. 추울 때는 피부 근처의 혈관이 (수축, 확장)한다.

3. 혈당량이 높을 때는 이자에서 ________의 분비가 증가한다.

집중분석 그래프로 분석하는 혈당량 조절

식사를 하거나 운동을 할 때 혈당량이 변하고, 그에 따라 호르몬의 분비량이 변하면서 혈당량이 적절하게 조절된다. 혈당량 변화 그래프를 분석하여 혈당량 조절 원리를 알아보자.

1 식사 후 혈액 속 포도당, 인슐린, 글루카곤의 농도 변화 그래프

① 식사 후에 음식물 속의 탄수화물이 포도당으로 소화된 후 소장에서 흡수되어 혈액 속의 포도당 농도가 증가한다.

② 혈액 속의 포도당 농도가 증가함에 따라 인슐린 분비가 증가하여 인슐린의 농도가 증가한다.

③ 혈액 속의 포도당 농도가 증가함에 따라 이자에서 글루카곤의 분비가 억제되어 글루카곤의 농도가 감소한다.

④ 인슐린의 작용으로 혈당량이 낮아져 식사 후 어느 정도 시간이 지나면 혈액 속의 포도당 농도는 정상 수준으로 돌아오며, 혈당량이 낮아짐에 따라 인슐린 분비량이 감소한다.

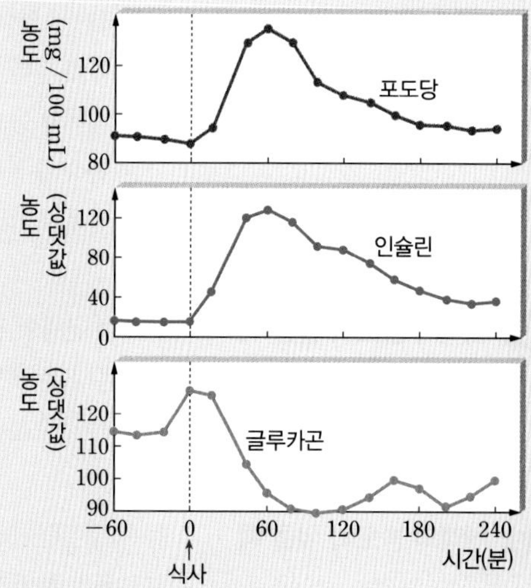

2 혈당량에 따른 글루카곤과 인슐린의 분비량 변화 그래프

① 혈당량이 낮을 때 글루카곤 분비가 증가한다. → 글루카곤은 간에 작용하여 글리코젠을 포도당으로 전환한다. → 혈당량이 증가하여 정상 수준이 된다.

② 혈당량이 높을 때 인슐린 분비가 증가한다. → 인슐린은 세포가 혈액 속의 포도당을 흡수하게 하고, 간에서 포도당을 글리코젠으로 전환한다. → 혈당량이 감소하여 정상 수준이 된다.

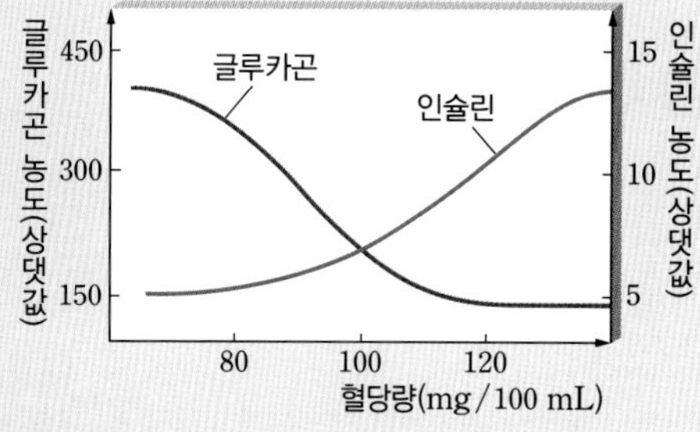

③ 글루카곤과 인슐린은 서로 반대되는 작용을 하여 혈당량을 일정 수준으로 유지한다.

3 정상인과 1형 당뇨병 환자의 혈당량과 인슐린 농도 변화 그래프

① 정상인은 식사 후 혈당량이 증가하면 인슐린 분비가 증가하여 혈당량을 정상 수준으로 낮춘다.

② 1형 당뇨병 환자는 혈당량이 높아도 인슐린 분비가 크게 증가하지 않아 식사 후 4시간이 지나도 혈당량이 정상 범위보다 높다.

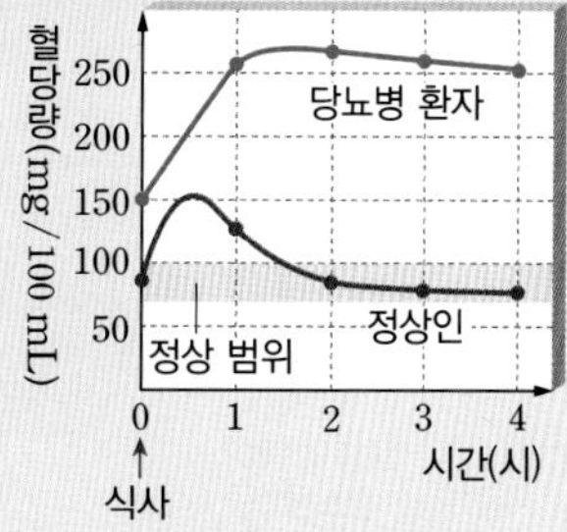

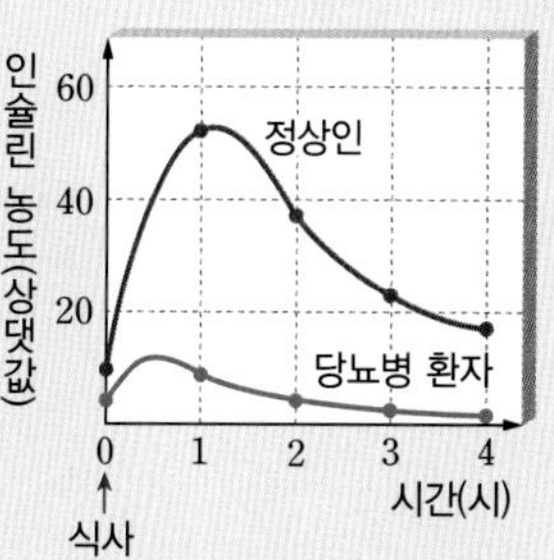

체액의 농도 조절

우리 몸은 외부 환경이 변하더라도 몸속 환경을 일정하게 유지하려는 항상성에 의해 체온과 혈당량뿐만 아니라 몸속 수분량도 조절된다. 몸속 수분량으로 체액의 농도가 조절되는 원리를 알아보자.

① 체액의 농도 조절

우리 몸을 구성하는 세포는 세포 안보다 세포 밖 체액의 농도가 높으면 물이 세포 밖으로 빠져나가 모양이 일그러지고, 반대로 체액의 농도가 낮으면 세포 안으로 물이 들어와 세포가 부풀게 된다. 이런 경우 세포 내부의 농도가 달라져 정상적인 생명 활동이 일어나지 못하므로 체액의 농도를 일정하게 유지하는 것이 중요하다. 체액의 농도를 조절하는 방법 중 하나는 몸속 수분량을 조절하는 것이다. 몸속 수분량은 뇌하수체에서 분비되는 항이뇨 호르몬에 의해 조절된다.

② 체액의 농도가 높을 때

몸속 수분량이 감소하여 체액의 농도가 높아지면, 간뇌의 조절로 뇌하수체 후엽에서 항이뇨 호르몬의 분비가 증가하여 콩팥에서 물의 재흡수가 촉진된다. 그에 따라 오줌량은 감소하고 몸속의 수분량은 증가하여 체액의 농도가 낮아진다.

③ 체액의 농도가 낮을 때

몸속 수분량이 늘어나 체액의 농도가 낮아지면, 간뇌의 조절로 뇌하수체 후엽에서 항이뇨 호르몬의 분비가 감소하여 콩팥에서 물의 재흡수가 억제된다. 그에 따라 오줌량은 증가하고 몸속의 수분량은 감소하여 체액의 농도가 높아진다.

④ 체액의 농도 조절 과정

체액의 농도가 높을 때
항이뇨 호르몬 분비 촉진 → 콩팥에서 물의 재흡수 촉진 → 오줌량 감소 → 몸속 수분량 증가

체액의 농도가 낮을 때
항이뇨 호르몬 분비 억제 → 콩팥에서 물의 재흡수 억제 → 오줌량 증가 → 몸속 수분량 감소

중단원 핵심 정리

호르몬

① 호르몬: 내분비샘에서 분비되어 몸의 기능을 조절하는 화학 물질

② 호르몬의 특성

- 혈액을 따라 이동한다.
- 표적 기관 또는 표적 세포에만 작용한다.
- 적은 양으로 몸의 기능을 조절한다.
- 과다증과 결핍증이 나타날 수 있다.

③ 신경과 호르몬의 비교

구분	전달 매체	전달 속도	지속성	작용 범위
신경	뉴런	빠르다.	일시적	좁다.
호르몬	혈액	느리다.	지속적	넓다.

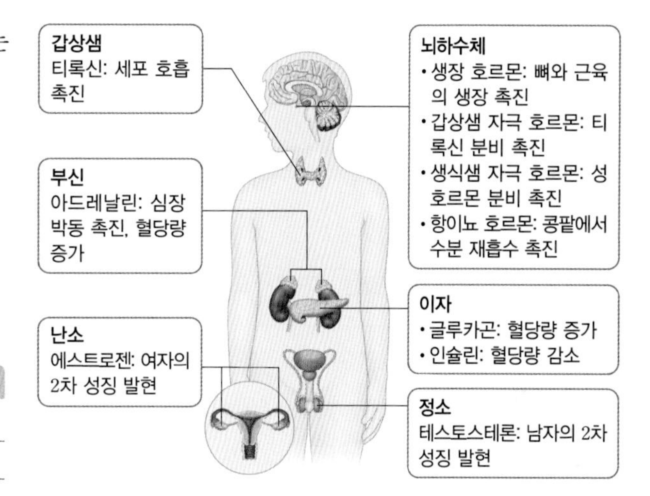

2 항상성 유지

① 항상성: 외부 환경이 변해도 몸속 상태가 일정하게 유지되는 성질

② 항상성 유지의 원리: 항상성 유지의 중추는 간뇌이며 신경과 호르몬의 작용으로 항상성이 유지된다.

③ 체온 조절: 신경과 호르몬의 작용으로 체온을 일정하게 유지한다.

더울 때	열 발산량 증가	• 피부 근처 혈관 확장 • 땀 분비 촉진
추울 때	열 발생량 증가	• 티록신 분비 증가 • 근육 떨림 증가
	열 발산량 감소	• 피부 근처 혈관 수축 • 땀 분비 억제

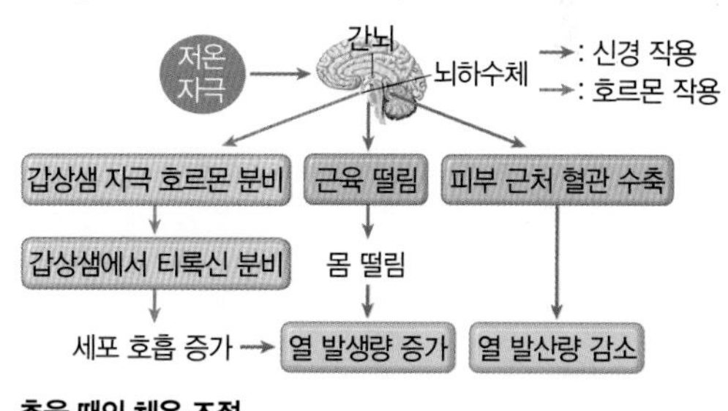

추울 때의 체온 조절

④ 혈당량 조절: 이자에서 분비되는 글루카곤과 인슐린에 의해 혈당량이 일정하게 유지된다.

혈당량이 낮을 때	이자에서 글루카곤 분비 증가 → 간에서 글리코젠이 포도당으로 분해 → 혈당량 증가
혈당량이 높을 때	이자에서 인슐린 분비 증가 → 간에서 포도당이 글리코젠으로 합성, 세포로 포도당 흡수 촉진 → 혈당량 감소

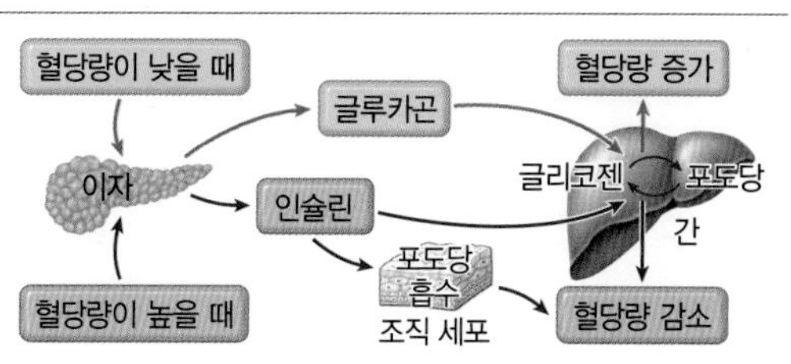

개념 확인 문제

03. 항상성

01 그림은 사람의 두 가지 분비샘을 나타낸 것이다.

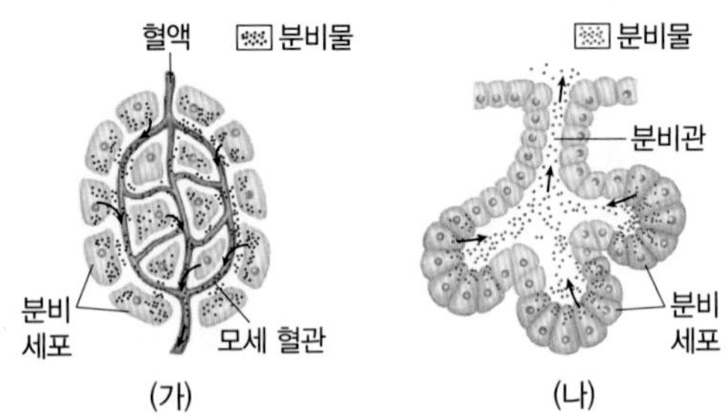

이에 대한 설명으로 옳은 것을 보기에서 모두 고른 것은?

보기
ㄱ. (가)는 내분비샘이다.
ㄴ. (가)의 분비물은 혈액을 통해 운반된다.
ㄷ. (나)의 분비물은 호르몬이다.

① ㄱ ② ㄱ, ㄴ ③ ㄱ, ㄷ
④ ㄴ, ㄷ ⑤ ㄱ, ㄴ, ㄷ

중요 **02** 그림은 사람의 체내에서 신호를 전달하는 두 가지 방식을 나타낸 것이다.

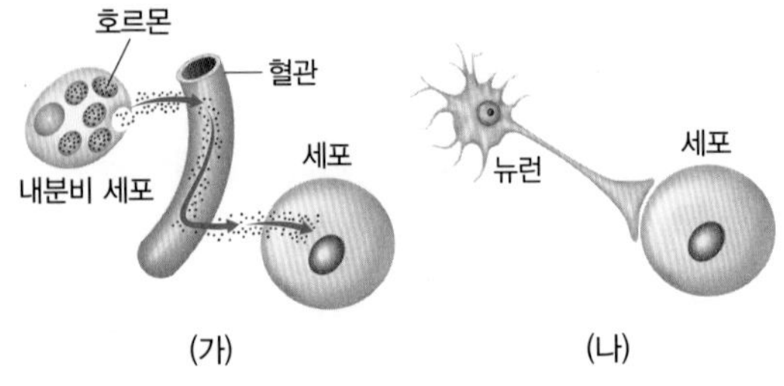

(가)와 (나)에 대한 설명으로 옳지 않은 것은?
① (가)는 표적 세포에만 작용한다.
② 신호가 작용하는 범위는 (가)보다 (나)가 넓다.
③ 반응이 나타나는 속도는 (가)보다 (나)가 빠르다.
④ 신호 전달의 효과는 (나)보다 (가)가 오래 지속된다.
⑤ 신호 전달 매체는 (가)는 혈액이고, (나)는 뉴런이다.

03 호르몬에 대한 설명으로 옳지 않은 것은?
① 혈액에 의해 온몸으로 운반된다.
② 내분비샘에서 혈관으로 분비된다.
③ 표적 세포에서만 효과가 나타난다.
④ 적은 양으로 몸의 생리 작용을 조절한다.
⑤ 결핍증은 있지만 과다증은 나타나지 않는다.

[04~05] 오른쪽 그림은 사람의 내분비샘을 나타낸 것이다.

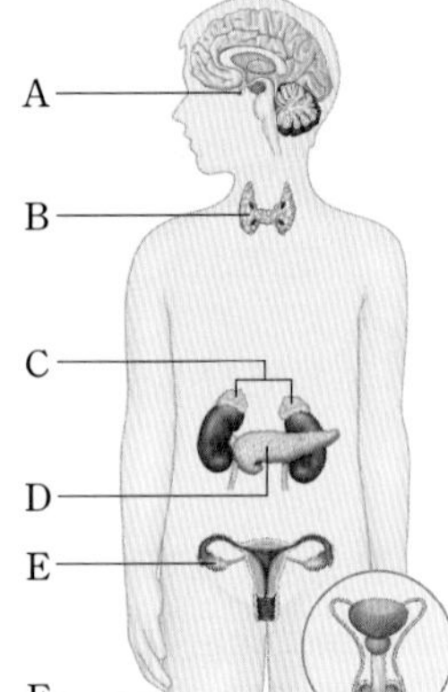

04 내분비샘 A~E의 이름을 옳게 짝 지은 것은?
① A — 간뇌
② B — 갑상샘
③ C — 이자
④ D — 부신
⑤ E — 정소

중요 **05** 내분비샘 B~F에서 분비되는 호르몬과 그 기능을 옳게 짝 지은 것은?

	내분비샘	호르몬	기능
①	B	생장 호르몬	티록신 분비 촉진
②	C	갑상샘 자극 호르몬	생장 촉진
③	D	글루카곤	혈당량 증가
④	E	티록신	혈당량 감소
⑤	F	아드레날린	2차 성징 발현

06 다음에서 설명하는 호르몬을 분비하는 내분비샘의 이름을 쓰시오.

- 혈압을 상승시킨다.
- 심장 박동이 빨라지게 한다.

07 다음은 어떤 호르몬 A의 분비 이상에 의한 질병의 증상을 설명한 것이다.

- 성장기 이후에 호르몬 A의 분비 이상으로 나타난다.
- 코와 입술이 두터워지고 턱이 길어져 얼굴이 변형되며, 손이 커지고 손가락이 두터워진다.

이에 대한 설명으로 옳은 것을 보기에서 모두 고른 것은?

보기
ㄱ. A는 생장 호르몬이다.
ㄴ. A는 갑상샘에서 분비된다.
ㄷ. A의 결핍으로 나타나는 증상이다.

① ㄱ ② ㄴ ③ ㄱ, ㄴ
④ ㄱ, ㄷ ⑤ ㄴ, ㄷ

중요
08 다음은 어떤 호르몬의 분비 이상에 의한 질병의 증상을 설명한 것이다.

- 혈당량이 정상보다 높다.
- 오줌으로 포도당이 배출된다.
- 물을 많이 마시고, 음식을 많이 섭취하지만 체중이 줄어든다.

이와 같은 증상이 나타나는 경우로 옳은 것은?

① 인슐린이 부족할 때
② 인슐린이 과다할 때
③ 티록신이 부족할 때
④ 티록신이 과다할 때
⑤ 생장 호르몬이 부족할 때

09 우리 몸에서 일어나는 여러 가지 반응 중 항상성과 관련 깊은 것을 보기에서 모두 고른 것은?

보기
ㄱ. 추울 때 근육이 떨린다.
ㄴ. 사춘기가 되면 2차 성징이 나타난다.
ㄷ. 혈당량이 낮아지면 간에 저장된 글리코젠이 포도당으로 분해된다.

① ㄱ ② ㄱ, ㄴ ③ ㄱ, ㄷ
④ ㄴ, ㄷ ⑤ ㄱ, ㄴ, ㄷ

[10~11] 그림은 갑상샘 호르몬의 분비 조절 과정을 나타낸 것이다.

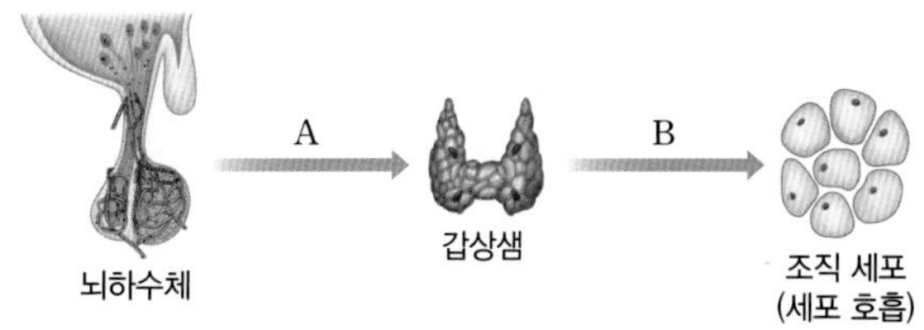

10 호르몬 A와 B의 이름을 옳게 짝 지은 것은?

	A	B
①	티록신	인슐린
②	인슐린	글루카곤
③	티록신	갑상샘 자극 호르몬
④	갑상샘 자극 호르몬	티록신
⑤	갑상샘 자극 호르몬	인슐린

11 위 그림에 대한 설명으로 옳지 않은 것은?

① A의 표적 기관은 갑상샘이다.
② B의 표적 기관은 뇌하수체이다.
③ 뇌하수체와 갑상샘에는 내분비샘이 있다.
④ A의 분비가 증가하면 B의 분비가 증가한다.
⑤ 혈액 중 B의 농도가 높으면 조직 세포의 세포 호흡이 활발해진다.

12 추울 때 우리 몸에서 일어나는 조절 작용으로 옳은 것을 보기에서 모두 고른 것은?

보기
ㄱ. 땀 분비가 억제된다.
ㄴ. 세포 호흡이 억제된다.
ㄷ. 근육의 떨림이 증가한다.

① ㄱ ② ㄴ ③ ㄷ
④ ㄱ, ㄷ ⑤ ㄴ, ㄷ

13 (중요) 그림은 운동을 한 후 시간의 경과에 따른 체온의 변화를 나타낸 것이다.

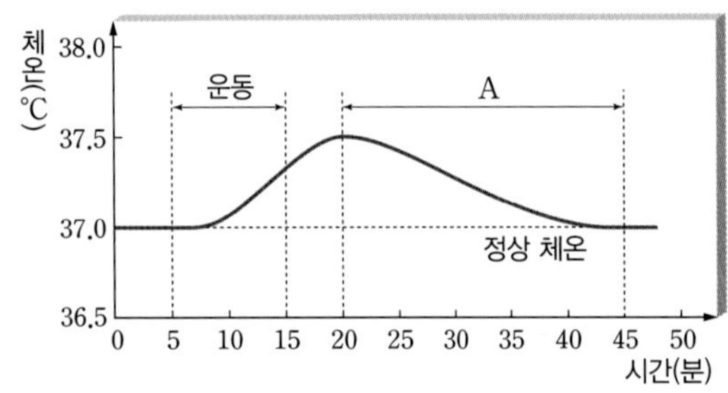

A 구간에서 일어나는 몸의 조절 작용으로 옳은 것을 보기에서 모두 고른 것은?

보기
ㄱ. 티록신의 분비가 증가한다.
ㄴ. 땀의 생성과 분비가 촉진된다.
ㄷ. 피부 근처의 혈관이 확장된다.

① ㄴ ② ㄱ, ㄴ ③ ㄱ, ㄷ
④ ㄴ, ㄷ ⑤ ㄱ, ㄴ, ㄷ

14 오른쪽 그림은 혈당량이 조절되는 과정에 관여하는 호르몬 A와 B의 작용을 나타낸 것이다. 호르몬 A와 B는 각각 무엇인지 쓰시오.

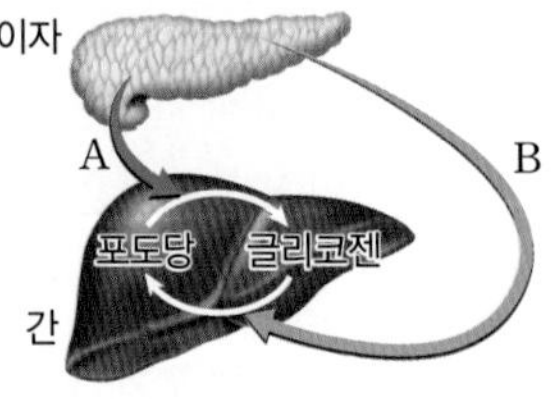

15 (중요) 그림은 식사 후 혈당량의 변화와 혈당량 조절에 관여하는 호르몬 A의 혈액 중 농도 변화를 나타낸 것이다.

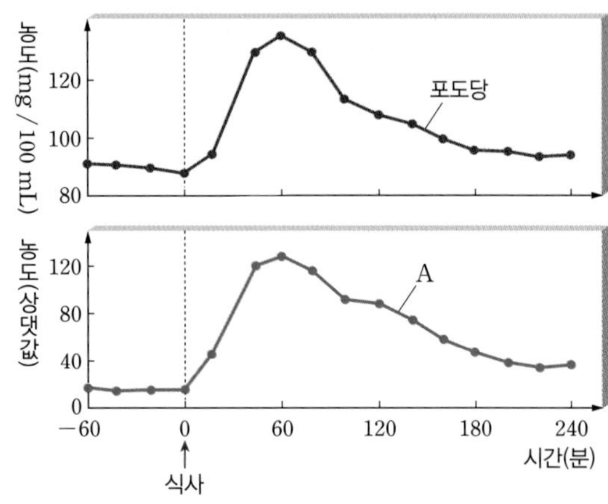

호르몬 A에 대한 설명으로 옳은 것을 모두 고르면? (정답 2개)

① 이자에서 분비된다.
② 별도의 분비관을 통해 운반된다.
③ 혈당량이 높을 때 분비가 촉진된다.
④ 갑상샘 자극 호르몬에 의해 분비가 촉진된다.
⑤ 혈액 중 A의 농도가 높아지면 혈당량이 높아진다.

16 그림은 정상인과 환자 A의 식사 후 시간 경과에 따른 혈당량과 혈액 속 인슐린 농도 변화를 나타낸 것이다.

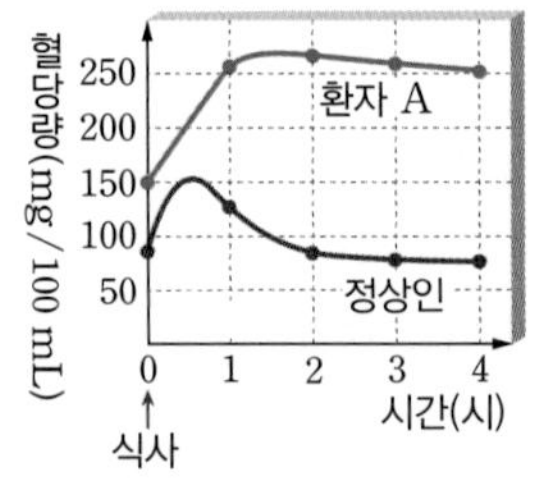

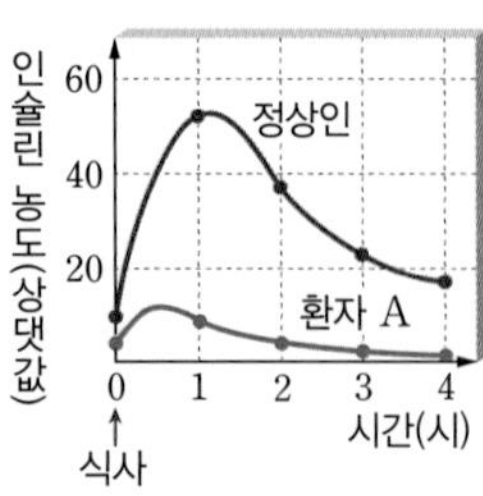

환자 A에 대한 설명으로 옳지 않은 것은?
① 식사 후 혈당량이 증가한다.
② 정상인보다 혈당량의 변화 폭이 작다.
③ 인슐린 부족에 의한 증상이 나타난다.
④ 정상인보다 혈액 중 포도당 농도가 높다.
⑤ 오줌으로 포도당이 배출되는 증상이 나타난다.

정답과 해설 056쪽

01 표는 사람의 체내에서 분비되는 호르몬 A~D의 결핍이나 과다로 인한 증상을 나타낸 것이다.

호르몬	증상
A	결핍되면 당뇨병이 나타난다.
B	결핍되면 묽은 오줌을 다량 배설한다.
C	과다 분비되면 거인증이 나타난다.
D	과다 분비되면 체중이 감소하고 눈이 돌출된다.

호르몬 A~D에 대한 설명으로 옳은 것을 모두 고르면? (정답 2개)

① A는 간에서 글리코젠을 포도당으로 전환한다.
② B는 콩팥에서 물의 재흡수를 억제한다.
③ C는 뇌하수체에서 분비된다.
④ D는 세포 호흡을 촉진한다.
⑤ D의 분비가 증가하면 B의 분비가 감소한다.

02 그림은 저온 자극에 대하여 체내에서 일어나는 반응을 나타낸 것이다.

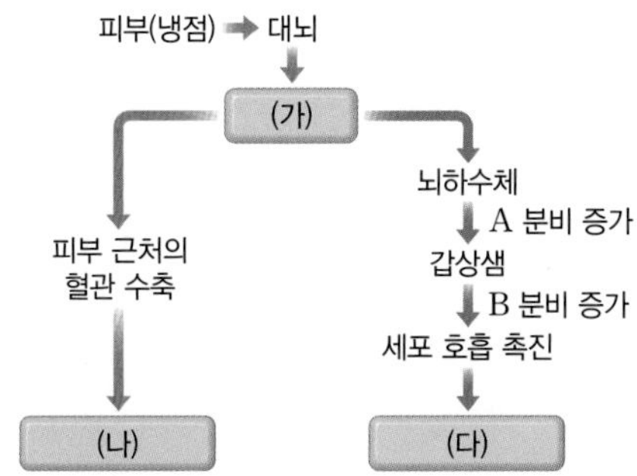

이에 대한 설명으로 옳은 것을 보기에서 모두 고른 것은?

보기
ㄱ. (가)는 소뇌이다.
ㄴ. (나)에서는 열 발산량이 감소하고, (다)에서는 열 발생량이 증가한다.
ㄷ. A는 갑상샘 자극 호르몬이고, B는 티록신이다.

① ㄴ ② ㄱ, ㄴ ③ ㄱ, ㄷ
④ ㄴ, ㄷ ⑤ ㄱ, ㄴ, ㄷ

03 그림은 건강한 사람이 식사와 운동을 하였을 때의 혈당량 변화를 나타낸 것이다.

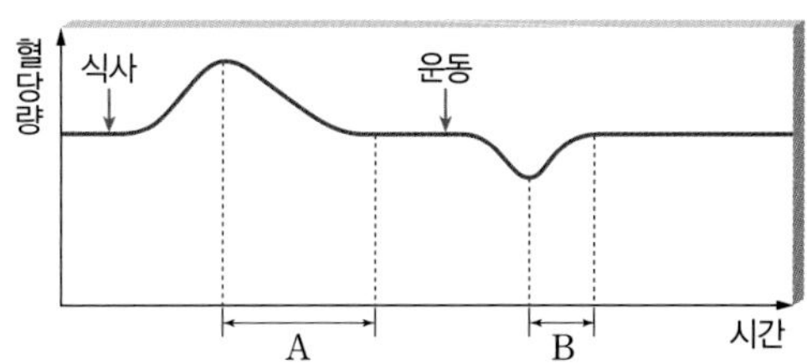

이에 대한 설명으로 옳은 것을 보기에서 모두 고른 것은?

보기
ㄱ. 구간 A에서 글루카곤 분비가 증가한다.
ㄴ. 간에서 글리코젠이 포도당으로 전환되는 양은 구간 B에서가 A에서보다 많다.
ㄷ. 운동을 하면 세포에서 혈액으로 이동하는 포도당의 양이 증가한다.

① ㄱ ② ㄴ ③ ㄷ
④ ㄱ, ㄷ ⑤ ㄴ, ㄷ

04 그림은 혈당량 변화에 따른 이자 호르몬 A와 B의 농도 변화를 나타낸 것이다.

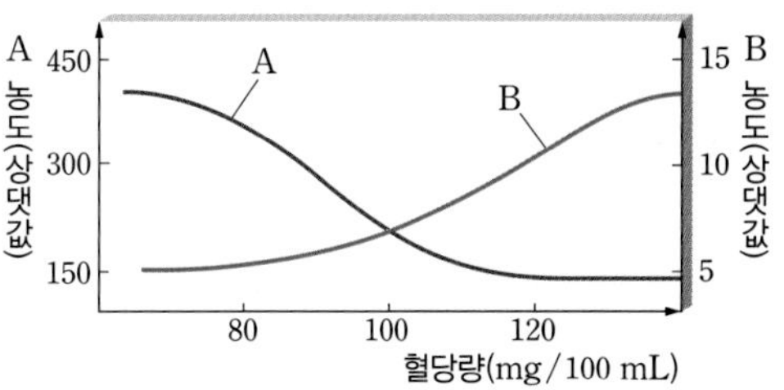

이에 대한 설명으로 옳은 것을 보기에서 모두 고른 것은?

보기
ㄱ. A는 혈당량이 낮을 때 분비가 촉진된다.
ㄴ. B는 혈당량을 증가시키는 작용을 한다.
ㄷ. A와 B는 혈당량 조절에 서로 반대되는 작용을 한다.

① ㄱ ② ㄴ ③ ㄷ
④ ㄱ, ㄷ ⑤ ㄴ, ㄷ

03. 항상성

☞ 제시된 Keyword를 이용하여 문제를 해결해 보자.

1 그림은 호르몬의 분비와 작용을 나타낸 것이다.

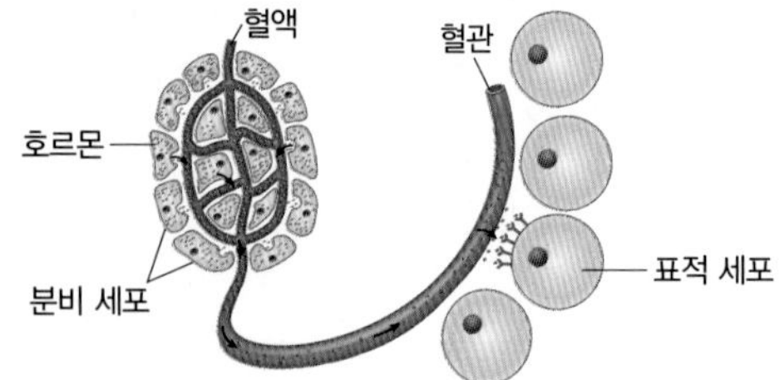

이와 관련 깊은 호르몬의 특성 두 가지를 설명하시오.

Keyword 혈액, 표적 세포

2 그림은 체내에서 신호가 전달되는 두 가지 방식을 나타낸 것이다.

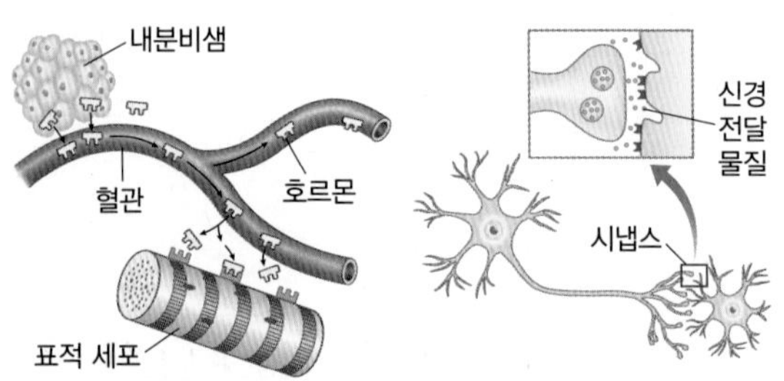

호르몬을 통한 신호 전달과 신경을 통한 신호 전달의 차이점을 두 가지만 설명하시오.

Keyword 호르몬, 신경, 혈액, 뉴런, 신호 전달 속도, 작용 범위

[3~4] 그림은 갑상샘 호르몬인 티록신의 분비 조절 과정을 나타낸 것이다.

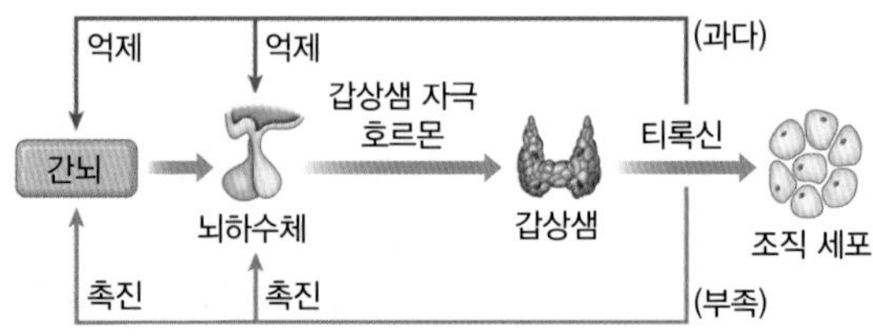

3 갑상샘이 제거될 경우 갑상샘 자극 호르몬과 티록신의 농도는 어떻게 변하는지 설명하시오.

Keyword 티록신, 뇌하수체, 갑상샘 자극 호르몬

4 다음은 티록신과 관련된 자료이다.

티록신을 합성하는 데는 아이오딘이 반드시 필요하다. 아이오딘은 미역과 같은 해조류, 바닷물을 건조한 천일염 등에 포함되어 있다. 그런데 고산이나 내륙 지역에서 암염을 섭취하는 사람들은 아이오딘이 결핍되기 쉽다. 이런 지역에는 갑상샘이 비정상적으로 비대해지는 ㉠ 갑상샘종 환자가 많았다. 그러나 아이오딘을 첨가한 암염을 섭취한 후에는 갑상샘종 환자가 크게 감소하였다.

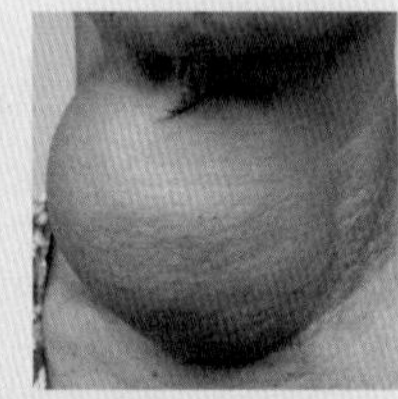
갑상샘종

티록신의 분비 조절 과정을 바탕으로 ㉠의 원인을 설명하시오.

Keyword 아이오딘, 티록신, 갑상샘 자극 호르몬, 갑상샘

[5~6] 그림은 저온 자극에 대해 몸에서 일어나는 반응을 나타낸 것이다.

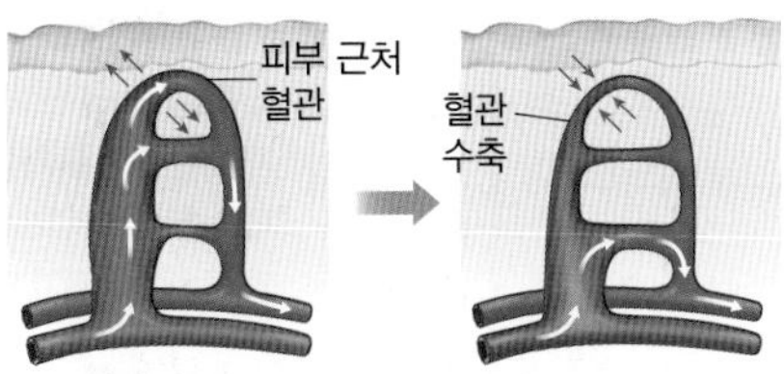

(가) 피부 근처의 혈관 변화

(나) 세포 호흡 촉진 (다) 근육 떨림

5 체온 조절은 열 발생량과 열 발산량을 증가시키거나 감소시키는 방식으로 일어난다. (가)~(다) 반응의 결과를 열 발생량 또는 열 발산량의 변화로 각각 설명하시오.

Keyword 열 발생량, 열 발산량, 증가, 감소

6 (나)~(다)를 신경과 호르몬에 의한 반응으로 구분하여 설명하시오.

Keyword 티록신, 신경

7 더울 때 땀을 흘리는 것이 체온 조절에 미치는 영향을 설명하시오.

Keyword 땀, 열 발산량, 체온

[8~9] 그림은 호르몬에 의한 혈당량 조절 과정을 나타낸 것이다.

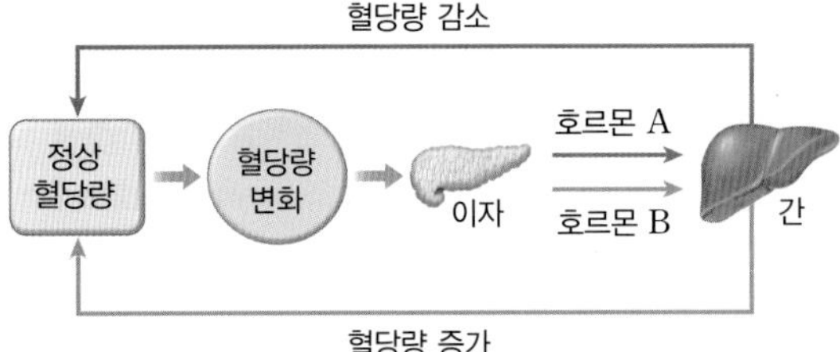

8 호르몬 A와 B의 이름을 쓰고, 표적 기관인 간에 어떤 작용을 하는지 각각 설명하시오.

Keyword 간, 글리코젠, 포도당

9 호르몬 A와 B의 작용으로 혈당량이 조절되는 원리를 간단히 설명하시오.

Keyword 글루카곤, 인슐린, 반대 작용, 혈당량

10 그림은 건강한 사람에게 이자에서 분비되는 호르몬 (가)를 주사한 후 시간의 경과에 따른 혈당량 변화를 나타낸 것이다.

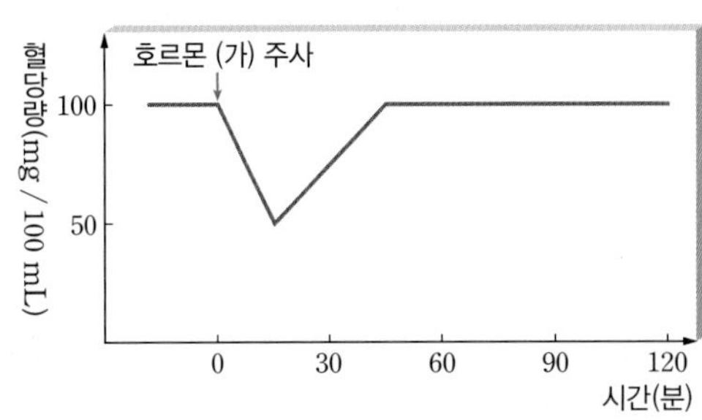

호르몬 (가)의 이름을 쓰고, (가)가 결핍될 경우 나타날 수 있는 증상과 질병에 대해 설명하시오.

Keyword 혈액, 포도당

1 오른쪽 그림은 어떤 사람이 한 물체를 주시하면서 움직일 때 이 사람 눈의 수정체의 두께 변화를 나타낸 것이다. 이에 대한 설명으로 옳은 것을 보기에서 모두 고른 것은?

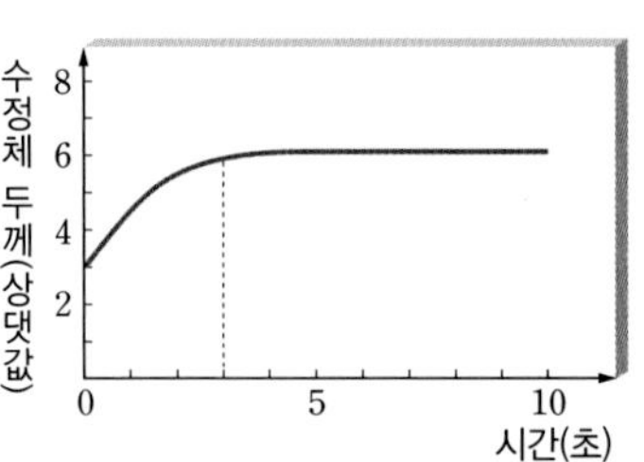

보기
ㄱ. 0~3초 동안 이 사람은 물체에서 멀어지고 있다.
ㄴ. 0~3초 동안 이 사람의 눈에서 섬모체가 수축하고 있다.
ㄷ. 3~10초에 물체의 상은 망막의 앞에 맺힌다.

① ㄱ　② ㄴ　③ ㄱ, ㄴ
④ ㄱ, ㄷ　⑤ ㄴ, ㄷ

Tip
가까운 곳의 물체를 볼 때는 수정체가 두꺼워지고, 먼 곳의 물체를 볼 때는 수정체가 얇아진다.

섬모체
맥락막과 홍채의 가장자리를 잇고 있으며, 수정체를 둘러싸고 있는 조직이다. 섬모체의 수축과 이완에 따라 수정체의 두께가 변한다.

2 그림 (가)는 시간의 경과에 따른 어떤 사람의 동공 크기 변화를 나타낸 것이고, (나)는 사람 뇌의 구조를 나타낸 것이다.

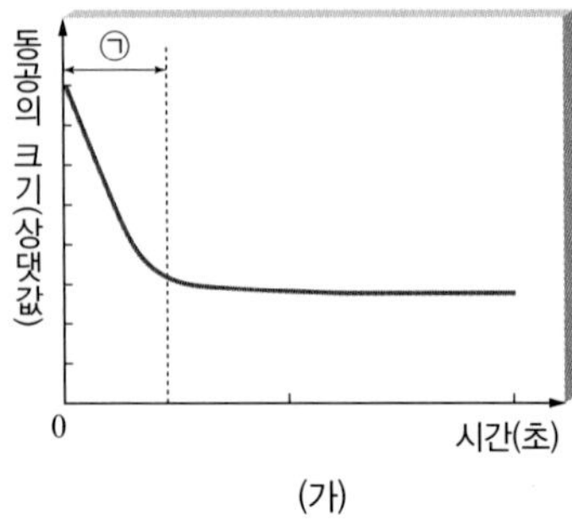

(가)

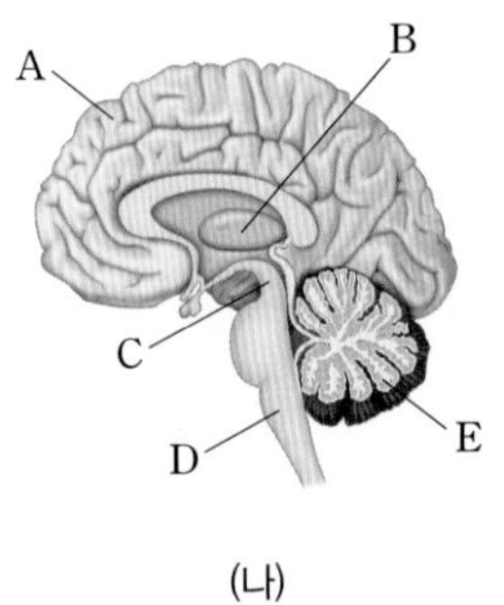

(나)

이에 대한 설명으로 옳은 것을 보기에서 모두 고른 것은?

보기
ㄱ. 구간 ㉠에서 홍채는 면적이 감소한다.
ㄴ. 구간 ㉠에서 홍채의 움직임은 C의 조절을 받는다.
ㄷ. 구간 ㉠에서 시각 세포에서 받아들인 자극은 E로 전달된다.

① ㄱ　② ㄴ　③ ㄱ, ㄴ
④ ㄱ, ㄷ　⑤ ㄴ, ㄷ

Tip
홍채의 면적과 동공의 크기는 반비례한다.

3 **그림은 A, B 두 사람이 물체를 볼 때 눈에서 상이 맺히는 위치를 나타낸 것이다. (단, 그림에서 •는 상이 맺히는 위치이다.)**

구분	가까이 있는 물체를 볼 때	멀리 있는 물체를 볼 때
A	수정체 망막	
B		

이에 대한 설명으로 옳은 것을 보기에서 모두 고른 것은?

보기

ㄱ. A는 가까이 있는 물체가 잘 보이지 않는다.
ㄴ. B는 오목 렌즈 안경으로 시력을 교정할 수 있다.
ㄷ. A는 멀리 있는 물체를 볼 때, B는 가까이 있는 물체를 볼 때 상이 맹점에 맺힌다.

① ㄱ　② ㄴ　③ ㄱ, ㄴ
④ ㄴ, ㄷ　⑤ ㄱ, ㄴ, ㄷ

Tip
A는 수정체와 망막 사이의 거리가 짧고, B는 수정체와 망막 사이의 거리가 길다.

4 **오른쪽 그림은 귀에 있는 감각 기관의 구조를 나타낸 것이다. 이에 대한 설명으로 옳은 것을 보기에서 모두 고른 것은?**

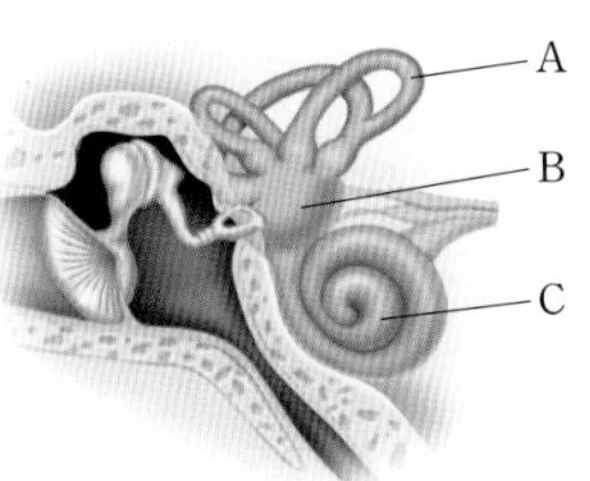

보기

ㄱ. A에서 몸이 회전하는 것을 느낄 수 있게 해 준다.
ㄴ. B는 기압 변화에 민감하게 반응하여 귀 내부 압력을 조절한다.
ㄷ. C에서 받아들인 자극은 감각 신경을 통해 소뇌로 전달된다.

① ㄱ　② ㄷ　③ ㄱ, ㄴ
④ ㄱ, ㄷ　⑤ ㄴ, ㄷ

Tip
반고리관, 전정 기관, 달팽이관에는 림프라고 하는 액체가 들어 있다.

5 그림은 신경이 교차되는 모습을 나타낸 것이다. (단, A와 B는 중추 신경계의 일부이다.)

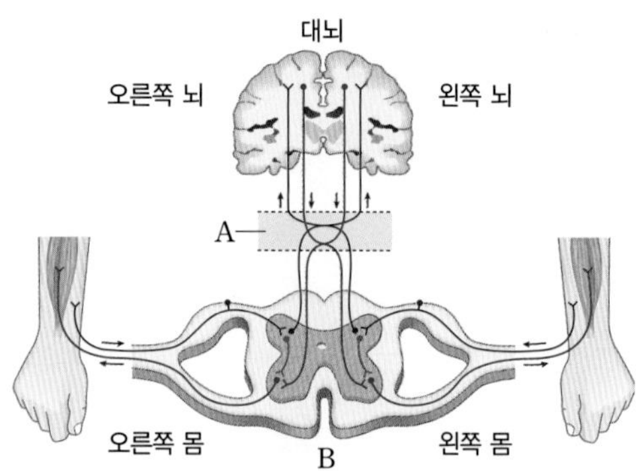

이에 대한 설명으로 옳은 것을 모두 고르면? (정답 2개)

① A는 연수이다.
② A는 체온을 조절하는 중추이다.
③ B는 운동 신경과 감각 신경으로만 구성된다.
④ B는 손의 의식적인 움직임을 조절하는 중추이다.
⑤ 대뇌 우반구의 감각령이 손상되더라도 왼쪽 손이 가시에 찔리면 손을 움츠리는 반사가 일어난다.

Tip
대뇌와 몸을 연결하는 신경은 대부분 연수에서 좌우 교차가 일어나므로 대뇌 좌반구는 오른쪽 몸을 지배하고 우반구는 왼쪽 몸을 지배한다.

감각령
여러 가지 감각 기관에서 받아들인 자극이 전달되어 마지막으로 감각 자극을 받아들이는 신경 세포가 모여 있는 대뇌의 영역이다. 즉, 대뇌의 감각령에서 각종 감각을 받아들인다.

6 그림은 심장에 분포하는 두 가지 자율 신경과 그 작용을 나타낸 것이다.

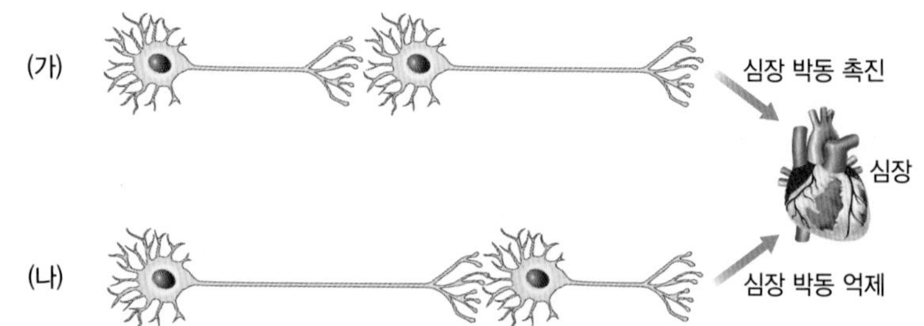

이에 대한 설명으로 옳은 것을 보기에서 모두 고른 것은?

보기
ㄱ. (가)는 교감 신경이다.
ㄴ. (나)는 연수의 조절을 받는다.
ㄷ. 운동을 할 때는 (나)의 작용이 억제된다.

① ㄱ　② ㄴ　③ ㄱ, ㄴ
④ ㄴ, ㄷ　⑤ ㄱ, ㄴ, ㄷ

Tip
긴장하거나 위급한 상태일 때는 교감 신경이 작용한다. 부교감 신경은 몸을 안정 상태로 되돌아오게 한다.

7 그림은 저온 자극이 주어졌을 때 우리 몸에서 체온 조절이 일어나는 과정을 나타낸 것이다.

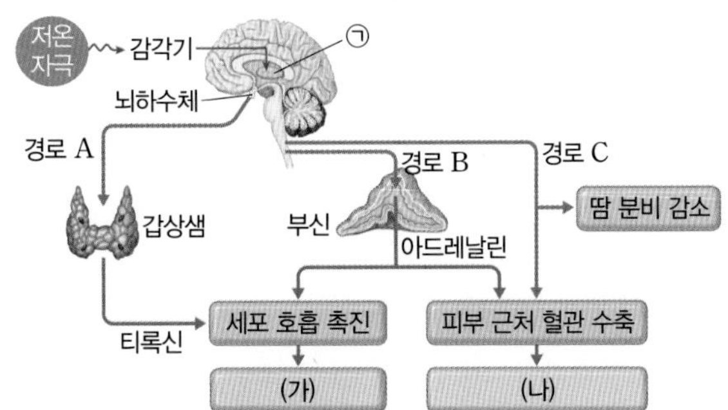

이에 대한 설명으로 옳은 것을 보기에서 모두 고른 것은?

보기
ㄱ. ㉠은 복잡한 정신 활동의 중추이다.
ㄴ. 경로 A는 호르몬에 의한 조절이고, 경로 B와 C는 신경에 의한 조절이다.
ㄷ. (가)는 열 발생량 증가, (나)는 열 발산량 감소이다.

① ㄱ ② ㄷ ③ ㄱ, ㄷ
④ ㄴ, ㄷ ⑤ ㄱ, ㄴ, ㄷ

Tip
체온 조절의 중추는 간뇌이다.

8 그림 (가)는 하루 동안 어떤 사람의 간에 저장된 글리코젠의 양의 변화를, (나)는 이자 호르몬 A와 B에 의한 작용을 나타낸 것이다.

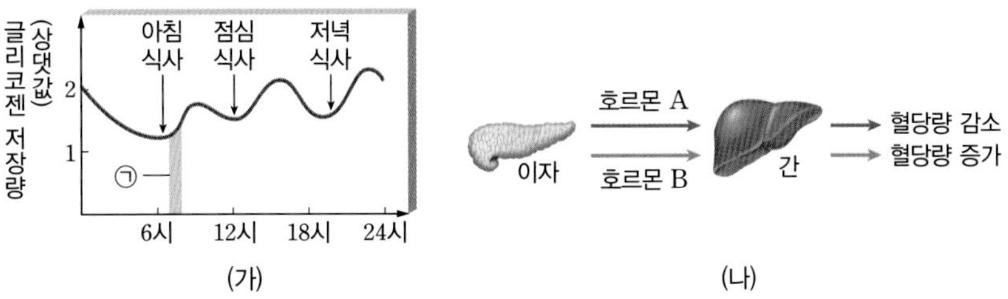

이에 대한 설명으로 옳은 것을 보기에서 모두 고른 것은?

보기
ㄱ. 구간 ㉠에서 A의 분비량이 증가한다.
ㄴ. B는 간에서 글리코젠이 포도당으로 전환되는 반응을 촉진한다.
ㄷ. A와 B는 서로 반대되는 작용을 하여 혈당량을 조절한다.

① ㄱ ② ㄷ ③ ㄱ, ㄷ
④ ㄴ, ㄷ ⑤ ㄱ, ㄴ, ㄷ

Tip
호르몬 A와 B는 간에서 서로 반대 작용을 하여 혈당량을 조절하는 데 관여한다.

길항 작용
두 요인이 서로 반대되는 작용을 하여 어떤 작용을 조절하는 현상이다. 교감 신경과 부교감 신경, 인슐린과 글루카곤은 길항적으로 작용한다.

창의·사고력 향상 문제

예제

갑상샘 호르몬인 티록신은 척추동물의 정상적인 발육에 필요하며, 물질대사를 촉진시키는 역할을 한다. 철수는 티록신의 분비가 조절되는 원리를 알아보기 위해 쥐를 A~C 세 집단으로 나누고 표와 같이 실험하였다.

집단	실험 처치	결과
A	아무 처리 하지 않음	정상적으로 생활함
B	한 달 동안 티록신을 일정량 매일 주사	정상적으로 생활함
C	한 달 동안 티록신 합성을 억제하는 물질을 매일 주사	심한 대사 장애를 일으킴

(1) A~C 중 한 달 후 혈액의 갑상샘 자극 호르몬의 농도가 가장 높을 것으로 예상되는 집단부터 순서대로 나열하고, 그렇게 판단한 까닭을 설명하시오.

(2) 만일 A 집단에서 쥐의 뇌하수체를 제거하고 사육할 경우 티록신 농도는 어떻게 될 것인지 추론하여 설명하시오.

출제 의도
티록신의 분비와 조절에 관여하는 요소와 티록신 분비 조절 원리를 이해하고 있는가?

문제 해결을 위한 배경 지식
- **티록신**: 갑상샘에서 분비되는 호르몬으로, 세포 호흡을 촉진한다.
- **뇌하수체**: 간뇌 아래에 있으며 생장 호르몬, 갑상샘 자극 호르몬, 생식샘 자극 호르몬 등을 분비하는 내분비샘이다.

▶▶ 해결 전략 클리닉 ◀◀

티록신의 분비에는 뇌하수체에서 분비되는 갑상샘 자극 호르몬이 관여한다는 점에 착안하여 다음과 같은 방식으로 접근해 보자.

❶ 갑상샘 자극 호르몬은 혈중 티록신의 농도가 정상보다 낮으면 분비가 촉진된다. 따라서 A~C 중 혈중 티록신의 농도가 가장 낮은 집단을 찾는다.

❷ 대조군인 A 집단의 뇌하수체를 제거하였을 때 뇌하수체와 티록신의 연관점을 다음과 같은 순서로 생각한다.

1. 뇌하수체는 갑상샘 자극 호르몬을 분비하는 내분비샘이다.
2. 갑상샘 자극 호르몬이 갑상샘을 자극하면 티록신이 분비된다.
3. 뇌하수체가 제거되어 갑상샘 자극 호르몬이 분비되지 않으면 갑상샘이 자극되지 않아 혈중 티록신의 농도가 낮아진다.

Keyword
(1) 갑상샘 자극 호르몬, 티록신, 뇌하수체
(2) 갑상샘 자극 호르몬, 티록신

▶ 모범 답안 ◀

(1) C>A>B, 갑상샘 자극 호르몬은 티록신의 농도가 낮을 때 뇌하수체에서 분비가 촉진된다. 따라서 갑상샘 자극 호르몬의 농도는 한 달 동안 티록신 합성을 억제하는 물질을 매일 주사한 집단 C에서 가장 높고, 티록신을 매일 주사한 집단 B에서 가장 낮다.

(2) 뇌하수체를 제거하면 갑상샘 자극 호르몬이 생성되지 않는다. 따라서 갑상샘이 자극되지 않아 티록신이 분비되지 않고 티록신의 농도는 낮아지게 된다.

완벽한 답안 작성을 위한 tip
(1) 혈중 티록신의 농도가 낮을 때 뇌하수체에서 갑상샘 자극 호르몬의 분비가 촉진된다는 점을 설명하면 완벽한 답안이 될 수 있다.
(2) 뇌하수체가 제거되어 갑상샘 자극 호르몬이 분비되지 않으면 갑상샘에서 티록신의 분비가 촉진되지 않는다는 점을 들어 설명하면 완벽한 답안이 될 수 있다.

실전 문제

정답과 해설 060쪽

1 창의적 문제 해결형

철수는 시력이 좋지 않아 안경을 쓴다. 10 cm 정도의 거리를 두고 철수의 안경으로 책을 보면 안경을 통해 보이는 글씨는 크기가 실제보다 작게 보인다. 철수의 시력 이상은 무엇인지 쓰고, 안경을 통해 보이는 글씨의 크기가 작은 까닭을 설명하시오.

Tip
안경을 통해 보이는 글씨가 더 작으면 안경의 렌즈는 오목 렌즈이다.

Keyword
오목 렌즈, 상, 망막

2 논리적 서술형

다음은 반고리관과 관련된 설명이다.

반고리관은 귀 속에 위치하는 세 개의 관으로, 림프의 관성에 의하여 회전 방향을 느끼는 기관이다. 반고리관은 액체인 림프가 채워진 반고리 모양의 3개의 관으로 되어 있는데, 오른쪽 그림과 같이 3개의 관이 서로 직각을 이루고 있어 각각 서로 다른 방향의 회전을 느끼게 한다. 평지에 정지해 있던 사람이 제자리에서 회전하면 수평 반고리관에서 회전을 느끼는데, 계속 회전하다가 갑자기 멈추었을 때에도 여전히 회전하는 것 같은 어지러움을 느낀다.

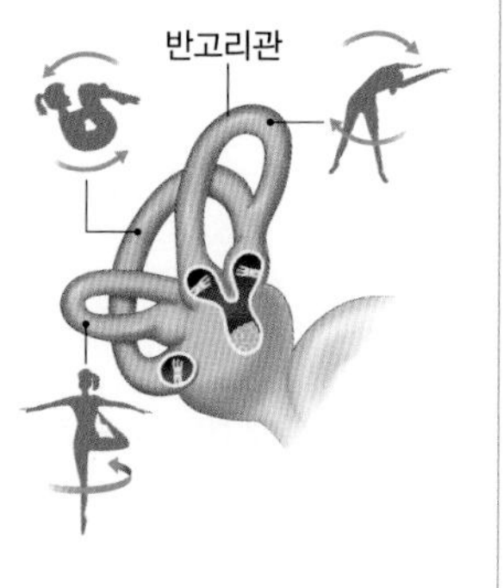

오른쪽 그림은 수평 반고리관의 단면을 나타낸 것이다. 회전을 멈추어도 한동안 몸이 계속 도는 것과 같은 어지러움을 느끼는 까닭을 수평 반고리관의 단면 그림을 활용하여 림프와 감각모의 움직임으로 설명하시오.

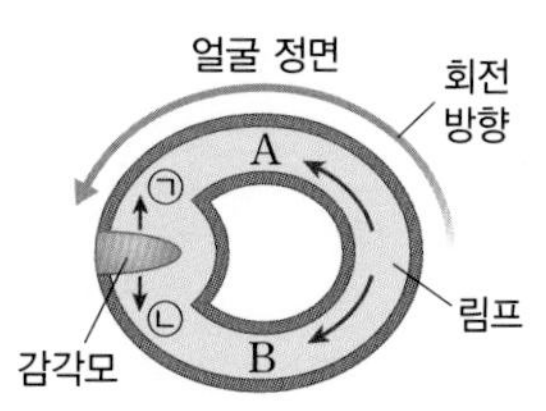

Tip
반고리관에서는 림프의 관성에 의한 움직임으로 감각모가 휘어지면서 회전 감각을 느낀다.

Keyword
림프, 감각모

3 창의적 문제 해결형

그림은 단어를 듣고 따라 말할 때와 단어를 보면서 말할 때, 사람 대뇌 겉질이 활성화되는 부위의 변화를 순서대로 나타낸 것이다.

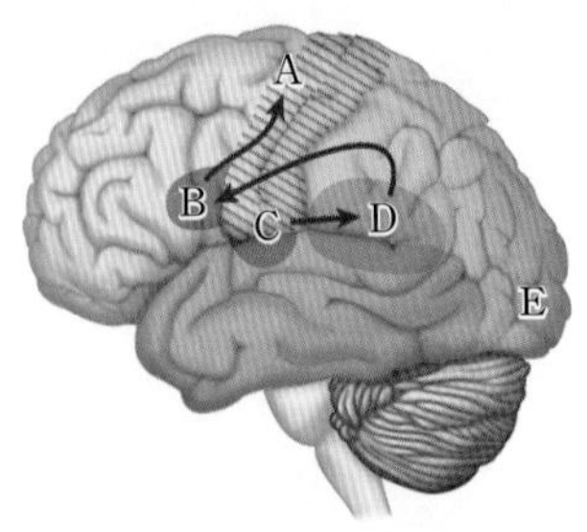

단어를 듣고 따라 말할 때

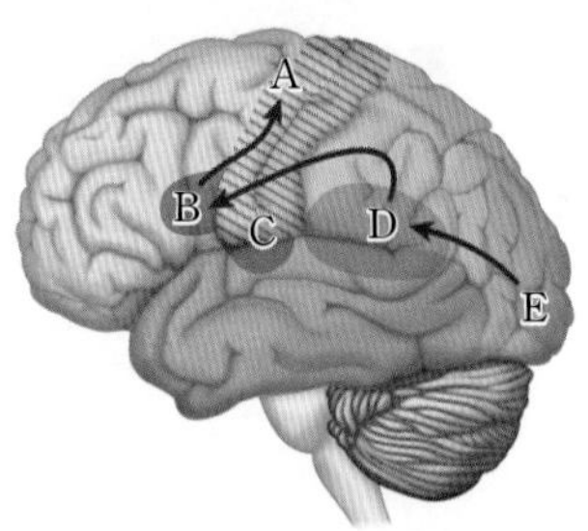

단어를 보면서 말할 때

위 자료를 근거로 대뇌에서 A, C, E 영역의 기능은 무엇인지 각각 설명하시오.

Tip

단어를 듣고 말하기까지는 청각 중추 → 언어 중추 → 운동(말하기) 중추를 거치고, 단어를 보면서 말하기까지는 시각 중추 → 언어 중추 → 운동(말하기) 중추를 거친다.

Keyword

청각 중추, 시각 중추, 말하기 중추

4 단계적 문제 해결형

그림은 두 종류의 자율 신경 A와 B가 심장 박동에 미치는 영향을 나타낸 것이다. 단, 심장 박동이 1회 일어날 때마다 막전위의 급격한 변화가 1회 나타난다.

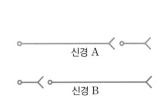

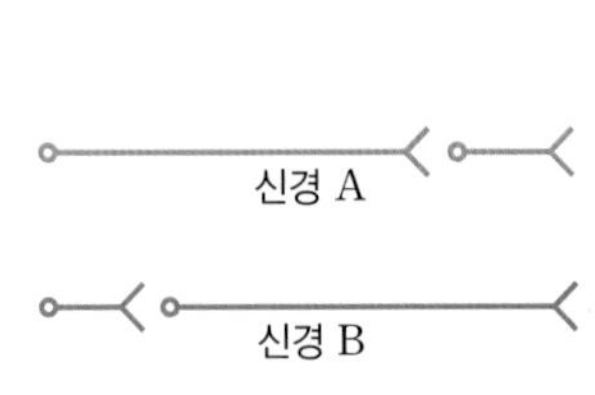

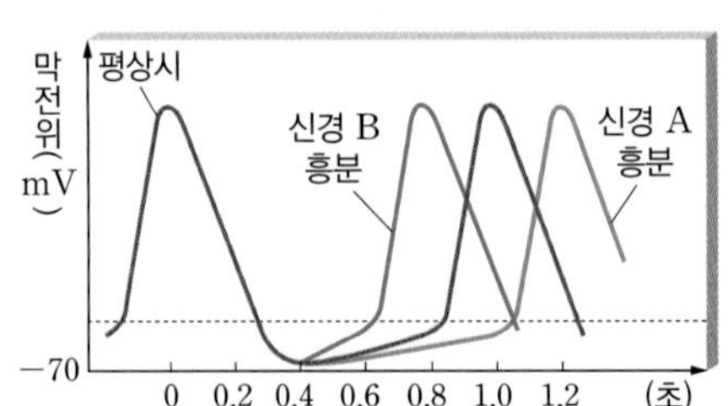

신경 A와 B는 각각 어떤 신경인지 그렇게 판단한 근거를 들어 설명하시오.

Tip

자율 신경에는 교감 신경과 부교감 신경이 있으며, 교감 신경과 부교감 신경은 길항적으로 작용한다.

Keyword

교감 신경, 부교감 신경, 심장 박동, 촉진, 억제

5 논리적 서술형

오른쪽 그림은 건강한 사람이 식사를 하거나 운동을 한 후 시간의 경과에 따른 혈당량 변화를 나타낸 것이다.

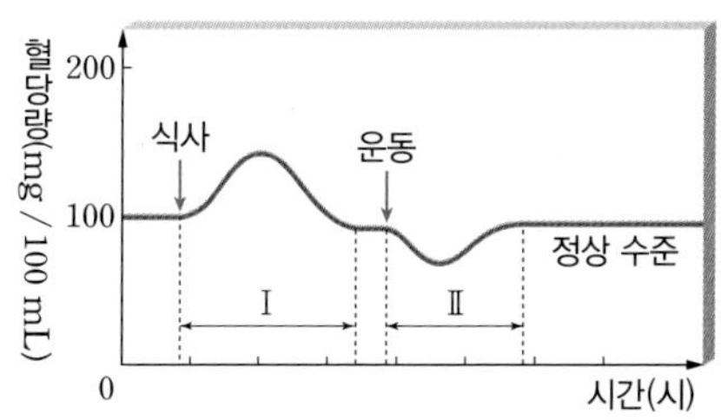

(1) 구간 Ⅰ에서 식사 후 혈당량이 높아졌다가 정상 수준을 회복하는 과정을 이자에서 분비되는 호르몬의 이름과 작용을 이용하여 설명하시오.

(2) 구간 Ⅱ에서 운동 후 혈당량이 낮아졌다가 정상 수준을 회복하는 과정을 이자에서 분비되는 호르몬의 이름과 작용을 이용하여 설명하시오.

Tip

이자에서는 혈당량을 감소시키는 호르몬인 인슐린과 혈당량을 증가시키는 호르몬인 글루카곤이 분비된다.

Keyword

혈당량, 간, 포도당, 글리코젠

6 단계적 문제 해결형

그림은 추울 때 체온을 조절하기 위해 몸에서 일어나는 반응을 나타낸 것이다.

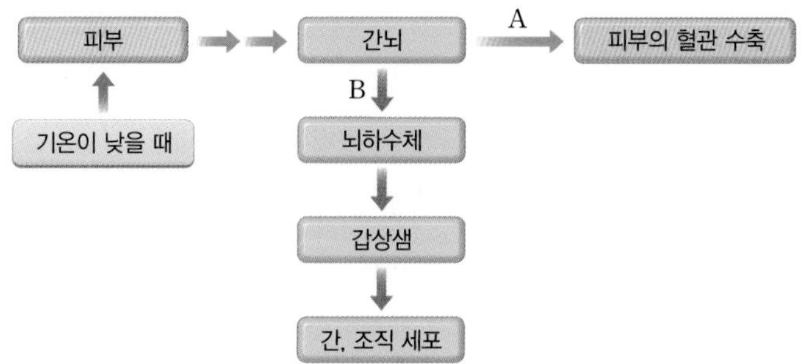

체온 조절에서 경로 A와 B의 신호 전달에서의 차이점과 그 효과의 차이점을 설명하시오.

Tip

체온은 신경과 호르몬의 작용으로 열 발생량과 열 발산량을 변화시킴으로써 조절된다.

Keyword

신경, 호르몬, 속도, 효과

Sc!ence Talk

희로애락의

감정을 느끼는 뇌

우리는 하루 동안 수많은 감정을 느낀다. 기쁨과 행복감을 느끼기도 하고, 슬픔과 좌절감을 느끼기도 한다. 마음이 아프거나 사랑의 감정을 느낄 때 심장을 떠올리며 하트로 표현하지만, 우리가 느끼는 감정은 실제로는 뇌에서 만들어 내는 것이다.

여러 연구자가 감정과 뇌의 관계를 알아보기 위해 연구한 결과 기쁠 때나 슬플 때 뇌의 어떤 부위가 활발하게 작용하는지 알아냈지만, 그 부분의 뇌의 활동이 어떻게 기쁨을 느끼게 하고 슬픔을 느끼게 하는지는 여전히 모르는 상태이다. 즉, 뇌의 뉴런이 감정을 만들어 낸다는 것을 알아냈지만, 뇌를 구성하는 수억 개의 뉴런의 신호가 어떻게 감정을 만들어 내는지는 자세하게 알지 못하는 것이다. 또한, 뇌가 어떤 방식으로 작동하는지 밝혀낸다고 하더라도 미묘하고 복잡한 인간의 감정을 명확히 분석하는 일은 쉽지 않을 것이다.

일반적으로 감정은 자극에서 시작한다. 무서운 영화를 보고 공포감을 느끼는 과정을 예로 들면, 먼저 눈으로 무서운 장면을 본 후 뇌의 시각 중추에서 장면이 무엇인지 파악한다. 그런 다음 감정과 연관된 뇌의 여러 영역이 반응을 일으켜 공포감을 느끼게 된다. 사람의 감정 변화에 반응하는 뇌 부위는 대뇌의 변연계라고 하는 곳의 깊숙한 곳에 위치한 편도체이다. 변연계는 다양한 감정을 관장하는 신경망이 고리처럼 연결되어 있고, 편도체는 각 부분이 각기 다른 감정을 관장하는 복잡한 구조를 이루고 있다.

감정 반응의 마지막 단계는 신경 전달 물질의 작용으로 나타난다. 뇌에서 분비되는 도파민, 세로토닌 등과 같은 신경 전달 물질이 분비되면 행복, 즐거움, 슬픔 등으로 얼굴 근육이 변화하여 웃거나 찌푸리는 등 표정이 바뀌게 된다.

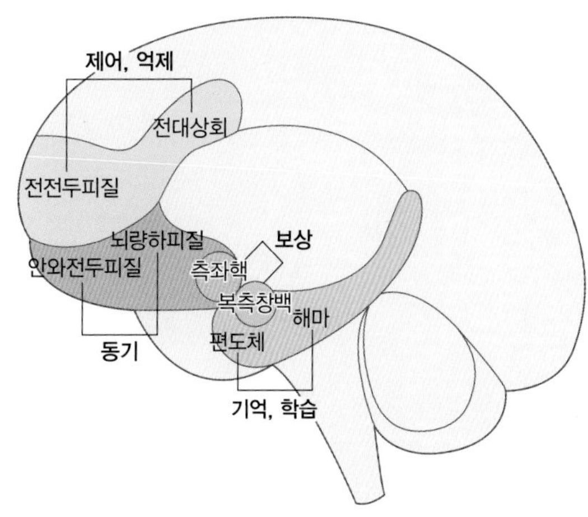

뇌의 영역과 기능

편도체 외에도 전전두피질의 일부 영역도 감정을 유발하는 것으로 알려져 있다. 전전두피질은 보다 복잡한 감정 자극인 동정심이나 죄의식 등과 관련이 있다. 전전두피질은 자기를 인식하고, 행동을 계획하고, 문제 해결을 위한 전략을 수립하고, 의사 결정을 하는 등 인간이 동물과 구별되는 능력에 관여한다.

편도체가 감정을 관장한다면 전전두피질은 이런 감정들을 조절하면서 상호 작용한다. 예를 들어 불안, 분노, 우울과 같은 불쾌한 감정을 느낄 때는 편도체와 오른쪽 전전두피질이 활성을 나타낸다. 반대로 낙천적이고 열정에 차 있고 기력이 넘치는 긍정적 감정 상태에 있을 때는 편도체와 왼쪽 전전두피질이 활기를 띤다. 즉, 오른쪽 전전두피질이 활발해지면 불행과 고민이 많아지고, 왼쪽 전전두피질이 활발해지면 행복감과 열정이 넘치는 것이다. 만약 극단적으로 오른쪽 전전두피질 쪽만 활성화된다면 우울증이나 불안 장애가 나타날 수 있다.

최근의 연구에 따르면 감정을 표현하는 과정에서 편도체와 오른쪽 전전두피질이 서로 상쇄하는 방향으로 작동한다고 한다. 슬픔이나 분노를 말로 표현하는 것만으로도 편도체의 활동이 현저히 줄어들고 절제된 사고를 관장하는 오른쪽 전전두피질이 매우 활성화되어 격한 감정을 누그러뜨린다는 것이다. 그러므로 솔직하게 감정을 표현하는 것이 감정을 조절하는 데 도움이 된다는 것이다. 또 다른 연구에서는 수술이나 약물로 치료하기 어려운 심한 우울증 환자나 외상 후 스트레스 증후군 환자를 과학적으로 치료할 수 있는 가능성을 보여 주고 있다.

뇌에서는 복잡하고도 미묘한 인지, 기억, 감정 등의 활동이 끊임없이 발생하기 때문에 뇌를 연구한다는 것은 매우 어려운 일이다. 그러나 뇌에서 일어나는 이러한 복잡한 정신 활동을 규명하고, 감정과 육체의 고통으로부터 인간을 자유롭게 하기 위해 현재도 연구가 지속되고 있다.

부록
HIGH TOP

과학 용어 사전

연소

본문 개념 학습 013쪽

연소는 물질이 빛이나 열 또는 불꽃을 내면서 산소와 빠르게 결합하는 반응이다. 어떤 물질이 연소하기 위해서는 탈 물질(연료), 발화점 이상의 온도, 산소의 3가지 요소가 필요하다. 발화점이란 불꽃이 직접 닿지 않고 열에 의해 스스로 불이 붙는 온도로, 연소가 일어나기 위해서는 발화점 이상으로 온도를 높일 열이 필요하다. 연소에 필요한 3가지 요소 중 하나라도 충족되지 않으면 연소는 일어나지 않으며, 연소가 일어나고 있더라도 불이 꺼지게 되는데 이를 소화라고 한다.

연소 후 생성되는 물질의 종류를 통해 연료가 가진 성분 원소를 추측하기도 한다. 석유, 석탄, 천연가스 등의 주성분은 탄소와 수소로, 연소 시 이산화 탄소와 수증기가 생성된다. 또한, 연탄이나, 숯 등은 탄소가 주성분으로 연소하면 이산화 탄소가 생성되고, 황이나 인을 포함한 경우에는 연소 시 이산화 황, 오산화 인이 생성된다.

앙금

본문 개념 학습 024쪽

서로 다른 두 수용액을 섞었을 때 수용액 속 이온들이 반응하여 만들어지는 물에 녹지 않는 화합물을 앙금이라고 한다. 예를 들어 염화 나트륨($NaCl$) 수용액과 질산 은($AgNO_3$) 수용액을 혼합하면 염화 나트륨 수용액에 들어 있는 염화 이온(Cl^-)과 질산 은 수용액에 들어 있는 은 이온(Ag^+)이 결합하여 흰색 앙금인 염화 은($AgCl$)을 생성한다.

이와 같이 앙금이 생성되는 반응이 일어나려면 특정 양이온과 음이온이 만나야 하며, 이를 이용하면 수용액에 들어 있는 특정 이온을 확인할 수 있다.

양이온	음이온	앙금(색깔)
Ag^+	Cl^-, Br^-, I^-, SO_4^{2-}, CO_3^{2-}	$AgCl$(흰색), $AgBr$(연노란색), AgI(노란색), Ag_2SO_4(흰색), Ag_2CO_3(흰색)
Ca^{2+}	SO_4^{2-}, CO_3^{2-}	$CaSO_4$(흰색), $CaCO_3$(흰색)
Ba^{2+}	SO_4^{2-}, CO_3^{2-}	$BaSO_4$(흰색), $BaCO_3$(흰색)
Mg^{2+}	CO_3^{2-}	$MgCO_3$(흰색)
Pb^{2+}	I^-, S^{2-}	PbI_2(노란색), PbS(검은색)
Cu^{2+}, Cd^{2+}, Zn^{2+}	S^{2-}	CuS(검은색), CdS(노란색), ZnS(흰색)

이온으로 이루어진 물질

본문 개념 학습 024쪽

양이온과 음이온이 결합하여 이루어진 고체는 무수히 많은 양이온과 음이온이 규칙적으로 결합하여 반복되는 구조인 이온 결정을 이룬다. 예를 들어 나트륨 이온과 염화 이온은 규칙적으로 결합하여 염화 나트륨 결정을 이룬다. 양이온과 음이온이 결합하여 이루어진 물질은 전기적으로 중성이므로 양이온의 총 전하와 음이온의 총 전하의 합이 0이다. 즉, 총 전하가 0이 되는 개수비로 양이온과 음이온이 결합한다.

에너지와 물질의 안정성

본문 개념 학습 044쪽

물질의 안정성은 물질이 지닌 에너지로 판단할 수 있으며, 물질이 지닌 에너지가 낮을수록 에너지 면에서 더 안정하다고 한다. 따라서 발열 반응의 경우에는 생성물질이 반응물질보다 에너지가 더 낮으므로 생성물질이 더 안정하고, 반대로 흡열 반응의 경우에는 반응물질이 생성물질보다 에너지가 더 낮으므로 반응물질이 더 안정하다.

발열 반응이 일어나면 물질의 에너지가 열의 형태로 주위로 이동하므로 물질의 에너지가 감소하고 주위의 온도가 높아지고, 반대로 흡열 반응이 일어나면 주위의 에너지가 물질로 이동하므로 물질의 에너지는 증가하고 주위의 온도는 낮아진다.

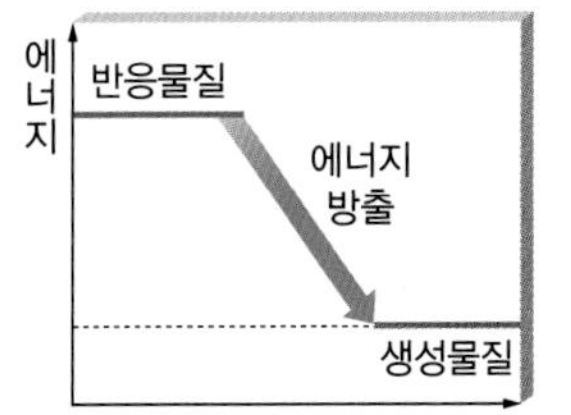

발열 반응

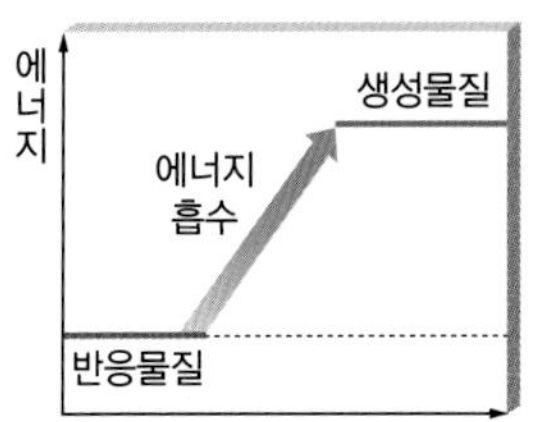

흡열 반응

구분	발열 반응	흡열 반응
에너지 출입	에너지를 방출하는 반응	에너지를 흡수하는 반응
안정한 물질	생성물질	반응물질
주위의 온도	높아짐	낮아짐

화학 반응과 에너지 보존 법칙

본문 개념 학습 044쪽

에너지 보존 법칙에 의하면 에너지는 다른 형태로 전환되어도 새로 생성되거나 소멸되지 않으므로 에너지 총합은 항상 일정하다. 화학 반응이 일어날 때 반응계(반응이 직접 일어나는 영역 또는 화학 반응에 관여하는 물질)가 에너지를 잃으면 주위는 에너지를 얻으며, 반대로 반응계가 에너지를 얻으면 주위는 에너지를 잃는다. 즉, 발열 반응이 일어나면 반응물질의 화학 에너지가 열에너지로 전환되고 흡열 반응이 일어나면 열에너지가 생성물질의 화학 에너지로 전환되며, 이 과정에서 에너지 보존 법칙이 성립한다.

> 반응계의 에너지 + 주위의 에너지 = 일정

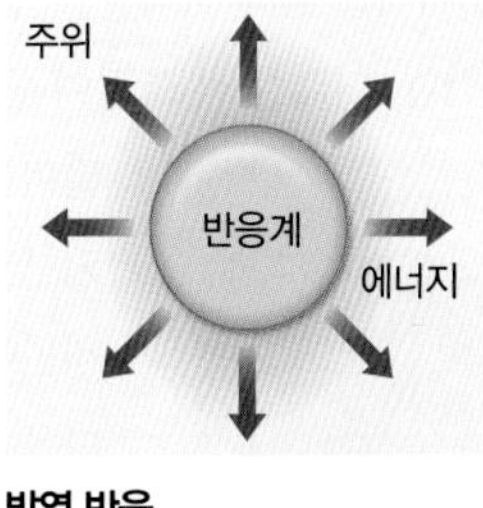

발열 반응

주위

반응계

에너지

흡열 반응

광합성

본문 개념 학습 045쪽

광합성은 식물이나 그 밖의 생물이 빛에너지를 이용해 이산화 탄소와 물로부터 유기 양분을 합성하는 작용이다. 식물에서 광합성은 엽록체에서 일어나며, 이 과정에서 식물이 빛에너지를 유기 양분의 화학 에너지로 전환하며, 이는 다양한 동식물의 생활 에너지로 사용된다. 즉, 광합성은 흡열 반응에 해당하며, 지구상에서 일어나는 대표적인 에너지 저장 반응이라고 할 수 있다.

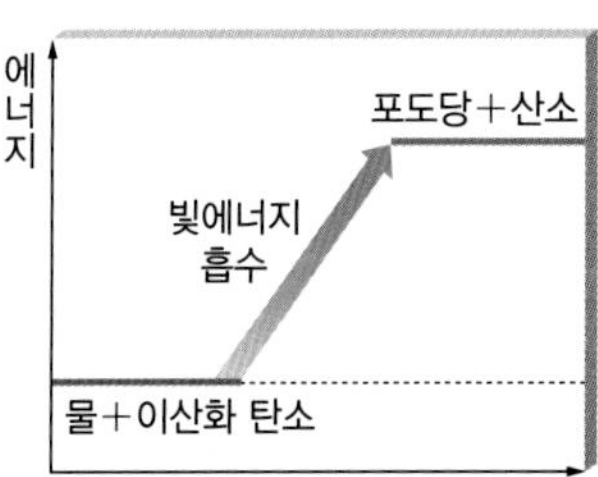

오존

본문 개념 학습 067쪽

오존(ozone, O_3)은 산소 원자 3개로 이루어져 있으며, 상온에서 기체 상태이다. 오존은 산화력이 강하기 때문에 오염 물질을 살균 · 소독하거나 악취를 제거하는 데 주로 사용된다. 지표 부근에서 오존은 인체에 해로운 스모그를 형성하지만, 성층권에서는 오존층을 형성하여 자외선을 흡수함으로써 지상의 생명체를 보호하는 역할을 한다. 오존층을 이루는 오존은 대부분 성층권에서 광화학적 과정으로 생성되는데, 오존의 생성과 자연적인 파괴로 인한 손실은 균형을 이루고 있다. 그러나 인위적인 화학 물질에 따른 오존의 파괴로 오존층이 얇아졌다가 최근에는 다시 회복되고 있다. 만약 오존층이라는 보호막이 없어진다면 자외선이 지표까지 도달하여 지상에는 생물이 살 수 없게 될 것이다.

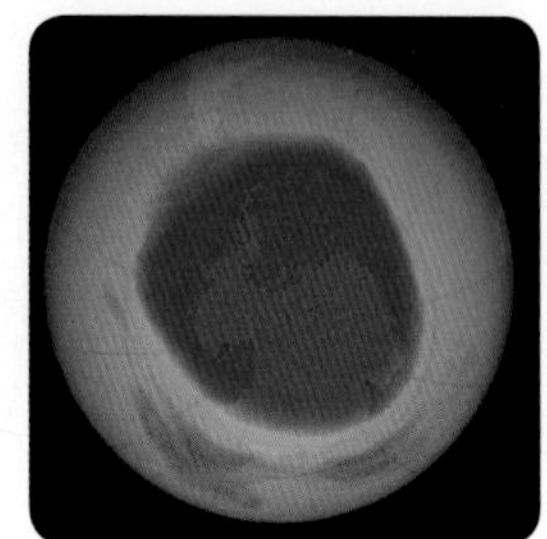

남극 대륙의 오존 구멍 보라색 부분이 파괴된 오존층을 나타낸다.

유성

본문 개념 학습 067쪽

우주 공간으로부터 지구로 떨어지는 암석 조각은 지구의 대기권에 들어오면 대기와의 마찰로 불꽃을 내면서 타게 되는데, 이것을 유성 또는 별똥별이라고 한다. 이때 암석 조각이 큰 경우에는 타다가 남은 것이 지표면에 떨어지기도 한다. 이렇게 지표면에 떨어진 암석 조각을 운석이라고 한다.

지구가 공전하다가 혜성이 지나간 자리를 지나는 경우에는 혜성의 잔해가 한꺼번에 지구로 떨어지면서 수많은 유성이 관측(유성우)되기도 한다. 혜성에서 나온 유성체는 초기에 잘 모여서 띠를 이루다가 시간이 지남에 따라 태양 복사 에너지에 의한 압력이나 태양과 목성 등 태양계 안의 큰 천체에서 작용하는 중력에 의해 원래 궤도를 이탈하여 태양계의 황도면에 퍼지게 된다.

유성

운석

오로라

본문 개념 학습 067쪽

오로라는 태양에서 방출된 대전 입자(플라스마)의 일부가 지구 자기장에 이끌려 대기로 진입하면서 공기 분자와 반응하여 빛을 내는 현상이다. 오로라(aurora)는 '새벽'이란 뜻의 라틴어로, 1621년 프랑스의 과학자 피에르 가센디가 로마 신화에 등장하는 여명의 신 아우로라(Aurora, 그리스 신화의 에오스)의 이름을 딴 것이다.

오로라는 주로 위도 60°～80°의 지역에서 넓게 나타나며, 나타나는 시기와 모양에 따라 높이가 다르다. 오로라의 빛깔에는 황록색, 붉은색, 황색, 오렌지색, 흰색 등이 있는데, 붉은색 오로라는 초록색 오로라보다 높은 곳에서 만들어지므로 상대적으로 멀리서 관측된다. 오로라는 대기 상층부에서 일어나기 때문에 밤하늘이 구름에 의해 가려지면 볼 수 없다.

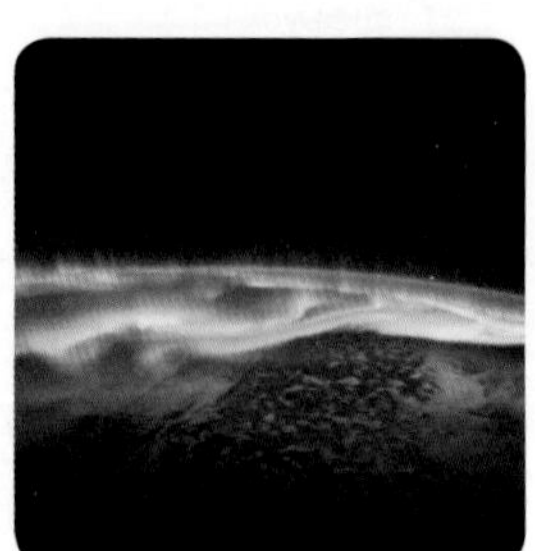

우주에서 바라본 오로라

구름의 분류

본문 개념 학습 084쪽

구름은 크게 모양과 높이에 따라 분류한다. 1802년 프랑스의 라마르크가 최초로 구름의 분류를 제안하였으며, 1803년 영국의 하워드는 지상에서 볼 수 있는 형태에 착안하여 구름을 권운, 층운, 적운의 3가지 기본형으로 나누었다. 현재는 세계기상기구(WMO)에서 정한 기본 운형 10종을 세계 공통으로 사용하고 있다.

구분	종류	특징
상층운	권운	줄무늬 모양의 구름
	권적운	양털 모양의 작은 덩어리 구름
	권층운	무리가 나타나는 얇은 층 모양의 구름
중층운	고적운	양떼가 줄을 지은 모양의 구름
	고층운	층 모양의 엷은 흑색 구름
하층운	난층운	두껍고 눈·비를 내리는 회색 구름
	층적운	두껍거나 편평한 덩어리 모양의 구름
	층운	층 모양의 구름
수직 발달 구름	적운	수직으로 두껍게 발달한 구름
	적란운	수직으로 발달하여 탑 모양을 이루는 큰 구름

황사

본문 개념 학습 102쪽

몽골이나 중국 북부의 황토 지대에서 강한 바람에 의해 높이 올라간 미세한 모래 먼지가 편서풍을 타고 우리나라까지 운반되어 서서히 하강하는 현상이다. 황사는 햇빛을 차단하므로 일사량을 감소시키고, 유해 물질과 미세 먼지를 포함하고 있어 호흡기 질환이나 각종 질병을 유발하기 때문에 국제적인 환경 문제가 되고 있다.

황사로 덮인 서울

일기도

본문 개념 학습 102쪽

각 관측소에서 측정된 기온, 기압, 바람, 구름 등의 일기 요소를 지도 위에 숫자나 기호로 표시하고, 등압선을 그려 넣어 저기압, 고기압, 전선 등을 표시한 지도를 일기도라고 한다. 일기도에 표시된 일기 기호를 보면 그 지역의 기온과 기압, 구름의 분포, 바람의 방향과 세기, 비나 눈 같은 기상 상태를 종합적으로 알 수 있으며, 일기도를 일정한 시간 간격으로 작성하면 일기 상태의 시간적 변화를 알 수 있으므로 기상 변화를 정확하게 예보할 수 있다. 최초의 일기도는 19세기 초 독일의 물리학자 브란데스에 의해 만들어졌다.

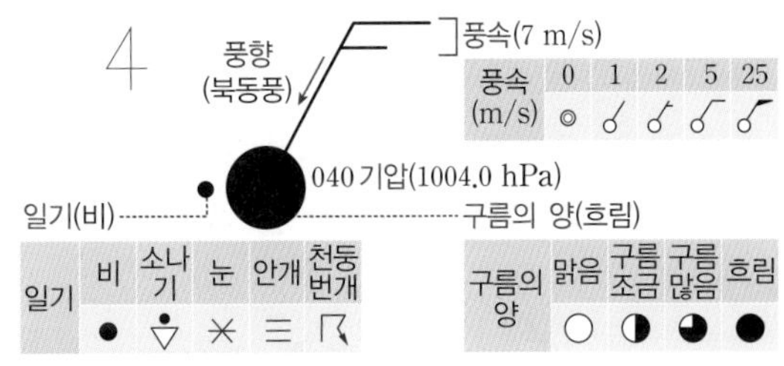

일기도에 쓰이는 일기 기호

태풍

본문 개념 학습 102쪽

위도가 5°~25°이며 수온이 27 ℃ 이상인 열대 해상에서 발생하는 저기압을 열대 저기압이라 하고, 열대 저기압 중에서 중심 부근 최대 풍속이 17 m/s 이상인 것을 태풍이라고 한다. 태풍이 이동하고 있을 때 진행 방향의 오른쪽 반원에서는 태풍의 바람 방향과 이동 방향이 같아서 풍속이 커지는 반면, 왼쪽 반원에서는 그 방향이 서로 반대가 되어 상쇄되므로 상대적으로 풍속이 약화된다. 태풍은 전선을 동반하지 않으며, 태풍이 육지로 상륙하면 세력이 약해져 소멸된다.

태풍 솔릭

알짜힘과 속력 변화

본문 개념 학습 131쪽

한 물체에 여러 힘이 작용할 때, 이 힘들과 똑같은 효과를 나타내는 하나의 힘을 알짜힘(합력)이라고 한다. 알짜힘은 물체의 속력이나 운동 방향 등 물체의 운동 상태를 변화시킨다. 이때 물체의 운동 방향과 나란한 방향으로 크기가 일정한 알짜힘이 계속 작용하면 물체의 속력은 점점 빨라지거나 느려지는 운동을 한다.

- 물체의 운동 방향과 같은 방향으로 물체에 알짜힘이 작용하면 물체의 속력은 점점 증가한다.
- 물체의 운동 방향과 반대 방향으로 물체에 알짜힘이 작용하면 물체의 속력은 점점 감소한다.

① 시간-속력 그래프: 물체에 크기가 일정한 알짜힘이 작용할 때 물체의 속력은 일정하게 변한다. 이러한 운동에서 시간에 따른 속력 변화를 그래프로 나타내면 기울기가 일정한 직선 모양이 된다.

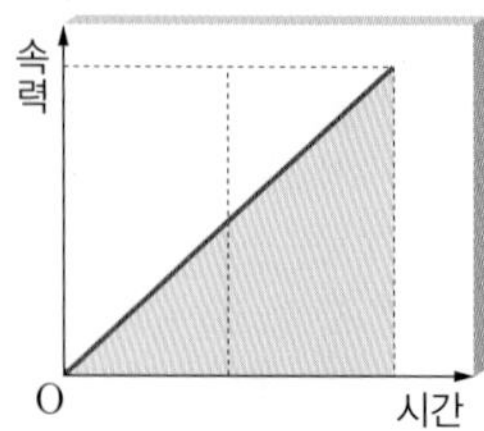

운동 방향과 같은 방향으로 알짜힘이 작용할 때

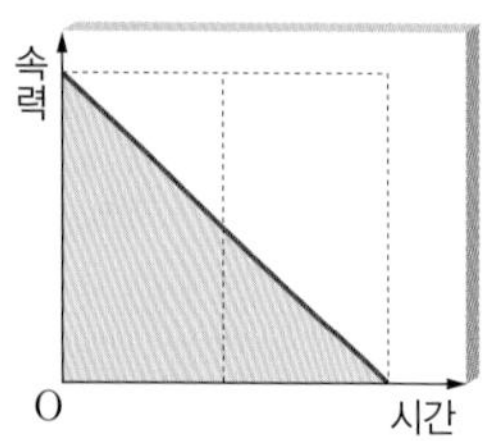

운동 방향과 반대 방향으로 알짜힘이 작용할 때

② 등가속도 직선 운동: 물체에 알짜힘이 일정하게 작용하여 물체의 속력 변화가 일정하게 일어나는 직선 운동을 등가속도 직선 운동이라고 한다. 동일한 물체에 알짜힘이 작용할 때, 알짜힘이 클수록 직선 운동을 하는 물체의 속력이 더 빨리 증가하거나 더 빨리 감소한다. 이때 물체에 작용하는 알짜힘의 크기가 2배, 3배, …가 되면, 물체의 속력 변화도 2배, 3배, …가 된다.

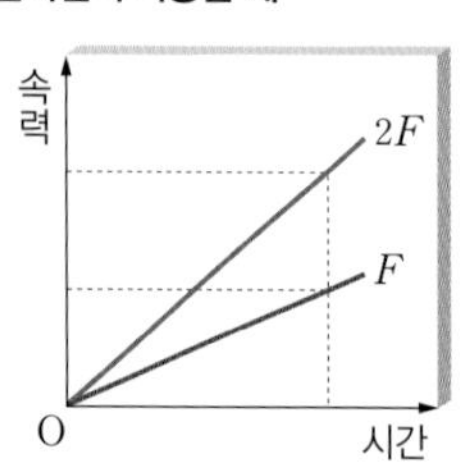

힘의 크기에 따른 속력 변화 비교

속력 변화 ∝ 알짜힘의 크기

마찰력

본문 개념 학습 150쪽

운동하고 있는 물체를 방해하는 힘을 마찰력이라고 한다. 마찰력은 물체가 접촉한 면인 접촉면의 거칠기에 영향을 받는다. 이때 접촉면의 거칠기를 나타내는 상수를 마찰 계수라고 하며, 접촉면에 따라 마찰 계수는 달라진다. 마찰력에는 정지 마찰력, 최대 정지 마찰력, 운동 마찰력이 있다.

① 정지 마찰력: 책상을 밀었을 때 움직이지 않았다면 책상에 작용한 알짜힘은 0이다. 이때 책상에는 책상을 민 힘과 반대 방향으로 마찰력이 작용하는데, 책상을 민 힘과 마찰력이 힘의 평형을 이루어 책상이 움직이지 않은 것이다. 이렇게 정지해 있는 물체에 작용한 마찰력을 정지 마찰력이라고 한다. 정지 마찰력의 크기는 물체에 작용한 힘인 외력의 크기와 항상 같다.

② 최대 정지 마찰력: 정지해 있는 물체를 미는 힘을 점점 크게 하여 물체가 막 움직이기 직전의 마찰력을 최대 정지 마찰력이라고 한다. 최대 정지 마찰력의 크기는 수직 항력에 비례하며, 항상 운동 마찰력보다 크다.

③ 운동 마찰력: 운동하고 있는 물체에 작용하는 마찰력을 운동 마찰력이라고 한다. 운동 마찰력의 크기는 운동하는 물체의 속력에 관계없이 수직 항력에 비례하며, 운동 마찰 계수는 정지 마찰 계수보다 작다.

스포츠와 마찰력

본문 개념 학습 150쪽

봅슬레이나 스키 점프 선수들은 수영복처럼 몸에 붙는 옷을 입는데, 그 까닭은 공기와의 마찰을 줄여 빠르게 내려오기 위해서이다.

마찰력에 민감한 스포츠로 수영이 있다. 기술이 발달하면서 수영복의 재질이 달라지고, 이에 따라 선수들의 기록은 매년 좋아졌다. 특히 마찰력을 줄인 첨단 전신 수영복은 스포츠의 기록에 대단히 큰 영향을 미쳤다. 이에 따라 국제수영연맹은 공정한 경쟁을 위해 수영복의 재질도 통일하고, 전신 수영복을 금지한 바 있다.

종단 속도

본문 개념 학습 150쪽

자유 낙하 운동을 하는 물체들은 속력이 일정하게 증가한다. 따라서 진공 상태에서 같은 높이에서 떨어뜨리면 물체는 바닥에 동시에 도달한다. 그러나 공기 중에서는 물체에 공기의 저항력이 작용하여 같은 높이에서 떨어뜨린 물체는 바닥에 동시에 도달하지 않는다. 공기의 저항력은 공기가 물체의 움직임을 방해하는 힘으로, 물체의 속력에 비례하고, 물체가 공기와 수직으로 닿는 면적에 비례한다. 따라서 공기 중에서 물체를 떨어뜨리면 공기의 저항력을 더 많이 받는 물체가 천천히 떨어진다.

빗방울이 중력에 의해 아래로 떨어질 때 빗방울의 속력은 점점 빨라지지만, 그만큼 공기의 저항력이 커진다. 공기의 저항력이 중력보다 작을 때는 빗방울에 작용하는 알짜힘의 방향이 연직 아래 방향으로 작용하므로 빗방울의 운동 방향과 같아 빗방울의 속력이 점점 빨라진다. 그러나 공기의 저항력이 중력과 같아져 알짜힘이 0이 되면 빗방울은 더 이상 빨라지지 않고 일정한 속력으로 떨어지는데, 이때의 속력을 종단 속도(terminal velocity)라고 한다.

스카이다이빙

스카이다이버가 비행기를 타고 하늘에서 뛰어내리면 스카이다이버의 속력이 점점 빨라지면서 아래로 떨어지는데, 이때 스카이다이버는 공기의 저항을 받는다. 따라서 스카이다이버는 연직 아래 방향의 중력과 연직 위 방향의 저항력이 작용하며, 이 저항력을 받은 스카이다이버의 속력은 더 이상 빨라지지 않아 일정한 속력으로 떨어진다. 즉, 종단 속도에 도달하게 된다.

종단 속도는 처음보다는 매우 빠르지만 일정하기 때문에, 이 종단 속도에 도달하면 스카이다이버는 지상에 있는 것과 같은 느낌을 받는다. 이론적으로는 낙하산을 펼치지 않아도 종단 속도에 도달하지만, 이 상태로 계속 내려오면 종단 속도 자체가 매우 빨라져 위험할 수 있으므로 낙하산을 펼쳐 안전하게 착지한다.

등속 원운동과 구심력

본문 개념 학습 150쪽

인공위성의 운동

기차나 자동차의 바퀴, 건조기나 세탁기의 회전, 지구의 공전이나 지구 주위를 돌고 있는 인공위성 등은 모두 원운동을 하고 있는 예이다. 원운동 중에서 속력이 일정한 운동을 등속 원운동이라고 한다. 이때 이 원운동을 가능하게 하는 힘을 구심력이라고 한다.

등속 원운동을 하는 물체에는 매 순간 운동 방향과 수직으로 일정한 크기의 힘이 작용한다. 이 힘이 구심력이다.

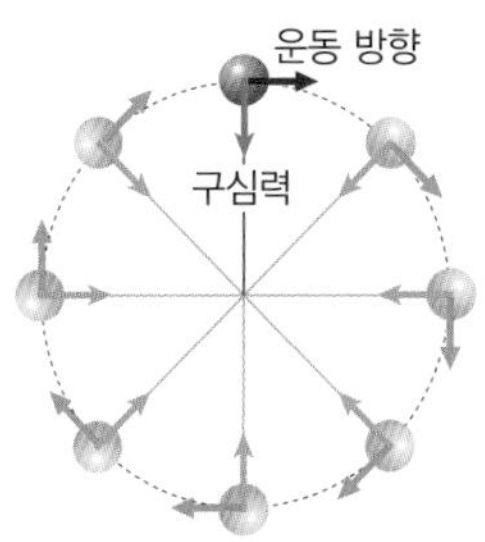

등속 원운동을 하는 물체의 운동 방향과 구심력의 방향

구심력의 방향은 원운동을 하는 물체의 중심을 향하는 방향이다. 구심력은 물체의 운동 방향에 수직으로 작용하므로 물체의 속력을 변화시키지 않고 물체의 운동 방향만을 변화시킨다.

주기 운동

본문 개념 학습 150쪽

등속 원운동과 같이 일정한 시간 간격으로 움직임이 반복되는 운동을 주기 운동이라고 한다. 등속 원운동에서 주기는 물체가 한 바퀴 도는 데 걸리는 시간이다.

주기 운동의 예로 실에 매달려 좌우로 왕복하는 진자의 운동, 용수철의 진동 등을 들 수 있다.

진자의 운동

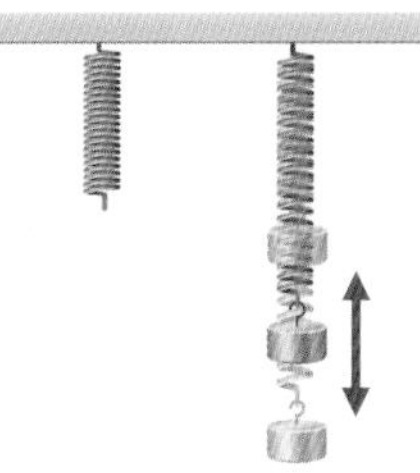

용수철의 진동

감각과 감각 기관

본문 개념 학습 176쪽

감각은 외부의 자극을 받아들여 의식에 변화가 생기는 것이다. 외부의 자극을 받아들여 감각을 담당하는 기관을 감각 기관이라고 하는데, 사람의 몸에는 눈, 귀, 코, 혀, 피부의 감각 기관이 있다. 이들 감각 기관은 외부의 자극을 받아들여 신경 세포인 뉴런의 전기적 신호로 바꾸고, 이 신호가 신경을 통해 뇌로 전달되어 감각하게 된다.

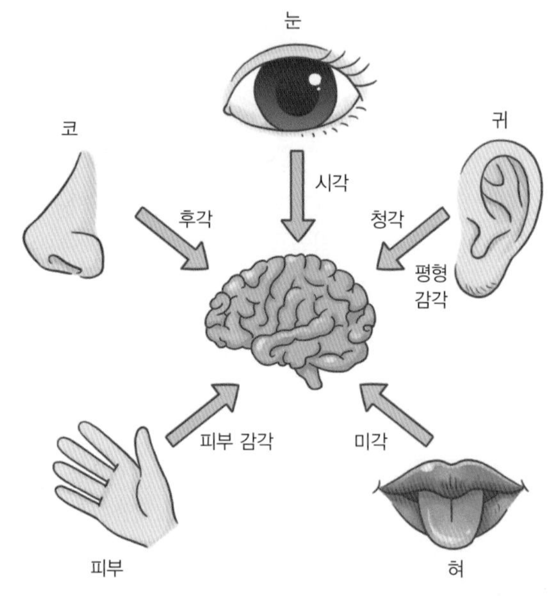

눈은 빛 자극을 전기적 신호로 바꾸어 뇌로 전달함으로써 사물을 볼 수 있게 하는 시각 기관이다. 귀는 소리를 전기적 신호로 바꾸어 들을 수 있게 하는 청각 기관인데, 귀는 몸의 회전과 기울어짐을 감지하여 몸의 평형을 유지하는 데 관여하는 평형 감각기이기도 하다. 코는 공기 중에 있는 화학 물질에 따라 서로 다른 전기적 신호의 조합을 만들어 내서 냄새를 맡도록 하는 후각 기관이며, 혀는 침 또는 수용액에 녹아 있는 화학 물질에 따라 서로 다른 전기적 신호의 조합을 만들어 내 맛을 느끼도록 하는 미각 기관이다. 피부는 접촉, 압력 변화, 온도 변화 등을 받아들여 여러 가지 피부 감각을 느끼도록 한다.

사람을 비롯한 동물은 이러한 감각 기관을 통해 외부 자극을 감각하여 환경의 변화를 알아내고 그에 적합하게 대응함으로써 몸을 보호하고 생명을 유지한다.

뉴런

본문 개념 학습 196쪽

뉴런은 신경계를 구성하는 기본 단위가 되는 세포로, 자극을 받아들이고 신호를 전달한다. 뉴런은 크기와 모양이 다양한데, 대부분의 뉴런은 신경 세포체, 가지 돌기, 축삭 돌기로 구성된다. 신경 세포체에는 핵을 비롯한 여러 세포 소기관이 있어 세포의 생명 활동에 필요한 다양한 물질이 합성된다. 가지 돌기는 신경 세포체에서 뻗어 나온 짧은 돌기로, 다른 뉴런이나 세포에서 오는 신호를 받아들인다. 축삭 돌기는 신경 세포체에서 뻗어 나온 긴 돌기로, 다른 뉴런이나 세포로 신호를 전달한다.

뉴런은 기능에 따라 감각 뉴런, 연합 뉴런, 운동 뉴런으로 구분한다. 감각 뉴런은 감각 기관에서 받아들인 자극을 뇌와 척수 같은 중추 신경계로 전달한다. 연합 뉴런은 중추 신경계를 구성하며 감각 뉴런에서 온 정보를 판단하고 적절한 명령을 내린다. 운동 뉴런은 연합 뉴런의 명령을 근육이나 반응기로 전달한다. 감각 기관에서 받아들인 자극은 감각 뉴런 → 연합 뉴런 → 운동 뉴런을 거쳐 전달되어 반응으로 나타난다.

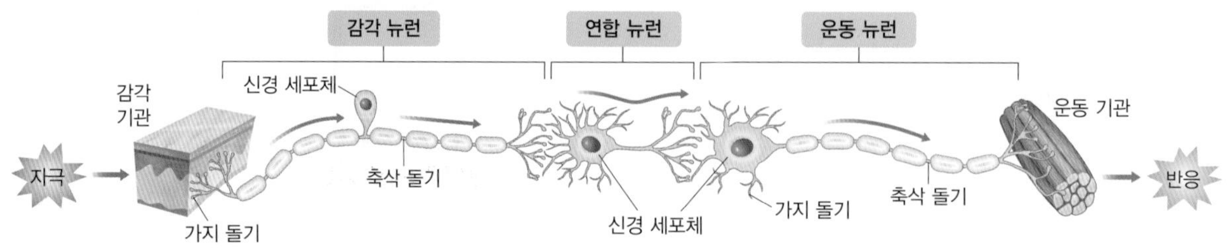

신경계

본문 개념 학습 198쪽

신경계는 감각기에서 받아들인 정보를 전달하고, 전달된 정보를 분석하여 반응 명령을 내리며, 이 명령을 반응기에 전달하는 기관계이다. 신경계는 뇌와 척수로 구성된 중추 신경계와 온몸에 퍼져 있는 말초 신경계로 구분한다. 중추 신경계는 감각 신경을 통해 들어온 감각 정보를 통합하여 반응 명령을 내리며, 말초 신경계는 감각기에서 받아들인 정보를 중추 신경계로 전달하고 중추 신경계의 반응 명령을 근육이나 분비샘 등의 반응기에 전달한다. 시각 신경, 청각 신경, 후각 신경 등과 같이 감각 기관에 연결된 신경은 말초 신경계에 속한다.

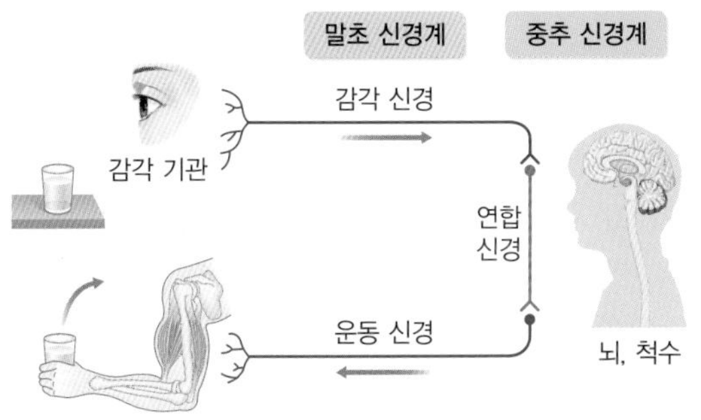

자율 신경계

본문 개념 학습 200 쪽

자율 신경계는 말초 신경계에 속하는 신경계로 내장 기관, 혈관, 분비샘 등에 분포하며 소화, 순환, 호흡, 호르몬 분비 등 생명 유지에 필수적인 기능을 조절하고 체내 환경을 일정하게 유지하는 역할을 한다. 자율 신경이란 이름은 대뇌의 직접적인 지배를 받지 않는다는 의미로 붙여졌으며, 대뇌 대신 간뇌의 시상 하부, 중간뇌, 연수 등 여러 중추 신경의 지배를 받는다. 자율 신경계는 교감 신경과 부교감 신경으로 구성되는데, 이들은 반응기에서 서로 반대 효과를 나타내는 길항 작용으로 각 기관의 기능을 조절한다. 일반적으로 교감 신경은 몸을 긴장 상태로 만들어 갑작스러운 위기 상황에 대처하도록 조절하고, 부교감 신경은 긴장 상태에 있던 몸을 평상시 상태로 회복하도록 조절한다.

호르몬

본문 개념 학습 212쪽

호르몬은 특정 조직이나 기관의 생리 작용을 조절하는 화학 물질로, 내분비샘에서 분비된다. 내분비샘은 호르몬을 생산하고 분비하는 조직이나 기관으로, 분비관이 따로 없어 호르몬을 혈관으로 분비한다. 혈액에는 여러 내분비샘에서 분비된 다양한 호르몬이 있지만, 각 호르몬은 혈액을 따라 이동하다가 수용체가 있는 특정 세포(기관)에만 작용한다. 이 세포(기관)를 표적 세포(기관)라고 한다. 호르몬은 표적 세포에 작용하여 세포 내 특정 물질의 농도를 증가시키거나 특정 유전자를 발현시키는 등 다양한 세포 반응을 유도한다. 대부분의 호르몬은 단백질로 되어 있고, 성호르몬과 같은 일부 호르몬은 스테로이드 성분으로 구성된다.

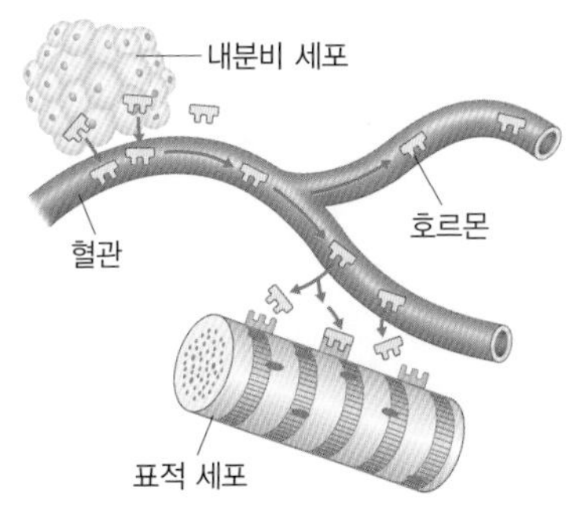

항상성

본문 개념 학습 215쪽

항상성은 환경 변화에 관계없이 체내 환경을 안정적이고 상대적으로 일정하게 유지하려는 성질로, 동물에서는 호르몬과 신경계에 의해 조절된다. 온도 조절 장치는 온도 센서가 있어 감지된 온도에 따라 난방과 냉방을 번갈아 가동하여 실내 온도를 일정하게 유지한다. 이와 같이 우리 몸에서는 체온이 정상보다 높아지면 체내 열 발생량을 줄이고 열 발산량을 늘려 체온을 낮추며, 체온이 정상보다 낮아지면 체내 열 발생량을 늘리고 열 발산량을 줄여 체온을 높인다. 우리 몸의 체온, 혈당량, 체내 수분량 등은 일정하게 유지되므로 체내 환경이 안정적으로 유지되어 여러 가지 생리 작용이 원활하게 일어날 수 있다.

찾아보기

HIGH TOP